K. KIENZLER

LOGIK DER AUFERSTEHUNG

FREIBURGER
THEOLOGISCHE STUDIEN

Unter Mitwirkung
der Professoren der Theologischen Fakultät
herausgegeben von

Remigius Bäumer, Alfons Deissler, Helmut Riedlinger

Hundertster Band

Logik der Auferstehung

KLAUS KIENZLER

Logik der Auferstehung

Eine Untersuchung zu
Rudolf Bultmann, Gerhard Ebeling
und Wolfhart Pannenberg

HERDER
FREIBURG · BASEL · WIEN

79082828

Vorwort

Die vorliegende Untersuchung habe ich im Jahr 1974 bei der Katholisch-Theologischen Fakultät der Albert-Ludwig-Universität in Freiburg i. Br. als Dissertation eingereicht. Sie wurde im Februar 1975 unter dem Dekanat von Prof. Dr. G. Biemer angenommen. Der Fakultät und besonders dem Korreferenten Prof. Dr. K. Lehmann gilt mein herzlicher Dank. Diese Arbeit verdankt sehr viel ihrem Referenten, Prof. Dr. K. Hemmerle, dem jetzigen Bischof von Aachen. Er erschloß mir wichtige Zugänge zur Grundproblematik der Untersuchung, zum Verhältnis philosophischen und theologischen Denkens, er begleitete die Abfassung in allen ihren Stadien, sein Gespräch und seine Ermutigung waren mir mehr als eine Hilfestellung. Auch den Freunden, dem Assistenten am Lehrstuhl für Religionsphilosophie in Freiburg H.-J. Görtz und dem Stellvertretenden Leiter des Instituts für Theologisch-Pastorale Aus- und Weiterbildung Freiburg Dr. R. Göllner möchte ich danken; unsere Arbeitssitzungen und ihr ausdauerndes Gespräch haben zur Gestalt dieser Arbeit beigetragen. Ich bedanke mich bei den Herausgebern der Freiburger Theologischen Studien und beim Verlag Herder für die Aufnahme des Bandes in ihre Reihe. Schließlich wäre mir ohne den namhaften Druckkostenzuschuß des Erzbischöflichen Ordinariats und der Wissenschaftlichen Gesellschaft in Freiburg eine Veröffentlichung in dieser Form nicht möglich gewesen.

Freiburg, im Februar 1976   *Klaus Kienzler*

Inhalt

1
Hinführung zur Problematik des Sprechens von Auferstehung

1.1 Ziel der Untersuchung

Dieser Arbeit geht es um eine religionsphilosophische Erörterung der Auferstehung. Sie berührt damit zugleich die Frage, wie überhaupt ein theologisches Thema philosophisch abzuhandeln ist. Es scheint dies ein schier unmögliches Unternehmen zu sein, unmöglich von der Philosophie her und nicht weniger unmöglich von der Theologie her.

Theologische Rede von Auferstehung provoziert die Philosophie zuhöchst. Für die leibliche Auferstehung kann die Philosophie nur Spott und Hohn haben (Apg 17,32 und 1 Kor 1–2). Ist Auferstehung nicht das schlechthin Neue und Un-denkbare, das Ende der Philosophie und ihrer Aussagen über Welt und Mensch, Seele und Geist, Leben und Tod? Es käme der Selbstaufgabe der Philosophie gleich, das Un-denkbare denken zu wollen. Und doch kann die Rede von Auferstehung der Philosophie nicht gleichgültig sein, da diese Rede nun einmal ergangen ist und es der Philosophie um alles geht, was je gedacht, gesprochen und erfahren wurde.

Für die Theologie bedeutet das Sprechen von Auferstehung die innere Spitze ihrer Aussagen und Grenze ihres Verstehens zugleich. In ihm ist die Theologie in Gefahr, als schlechterdings unverständlich abgetan zu werden; denn gerade aus dem Un-denkbaren schöpft sie ihre Hoffnung wider alle Hoffnung, und gerade das Un-denkbare behauptet sie als das Geheimnis, aus dem die Transzendenz in das andere aufbricht. Und doch versteht die Theologie etwas, wenn sie von Auferstehung spricht. Das Verstehen also ist beansprucht, aber auf eine Weise, wie nur der Glaube versteht. Daher weigert sich die Theologie einerseits, ihre Hoffnung und ihr Geheimnis dem Denken einfachhin zu überlassen, andererseits hat sie sich selbst immer mehr zu verstehen und verständlicher zu machen.

Wo tut sich hier ein Weg der Vermittlung auf? Ein Weg, die Auferstehung ins Verstehen einzubringen für die Philosophie und sie ans Verstehen freizugeben für die Theologie? Dieser Aufgabe stellt sich die Religionsphilosophie. Sie weist dem philosophischen Denken einen Zugang zur Wirklichkeit des Glaubens, indem sie theologische Grunddaten zu verstehen und zu reflektieren versucht.

Die Rede der Auferstehung stellt aber ihrerseits wieder besondere Anforderungen an das Verstehen der Religionsphilosophie. Die Religionsphilosophie wird sich nicht begnügen können, philosophische Prämissen für die Theologie aufzubereiten, diese der Theologie als Möglichkeiten ihres Verstehens anzubieten und sie auf den Glauben hin zu interpretieren. Dieses herkömmliche Vorgehen muß im Falle der Auferstehung scheitern, da die Auferstehung als das philosophisch Un-denkbare philosophisch voraussetzungslos ist. Die religionsphilosophische Erörterung muß vielmehr im Verstehen der Auferstehung als Grunddatum ihres eigenen Verstehens ansetzen. Sie übernimmt dieses ursprüngliche Verstehen als Grunddatum ihres eigenen Verstehens, erhebt es in sich, in seiner inneren Verstehbarkeit, und legt es auf das Verstehen überhaupt hin aus.

In der Religionsphilosophie sind also das Verstehen des Glaubens und das Verstehen überhaupt miteinander konfrontiert. Innerhalb dieses Zueinanders geht die Religionsphilosophie philosophisch von der Theologie her auf die Theologie zu, d. h., sie erhebt einerseits, was die Theologie sagt, und fragt andererseits nach den Bedingungen der Möglichkeit der theologischen Aussagen. So kann Auferstehung Modell-fall für die Religionsphilosophie sein. In diesem Modell verstünde die Religionsphilosophie als ihr Eigenes, theologische Implikate philosophisch zu erheben, im Medium der Philosophie zu reflektieren, die Einheit des Verstehens von Philosophie und Glauben zu suchen und doch zugleich die Differenz beider zu wahren, indem ihr im Medium philosophischen Verstehens der andere Ursprung des Glaubens aufgeht, sie den Glauben an seinen eigenen Ursprung freigibt.

Damit wäre der Philosophie die Aufgabe des Verstehens überhaupt, des Verstehens aus eigenem Ursprung und des Verstehens der anderen Ursprünglichkeit zugeordnet als ein Verstehen, das die Übereinkunft von Philosophie und Theologie aufdeckt und zugleich die Möglichkeitsbedingungen dessen bedenkt, wie theologische Phänomene überhaupt zu verstehen sind. Für die Theologie aber wäre ein neues Verstehen ihrer selbst initiiert, indem ihr Verstehen in das Verstehen überhaupt eingebracht und sie zugleich an ihr eigenes Verstehen freigegeben wird. So kommt die Religionsphilosophie zwischen Theologie und Philosophie zu stehen, indem sie den Glauben auf sein Verstehen hin und die Philosophie für die Möglichkeiten neuen Verstehens (Sprechens, Denkens, Erfahrens) eröffnet.

1.2   Kontexte

1.2.1   Die Diskussion um die Auferstehung in der neueren protestantischen Theologie

Der Exemplifizierung unserer These zur Religionsphilosophie, dem notwendigen Zusammenhang nämlich von Glauben und Verstehen und speziell dem von Auferstehung und Verstehen, haben wir in dieser Arbeit einen breiten Raum gelassen. In einem Vorstoß in die protestantische Theologie analysieren und demonstrieren wir diesen Zusammenhang am Beispiel der Auferstehungstheologien von R. Bultmann, G. Ebeling und W. Pannenberg, bei denen von Auferstehung jeweils in einem mehr oder weniger ausdrücklich philosophischen Kontext die Rede ist.

An ihrem Beispiel läßt sich ein Dreifaches für unsere Untersuchung gewinnen:

1. Einmal stehen ihre Namen für ein besseres Verstehen der Auferstehung in der Theologie heute überhaupt. Die Theologie der Auferstehung, die in der protestantischen Literatur seit Schleiermacher zu theologischer Bedeutungslosigkeit abgesunken war, hat erst in den letzten Jahrzehnten zunehmend Bedeutung gewonnen, dies vor allem im protestantischen Raum. Die Entwicklung in dieser Zeit verlief jedoch im katholischen[1] und im protestantischen Raum[2] sehr unterschiedlich. Für das protestantische Verständnis wurden nicht zuletzt die drei genannten Theologen maßgeblich.

2. Indem es Bultmann, Ebeling und Pannenberg darum geht, die Auferstehung besser zu verstehen und verständlicher zu machen, geht es ihnen implizit auch um das Verstehen überhaupt. Alle drei Theologen entwickeln ihre Theologie von einem systematischen Ansatz her, ihr Ansatz aber begreift über die Theologie hinaus ein Verstehen von Welt und Mensch mit ein. Innerhalb dieses allgemeinen Verstehenshorizontes kommt auch die Auferstehung zu stehen. Es wird Ziel der Interpretation und Analyse dieser Arbeit sein, jeweils den philosophischen Kontext ihrer Theologien zu erheben, der gerade auch die jeweiligen Auferstehungstheologien prägt, davon abhebend den genuin theologischen Kontext aufzusuchen und das Zueinander von Theologie und Philosophie zu ermitteln.

3. Diese Frage des Zueinanders von Theologie und Philosophie ist wiederum eine Frage an das Verstehen überhaupt. Es ist die Frage danach, wie sich die Theologen selbst verstehen, aus welchen Quellen und Ursprüngen sie ihr Ver-

---

[1] Vgl. K. Rahner, Dogmatische Fragen zur Osterfrömmigkeit, in: ders., Schriften zur Theologie IV, Einsiedeln 1960, 157 ff.

[2] Vgl. H. U. v. Balthasar, Mysterium Paschale, in: MySal III/2 (1969) 258, Anm. 8 u. 9.

stehen schöpfen und auf welches Verstehen hin sie es schließlich ausrichten. Es zeigt sich nämlich, daß gerade an der Auferstehungsfrage das Verstehen aus dem Glauben und das Verstehen überhaupt miteinander konfrontiert werden, daß das Glaubensdatum der Auferstehung das Verstehen immer wieder provoziert, einen Überschuß über alles Begreifen behauptet und auf keiner Stufe des Verstehens zur Ruhe kommt. Dies läßt sich gerade am Beispiel der drei Theologen demonstrieren. Es wird zu fragen sein, wie sie den Überschuß und die eigene Ursprünglichkeit des theologischen Verstehens mit ihrem philosophischen Verstehen vereinbaren und ins Verhältnis setzen.

Die Zahl der Untersuchungen zur Theologie und Philosophie Bultmanns ist immens, die Zahl derer zu Ebeling und Pannenberg in den letzten Jahren sprunghaft angestiegen[3]. Diese Untersuchungen reichen von philosophischen und theologischen Gesamtdarstellungen über Einzeluntersuchungen zu bestimmten Themen bis hin zu Darstellungen unseres speziellen Themenkreises[4]. Sie werden vorausgesetzt und komplettieren diese Arbeit, die es aber als ihr Eigenes versteht, den Ort der Auferstehung in den Grundverhältnissen von Theologie und Philosophie und Glauben und Verstehen zu bestimmen. Diese Verhältnisse sind in den vorliegenden Arbeiten entweder nicht gegeneinander abgewogen oder nur in einer Komponente untersucht bzw. auf eine reduziert oder erst gar nicht gesehen. Andererseits sind wir genötigt, uns auf die Strukturen philosophischen und theologischen Verstehens der jeweiligen Programme zu beschränken, und müssen so gerade hinsichtlich der Entfaltung einzelner Gedanken auf die entsprechenden Arbeiten verweisen.

In der Diskussion um die genannten Theologien sind heute vielleicht weniger weiter differenzierende Darstellungen erforderlich als deren Positionen ortende Reflexionen. So bemerkt A. Gerken[5] zu der in jüngster Zeit von K. Hollmann vorgelegten Übersicht aller kritischen Stimmen und zu Auseinandersetzungen mit R. Bultmann aus dem katholischen Raum mit Recht, daß die Diskussion um Bultmann in gewisser Hinsicht abgeschlossen sei, daß jedenfalls die Diskussion nicht überall weiterführe, es sei denn, sie werde von ihrer inzwischen verengten Fragestellung befreit. Die neue Hinsicht auf das Problem und die Positionen muß nach A. Gerken gerade in der Reflexion des Verhältnisses von Glauben und Verstehen und von einem neuen Vermittlungsbegriff dieses Verhältnisses her ansetzen. Zugleich schlägt er selbst den biblischen „Zeugnis"-Begriff für eine Neubestimmung dieses Verhältnisses von Glauben und

---

[3] Siehe unten die Literatur bei der Behandlung der Einzelthemen.
[4] Siehe unten die Literaturübersicht bei der Darstellung der Auferstehungstheologien von Bultmann, Ebeling und Pannenberg.
[5] A. Gerken, Rez.: K. Hollmann, Existenz und Glaube. Entwicklung und Ergebnis der Bultmann-Diskussion in der katholischen Theologie, Paderborn 1972, in: ThR 69 (1973) 389–391.

Verstehen vor: „Es ist die Frage, ob nicht ein Begriff, der für die Bibel in diesem
Zusammenhang außerordentliche Bedeutung hat, zu Unrecht in der heutigen
Theologie fast völlig in den Hintergrund trat; Zeuge und Zeugnis. Der Zeuge
ist ein personales Zeichen, er macht Gott für die anderen zwar nicht verfügbar,
aber aufweisbar, er stellt einen Anruf und Hinweis dar. Christus selbst ist nach
einer neutestamentlichen Tradition der ‚getreue Zeuge'."[6] Der Begriff des
Zeugnisses, der bei Gerken noch spontan und unvermittelt eingeführt wird,
wird sich im Verlauf unserer Untersuchung als biblischer und religionsphilo-
sophischer Grundbegriff des Verhältnisses von Glauben und Verstehen herausstellen.

1.2.2 Auferstehung und Zeugnis

Einerseits liegt dem Problem des Sprechens von Auferstehung das der Bestimmung des Verhältnisses von Glauben und Verstehen, von gläubigem Hören auf
das Kerygma und verstehender Übernahme des Ursprungsgeschehens von
Ostern zugrunde, andererseits spitzt sich jenes Verhältnis im Sprechen von Auferstehung in besonderem Maß zu und drängt auf seine Klärung. Gerade diese
Spannung ist es, die in zahlreichen Untersuchungen zur Auferstehung den
Begriff Zeugnis zu einem Schlüsselbegriff werden läßt.

So zum Beispiel bei H. Graß. Graß faßt in seinem Bericht „Zur Begründung
des Osterglaubens"[7] die neuere Auferstehungsdiskussion in der protestantischen Theologie (R. Bultmann, G. Ebeling, E. Käsemann, G. Bornkamm, E.
Fuchs) zusammen und stellt sie in die protestantische Tradition von F. Schleiermacher, A. Ritschl und W. Herrmann. In einer abschließenden Kritik bemängelt
er die Rückführung der Begründung des Glaubens entweder auf das Kerygma
oder die Jesusgeschichte, „tertium non datur"; die Auferstehungsdiskussion seit
Schleiermacher ist für ihn das Durchspielen dieser beiden Positionen. H. Graß
selbst bemüht sich nun gerade um dieses Tertium, um die Begründung des
Osterglaubens aus ihm und um die Vermittlung von Kerygma und Geschichte;
dazu führt er – wenn auch ohne weitere Reflexion – den Begriff des „Zeugnisses" ein[8]: „Das Ostergeschehen und die Botschaft von ihm steht nicht isoliert
im NT, sondern ist eingebettet in sein Gesamtzeugnis von Jesus Christus, das
aus ihm erwuchs. Ebenso wird auch in der Verkündigung der Kirche, wenn
sie recht geschieht, Ostern nicht als einzelnes, zu glaubendes Wunder den Gläu-

---

[6] Ebd. 390.
[7] H. Graß, Zur Begründung des Osterglaubens, in: ThLZ 89 (1964) 405ff.
[8] Ebd. 410.

bigen vor Augen gestellt, sondern es bildet ein Moment in dem Zeugnis von dem, was Gott durch Jesus Christus für uns und an uns getan hat und tut. Das Zentrum dieses Zeugnisses ist, daß Christus der Herr ist und was dieses Herrsein für uns bedeutet. Das Zeugnis bezeugt aber nicht nur: Er ist der Herr, sondern er selbst erweist sich im Zeugnis als der Herr, indem er durch das Wort seiner Zeugen Macht über die Menschenherzen gewinnt."[9]

Überblickt man die gesamte Auferstehungsdiskussion in der protestantischen Literatur und schaut man besonders auf Beiträge, die mehr am Rande dieser Diskussion geschrieben wurden und die nicht ohne weiteres der Spur Bultmanns folgten, sondern sich vielmehr von ihr absetzten, dann läßt sich in vielen Untersuchungen dieser Art der Begriff „Zeugnis" gleichsam als immer wieder auftauchende Konstante des Zugangs zum Auferstehungsgeschehen und als gemeinsamer kritischer Einwand gegen Wort- und Geschichtstheologie konstatieren. Um so erstaunlicher ist es, daß dieser Begriff nirgends einer ausdrücklichen Untersuchung unterzogen wird. Er wird weitgehend als bekannt vorausgesetzt und als solcher eingeführt, dabei aber offensichtlich ganz verschieden gebraucht und verstanden. So gibt es eine Reihe von Autoren, die sich sehr heftig gegen die Kerygmatisierung von Ostern bei Bultmann wenden und dagegen den Begriff des Zeugnisses als „historisches" Zeugnis ins Feld führen (M. Barth, W. Künneth, A. Geiselmann)[10]. Bei anderen wird wohl die biblisch-„theologische" Komponente des Zeugnisses sichtbar, ohne jedoch klare Gestalt zu gewinnen (J. Jeremias, K. H. Rengstorf, G. Trilling, H. Graß, G. Koch, K. Barth)[11]. Mit diesen Begriffen werden wir uns auseinanderzusetzen haben.

An dieser Stelle sei aber ausdrücklich das Buch von G. Koch, das bezeichnenderweise in der Diskussion bislang weitgehend unberücksichtigt blieb, genannt[12]. G. Koch setzt sich mit der protestantischen Theologie seit Schleierma-

---

[9] H. Graß, Ostergeschehen und Osterberichte, Göttingen ²1962, 276.

[10] M. Barth, Der Augenzeuge. Eine Untersuchung über die Wahrnehmung des Menschensohnes durch die Apostel, Zürich 1946; W. Künneth, Theologie der Auferstehung, München ³1938, 59ff, 62ff; J. R. Geiselmann, Jesus Christus. Die Urform des apostolischen Kerygmas als Norm unserer Verkündigung und Theologie von Jesus Christus (Bibelwissenschaftliche Reihe des Katholischen Bibelwerkes, 5), Stuttgart 1951, 31–48.

[11] J. Jeremias, Der gegenwärtige Stand der Debatte um das Problem des historischen Jesus, in: Der historische Jesus und der kerygmatische Christus. Beiträge zum Christusverständnis in Forschung und Verkündigung, hrsg. von H. Ristow – K. Matthiae, Berlin 1960, 24–25; K. H. Rengstorf, Die Auferstehung Jesu. Form, Art und Sinn der urchristlichen Osterbotschaft, Witten ⁴1960, 136–145, 72, 107; G. Trilling, Fragen zur Geschichtlichkeit Jesu, Düsseldorf 1966, 152–156; ders., Jesusüberlieferung und apostolische Vollmacht, in: Miscellanea Erfordiana, hrsg. von E. Kleineidam – H. Schürmann (Erfurter theologische Studien, 12), Leipzig 1962, 77ff; H. Graß, s. Anm. 7–9; G. Koch, s. Anm. 12–14; K. Barth, Die kirchliche Dogmatik I/1 u. 2, Zürich ⁶1952 bzw. ⁴1948, I/1, 342ff, 347; I/2, 11ff, 226ff.

[12] G. Koch, Die Auferstehung Jesu Christi (Beiträge zur historischen Theologie, 27), Tübingen 1965.

cher (danach W. Herrmann und M. Kähler) auseinander, wehrt sich gegen das immer weiter fortschreitende Auseinanderbrechen der Theologie in eine entweder subjektivistische Theologie (R. Bultmann) oder objektivistische Theologie (K. Barth) und führt das gesamte Ostergeschehen auf die personale Begegnung des lebendigen Christus mit dem Menschen zurück. Für sein Verstehen des Ostergeschehens als Ereignis der bleibenden Präsenz des Auferstandenen wird ihm der „Zeugnisbegriff" zu einem der Grundbegriffe. Das folgende Zitat macht die Stärke und die Grenzen dieses Zeugnisbegriffes in G. Kochs Auferstehungstheologie offenbar: „Obwohl das Erkennen die Ereignung weder schafft noch begründet, sondern Ereignung das Erkennen widerfahren läßt, ist jegliches Fragen nach der Wirklichkeit jenseits dieser Beziehung ein verfehltes Fragen. Eine solche könnte wiederum nur eine Wirklichkeit meinen, die außerhalb des Aktes der Begegnung zu haben wäre und Auferstehung als Bestand sichern wollte. Allein in der Begegnung ist sowohl das Erscheinen als auch das Erkennen des Erscheinens. Nur in dieser Begegnung wird das Sein der Wahrheit erkannte und zu eigen gegebene Wahrheit. Hier wird der der Wahrheit geöffnete Zeuge geboren. [...] In der Begegnung versteht sich der Mensch neu und bezeugt in seinem Zeugnis der Welt die barmherzige Gegenwart Gottes in Jesus Christus und somit das Angebot des Friedens für die Menschen. Dem Erscheinen Jesu Christi bei den Menschen entspricht deren im Erkennen gewährte, antwortende Sprache. Der Mensch bekennt die offenbarte Wahrheit. Obwohl nicht aus ihm, kommt sie dennoch durch ihn zum Stand. Die Wahrheit von Auferstehung ist im Wort der Zeugen erkannte und zugeeignete Wahrheit. Damit ist Auferstehung als Vorstellung eines einstigen historischen Geschehens dahin – sowohl in positiver Sicht, als Heilsfaktum, als auch in negativer Sicht einer objektivierten Mythologie. Die Bemühung der Theologie läuft jetzt in diejenige Richtung, Auferstehung als Nähe Jesu Christi und als Beziehungswirklichkeit zu interpretieren."[13] Es wird deutlich, daß G. Koch „Zeugnis" ausschließlich als „Begegnung" versteht und in die Begegnungs- und Beziehungswirklichkeit der Auferstehung vereinnahmt. Das Zeugnis als solches kommt bei ihm nicht zum Tragen, es wird auch keine Anstrengung unternommen, es als eigenes Phänomen zu erheben und zu verstehen. Es ist ein Grundentscheid G. Kochs, jegliches Verstehen, das nicht im theologischen Kontext bleibt, von vornherein vom Ostergeschehen abzuwehren. G. Koch will „keine Philosophie" in seinem Buch, er hält sie im Rahmen der Auferstehungsproblematik für „unsinnig"[14]. Philosophische Implikate werden bei G. Koch nicht bedacht; das gesamte Auferstehungsgeschehen wird auf das Gegenwartsgeschehen der Begegnung des Gläubigen mit dem Auferstandenen reduziert.

---

[13] Ebd. 155; vgl. 193–205 u.ö.   [14] Ebd. 152.

1.2.3   Von der Existenzanalyse zur Religionsphänomenologie

Im Verstehen der Auferstehung ist für Bultmann, Ebeling und Pannenberg das Verstehen nicht zeitlos abstrakt oder neutrales Medium des Denkens, sondern hat dieses Verstehen selbst wiederum seine Geschichte. Das Verstehen von Theologie und Auferstehung ist geschichtlich, weil das Verstehen einer Epoche selbst Moment des dem Glauben eigenen Verstehens ist. Dieses Eingebettetsein theologischen Verstehens in den geschichtlichen Verstehenshorizont gilt für Bultmann, Ebeling und Pannenberg, gilt aber auch für die hier vorgetragene Interpretation der drei Theologen.

Der Verstehenshorizont Bultmanns und der Theologen in seiner Folge ist wesentlich geprägt durch M. Heidegger und seine Daseinsanalyse in „Sein und Zeit", die das theologische Denken der zwanziger Jahre inspiriert und sich in vielfachen Verästelungen und Abhängigkeiten durchgehalten hat. Die Erschließung der Existenz grenzt so den Verstehenshorizont dieser Epoche ab. Sie eröffnet der Philosophie ein umfassendes Verstehen von Sein und Dasein und der Theologie ein neues Verstehen von Gott und gläubiger Existenz. Abgesehen von der Frage, ob die verschiedenen Heideggerrezeptionen in ihrer Interpretation dem Heideggerschen Begriff der „Existenz" gerecht werden, ist das Werk Heideggers im Grunde vielschichtiger angelegt, als daß es auf die Existenzanalyse reduziert werden könnte. Die Methode von „Sein und Zeit" ist die „Phänomenologie", ihr Ziel eine Fundamentalontologie der „Existenz", die als Ontologie hinter allen Ontologien steht. Diese zweite Komponente stellte sich als fundamentalistisch heraus und wurde Heidegger selbst fraglich. Die Erhellungs- und Erschließungsfunktion der Phänomenologie dagegen bewährte sich, da sie sich frei von ontologischen und fundamentalistischen Tendenzen auf die verschiedensten Phänomenbereiche anwenden läßt.

Die ausdrückliche Hinwendung zu einer „objektiven Phänomenologie" in diesem Sinne vollzieht H. Rombach in seiner Strukturontologie[15]. Phänomenologie bedeutet ihm die Erhellung und Erschließung ineinandergreifender und gesetzmäßiger Phänomenzusammenhänge, der „Strukturen". Die Existenz ist nur eine dieser Strukturen. Das Objekt einer solchen Phänomenologie ist nicht so sehr das Einzelphänomen, sondern die Struktur der Regeln und Zusammenhänge von Phänomenen und Phänomenbereichen – diese deuteten sich vor H. Rombach in den verschiedenen „materialen Ontologien" bereits an –, in der

---

[15] H. Rombach, Die Religionsphänomenologie. Ansatz und Wirkung von M. Scheler bis H. Kessler, in: ThPh 48 (1973) 477ff; vgl. ders., Strukturontologie. Eine Phänomenologie der Freiheit, Freiburg 1971; ders., Die Gegenwart der Philosophie. Eine geschichtsphilosophische und philosophiegeschichtliche Studie über den Stand des philosophischen Fragens (Symposion, 11), Freiburg 1962, 83ff.

das Einzelphänomen erst seinen Ort und seine Funktion für das Ganze, die Struktur, erhält und in der es erst in sich als das ausgearbeitet und rekonstituiert wird, was es ist, nämlich Phänomen des erschließenden Hinblicks und der erschlossenen Wirklichkeit in einem. Die Methode der Strukturontologie besteht dann für Rombach im Durchstrukturieren zusammenhängender Wirklichkeitsbereiche, deren innerer Zusammenhang sich selbst wieder in der Stimmigkeit und Durchgängigkeit der Strukturmomente auftut und bewährt.

Religion und Glaube stellen in diesem Modell einen eigenen Wirklichkeitsbereich mit eigenem Ursprung und Verstehen dar. Aufgabe der „Religionsphänomenologie" im Sinne der Strukturontologie ist es, das Feld religiöser Wirklichkeit aufzureißen, die Begriffe und Elemente aller in diesem Feld vorkommender Phänomene zu erheben, zur Struktur ihres inneren – religiösen – Zusammenhangs durchzustoßen und in einem zweiten Durchgang die Glaubensphänomene als Momente der Glaubensstruktur zu rekonstituieren. Voraussetzung einer solchen Religionsphänomenologie ist die grundsätzliche Anerkennung und Zugänglichkeit der Wirklichkeit des Glaubens, ihre Methode die Erschließung und Rekonstitution dieser Wirklichkeit durch das ihr angemessene Verstehen. So erweist sich die Religionsphänomenologie als der unserem Begriff der Religionsphilosophie entsprechende Weg, „Glaubens"-phänomene zu „verstehen" und das „Verstehen" des „Glaubens" aus eigenem Ursprung zu wahren.

1.3   Dramaturgie

Wie geht nun unsere Arbeit in ihr Problem, das Sprechen von Auferstehung, und auf ihr Ziel, die immanent theologische Struktur von Zeugnis und Auferstehung und des Verstehens von Zeugnis und Auferstehung, zu? Zunächst ist ihr Vor-gang Mit-gang mit Bultmann, Ebeling und Pannenberg, die das Verhältnis der Verstehens-struktur zur Struktur des zu verstehen Gesuchten gedacht haben. Dieser Mit-gang erweist sich als Rück-gang auf das bei Bultmann, Ebeling und Pannenberg zugrunde liegende Prinzip des Verstehens, auf das dieses Verhältnis jeweils reduziert wird. Im Rückgang auf den Ursprung ihres Denkens, im Herauskristallisieren ihres Prinzips erschöpft sich ihr Ansatz, stößt das System an seine Grenze. Wohl lassen die Systeme Bultmanns, Ebelings und Pannenbergs etwas vom Ganzen der Wirklichkeit des Glaubens sehen, doch indem sie ihr Prinzip als alleinigen Ursprung behaupten, verzerren sie das Ganze dieser Wirklichkeit zur Unkenntlichkeit. Daß sie jedoch etwas vom Ganzen sehen lassen, ist uns Hinweis auf die ursprüngliche Bezüglichkeit der Prinzipien Bultmanns, Ebelings und Pannenbergs. Indem wir diese Bezüglichkeit der Ursprünge thematisieren und reflektieren, d. h., indem wir nicht ein-ursprünglich, sondern mehr-ur-sprünglich, d. h. „struktural" denken, gelingt der Durchbruch in das neue Verhältnis von Glauben und Verstehen. Als Begriff der Vermittlung von Glauben und Verstehen, d. h. der Mehr-ursprünglichkeit der neuen Ordnung oder des neuen Verhältnisses, gilt uns das „Zeugnis". In der „Phänomenologie des Zeugnisses" vollzieht sich so die Genese dieser Ordnung des Verhältnisses von Glauben und Verstehen. Dies ist die Ordnung, in der von „Auferstehung" gesprochen wird, in der Auferstehung vorkommt. Mehr noch in der „theologischen" Einholung der Genese offenbart sich die Auferstehung als Gestalt und Ursprung des Verhältnisses von Glauben und Verstehen und als Gestalt und Ursprung der Wirklichkeit des Glaubens zugleich. Schließlich zeigt sich, daß die Ursprünglichkeit des Ursprungs der Wirklichkeit des Glaubens gerade darin besteht, Glauben und Verstehen in ihrer eigenen Ursprünglichkeit zu wahren.

1.4   Methodologie

Die Dramaturgie dieser Arbeit und die Entscheidung zu einer „objektiven Religionsphänomenologie" hat für die Wahl ihrer Methode Folgen. Diese Untersuchung wendet scheinbar eine Vielfalt von Methoden an. Dem Mitgang des Denkens von Bultmann, Ebeling und Pannenberg entspricht die „Interpretation", die verstehende Aufschlüsselung ihrer Programme und Begriffe in einer analysierenden Hermeneutik. Das Ergebnis dieser Interpretation, die Rückführung der Systeme auf das ihnen zugrunde liegende Prinzip, fordert zu eigener Reflexion heraus, die das Ganze und den mehr-ursprünglichen Zusammenhang dieses Ganzen wieder sehen läßt; dies soll eine „Phänomenologie" des Zeugnisses leisten. Schließlich geht die „theologische" Einholung dieses neugewonnenen Verstehens im Glauben von dem ursprünglichen Fundort biblischer Texte aus; hier gilt es, dieses Verstehen biblisch-theologisch zu erarbeiten.

Die Methodenvielfalt bedeutet nur scheinbar eine Vielfalt des hier Gedachten selbst. Der „Struktur"-gedanke ist die Konstante in der Vielfalt; die Methodenvielfalt ergibt sich aus den verschiedenen Hinsichten einer strukturalen Interpretation und das Prisma der verschiedenen Gedanken aus der Ausdifferenzierung der einen Struktur. Der Rückgriff auf die verschiedenen Wissenschaften und ihre Methoden ist gerade die Differenzierung der Struktur; er entspricht der Mehr-ursprünglichkeit der Phänomene. Denn die Struktur selbst, die der Perspektivität der Phänomene Rechnung trägt, verlangt die Reflexion der verschiedensten Dimensionen durch die Einzelwissenschaften, deren Ergebnisse von einer strukturalen Interpretation aufgenommen und auf das strukturale Ganze hin gelesen werden. Strukturales Denken subsumiert daher nicht die Theologie unter die Philosophie, es leistet vielmehr die Erhellung der Koinzidenz von philosophischer und theologischer Struktur.

2

Das Sprechen von Auferstehung
bei R. Bultmann, G. Ebeling und W. Pannenberg

In einem Vorstoß in die protestantische Theologie greifen wir drei wichtige Beiträge zur Auferstehungstheologie heraus; wir erörtern das Sprechen von Auferstehung bei R. Bultmann, G. Ebeling und W. Pannenberg, das jeweils in einem besonderen philosophisch-theologischen Kontext vorkommt. Dieser Kontext bestimmt ihr Sprechen von Auferstehung; ihr Sprechen wird nur von diesem Kontext her verständlich. Philosophischer Kontext zum einen und theologischer Kontext zum anderen sind nicht von vornherein einander gleichzusetzen, sie kommen von einem je eigenen Verstehen her und treten in ein je besonderes Verhältnis zueinander. Wir versuchen, die einzelnen Kontexte voneinander abzuheben, sie in sich zu beschreiben, die Begriffe und Elemente der in ihnen vorkommenden Phänomene zu erheben, um zu ihrem inneren – philosophischen oder theologischen – Zusammenhang durchzustoßen und um so schließlich die Struktur des Glaubens bzw. Verstehens zu rekonstituieren, in der die Einzelphänomene wie die Auferstehung als Momente des Ganzen gedacht werden[1].

2.1   Rudolf Bultmann

Bultmanns theologischer Gedanke strahlt heute noch systematische Stringenz und Brillanz aus[2]. Bultmann montiert nicht äußere Vorgegebenheiten kompilatorisch oder auch kritisch auswählend zusammen, sondern gewinnt aus ihnen seinen eigenständigen Grund, dem eigene Maßstäbe und eigene Koordinaten der Einteilung entsprechen. So erhebt sich auf diesem Grund Bultmanns

---

[1] Zum Strukturgedanken vgl. oben S. 18f. Einen Hinweis der Bedeutung strukturalen Denkens für die Theologie gibt auch F. Konrad, Offenbarungsverständnis, 30ff, Anm. 5.
[2] Zur inzwischen unübersehbaren Diskussion über Bultmann vgl. G. Bornkamm, Die Theologie Bultmanns in der neueren Diskussion 1963. Literaturbericht zum Problem der Entmythologisierung und Hermeneutik, in: Geschichte und Glaube, Teil 1, Gesammelte Aufsätze 3 (Beiträge zur Evangelischen Theologie, 48), München 1968, 173–275.

Gedanke als in sich schlüssiges System, das freilich seinen Grund nicht nur vor sich hat oder unter sich läßt, sondern in sich einbezieht, als konstitutives Element in sich ‚aufhebt'. Der Grund bestimmt den Raum, den Horizont, den das System ausfüllt und der es seinerseits eingrenzt, ihm seinen Stand und seine Stelle im Ganzen zeitgenössischen theologischen Denkens zumessend.

Der einer geschichtlichen Persönlichkeit zugewiesene Boden eigener Arbeit ist ihre Epoche. Die zeitgeschichtliche Situation liefert ihr nicht nur historische, biographische und andere Details, sondern ist selbst Bedingung geschichtlich bedeutsamer Lösungen und Gestalten, die ihr gleichsam antworten. Wenn wir kurz die geschichtliche Situation Bultmanns skizzieren, um den Grund seines Denkens aufzusuchen, tun wir es primär nicht aus historischem Interesse, sondern vor allem um dieses Grundes selbst willen, insofern er als solcher in die Theologie Bultmanns eingegangen ist. Von hier aus läßt sich die Antwort Bultmanns um so deutlicher aufzeigen.

2.1.1 Die Genese des Bultmannschen Denkens

2.1.1.1 Die Zeit Bultmanns

Kein anderer hat so zutreffend wie Bultmann selbst den Durchbruch seines Denkens umschrieben: „Die Besinnung auf geschichtliches Leben und Seinsverständnis, die bei Nietzsche und Jacob Burckhardt lebendig war, die bei Dilthey in den Mittelpunkt des philosophischen Interesses trat und in seinem Briefwechsel mit dem Grafen Yorck das Hauptthema bildete, die Bemühungen um ein Verständnis des Geschichtlichen bei Rickert und Troeltsch wie die anthropologischen Analysen Schelers, ebenso die Einsichten Kierkegaards in das Wesen der menschlichen Existenz, die bei Jaspers und neben der Arbeit Diltheys bei Heidegger wirksam sind, wurden wie für andere, so auch für mich der Anlaß zur Besinnung auf das Problem der Exegese, und ich möchte ausdrücklich sagen, daß das mit dialektischer Theologie zunächst nichts zu tun hat. Wenn der Verfasser [Bultmann antwortet hier auf eine Rezension von H. Windisch] unsere Arbeit auf den Einfluß je unseres Universitätsmilieus zurückführt, so hat er ganz recht, und ich für meine Person bin dankbar, daß ich in meinem Milieu Einflüssen ausgesetzt war und bin, von denen ich lernen kann."[3]

Die Standortbestimmung Bultmanns erscheint als interessant und kompetent. Einmal weist Bultmann selbst auf die Achse hin, die sein Denken von Anfang

---

[3] R. Bultmann, Der Sinn der Bergpredigt. Ein Beitrag zum Problem der richtigen Exegese (Rez. v. H. Windisch), in: DLZ 50 (1929) 986f.

an bewegt; er ordnet sich selbst der Bezugsebene ein, auf welche hin alle Einzelmomente seines Gedankens konstellieren: Bultmann sieht sich in der Folge jener philosophisch-hermeneutischen Besinnung, die sich seit Dilthey zu einem neuen ‚Geschichtsverständnis' durchgerungen hat und sich über die Jahrhundertwende hinweg bis Heidegger hinzieht. Zum anderen macht Bultmann selbst darauf aufmerksam, daß, obgleich diese neue Bezugsebene von Anfang an sein Denken beherrscht, dieses Denken selbst noch seinen eigenen Weg zu gehen hat, um die anstehenden Probleme der Zeit auf diese Mitte zu beziehen und von ihr her zu lösen. Das Denken Bultmanns hat seine eigene Genese vollbracht. Jedenfalls kann das ursprüngliche Anliegen Bultmanns nicht auf das Stichwort „dialektische Theologie"[4] reduziert werden; das gilt auch für das Stichwort „Entmythologisierung", das erst relativ spät fällt[5]. Bis 1926 dürfte sein Denken zu einem ersten klärenden Abschluß gekommen sein[6]. Zuvor wird man kaum von einer einheitlichen Theologie Bultmanns sprechen können; denn da steht Bultmann noch inmitten des damals vorherrschenden ‚Universitätsmilieus'. Die Universität aber bot ein Trümmerfeld.

In der Analyse können zwei Strömungen festgehalten werden, die sich unabhängig voneinander entwickelt hatten und die nun die Auseinandersetzungen, in die sich Bultmann einließ, bestimmten: es war einmal der exegetische Streit der Bibelwissenschaften und dann die religionsphilosophische und religionswissenschaftliche Diskussion. Beide Größen – historische Wissenschaft und Religion – standen beziehungslos nebeneinander, schienen einander bisweilen auszuschließen, wie sich „Historie" und „Glaube" auszuschließen schienen. Diese beiden Größen auf die eine Ebene der ‚Geschichte' zu beziehen, zu verknüpfen und neu zu bestimmen, war die Aufgabe Bultmanns.

Wie sah es nun an der Marburger Universität aus, als Bultmann dort seine Studien aufnahm? Zu Bultmanns Lehrern gehörten Karl Müller, Adolf Jülicher,

---

[4] Zur Entwicklung der „dialektischen Theologie" vgl. GV I, 1ff, 114ff; vgl. auch J. Moltmann, Anfänge der dialektischen Theologie I–II (Theologische Bücherei, 17), München ²1966/67; H. Bouillard, Karl Barth, I: Genèse et évolution de la théologie dialectique (Théologie, 38), Paris 1957.
[5] Das Stichwort „Entmythologisierung" gebraucht Bultmann erstmals 1934 in: Die Eschatologie des Reiches Gottes bei Jesus (Rez. v. H. D. Wendland), in: DLZ 55 (1934) 2021. Zuvor fand es seine Entsprechung in der Forderung nach „Sachkritik" (1926); vgl. GV I, 52–53. Dazu vgl. F. Theunis, Offenbarung, XV, Anm. 11. Zur „Entmythologisierungs"-debatte, die in dieser Arbeit nur am Rande erscheint, vgl. außer Anm. 2 vor allem E. Castelli, Il problema della demitizzazione, Padua 1961; H. W. Bartsch, Der gegenwärtige Stand der Entmythologisierungsdebatte. Ein kritischer Bericht (Ergänzungsband zu KM, 1/2) (Theologische Forschung, 7), Hamburg 1954; A. Vögtle, Rivelazione e Mito, in: Problemi e Orientamenti di Teologia Dommatica, Mailand 1957, 827ff.
[6] 1926 bezieht Bultmann der Leben-Jesu-Forschung gegenüber eine schon eindeutige und abgeklärte Haltung, wenn er formuliert: „Ich lasse es ruhig brennen; denn ich sehe, daß das, was da brennt, alle die Phantasiebilder der Leben-Jesu-Theologie sind und daß es der Χριστὸς κατὰ σάρκα selbst ist" (GV I, 101).

Johannes Weiß, Wilhelm Heitmüller, Hermann Gunkel und Wilhelm Herrmann u. a.[7] 1921 kam Bultmann selbst als Professor auf den Lehrstuhl W. Heitmüllers. Die Daten und Namen erheben bereits Situation und Zeit, in der Bultmann arbeitet. Namen wie J. Weiß und A. Jülicher verbinden sich mit der Exegese, welche im Zeichen des Endes der Leben-Jesu-Forschung und ihrer historisch-kritischen Methode steht[8]. Aus der aporetischen Situation seit A. Schweitzer[9] war eine neue Methode – die formgeschichtliche – erwachsen, die von Gunkel mit Energie auf das AT angewandt wurde[10]. Andere Theologen, wie Heitmüller und Herrmann, versuchten, die kritischen Methoden mit einer Theologie des Glaubens zu vereinbaren[11]. Doch war man weniger zu Ergebnissen denn zu einem „Kompromißbetrieb" gekommen, der ebenso beim jungen Bultmann spürbar wird[12].

Bultmann fühlte sich zuerst einmal als „Historiker"[13]. Er hatte die historisch-kritische Methode, ein Ergebnis der Geschichtswissenschaft des 19. Jahrhunderts, aufgenommen und erfolgreich angewandt; mehr noch: Bultmann radikalisierte diese Methode, bis sie an ihr Ende kam. 1921 erschien seine „Geschichte der synoptischen Tradition"[14]. Gerade mit seinem wissenschaftlichen und „kritischen Radikalismus"[15] verließ Bultmann den Boden des 19. Jahrhunderts, indem er aufdeckte, daß die Konzentration auf „Historie", wie man sie verstand, niemals wahrhaft „Glauben" zeitigen konnte[16]. Hier nun spielte die andere Strömung, das andere Erbe des 19. im 20. Jahrhundert, in das Denken Bultmanns hinein, die Frage, was denn „Religion", was „Glaube" sei. Im ersten Jahrzehnt des 20. Jahrhunderts war die „religionsgeschichtliche" Schule entstanden[17]; ihr waren die allerersten Arbeiten Bultmanns seit 1910 ge-

---

[7] Vgl. R. Marlé, Bultmann, 17f; W. Schmithals, Theologie, 1ff.
[8] Vgl. R. Marlé, Bultmann, 19f; W. Schmithals, Theologie, 8; vgl. auch GV I, 13, 20f, 94, 246ff; Synoptische Tradition, 1f.
[9] A. Schweitzer, Geschichte der Leben-Jesu-Forschung, Tübingen 1906; vgl. GV I, 1ff.
[10] H. Gunkel, Genesis, Göttingen 1901. Vgl. Synoptische Tradition, 3. Zur formgeschichtlichen Methode vgl. R. Schnackenburg, Von der Formgeschichte zur Entmythologisierung des Neuen Testamentes, in: MTHZ 2 (1951) 345ff; R. Marlé, Bultmann, 17ff.
[11] Vgl. R. Marlé, Bultmann, 13, 29; W. Schmithals, Theologie, 11, 17ff; vgl. auch GV I, 2, 12, 18, 26ff, 36, 92ff, 101ff u.ö.
[12] GV I, 2f.
[13] Vgl. F. Theunis, Offenbarung, XI (Einleitung).
[14] R. Bultmann, Die Geschichte der synoptischen Tradition (Forschungen zur Religion und Literatur des Alten und Neuen Testamentes, 29), Göttingen 1921.
[15] GV I, 100f; vgl. GV I, 2f.
[16] GV I, 3: „Die Geschichtswissenschaft kann überhaupt nicht zu irgendeinem Ergebnis führen, das für den Glauben als Fundament dienen könnte, denn alle ihre Ergebnisse haben nur relative Geltung." Vgl. GV I, 4f.
[17] Zur religionsgeschichtlichen Schule vgl. R. Marlé, Bultmann, 28ff; vgl. auch GV I, 65ff; KM I, 25f.

widmet[18]. Diese Schule vertrat nicht nur eine eigene Methode, sondern war an Kriterien und Prinzipien ausgerichtet, die auf grundsätzlichen Überlegungen zu dem, was „Religion" ist, beruhten[19]. Im Anschluß an R. Otto[20] hatte K. Barth im Römerbrief über den Glauben gehandelt. Bultmann setzte sich damit teils anerkennend, teils einschränkend auseinander[21]; einschränkend, weil Barth sich für „Historie" nicht interessiere[22]. Bultmann sah die Notwendigkeit, das Verhältnis von „Historie" und „Glaube" neu zu definieren, immer deutlicher; er erkannte nicht nur, daß eine rein historische Forschung den Glauben verunmöglichte, sondern auch daß der Glaube in einem (dialektischen) Verhältnis auf Historie zurückbezogen werden mußte. In einem Aufsatz, der die aktuelle Auseinandersetzung Bultmanns mit dem Begriff der Religion wiedergibt, kritisiert Bultmann Dibelius, der mit seinen Vorstellungen von Religion „Geschichtliches" von „Übergeschichtlichem" abspaltete und so Geschichte und Glaube verfälsche[23].

Hier, im Austrag der Spannung von „Historie" und „Glaube", die auch Bultmanns Spannung war, muß der Ursprung der Überlegungen Bultmanns angesetzt werden. Seine Lösung ging hervor aus dem neuen Geschichtsverständnis, wie es sich uns 1926 zum erstenmal in seinem Buch „Jesus" bekundet[24].

2.1.1.2 Die kritische Differenz Bultmanns

Der Raum, in dem sich Bultmanns Denken auch weiterhin bewegt, ist damit abgesteckt; „Glauben" und „Historie" sind als seine Koordinaten aufgezeigt.

---

[18] Der Stil der paulinischen Predigt und die kynisch-stoische Diatribe (Forschungen zur Religion und Literatur des Alten und Neuen Testamentes, 13), Göttingen 1910; Das religiöse Moment in der ethischen Unterweisung des Epiktet und das Neue Testament, in: ZNW 13 (1912) 97 ff, 177 ff; Religion und Kultur, in: Christliche Welt 34 (1920) 417 ff, 435 ff, 450 ff; Ethische und mystische Religion im Urchristentum, in: Christliche Welt 34 (1920) 725 ff, 738 ff; Das Problem der Ethik bei Paulus, in: ZNW 23 (1924) 123 ff; Die Bedeutung der neuerschlossenen mandäischen und manichäischen Quellen für das Verständnis des Johannesevangeliums, in: ZNW 24 (1925) 100 ff.

[19] Vgl. R. Marlé, Bultmann, 28 ff; vgl. GV I, 12, 65 ff.

[20] R. Otto, Das Heilige. Über das Irrationale in der Idee des Göttlichen und sein Verhältnis zum Rationalen, Breslau 1917; vgl. GV I, 22.

[21] Karl Barths ‚Römerbrief' in zweiter Auflage, in: Christliche Welt 36 (1922) 320 ff, 330 ff, 358 ff, 369 ff; vgl. GV I, 22. Bultmann steht in dieser Zeit mit seiner Kritik an der liberalen Theologie der dialektischen Theologie K. Barths sehr nahe, wenn er 1924 schreibt: „Der Gegenstand der Theologie ist Gott, und der Vorwurf gegen die liberale Theologie ist der, daß sie nicht von Gott, sondern vom Menschen gehandelt hat. Gott bedeutet die radikale Verneinung und Aufhebung des Menschen" (GV I, 2); vgl. GV I, 18 ff.

[22] Karl Barths ‚Römerbrief', a.a.O. 372 f; vgl. GV I, 38 ff; KM I, 21 f.

[23] Geschichtliche und übergeschichtliche Religion im Christentum, in: GV I, 65 ff; Synoptische Tradition, 4 ff. M. Dibelius, Geschichtliche und übergeschichtliche Religion im Christentum, Göttingen 1925.

[24] R. Bultmann, Jesus, Tübingen 1926.

Den neuen Bedeutungszusammenhang der sich zunächst ausschließenden Pole gibt Bultmann selbst aufgrund des neuen Geschichtsverständnisses als ‚Geschichte' an. In der Entwicklung seines Geschichtsbegriffs vollzieht sich schließlich auch die eigentliche Genese des Bultmannschen Denkens. In seinem „Jesus"-Buch finden wir zum erstenmal die neue Einsicht in die Geschichtlichkeit ausdrücklich artikuliert. „Jesus" ist Bultmann zunächst ein hermeneutisches Problem. Denn es gilt, die Person Jesu für uns zugänglich zu machen, mithin seine ‚geschichtliche Persönlichkeit' zu verstehen[25]. Das exegetisch-hermeneutische Problem des NT soll somit durch die Erhellung dessen, was Geschichte ist, gelöst werden[26]. Ausgangspunkt des Buches ist die Frage, wie Geschichte zu ‚verstehen' ist; darin trifft Bultmann die Fragestellung seiner Zeit. Sein Interesse liegt im besonderen darauf, was das Verstehen der Geschichte für das hermeneutische Problem leistet. Es wird aber zunächst nicht über das hermeneutische Problem in sich reflektiert; die Frage lautet nicht, wie ein Text oder das biblische Sprechen verstanden werden müssen. Diese hermeneutische Frage wird durchaus gestellt, ihre unmittelbar exegetische Dimension tritt jedoch hinter der Frage nach dem Verständnis von Geschichte zurück.

Wie kommt nun Geschichte im „Jesus"-Buch vor? Geschichte erscheint als Geschichte des Menschen Jesus. Eine geschichtliche Person wird nicht verstanden, wenn sie nur gleich einem „Vorhandenen"[27] „betrachtet"[28], das Wesen von Geschichte ist nicht erfaßt, wenn sie wie die „Natur" behandelt wird[29]. Wendet sich nämlich der Mensch der Geschichte zu, wird er gewahr, daß er selbst, „ein Stück der Geschichte"[30], ins Gefüge der Geschichte, in ihren „Wirkungszusammenhang"[31] einbegriffen ist. Der Mensch schafft Geschichte und steht *in* ihr. Dieser Zusammenhang von Mensch und Geschichte ist immer schon vorgegeben; von ihm her muß ein jedes Verstehen von Geschichte ausgehen. Deshalb ist eine „objektive Geschichtsbetrachtung"[32], die mit geschichtlichen Phänomenen methodisch ähnlich verfährt wie der Naturwissenschaftler bei der „Naturbetrachtung", verfehlt. Verstehen von Geschichte ereignet sich allein in der „Begegnung" mit ihr[33]; solches Verstehen ist ein „beständiger Dialog mit der Geschichte"[34]. Das Problem, Geschichte zu verstehen, wird so zum Problem der Geschichte überhaupt.

---

[25] Jesus, 9f; dabei geht es Bultmann um die wahrhaft geschichtliche Person, nicht um die „Persönlichkeit" im psychologischen Sinn, wie sie in der Leben-Jesu-Forschung verstanden worden war; vgl. GV I, 7ff, 67ff, 93, 246ff, 250ff; GV II, 69.
[26] Jesus, 7ff, 10ff. Interessant wäre ein Vergleich des „Jesus"-Buches mit dem Aufsatz „Das Problem einer theologischen Exegese des Neuen Testamentes", in: Zwischen den Zeiten 3 (1925) 334ff, der aus der Zeit stammt, da Heidegger im Marburger Oberseminar sein hermeneutisches Programm vorstellte.
[27] Jesus, 7.   [28] Ebd.   [29] Ebd.; vgl. Eschatologie, 165ff.   [30] Jesus, 7.
[31] Ebd.   [32] Ebd.   [33] Jesus, 10f; vgl. GV III, 147; Eschatologie, 49f.   [34] Jesus, 8f.

Die hermeneutische Wende vom Verstehen eines Textes zum Verstehen von Geschichte ist zwar im „Jesus"-Buch auf die angezeigte Weise vollzogen, sie ist aber noch nicht *als* solche thematisch reflektiert und ausdrücklich gemacht. Der 1950 erschienene Aufsatz „Das Problem der Hermeneutik"[35] stellt den Zusammenhang von Geschichte und Hermeneutik eindeutig auf die Weise her, daß Geschichte in eine Hermeneutik des Verstehens von Geschichte umschlägt. Bultmann reiht sich hier selbst in die hermeneutische Tradition des 19. Jahrhunderts ein, setzt sich aber andererseits bemerkenswert von ihr ab, wie im folgenden zu zeigen ist. Wenn Bultmann in diesem Aufsatz Hermeneutik als „Wissenschaft des Verstehens von Geschichte überhaupt"[36] definiert, dann erhält das Verhältnis von Verstehen und Geschichte beinahe reziproken Charakter: *Geschichte* wäre dann zu bestimmen als Verstehen von Geschichte, *Verstehen* von Geschichte wiederum als Geschichte selbst[37].

Dilthey schränkt nach Meinung Bultmanns Hermeneutik auf „dauernd fixierte Lebensäußerungen", wie Schrifttexte, Monumente u. ä., ein[38]. Darin sieht Bultmann ihn durchaus noch der traditionellen Hermeneutik verpflichtet. Seit Aristoteles habe die Philologie den Sprachwissenschaften hermeneutische Regeln an die Hand gegeben, die schließlich in die historisch-kritische Methode mündeten[39]. Doch bald, so verfolgt Bultmann die Entwicklung in seiner Darstellung weiter, genügte die formale Analyse historischer Texte nicht mehr, im 19. Jahrhundert brach eine neue Bewegung geschichtlichen Verstehens auf, die von Schleiermacher repräsentiert wird. Schleiermacher forderte gegenüber der „grammatischen" Übung die „psychologische" Interpretation des fremden Autoren[40]. Dilthey schloß sich dem an und sprach vom „kongenialen Sich-Einfühlen in die Seele von Zeitaltern und Völkern"[41]. Er begründete dies mit der inneren „Verwandtschaft" aller geschichtlichen Wesen[42].

Nach Bultmann haben Schleiermacher und Dilthey den „gleichen Lebenszusammenhang" zwischen „Autor" und „Ausleger" als „Voraussetzung des Ver-

---

[35] Zuerst erschienen in: ZThK 47 (1950) 47ff (jetzt in: GV II, 211ff). Vgl. den Aufsatz „Ist voraussetzungslose Exegese möglich?" (GV III, 142ff); hier sieht man deutlich die wissenschaftliche Exegese in die hermeneutische Problematik übergehen (bes. 145ff); vgl. Eschatologie, 123ff; GV IV, 163ff.

[36] GV II, 212.

[37] Vgl. GV II, 222, 229f. „Solches angemessene ‚hörende' Verstehen nennen wir geschichtliches Verstehen, weil hier das Verstehen selbst ein geschichtlicher Akt, in dem ich meine Möglichkeit ergreife, ist" (GV I, 159); vgl. GV IV, 129, 166, 168; Eschatologie, 155ff, 158, 159.

[38] GV II, 212 (Bultmann bezieht sich auf W. Dilthey, Die Entstehung der Hermeneutik, in: Gesammelte Schriften V, 319).

[39] GV II, 213ff.

[40] GV II, 214.

[41] GV II, 215 (Bultmann bezieht sich auf W. Dilthey, a.a.O. 326f).

[42] GV II, 215 (Bultmann bezieht sich auf W. Dilthey, a.a.O. 329f).

stehens" zwar richtig erkannt[43], gegen die nähere Bestimmung dieser ‚Verwandtschaft' von Ausleger und Autor erhebt er jedoch Bedenken. Für ihn gründet die geistige Verwandtschaft in einem vorgängigen „Interesse" des Auslegers, und dieses Interesse schlüssele den Text nach verschiedenen Gesichtspunkten auf. Vor aller „psychologischen", „biographischen", „ästhetischen" oder wie auch sonst immer gearteten Interpretation ist das Interesse immer von dem „Vorverständnis" des Interpreten geleitet[44], und es ist nach Bultmann dieses Interesse das „Vorverständnis" selbst[45]. Das dem geschichtlichen Zeugnis angemessene Vorverständnis aber ist der „gleiche Lebensbezug [von Ausleger und Autor] zu der in Rede bzw. Frage stehenden Sache" und schließlich „das Lebensverhältnis des Interpreten zu der Sache" selbst[46].

Diese Wendung von der hermeneutischen „Gemeinsamkeit"[47] bei Schleiermacher und Dilthey zum „Lebensverhältnis des Interpreten"[48] wird aus dem Anschluß Bultmanns an die Existentialanalytik, wie sie in der Folge von Graf Yorck vor allem von Heidegger geleistet wurde, verständlich; denn die Existentialanalytik wies das „Vorverständnis" in jeder Hermeneutik auf[49]. Hermeneutik und Vorverständnis haben aber in einer solchen Analytik ihren eigenen Sinn; denn „Hermeneutik" ist nach Heidegger „Phänomenologie des Daseins"[50]. Während Dilthey noch die Hermeneutik als eine Methodenlehre der Geschichtswissenschaften forderte, geht bei Heidegger und Bultmann das ‚eigentliche Verstehen' der Existenz den Regeln der Auslegungskunst voraus; denn Verstehen und Geschichte gründen bei ihnen in einem der Wissenschaft vorgängigen Bereich: der Existenz. Existenz konstituiert Geschichte und Verstehen. So wies Heidegger – immer in der Interpretation Bultmanns – das Verstehen von Geschichte als „Existential" des Daseins aus und verwandelte die „Analyse des Problems der Geschichte" in eine „Interpretation der Geschichtlichkeit des Daseins"[51]. Wo die geschichtliche Existenz zum rechten Verstehen von Geschichte kommt, gelangt sie „zum Verstehen ihrer selbst"[52].

---

[43] GV II, 217.
[44] GV II, 215, 216, Anm. 13; vgl. GV II, 227ff; GV IV, 166f.
[45] GV II, 216; vgl. GV III, 147; Eschatologie, 12.
[46] GV II, 217 bzw. 218f; GV II, 227; vgl. GV III, 147, 149.
[47] Eschatologie, 126.
[48] GV II, 221.
[49] GV II, 226f (Bultmann zitiert den Briefwechsel zwischen W. Dilthey und dem Grafen Paul Yorck v. Wartenburg 1877–1897 und M. Heidegger, Sein und Zeit, Tübingen 1927, §§ 31, 32); vgl. KM I, 32f. Der Begriff des ‚Vorverständnisses' wird von Bultmann als ‚Interesse', ‚Lebensbezug' oder ‚Lebensverhältnis' usw. expliziert; vgl. GV III, 1ff, 4, 32ff, 149; GV I, 125; KM II, 189f. Zur Diskussion des Vorverständnisses vgl. H. Ott, Geschichte, 60ff.
[50] M. Heidegger, Sein und Zeit, 37f.
[51] GV II, 227.
[52] GV II. 222.

Damit haben wir die Bezugsebene Bultmanns erreicht, die sich an der zeitge-
schichtlichen Problematik von ‚Glaube' und ‚Historie' herausbildete und die
im Denken Bultmanns ihre eigene Genese durchmachte: es ist die ‚Geschichte'.
Zu achten ist jedoch auf den Modus der Genese. Das Geschichtsproblem, zu
Beginn *das* Problem überhaupt, spitzt sich eigenartig zu auf das neu formulierte
hermeneutische Problem, das nun für lange Zeit „Brennpunkt der gegenwärtigen theologischen Problematik"[53] ist, und konzentriert sich bei Bultmann noch
einmal auf das Seins- und Daseinsverständnis. Bultmann hat damit theologi-
schem Denken den Raum zugewiesen, der für die Nachzeit bestimmend wurde.

2.1.2 Existenz und Glaube

Wir sind in das Denken Bultmanns vorgestoßen, um darin den Ort von
„Glaube" und „Historie" aufzusuchen. Wir sahen, daß der Ursprung der
Begriffe in der geschichtlichen Situation und dem geschichtlichen Denken Bultmanns gleichermaßen anzusiedeln ist. Der Zusammenhang der Begriffe selbst
wurde bislang noch nicht audrücklich thematisiert. Auf diesen Zusammenhang
müssen wir aber – gerade auch im Blick auf sein Sprechen von Auferstehung –
hinführen. Ein erster Einblick in Bultmanns Schriften und Aufsätze verwirrt.
Diese Verwirrung stellt sich vor allem dadurch ein, daß sich bei Bultmann Exi-
stenz- und Glaubensaussagen vermischen und durchdringen. Das wird aus der
eben angezeigten Entwicklung seines Denkens verständlich. Unsere Analyse der
Begriffe Bultmanns und ihres Zusammenhanges wird dadurch jedoch in nicht
geringem Maß erschwert. Im folgenden ist zunächst die Interpretation der
Begriffe zu leisten, indem wir sie in ihrem Kontext aufsuchen und ihren Stellenwert erheben. Existenz und Glaube erweisen sich dabei als die beiden übergreifenden Kontexte; in der Interpretation der in Bultmanns Werk auftauchenden
Begriffe und in ihrer Zuordnung auf die Kontexte der Glaubens- bzw. Existenz-
aussagen kann sich erst ein Verstehen dessen ergeben, was Bultmann in seinem
die Begriffe nicht scharf gegeneinander abhebenden Sprachgebrauch meint[54].

---

[53] G. Ebeling, WG I, 12.
[54] Ausführlichere Darstellungen der Theologie Bultmanns finden sich bei: H. Fries, Bultmann-
Barth und die katholische Theologie, Stuttgart 1957; J. Florkowski, La théologie de la foi chez
Bultmann, Paris 1971; H. Th. Goebel, Wort Gottes als Auftrag. Zur Theologie von Rudolf Bultmann, Gerhard Ebeling und Wolfhart Pannenberg, Neukirchen 1971, 15 ff; G. Greshake, Historie
wird Geschichte. Bedeutung und Sinn der Unterscheidung von Historie und Geschichte in der
Theologie Rudolf Bultmanns (Koinonia, 3), Essen 1963; ders., Auferstehung der Toten. Ein Beitrag
zur gegenwärtigen theologischen Diskussion über die Zukunft der Geschichte (Koinonia, 10),
Essen 1969, 96 ff; H. Häring, Kirche und Kerygma. Das Kirchenbild in der Bultmannschule (Ökumenische Forschungen, I/6), Freiburg 1972, 27 ff; G. Hasenhüttl, Der Glaubensvollzug. Eine

2.1.2.1 Existenz

Die noch unentfalteten Ansätze des „Jesus"-Buches haben sich für Bultmann zur ausdrücklichen Besinnung auf Geschichte und schließlich auf Existenz zugespitzt. Es bedeutet daher keine Reduktion des Gesamten auf ein Prinzip, vor der Erörterung der theologischen Problematik die sich aus der hermeneutischen Frage und aus der Existentialanalytik ergebenden Strukturen von „Existenz" für sich zu ermitteln und dann in das Gesamtprogramm hinein auszulegen. Die Konzentration auf Existenz gibt dem System Bultmanns seine Richtung und Stoßkraft. Mit dem Gedanken der Existenz gelingt Bultmann der Durchbruch zu allen anderen Gedanken seines Denkens.

Bereits bei Bultmanns Anverwandlung des neuen Geschichtsbewußtseins fiel uns die Verschränkung von Geschichte und Verstehen auf. ,Geschichtliche

---

Begegnung mit Rudolf Bultmann aus katholischem Glaubensverständnis (Koinonia, 1), Essen 1963; G. Hummel, Theologische Anthropologie und die Wirklichkeit der Psyche. Zum Gespräch zwischen Theologie und analytischer Psychologie (Impulse der Forschung, 5), Darmstadt 1972, 39 ff; F. Konrad, Das Offenbarungsverständnis in der evangelischen Theologie (Beiträge zur ökumenischen Theologie, 6), München 1971, 41 ff; J. Körner, Eschatologie und Geschichte. Eine Untersuchung zum Begriff des Eschatologischen in der Theologie Rudolf Bultmanns (Theologische Forschung, 13), Hamburg 1957; Th. Lorenzmeier, Exegese und Hermeneutik. Eine vergleichende Darstellung der Theologie Rudolf Bultmanns, Herbert Brauns und Gerhard Ebelings, Hamburg 1968; A. Malet, Mythos et Logos. La Pensée de Rudolf Bultmann, Genf 1962; L. Malevez, Le message chrétien et le mythe. La théologie de Rudolf Bultmann, Brüssel 1954; R. Marlé, Bultmann und die Interpretation des Neuen Testaments (Konfessionskundliche und kontroverstheologische Studien, 1), Paderborn ²1967; H. Ott, Geschichte und Heilsgeschichte in der Theologie Rudolf Bultmanns (Beiträge zur historischen Theologie, 19), Tübingen 1955; H. P. Owen, Revelation and Existence. A Study in the Theology of Bultmann, Cardiff-Univ. 1957; K. Prümm, Gnosis an der Wurzel des Christentums? Grundlagenkritik der Entmythologisierung, Salzburg 1972; H. Schlier, Art. „Bultmann", in: LThK ² II, 768 f; O. Schnübbe, Der Existenzbegriff in der Theologie Rudolf Bultmanns. Ein Beitrag zur Interpretation der theologischen Systematik Bultmanns (Forschungen zur systematischen Theologie und Religionsphilosophie, 4), Göttingen 1959; W. Schmithals, Die Theologie Rudolf Bultmanns. Eine Einführung, Tübingen 1966; F. Theunis, Offenbarung und Glaube bei Rudolf Bultmann (Ergänzungsband 1 zu KM V) (Theologische Forschung, 19), Hamburg 1960; A. Vögtle, Rivelazione e Mito, in: Problemi e Orientamenti di Teologia Dommatica, Mailand 1957, 827 ff; F. Vonessen, Mythos und Wahrheit. Bultmanns „Entmythologisierung" und die Philosophie der Mythologie, Einsiedeln 1964. Es kann in unserer Untersuchung nicht darum gehen, den zahlreichen und ausführlichen Darstellungen der Theologie Bultmanns eine weitere hinzuzufügen. Unser Einstieg entspricht der Fragestellung dieser Arbeit. Es gilt, den systematischen Gedanken Bultmanns in seiner inneren Logik aufzusuchen, die Logik seiner Theologie zu ermitteln, um sie in ihren Konsequenzen für die Theologie der Auferstehung zu verfolgen. Dabei versuchen wir, die verschiedenen Strukturen dieses systematischen Gedankens voneinander abzuheben; die reichlichen Verweise in den Anmerkungen dokumentieren dabei die Durchgängigkeit dieser strukturellen Momente in Bultmanns Gesamtwerk. Diesem Ansatz kommt das Buch von H. Ott, Geschichte, a. a. O., am nächsten; allerdings macht dessen zu enge Bultmann-Interpretation, die in der Auslegung der „Historie"-„Geschichte"-Problematik und in deren Zerreißung in zwei Objektbereiche gipfelt, diese Arbeit nicht überflüssig, sondern notwendig; vgl. Anm. 106.

Begegnung' begibt sich in „Verstehen"[55] und „geschichtliche Entscheidung" in ‚verstehender' „Entscheidung"[56]. Geschichte und Verstehen korrelieren. Für Bultmann ist der gemeinsame Grund von Geschichte und Verstehen das „Selbst"[57]. Verstehen bedeutet nach ihm Sich-‚selbst'-verstehen; denn etwas verstehen, und zwar geschichtlich verstehen, heißt für ihn: „es in seinem Bezug auf sich, den Verstehenden, verstehen, sich mit oder in ihm verstehen"[58]. So wird bei Bultmann Verstehen weniger als Erkenntnisprozeß als vielmehr als ‚Seinsprozeß', Vorgang im ‚Selbst', angesetzt[59]; das eigentliche Verstehen wendet sich auf das ‚Selbst' zurück, um im Verstehen von Welt und Umwelt sich besser zu verstehen und sich verstehend zu verwandeln. Die innere Dynamik dieses Prozesses, der Vorlauf auf Welt und die Rückkunft ins Selbst, ist aber die ‚Geschichtlichkeit' des Daseins, die Geschichte des Selbst[60].

Dasselbe zeigt sich für die Geschichte. Wie wir bereits sahen, bestimmt sich für Bultmann Geschichte vom Menschen her. Geschichte gründet letztlich in der Geschichtlichkeit des Daseins[61], das sich aus der Begegnung mit Geschichte je neu versteht. Geschichte und Verstehen sind existentiale Vollzüge, d.h., Geschichte und Verstehen sind nicht selbst die Existenz, wohl aber legt sich Existenz in Geschichte und Verstehen aus. Das ist der Impuls, den das Denken Bultmanns aus der existentialen Analyse Heideggers empfängt[62]. Das ur-

---

[55] Siehe Anm. 37; vgl. Jesus, 8ff; GV I, 128, 159, 295ff; GV II, 212, 228.

[56] Vgl. GV IV, 102, 131f; GV I, 126f; Johannes 27; KM II, 192f.

[57] GV II, 275ff; vgl. KM I, 125, 223, 224f; Eschatologie, 160, 162, 173ff; 176; GV IV, 56; Theologie, 14.

[58] GV I, 295f; Verstehen ist „geschichtliches Verstehen" (GV I, 125, 159); vgl. GV I, 120.

[59] Vgl. Eschatologie, 159, 171.

[60] GV III, 147: „Geschichtliche Erkenntnis ist zugleich Selbsterkenntnis"; vgl. GV I, 118; Eschatologie, 168, 172, 162; GV IV, 65ff, 91ff, 101.

[61] „Die Frage nach dem Sinn der Geschichte ist abhängig von der Frage nach dem Sinn menschlicher Existenz" (GV II, 201; vgl. 242). Auf die Frage nach dem „eigentlichen Subjekt der Geschichte" antwortet Bultmann: das ist der „Mensch" (Eschatologie, 101 bzw. 102ff); vgl. Eschatologie, 165ff, 171.

[62] Bultmann schließt sich zwar weitgehend der Begrifflichkeit der Existentialanalyse Heideggers an. Ob dieser Impuls Heideggers in die Theologie Bultmanns mit Recht eingegangen ist oder nicht, steht hier nicht zur Debatte; vgl. etwa die Stellungnahme M. Heideggers zu solcher Theologie im „Humanismusbrief", in: ders., Platons Lehre, 53ff. Doch kann die konkrete Analyse Bultmanns nicht ohne weiteres mit der Heideggers identisch gesetzt werden; Bultmann hat oft auf Unterschiede hingewiesen; vgl. Geschichtlichkeit, 72ff; KM II, 192ff; GV III, 178; GV IV, 52ff, 163 u.ö. Eine Interpretation Bultmanns kann sich auch nicht auf eine Gegenüberstellung der Aussagen Bultmanns mit denen in Heideggers „Sein und Zeit" beschränken, da man immer wieder die gültige Rezeption dieses Werkes in Bultmanns Schriften in Zweifel stellte; vgl. D. W. Ittel, Der Einfluß der Philosophie M. Heideggers auf die Theologie R. Bultmanns, in: KuD 2 (1956) 90ff; G. Kuhlmann, Zum theologischen Problem der Existenz. Fragen an Rudolf Bultmann, in: ZThK 10 (1929) 28ff; K. Löwith, Phänomenologische Ontologie und protestantische Theologie, in: ZThK 11 (1930) 365ff; U. Luck, Heidegger's Ausarbeitung der Frage nach dem Sein und die existentialanalytische Begrifflichkeit in der Evangelischen Theologie, in: ZThK 53 (1956) 230ff; Heidegger und die Theologie. Beginn

sprünglich hermeneutische Anliegen, die neutestamentlichen Texte zu verstehen, verwandelt sich durch die aporetische Situation seiner Zeit hindurch zum neuen Verständnis von ‚Geschichte' und zur „existentialen Interpretation"[63]; das Verstehen der ‚Existenz' selbst aber, das neue ‚Selbstverständnis', ist für Bultmann seitdem der Schlüssel seines geschichtlich-hermeneutischen Programms[64].

Was besagt nun „*Existenz*" für Bultmann? „Wir meinen das Dasein des Menschen richtiger zu verstehen, wenn wir es als geschichtlich bezeichnen. Und wir verstehen unter der Geschichtlichkeit des menschlichen Seins dieses, daß sein Sein ein Sein-können ist. Das heißt, daß das Sein des Menschen seiner Verfügung entnommen ist, jeweils in den konkreten Situationen des Lebens auf dem Spiele steht, durch Entscheidungen geht, in denen der Mensch nicht je etwas für sich wählt, sondern sich selbst als seine Möglichkeit wählt. Was das Schlagwort ‚dialektische Theologie' meint, ist also kurz gesagt dies: die Einsicht in die Geschichtlichkeit menschlichen Seins [...].'"[65] Das hier fallende Stichwort ‚dialektische Theologie' – das Bultmanns eigenes ‚dialektisches' Verhältnis zur dialektischen Theologie seiner Zeit nicht aufheben will[66] – markiert den bezeichneten Umschlag in Bultmanns Denken. Der Mensch wird von seiner Existenz her verstanden, wobei der Mensch nicht Existenz ‚hat', sondern Existenz „ist"[67]. Dieses Verständnis von Existenz wird methodisch in der ‚Existenz-ana-

---

und Fortschritt der Diskussion, hrsg. von G. Noller (Theologische Bücherei, 38), München 1967; J. Macquarrie, An Existentialist Theology. A Comparison of Heidegger and Bultmann, London 1955; Der spätere Heidegger und die Theologie. Neuland in der Theologie. Gespräche zwischen amerikanischen und europäischen Theologen I, hrsg. von J. M. Robinson und J. B. Cobb, Zürich 1964. Zum Einfluß der Theologie besonders auf den jungen Heidegger vgl. K. Lehmann, Christliche Geschichtserfahrung und ontologische Frage beim jungen Heidegger, in: PhJ 74 (1966/67) 126ff; O. Pöggeler, Der Denkweg Martin Heideggers, Pfullingen 1963, 36ff; A. Gethmann-Siefert, Das Verhältnis von Philosophie und Theologie im Denken Martin Heideggers (Symposion, 47), Freiburg 1974. Für eine Beurteilung des Einflusses Heideggers auf Bultmann wird man das gesamte Universitätsklima, das in den zwanziger Jahren unter dem Eindruck der Vorlesungen Heideggers in Marburg herrschte, berücksichtigen müssen, dazu den persönlichen Kontakt Bultmanns mit Heidegger in gemeinsamen Seminaren, Begegnungen und Gesprächen; vgl. H. G. Gadamer, Martin Heidegger und die Marburger Theologie, in: Zeit und Geschichte. Dankesgabe an R. Bultmann, hrsg. von E. Dinkler, Tübingen 1964, 479ff; G. Noller (Hrsg.), Heidegger, 8ff; W. Schmithals, Theologie, 15ff. Aus diesen Gründen beschränken wir uns hier auf die existentiale Analyse, wie sie in der ihm eigenen Art von Bultmann rezipiert wurde und in seinen Schriften vorgefunden wird; vergleichende Aussagen mit Heidegger stellt zusammen G. Greshake, Historie, passim; ders., Auferstehung, 96ff.
[63] KM I, 26ff; vgl. GV IV, 67f, 130ff.
[64] Vgl. GV II, 211ff, 121.
[65] GV I, 118; vgl. GV III, 107; GV I, 139; GV IV, 105ff, 129f; Eschatologie, 4ff.
[66] Zu Bultmanns Begriff der „dialektischen Theologie" vgl. GV I, 1ff, 114ff; GV III, 178; vgl. Anm. 4.
[67] Jesus, 190; GV I, 297; vgl. GV I, 139f; GV IV, 105f; Jesus, 177ff; vgl. M. Heidegger, Sein und Zeit, 42.

lyse' eingeholt[68]. Indem die Existentialanalytik die formalen Strukturen von Existenz erarbeitet, zeigt sie, daß Existenz zunächst nicht Sein, sondern ,Seinkönnen', ,Entscheidung', dynamisches Geschehen, ,Seinsprozeß' meint[69]. Existenz konstituiert sich durch ihre Vollzüge; die Vollzüge strukturieren sich von der Existenz her. Die existentiale Struktur umfaßt die Momente der „Geschichtlichkeit" und des „Verstehens". „Geschichtlichkeit"[70] beschreibt das Geschehen von Existenz, d. h., wie Existenz sich durch Entscheidungen zu sich selbst verhält. Darin aber „versteht" sich Existenz selbst[71].

Näherhin versteht Bultmann die Existentialien ,Geschichtlichkeit' und ,Verstehen' als Formen der Verwirklichung von Existenz, sie konstituieren jene Strukturen, als welche Existenz sich erst vollziehen muß. Hierin gründet der Unterschied von „existential"[72] und „existentiell"[73].

„Geschichtlichkeit" und „Verstehen" geben die Strukturbahnen von Existenz ,vor' ihrem Vollzug an; der Vollzug selbst ist immer ein einzelheitlicher und konkreter, der sich in „Historie" und „Geschichte" erbringt[74]. Worin gründet aber die Möglichkeit von ,Historie' und ,Geschichte'? Der Mensch hat sich immer darauf zu besinnen, daß er Existenz ,ist' und nicht nur ,hat'[75]. Solches Besinnen ist fundamental, es begleitet jeden Existenzakt; da es aber immer auch konkretes Verstehen in konkreter Situation ist, enthält es damit zugleich ein mögliches Mißverstehen, eine mögliche „Zweideutigkeit"[76] des Verstehens von Existenz: „Als ,Existenz' bezeichnen wir nicht etwa das bloße Vorhandensein, die Tatsache, daß etwas ,existiert' = vorhanden ist, sondern die spezifisch

---

[68] KM II, 192f; vgl. Geschichtlichkeit, 72f; GV I, 305.
[69] Vgl. GV I, 101, 120, 126; GV II, 110; GV III, 117f, 182f; GV IV, 65, 128f, 170; Eschatologie, 1f, 14, 49f, 128, 162f, 168; Geschichtlichkeit, 76.
[70] Vgl. GV I, 132, 133; GV II, 198, 227, 244; GV III, 102, 107; Eschatologie, 1ff, 168, 174 u. ö. Zur Begriffsgeschichte der „Geschichtlichkeit" vgl. F. Theunis, Offenbarung, 8, Anm. 34, 39, und der „Zeitlichkeit" (Heidegger) vgl. G. Greshake, Historie, 22.
[71] Vgl. Anm. 55, 58.
[72] „Existential" = „ontologische Möglichkeit" (Geschichtlichkeit, 90); vgl. 73ff; vgl. GV II, 227 (Bultmann zitiert M. Heidegger, Sein und Zeit, §§ 31, 32).
[73] Zur Unterscheidung von „existential" und „existentiell" vgl. GV II, 235, Anm. 37; KM II, 184, Anm. 1; GV II, 212f, Anm. 4; Geschichtlichkeit, 76f. Dieser Unterscheidung entspricht die von „ontologisch" – „ontisch"; vgl. Geschichtlichkeit, 75ff; GV I, 212; GV IV, 181.
[74] GV IV, 131, 170; vgl. GV I, 132; Eschatologie, 169. Bei Bultmann findet sich keine strenge Definition dieser Begriffe; sie fallen jeweils in der konkreten Auseinandersetzung; das macht ihre Untersuchung auch so schwer; vgl. G. Greshake, Historie, 37ff, bes. 40f. – Die Unterscheidung von „Historie" und „Geschichte" stammt von M. Kähler, Der sogenannte historische Jesus und der geschichtlich biblische Christus, Leipzig 1892. Kähler nahm diese Unterscheidung geschichtlicher Betrachtungsweise in der Folge der aporetisch gewordenen Situation der Leben-Jesu-Forschung vor (ebd. 2). An dieser Stelle wird deutlich, wie Bultmann diese Hypothek der Leben-Jesu-Debatte durch den Rückgriff auf die Existentialanalyse unterfängt.
[75] Vgl. Anm. 67.
[76] GV IV, 131f; vgl. GV I, 199, 159ff, 177, 287; GV II, 91, 92; GV III, 149.

menschliche Weise zu sein."[77] Da Existenz sich immer schon so oder so versteht, immer schon so oder so ausgelegt hat, ist sie grundsätzlich zweideutig, versteht sie sich „eigentlich" oder „uneigentlich"[78], „gewinnt" oder „verliert" sie sich[79]. Wie das Sein von Existenz in der grundsätzlichen Zweideutigkeit von „Eigentlichkeit" und „Uneigentlichkeit" steht[80], haftet den beiden Existentialien ‚Geschichtlichkeit' und ‚Verstehen' eine ebensolche Zweideutigkeit an: Existenz kann sich eigentlich oder uneigentlich ‚verstehen', und sie hat ihre eigentliche oder uneigentliche ‚Geschichte'. Von hierher unterscheidet Bultmann „Geschichte" als „eigentliche" Geschichte und „Historie" als „uneigentliche" Geschichte[81]. Auf diese Unterscheidung ist noch einzugehen.

Um Bultmanns Denken mitzuvollziehen, müssen wir über die gewonnenen Begriffe von Existenz, Geschichte und Verstehen und die Opposition von Geschichte und Historie hinaus *den Modus ihrer Zuordnung, das Gefälle des Systems, die Richtung des Gefälles, den Ursprung dieser Richtung und die Prioritäten der daran orientierten Begriffe* thematisieren.

Wie wir gesehen haben, ist nach Bultmann Existenz immer Vollzug von Existenz[82]. Wie aber vollzieht sich Existenz? Wie ist ihr Vorgang? Wenn der Mensch „sozusagen nicht einfach bloß er selbst, sondern [...] zugleich auch außerhalb seiner [ist] – außerhalb dessen nämlich, was in einem isolierten Moment an ihm für die Betrachtung konstatierbar ist"[83], wenn Existenz somit ‚Aus-sein-auf' ist, dann beginnt der Vollzug von Existenz gerade bei diesem „extra" ihrer Geschichte[84]. Existenz versteht sich nicht aus sich selbst, sondern aus ihrer konkreten Situation. Allerdings darf ‚Geschichte' nicht als bloße ‚Historie' draußen bleiben, sondern muß in die Geschichte des Selbst, in die Geschichtlichkeit der Existenz eingeholt werden. Das aber geschieht im ‚Verstehen' der Geschichte. Das Verstehen setzt den Prozeß der Vermittlung in Gang und verwandelt Historie in Geschichte, so daß die Historie für die Existenz geschichtlich bedeutsam wird.

---

[77] GV III, 107; vgl. GV I, 138f, 146, 156; GV II, 204; Eschatologie, 50.
[78] Vgl. GV IV, 130f; Geschichtlichkeit, 89; KM I, 36, 37; KM II, 203; GV I, 304; GV II, 15f, 84, 110, 121; GV III, 30, 117: Eschatologie, 30. Vgl. Bultmanns ausdrückliche Auslegung von Heideggers Sprechweise von „Eigentlichkeit" in: Geschichtlichkeit, 77, Anm. 8.
[79] Vgl. KM I, 23; Theologie, 222; Eschatologie, 168.
[80] Vgl. KM II, 193; KM I, 36f, 224; Eschatologie, 168.
[81] Vgl. GV IV, 131ff; Eschatologie, 172; Theologie, 195, 265; vgl. M. Heidegger, Sein und Zeit, 376.
[82] Vgl. GV I, 132; GV III, 117.
[83] GV I, 169.
[84] KM I, 130. Dahinter steht die Einsicht, daß der Mensch radikal geschichtliches Wesen ist. Damit impliziert das ‚extra' bei Bultmann immer ein zeitliches Moment; so auch M. Heidegger, Sein und Zeit, 379, der das ‚Außer-Sich' als zeitliches Außen oder als die zeitlichen ‚Ek-stasen' interpretiert.

Anders als Geschichte fängt *Verstehen* vom Innen der Existenz an. Verstehen ist, so Bultmann, „kein betrachtendes Wissen, kein weltanschauliches Deuten ‚des' Menschen als eines Weltphänomens aus Prinzipien der Welterklärung, sondern ein Wissen, das sich nur im Ergreifen [...] meiner selbst eröffnet"[85]. Dieses erste Verstehen aus der Mitte der Existenz ist das „Vorverständnis"[86], das jedem Dasein innewohnt. Es ist dies noch nicht ausdrücklich, aber doch Verstehen und als solches Bedingung der Möglichkeit jeden weiteren Verstehens. Ausdrücklich wird das Verstehen allererst als „geschichtliches Verstehen"[87]. Im Verstehen ihrer Geschichte wandelt sich das ‚Vorverständnis' von Existenz in ihr „Selbstverständnis"[88]. Der Vorgang des Verstehens vom Vorverständnis ins Selbstverständnis der Existenz geht notwendig durch das Medium der Geschichte, und daher eignet ihm der „hermeneutische Zirkel"[89] jedes wahrhaft geschichtlichen Verstehens. Aufs neue bekundet sich so die vielfältige Verschränkung der Elemente, die zwar aus sich unableitbar, doch in der Existenz wechselseitig aneinander verwiesen sind.

Um ein Mißverständnis zu vermeiden: Bultmann denkt nicht nur aus dem *einen* Ursprung, der *Existenz*, wie ihm oft nachgesagt wird[90], vielmehr verwirklicht sich diese nur in ihrem Aussein auf ihr anderes, auf Geschichte, die wiederum ihre eigene Ursprünglichkeit hat. Es bleibt aber die Frage, ob bei Bultmann die *Ursprünglichkeit* von Existenz, Verstehen und Geschichte in gleicher Weise gewahrt wird.

Geschichte, die ihren eigenen Ursprung hat, ist im Sinne Bultmanns das an sich zu Vermittelnde. Es ist das Verstehen, das diese Vermittlung der Geschichte in ihren eigenen Ursprung leistet, insofern es Geschichte in Geschichtlichkeit, das Existential von Existenz, hineinvermittelt. Letztlich wird Geschichte doch auf Existenz zurückgeführt. Das *Verstehen* ist dieses Vermitteln selbst, es konstituiert sich als die Vermittlung von Existenz und Geschichte; es vermittelt Geschichte, sich und Existenz zu sich selbst. Deshalb können Geschichte, Selbstverständnis und Existenz, wo sie in ihrem Vermitteltwerden gesehen sind, „Verstehen"[91] genannt werden. Andererseits ist Verstehen, wie wir sahen, Vollzugsform von Existenz, insofern existential, d. h. von der Existenz her bestimmt. *Existenz* ist so das alles Umfassende und Bestimmende: von Existenz

---

85 GV III, 32.
86 GV I, 125. Daß Existenz um sich immer schon weiß in einem ‚Vorwissen' oder ‚Vorverständnis' ist für Bultmann eine „Selbstverständlichkeit" (GV I, 125 ff).
87 GV I, 128; vgl. GV I, 156, 159.
88 GV I, 125 ff; vgl. GV II, 219, 221 ff, 228, 237 ff; GV III, 105, 32 ff; 149; KM II, 191, 193; Eschatologie, 172.
89 GV II, 213; vgl. M. Heidegger, Sein und Zeit, 153.
90 Vgl. K. Hollmann, Existenz, 81 ff.
91 Vgl. GV I, 158 ff, 128; s. Anm. 53, 58.

als Ursprung geht das Verstehen aus, und auf Existenz führen Geschichte und Verstehen zurück: Wo Existenz sich ‚verstehend' vollzieht, ereignet sich Geschichte und kommt sie zu ihrem Selbstverständnis. Und: Existenz hat dort ihre ‚Geschichte', wo das Vorverständnis der Existenz in ihr Selbstverständnis eingeholt wird.

Es ist das Eigentümliche von Existenz, Vollzug und damit geschichtlich zu sein. Sich vollziehende Existenz hebt notwendig von einem ‚extra', der Historie, an und vermittelt sich in ihre eigene Geschichtlichkeit. In dieser Vermittlung, im Verhältnis von ‚*Historie*' und ‚*Geschichte*' muß sich also für Bultmann entscheiden, ob Existenz gelingt. Der Ausgangspunkt des Bultmannschen Denkens, die Auseinandersetzung mit Historie und Geschichte, wird nun zur *Bestätigung und zur kritischen Instanz des gesamten Systems*. In der Tat liegt in der Auseinandersetzung mit Bultmann der Hauptakzent oft auf den Begriffen von Historie und Geschichte.

In der Vermittlung von Historie in Geschichte wird sowohl der Prozeßcharakter von Existenz offenkundig als auch die besondere Gangart von Existenz. Bultmann selbst spricht von einem „dialektischen" Prozeß[92]. Auf diese Dialektik des Bultmannschen Systems ist im folgenden näher einzugehen.

Die Begriffe ‚Historie' und ‚Geschichte' spiegeln alle bisher erörterten Elemente der existentialen Analytik wider. „Die eine Wirklichkeit [der Geschichte] aber kann unter doppeltem Akzent gesehen werden, entsprechend der doppelten Möglichkeit des Menschen, eigentlich oder uneigentlich zu existieren. In der uneigentlichen Existenz versteht sich der Mensch aus der verfügbaren Welt, in der eigentlichen Existenz versteht er sich aus der unverfügbaren Zukunft. Dementsprechend kann er die Geschichte der Vergangenheit sowohl objektivierend betrachten wie auch als Anrede, sofern aus ihr die Möglichkeiten menschlichen Selbstverständnisses vernehmbar werden und zur verantwortlichen Wahl herausfordern."[93] ‚Geschichte' ist auch hier streng auf ‚*Existenz*' bezogen, sie deckt „den Reichtum der Möglichkeit menschlichen Existierens und Existenzverständnisses auf [...] und so dem Betrachter die Möglichkeiten seiner eigenen Existenz"[94]. ‚Historie' bietet dem geschichtlich existentialen Hinblick dagegen nur den objektiv vorgegebenen Raum vergangener ‚Geschichte'[95].

---

[92] Bultmann demonstriert die „dialektische" Methode am Vorgang der Exegese, d. h. an der „historischen Methode" (GV I, 115ff). Die Dialektik der historischen Methode gründet in der „Dialektik der Existenz des Menschen" (GV I, 132) bzw. „in der Geschichtlichkeit des Daseins" (GV I, 133). Vgl. GV III, 32, 54, 106; GV IV, 44ff, 130, 131, 132; Geschichtlichkeit, 75.

[93] GV IV, 131.

[94] GV II, 289; vgl. GV IV, 130.

[95] GV I, 61, Anm. 1; vgl. GV IV, 130f. Bultmann hat oft Schwierigkeiten, die Begriffe „Historie" und „Geschichte" streng auseinanderzuhalten. Sie sind zwei Interpretationsweisen von ‚Geschichte' und zunächst als konträre Begriffe von der ‚Geschichtlichkeit' des Daseins her gewonnen. Die Tren-

‚Historie' abstrahiert vom Ganzen der ‚Geschichte', indem sie sich allein auf das Vergangene dieser Geschichte bezieht. Geschichte aber ist demgegenüber die umfassende Wirklichkeit, „in der ich wirklich stehe"[96]. Zur ‚historischen' muß die ‚geschichtliche' Betrachtung hinzukommen; Bultmann betont immer wieder „die geschichtliche Bedeutsamkeit des einmalig historischen Ereignisses"[97].

In den *existentialen* Bestimmungen der Existenz drückt sich die Problematik von Historie und Geschichte auf zweifache Weise aus. Auf ‚Geschichtlichkeit' bezogen meint Historie die ‚Verfallenheit' geschichtlicher Existenz[98], Geschichte dagegen ihren gelungenen und eigentlichen Selbstvollzug; in dieser Hinsicht sind Historie und Geschichte Gegenstand der Existentialanalytik. Auf das ‚Verstehen' bezogen, meinen Historie und Geschichte je verschiedene Weisen möglichen Selbstverständnisses aus der Geschichte; als solche sind sie Objekt der ‚Geschichtswissenschaft', die nach Bultmann das Verstehen von Geschichte und darin das Verstehen von Existenz leistet[99].

Die *historische* Betrachtungsweise innerhalb der Geschichtswissenschaft versteht dabei unter Geschichte das Dasein in seiner gewesenen und ‚uneigentlich' gewordenen Möglichkeit; solches ‚dagewesenes' Dasein thematisiert sie als ihren historischen Gegenstand und befragt es auf „seine eigenste Existenzmöglichkeit" hin[100]. Insofern ist für Bultmann Historie zunächst ein durchaus ‚positiver' Begriff[101], da er die Möglichkeiten geschichtlichen Seins aufzeigt. Im allgemeinen gewinnt er bei Bultmann jedoch den Zug der ‚Verfallenheit'[101], da Historie den nur wissen wollenden, ‚objektiven' und der Vergangenheit verhafteten Wissenschaftsbegriff verkörpert, während die eigentliche *geschichtliche* Betrachtungsweise wahres Selbsterkennen aus Geschichte ist[103].

Es muß festgehalten werden, daß ‚Historie' – trotz der weitgehend negativen Einfärbung – nie aus dem ‚dialektischen' Prozeß geschichtlichen Verstehens

---

nung gelingt nur aus dem Blickwinkel des Selbst, sich aus Geschichte in ‚existentialer Interpretation' selbst zu verstehen oder sich in der ‚objektivierenden Betrachtung' an die Geschichte zu verlieren; vgl. GV IV, 130ff; Eschatologie, 129; GV I, 61. Der Begriff der ‚Historie' ist so aus dem Gegensatz zu dem der eigentlichen ‚Geschichte' gebildet; vgl. dazu G. Greshake, Historie, 37ff; J. Körner, Eschatologie, 117f; H. Ott, Geschichte, 12.

[96] GV I, 61, Anm. 1; vgl. Eschatologie, 179.
[97] KM I, 128.
[98] GV IV, 130. ‚Verfallenheit' und ähnliche Begriffe werden zuerst zur Charakteristik uneigentlicher Existenz ausgesagt; da uneigentliche Existenz jedoch auf die Weise ‚historischer Verhaftetheit an Vergangenes' lebt, werden sie auch zur Beschreibung der Historie gebraucht. Vgl. GV I, 139f, 223; GV II, 237; KM I, 35, 36ff. 224.
[99] Vgl. dazu G. Greshake, Historie, 26ff; GV IV, 128ff; GV I, 128; GV III, 107ff.
[100] M. Heidegger, Sein und Zeit, 394; vgl. GV I, 158ff; Eschatologie, 160, 171ff.
[101] Eschatologie, 171; vgl. GV I, 156ff; GV IV, 132.
[102] Siehe Anmerkung 98; vgl. GV I, 140, 185, 223.
[103] Vgl. Eschatologie, 172f, 136f; GV IV, 49; GV I, 118.

ausgestoßen werden darf, denn Historie gibt den objektiven Raum her, zu dem sich Existenz allerdings notwendig verhalten muß, damit Historie ‚Geschichte' wird[104]. Der dialektische Prozeß geschieht gerade in dieser Verwandlung von Historie in Geschichte. In jedem geschichtlichen Phänomen lassen sich so zwei Aspekte unterscheiden, ein „Was" des historisch Mitgeteilten und das „Daß" des geschichtlichen Anspruchs[105]. Die dialektische Verwandlung geschieht bei Bultmann so radikal, daß aus dem feststellbaren „Was" historischer Phänomene nur noch das „Daß" ihres Existenzanspruches zurückbleibt.

Der dialektische Prozeß geschichtlichen Verstehens ist also primär *existentia-ler ‚Verstehens'*-prozeß und nicht der der Verwandlung ‚objektiv' geschichtlicher Gegebenheiten. Die Frage nach solchen objektiv geschichtlichen Gegebenheiten unterbleibt; Historie und Geschichte werden allein nach ihrem Anspruch möglichen Existenz-‚verständnisses' bemessen. Leitendes Interesse existentialen Verstehens ist das ‚Daß' des Anspruches, und dies ist in jedem ‚Was' zu erheben. Sind die Begriffe ‚Historie' und ‚Geschichte' von dem existentialen Verstehen her gewonnen, wird man sie nicht so sehr als objektive Bereiche von Geschichte, sondern als Modi von solchem existentialen Verstehen ansehen müssen[106].

Damit haben wir nun auch die eigenartig dialektische Gangart des Vollzuges von Existenz charakterisiert: Existenz entnimmt der Historie den Anlaß ihres Sich-verstehens; sich verstehend bricht sie Historie auf in ihre Geschichtlichkeit, wobei Historie nicht aus der Geschichte ‚ausgeschieden'[107], sondern ganz in

---

[104] Siehe Anm. 95; vgl. KM I, 132; Jesus, 9; Eschatologie, 129. Wegen der grundsätzlichen Positivität der ‚Historie' auch für Bultmann wird deutlich, warum Bultmann hin und wieder selbst die ‚objektivierende Geschichtsbetrachtung' ‚Geschichte' nennt; vgl. Eschatologie, 123. Dazu wird ‚historisch' und ‚geschichtlich' oft sinngleich verwandt; eine Aufzählung solcher Stellen gibt J. Körner, Eschatologie, 117ff; G. Greshake, Historie, 40f; vgl. oben Anm. 95.
[105] Vgl. GV I, 154ff, 158ff, 205, 208f, 211, 292; GV II, 92, 71; GV III, 2, 107; GV IV, 130ff; Jesus, 8f; Theologie, 418f; Verhältnis, 9ff.
[106] H. Ott (Geschichte, 128) interpretiert ‚Historie' und ‚Geschichte' als zwei Teilwirklichkeiten von Geschichte. Er sieht in ihnen „das Nebeneinander zweier heterogener Seinsebenen" (ebd. 6, 8ff), „zwei verschiedene Seinssphären" (17); er findet in dem ‚doppelten Geschichtsbegriff' (17) die widersprüchlichen Aussagen der Geschichtsdialektik Bultmanns begründet (51, 52f). Überhaupt geht die Interpretation Otts von dem Bultmann unterschobenen „Prinzip der Zweiheit" (54) aus. Diese Interpretation ist sicher falsch; vgl. die Antwort Bultmanns auf Ott in GV IV, 131: Die Wirklichkeit der Geschichte ist eine, die ‚Möglichkeiten menschlichen Selbstverständnisses' sind aber doppelt. Dabei ist jedoch gegen Bultmann wiederum zu bedenken, daß für ihn die hier beschworene Unterscheidung von ‚Wirklichkeit' und ‚Selbstverständnis' bzw. von ‚objektiv' und ‚subjektiv' an anderer Stelle keine Bedeutung hat bzw. durch das existentiale Selbstverständnis wiederum unterlaufen wird, wobei für Bultmann dann das „Subjektivste" (die Existenz) das „Objektivste" (die Wirklichkeit) selbst wird; vgl. Eschatologie, 123ff, 136f; GV II, 228ff, 230; GV III, 112, 114f; Jesus, 8, 10. Bultmann ist also an ähnlichen Mißverständnissen ein Großteil selbst schuld.
[107] Auch die Darstellung des Prozeßcharakters bei K. Hollmann (Existenz, 55f) ist ungenügend.

diese aufgenommen[108] oder, besser, dialektisch ihr anverwandelt wird[109]. Dieser Prozeß spielt bei Bultmann immer eine Rolle und muß immer da als Hintergrund mitgedacht werden, wo er auf das ‚Was' oder ‚Daß' geschichtlicher Phänomene zu sprechen kommt.

2.1.2.2 Glaube

Die Existentialanalyse erarbeitete die formalen Strukturen von Dasein überhaupt, Strukturen, die nach Bultmann für jede Weise menschlichen Daseins und Verhaltens gelten und somit auch für die gläubige Existenz. Hier sieht Bultmann den Platz der Philosophie innerhalb der Theologie[110]. Denn der „Gegenstand der existentialen Daseinsanalyse [...] ist der Mensch; und eben der Mensch ist auch Gegenstand der Theologie"[111]. Die Philosophie hat es dabei damit zu tun, „das mit der menschlichen Existenz gegebene Existenzverständnis in angemessener Begrifflichkeit zu entwickeln"[112]. Diese Begrifflichkeit umfaßt auch die formalen Strukturen von Glauben, so daß „also die Daseinsstrukturen, die die Philosophie aufweist, auch für das gläubige Dasein gelten"[113].

Gewiß geht auch für Bultmann die Struktur christlichen Glaubens nicht in den formalen Strukturen der Philosophie auf, sie löscht diese aber auch nicht aus, sondern modifiziert und bestätigt sie. Zuerst ist deshalb die *Konvenienz* der Strukturen von Existenz und Glauben darzustellen.

Bultmann stellt die philosophische und ntl. Aussage über den Menschen in dichte Entsprechung zueinander. Man vergleiche die folgende Bestimmung „*gläubiger Existenz*" mit der oben gegebenen Existenzbeschreibung[114]: „Der Mensch, geschichtlich existierend, in der Sorge um sich selbst auf dem Grund der Angst, jeweils im Augenblick der Entscheidung zwischen der Vergangenheit und der Zukunft, ob er sich verlieren will an die Welt des Vorhandenen, des ‚man', oder ob er seine Eigentlichkeit gewinnen will in der Preisgabe aller Sicherungen und in der rückhaltlosen Freigabe für die Zukunft. Ist nicht so auch im Neuen Testament der Mensch verstanden?"[115] Für den Glauben wie für die

---

[108] Das Modell für die geschichtliche Begegnung ist für Bultmann der geschichtliche ‚Dialog'. In den Dialog gehen die Momente des ‚Was', d.i. der Aussage, und des ‚Daß', d.i. der Zusage, unvermischt ein, so daß beide Aspekte nicht ohne weiteres auseinanderdividiert werden dürfen; vgl. Jesus, 8. Die Frage ist nur, ob dieses Modell für die Geschichtsbetrachtung ausreicht.
[109] GV III, 114f; vgl. KM I, 133; vgl. M. Heidegger, Sein und Zeit, 394.
[110] Über das Verhältnis von Philosophie und Theologie vgl. Anm. 62; dazu vgl. KM II, 192ff, 194; GV I, 305ff; GV IV, 104ff, 169ff.
[111] Geschichtlichkeit, 72; vgl. GV I, 312.
[112] KM II, 192; vgl. GV II, 232f.
[113] GV I, 308; vgl. Geschichtlichkeit 75ff.
[114] Siehe o. S. 33.   [115] KM I, 33; vgl. GV I, 36f, 297; Geschichtlichkeit, 75f, 85.

Existenz gilt, daß er nicht eine irgendwie „gegebene menschliche Qualität" oder ein spezifischer „Gehalt seines Seelenlebens"[116] ist, sondern das „Ergreifen seines Seinkönnens", „Entschlossenheit"[117]; Glauben gewinnt dadurch Gestalt, „wie der Mensch sich im Hier und Jetzt seiner Existenz entscheidet"[118]. Über eine solche formale Identität hinaus ist die „gläubige Existenz" geglückte oder ‚eigentliche' Existenz[119].

Die Konvenienz in den Strukturen von Existenz und Glaube entspricht jener ihrer Momente. Nach dem Zeugnis der Schrift ist der gläubige Mensch ‚*geschichtliches*' Wesen[120]. Im Gegensatz zur griechischen Vorstellungsweise „behauptet das Neue Testament, daß das eigentliche Leben des Menschen nicht das kosmische sei, daß es sich vielmehr gerade im Jeweiligen, Individuellen, in der Sphäre der Geschichte abspiele"[121]. Das andere Existential, das „Selbstverständnis", ist im gläubigen Dasein das „neue" Selbstverständnis[122], sich allein aus Gott und als „Geschöpf" Gottes[123] zu verstehen, ist die „Anerkenntnis" dieser Verwiesenheit auf Gott[124].

Trotz der Entsprechung der Strukturen von Glaube und Existenz sind die konkreten Formen und Strukturen des Glaubensaktes nach Bultmann nicht aus der Existentialanalytik abzuleiten. Das läßt auf eine *grundsätzliche Differenz der Strukturen* schließen, die bei aller Entsprechung deutlich gesehen werden muß und die in der Darstellung des theologischen Konzepts Bultmanns nicht außer acht gelassen werden darf. Hier wird die Unterscheidung von ‚existential'

---

[116] Jesus, 52; vgl. GV I, 108 f, 120, 297; GV IV, 48 f; KM I, 34.

[117] GV I, 150; vgl. GV II, 15 f; GV I, 140, 259; GV II, 39, 141, 156, 242; GV IV, 48.

[118] Jesus, 52.

[119] Vgl. GV I, 145; Geschichtlichkeit, 72 f; KM I, 38. Hierher gehören die von Bultmann für eigentliche Existenz oft gebrauchten biblischen Begriffe wie „Leben" und „Sünde"; vgl. Theologie, 367; GV I, 19, 27, 55 ff; GV II, 45, 53, 71, 73; GV III, 14 ff, 24, 42, 162; KM I, 224; Eschatologie, 110 u. ö. Auf eine Formel gebracht, heißt ‚eigentlich' oder ‚uneigentlich' existieren theologisch: „aus Gott oder aus der ‚Welt' existieren"; vgl. Theologie, 367, KM I, 125; GV II, 71. Zum Begriff der ‚Welt' vgl. GV I, 129, 130 f; GV II, 68, 109; GV III, 25; oder auch von ‚Sarx' vgl. GV I, 128 f; GV II, 46, 71; GV III, 24; Theologie, 238 f.

[120] GV II, 73 ff; vgl. GV I, 156; GV III, 27 f; Eschatologie, 111; GV II, 88, 110, 198, 240. Bultmann interpretiert den paulinischen Begriff „σῶμα" auf das geschichtliche Sein hin; vgl. GV I, 130, 53 ff, 58 ff, 129 ff; GV IV, 43; Theologie, 196 ff; Eschatologie, 49 f, 178 f.

[121] GV I, 73; vgl. GV II, 201 ff; GV III, 103, 165; GV IV, 43 ff; Eschatologie, 5, 103 ff; Urchristentum, 122.

[122] GV I, 156, 297 f; vgl. Jesus, 8; GV I, 161; GV II, 56 ff; 123 ff; GV III, 16, 41 f, 129, 179, 296 ff; GV IV, 183; KM I, 39, 224, 222 ff; KM II, 200 f; KM I, 36 zeigt den Unterschied zwischen philosophischer und theologischer ‚Eigentlichkeit' auf.

[123] Theologisch werden das neue Verstehen und die neue Geschichtlichkeit des Menschen oft mit der biblischen Kategorie der „Geschöpflichkeit" wiedergegeben; vgl. Theologie, 223, 228; GV I, 136; GV II, 132, 141, 291; GV III, 26, 47, 105; GV IV, 174.

[124] GV I, 136; vgl. GV I, 151, 203; GV II, 14 f, 154 f; KM II, 200 ff; Theologie, 317: GV I, 34 f, 107; GV II, 32, 154 ff; GV III, 28 (für Anerkenntnis steht oft „Gehorsam").

und ,existentiell' akut, da die Philosophen nur die Möglichkeiten ,existentialer' Struktur erörtern, nicht aber die Ebene ,existentiellen' Glaubens erreichen [125]. An diesem Punkt setzt sich Bultmann ausdrücklich von Heidegger ab [126]. Gerade hier kommt die theologische Intention seines Denkens zum Durchbruch. Im Sinne Bultmanns ist seine Theologie nicht auf Philosophie zu reduzieren. Es gilt daher, im folgenden parallel zu unserer Darstellung der Philosophie Bultmanns seinen spezifisch theologischen Ansatz zu erheben und die Struktur dieser Theologie nachzuzeichnen.

In der Konfrontation mit der liberalen Theologie war Bultmann aufgegangen, daß Glaube „nicht eine mysteriöse, supranaturale Qualität" [127] und nicht eine „seelische Verfassung" oder gar „der vollendete Seelenzustand" [128] des Menschen ist, sondern den Menschen in seiner existentiellen Verfassung begreift. Glaube lebt aus der Offenheit zu seinem ,Anderen' [129]. Wohl zeigt für Bultmann die Philosophie eine allgemeine und grundsätzliche Offenheit der Existenz an, die niemals eingeholt, sondern ausgehalten und gelebt werden muß, aber solche Offenheit kann für die Philosophie auch das Offensein in die leere Zukunft und das Auslaufen in ein namenloses Nichts bedeuten: „Wohl vermag die existentiale Analyse zu sagen, daß freie Offenheit für die Zukunft ein Charakter des in seiner Eigentlichkeit existierenden Seins ist. Aber gibt sie durch diese Erkenntnis dem konkret existierenden Menschen diese Offenheit? Sie kann es so wenig, wie sie überhaupt Existenz geben kann; sie kann nur dem Menschen sagen, daß er, wenn er echt existieren will, frei für die Zukunft offen sein muß." [130] Dem Glauben scheint dort, wo Existenz an ihr Nichts oder ihr anderes stößt, das Antlitz *des* ,Anderen', das Angesicht Gottes auf; Bultmann weist darauf hin, „daß Gott gerade da und nirgends anders begegnet, als wo für den menschlichen Blick das Nichts ist" [131].

Die Zukunft gläubiger Existenz trägt den Namen des ,ganz Anderen': Gott [132]. Die Struktur des Glaubens kann nicht ohne ihre Richtung, ihr Aussein [133] auf Gott erfaßt werden; die existentiale Struktur des Glaubens entfaltet sich erst aus der konstitutiven Polarität von Gott und Mensch. Glaube kann

---

[125] Vgl. Anm. 73.
[126] Vgl. Geschichtlichkeit, 72 ff; GV II, 232; KM I, 33; KM III, 50; KM II, 193; GV I, 309 ff. Aus der Sicht der Theologie kann die Philosophie als ,verfallen' und ,eigenmächtig' charakterisiert werden (KM I, 37).
[127] KM I, 34.
[128] Theologie, 317.
[129] Vgl. GV I, 27 ff; GV III, 116 f; KM I, 224 f; KM II, 200, 202.
[130] KM II, 203.
[131] KM II, 203; vgl. GV III, 27.
[132] GV I, 28 ff; vgl. GV II, 243 ff; GV III, 69 f; GV IV, 120 ff, 183 ff.
[133] GV III, 15; vgl. KM I, 130.

ohne eine ihm vorgängige, ihn erst ins Leben rufende „Tat Gottes" nicht beste-hen: „Das Neue Testament redet und der christliche Glaube weiß von einer Tat Gottes, welche die Hingabe, welche den Glauben, welche die Liebe, welche das eigentliche Leben des Menschen erst möglich macht."[134]

Ist das „Andere", die Tat Gottes, nicht nur Element der Glaubensstruktur, sondern dem zuvor Bedingung der Möglichkeit des Glaubens, dann wird sie *entscheidendes Moment im Gesamt* und bestimmt jedes andere Moment der Struktur mit.

Wie denkt Bultmann die Verwandlung der Existenzstruktur in die des Glau-bens? Zuerst wandeln sich Begriff und Stellenwert von „*Geschichte*"; denn das ‚Geschehen' Gottes, seine Tat, ist jetzt die ‚Geschichte' Gottes mit dem Men-schen. Geschichte als „Tat Gottes"[135] wird für den Glauben konstitutiv und ist nicht nur dessen Vollzugsform; denn „[...] die Erfüllung des menschlichen Lebens ist nicht das Ergebnis menschlichen Bemühens, sondern nur Geschenk von jenseits, Geschenk der Gnade Gottes"[136]. Die Geschichte des Handelns Gottes vollzieht sich nicht nach der Logik der ‚Weltgeschichte', sie setzt einen neuen Anfang; das neue Selbstverständnis des Glaubens ist „erst von einer be-stimmten Zeit ab überhaupt Möglichkeit geworden [...], und zwar infolge eines Geschehens, des Christusgeschehens"[137]. Glauben hat seinen Grund in einem einmaligen Geschehen, im Geschehen an Jesus Christus[138]. Der Andersartigkeit dieses Geschehens, das die Struktur gläubiger Existenz bestimmt, trägt Bult-mann dadurch Rechnung, daß er diese neue Geschichtsbeschaffenheit „eschato-logisch" nennt[139]. Das ‚Eschatologische' göttlicher ‚Geschichte' definiert er da-bei gerade von ihrem ‚Gegensatz'[140] zur Welt-‚geschichte', vom ‚Jenseits'[141] aller Geschichte her. Darin liegt jedoch die besondere Schwierigkeit, Bultmanns theologische Redeweise von ‚Geschichte' zu verstehen[142].

Wenn Bultmann nämlich vom eschatologischen Geschehen als ‚Geschichte' spricht, kann er dies nur in uneigentlichem Sinn; denn eschatologische Geschichte steht gerade im Gegensatz zu jener anderen Geschichte. Eschatolo-

---

[134] KM I, 40; vgl. GV I, 187; KM I, 224; Johannes, 118.
[135] Vgl. GV II, 100, 158, 184; GV III, 30f, 205; Eschatologie, 180; GV I, 260; KM I, 35; KM II, 196f.
[136] GV II, 38.
[137] KM I, 31; vgl. GV I, 265; GV IV, 186.
[138] GV III, 17; vgl. GV IV, 136.
[139] Vgl. GV I, 144, 158; GV II, 75, 178; GV III, 105; Eschatologie, 42, 44ff.
[140] Dazu vgl. G. Greshake, Historie, 37ff; J. Körner, Eschatologie, 99f, 110ff.
[141] Vgl. Jesus, 48; Johannes, 356; GV I, 24; GV II, 82, 93, 94, 138, 243; GV III, 69, 106, 121; GV IV, 155; KM II, 136; Eschatologie, 182, 184.
[142] Vgl. Anm. 140. Dieselbe Feststellung machten wir schon, als es darum ging, den Sprachgebrauch von ‚Historie' und ‚Geschichte' bei Bultmann zu bestimmen; vgl. Anm. 95.

gische Geschichte ist das ‚Ende' der Weltgeschichte, „das Heilsgeschehen ist das eschatologische Geschehen, das dem alten Weltlauf ein Ende setzt"[143]. Worauf die Weltgeschichte in ihrem natürlichen Gang hinausläuft, das erscheint in der Perspektive des Glaubens als Unheilsgeschichte und ‚Gericht'[144]. Wenn Bultmann trotzdem am Begriff eschatologischer ‚Geschichte' festhält, meint er damit die Betroffenheit der menschlichen Existenz vom göttlichen Handeln in ihrer ‚existentialen' Geschichtlichkeit. Weltgeschichte vermag Existenz nicht zur Eigentlichkeit zu befreien, sondern hält sie in ihrer Verfallenheit nieder. Das Heilsgeschehen schafft dagegen den Menschen in seiner ‚Geschichtlichkeit' neu[145]. Die neue Existenz aus dem Glauben wird nach ihrem eigentlich geschichtlichen Charakter „eschatologisch" genannt. Gläubige Existenz ist „eschatologische Existenz"[146]. „Die eschatologische Existenz ist für den Menschen also dadurch zur Möglichkeit geworden, daß Gott gehandelt und der Welt als ‚dieser Welt' ein Ende gemacht hat, indem er den Menschen selbst neu machte."[147] „Eschatologische Existenz" ist „jenseitige Existenz"[148]. Denn das göttliche Heilsgeschehen und damit die ‚Geschichte' gläubiger Existenz stehen ‚jenseits' aller anderen ‚Geschichte'.

Im Grunde muß man bei Bultmann drei Begriffe von ‚Geschichte' unterscheiden. Eine erste Unterscheidung wurde in der existentialen Struktur zwischen existentiell ‚eigentlicher' und ‚uneigentlicher' Geschichte getroffen[149]; denn diese Modi von Geschichtlichkeit entsprechen der Geschichte als ‚Historie' bzw. ‚Geschichte'. Das Heilsgeschehen Gottes am Menschen prägt eine neue Gestalt von Geschichte aus, die zwar von der existentialen Struktur her als ‚eigentliche Geschichte' verstanden werden muß, die aber andererseits nicht mit jenem Modus eigentlicher Geschichte verwechselt werden darf, den die Philosophie kennt. Die ‚eschatologische Geschichte' unterscheidet sich von der bloß ‚existential' gewonnenen eigentlichen Geschichte durch ihre Tatsächlichkeit gegenüber einer bloßen Möglichkeit[150]. In der Folge ist darauf zu achten, in welchem Sinne Bultmann jeweils von ‚Geschichte' spricht. Dies fällt um so schwerer, als Bultmann selbst nicht immer ausreichend differenziert.

---

143 Theologie, 307; vgl. GV II, 101, 257; GV III, 22, 97; Eschatologie, 180.
144 Vgl. Eschatologie, 53 ff, 157; GV IV, 97, 101, 151.
145 Vgl. GV III, 165.
146 GV II, 96 f; vgl. GV II, 75, 77, 103, 160; GV III, 203.
147 Marburger Predigten, 96.
148 GV II, 98.
149 Siehe o. S. 37.
150 Vgl. G. Greshake, Historie, 59 ff; J. Körner, Eschatologie, 111 ff. Körner: „So steht Geschichte zwar gegen Geschichte. Aber von ihrer ontologischen Voraussetzung, der Geschichtlichkeit, aus ist da kein Widerspruch oder Unsinn, sondern besagt, daß die Möglichkeit der Geschichtlichkeit zwei Arten von Geschichte aus sich entläßt: eigentliche und uneigentliche. Ontisch schließt die eine die andere aus" (115); vgl. KM I, 125.

Rudolf Bultmann

Ähnlich erfährt das Existential des „Selbstverständnisses"[151] aus der Perspektive des Glaubens eine Umwandlung. Die Philosophie geht gerade dann fehl, wenn sie vorgibt, aus der Erkenntnis des Selbst eigentliches Selbstverständnis zu vermitteln. Gewiß muß jede Geschichte, die den Menschen betreffen will, so auch die Heilsgeschichte, in dessen Verstehen eingehen. Gläubiges Dasein versteht sich jedoch fundamental vom Jenseits seiner selbst, d. i. vom eschatologischen Geschehen her. Die eschatologische Tat Gottes liegt als solche dem Verstehen voraus, sie ist Gottes unableitbares Handeln; soll dieses Geschehen verstanden werden, muß sich sein Sinn und Anspruch mit hinzugeben. Das aber geschieht im ‚Kerygma'. Bultmann formuliert: „Ich wende mich von allen geschichtlichen Begegnungen (auch der mit dem Χριστὸς κατὰ σάρκα) ab und der einzigen Begegnung mit dem verkündigten Christus zu, der mir im Kerygma begegnet, das mich in meiner geschichtlichen Situation trifft."[152]

Das Kerygma erschließt die Heilsgeschichte erst in ihrer eschatologischen Dimension. Kerygma enthält als Bericht über Geschichte zwar eine „Mitteilung von historischen Fakten. Sie geschieht freilich nicht so, wie sonst Fakten-Mitteilung erfolgt, nämlich zur Bereicherung des alten Weltverständnisses, in dem ich schon stehe, sondern sie will dieses gerade verwerfen, indem sie mir Fakten mitteilt, die den Sinn haben, göttliche Taten, Ereignisse einer Heilsgeschichte, kurz ‚eschatologische' Fakten zu sein."[153] Kerygma wird dann aber nicht im menschlichen Verstehen erbracht, sondern gründet in Gottes eigener Tat, in seiner Offenbarung[154], die ihre Verstehensbedingungen mitbringt[155]. Es ist Sinn von Kerygma, die Souveränität und Unableitbarkeit des göttlichen Handelns, von dem es kündet, herauszustellen; denn es selbst ist Gabe. Kerygma betont die Autorität des anredenden Gotteswortes, es ist „autorisierte, verfügende Verkündigung, herrscherlicher Erlaß" Gottes [156]. Nicht das ‚Selbst', sondern das ntl. Kerygma ‚redet', und aus ihm weiß der Glaube ‚von einer Tat Gottes'[157], die für ihn entscheidend ist: „Wo der Mensch nicht handeln kann, hat Gott für ihn gehandelt."[158]

Erst in einem zweiten und abgeleiteten Sinn trägt Kerygma ein Verstehen in sich und evoziert es ein neues Selbstverständnis. „Gottes Offenbarung ist primär ein Geschehen, nicht eine Wissensvermittlung. Aber sie begründet ein

[151] GV III, 30ff; vgl. GV II, 141.
[152] KM I, 134.
[153] GV I, 158; vgl. GV I, 158ff, 172ff, 279f; GV III, 22; Theologie, 307.
[154] Vgl. KM I, 31.
[155] Vgl. GV II, 119.
[156] Theologie, 308; vgl. GV III, 166, 270; GV I, 107ff, 280, 282ff, 286, 292; GV IV, 185; KM I, 50.
[157] KM I, 40.
[158] KM I, 39.

45

Wissen und eine Lehre, sofern sie ein neues Sich-verstehen ermöglicht."[159] Dem neuen Sich-verstehen aus dem Kerygma gegenüber heißt jedes Verständnis oder Vor-verständnis – auch das existentiale – ‚alt‘, nur das geschenkte und gewährte Verstehen aus dem Kerygma kann wahrhaft ‚neu‘ genannt werden[160]. Das Kerygma will sodann verstanden werden, da es ‚Wort‘ ist, Wort von einem Geschehen, dessen Verstehen es als Wort stiftet. Denn Wort versteht sich selbst, wovon es auch immer spricht. Demnach leistet das Kerygma zweierlei: es gibt Kunde von geschehener Offenbarung und Kunde von einem neuen Selbstverständnis, es gibt „das Bewußtsein von der Tat Gottes und vom Selbst in Einem [...]"[161]. Die Unableitbarkeit des Selbstverständnisses aus sich selbst und seine beständige Verwiesenheit auf die erste Tat Gottes sind stets zu wahren[162].

An der theologischen Auslegung haben sich so bei Bultmann alle Begriffe seiner philosophischen Existentialanalytik entscheidend gewandelt. Die *Gesamtrichtung* seines Systems gegenüber der Existentialanalyse hat sich verschoben. Die gläubige Existenz ist durch das Aussein aufs ganz ‚Andere‘ ihrer selbst ausgezeichnet. Die theologische Aussage billigt diesem ‚Anderen‘ die Priorität zu, es kann nicht unter die Existenz verrechnet werden. Am Anfang der Offenbarung steht Gottes freies Handeln, seine souveräne Tat. Die Vermittlung dieser Tat kann der Mensch nicht leisten, sie bleibt unableitbar. Der Christ weiß aus der Verkündigung, daß diese ‚Heilstat Gottes‘ am Menschen das „Ereignis" ist, ‚das Jesus Christus heißt‘[163]. Die Verkündigung spricht von dem alle Offenbarung konstituierenden ‚Christusgeschehen‘ oder ‚Christusereignis‘[164]. Und nur dadurch, daß Christus in die Geschichte eingegangen ist, bekommt es der Glaube mit Historie zu tun. Darüber hinaus ist sich – nach Bultmann – der Christ bewußt, daß nicht das bloße Geschehen schon Offenbarung, nicht der historische Jesus schon das Heilsereignis ist, sondern daß Offenbarung primär im Wort geschieht. Jesus Christus ist das ‚Wort‘ und im Wort der ‚Offenbarer‘. In dieser Konstellation der theologischen Begriffe tritt das Wort in die alles – Gott und Mensch – vermittelnde Stellung ein. Das Kerygma ist das eigentliche Heilsereignis.

---

[159] GV I, 178.   [160] GV III, 129; vgl. GV II, 56f, 141; GV III, 42; KM I, 244.
[161] KM I, 225; vgl. GV III, 29.
[162] KM I, 224; „Der Glaube bzw. das christliche Selbstverständnis ist, was es ist, nur in einem beständigen Bezug auf Gottes Tat in Christus, die mir im Wort begegnet. Diese Tat hat das christliche Selbstbewußtsein nicht ‚angekurbelt‘, so daß das eigentliche Ereignis im Hintergrund stände wie der Gott des Deismus hinter dem Weltlauf. So gut wie im menschlichen Miteinander das neue Selbstverständnis, das einem Menschen in der Begegnung eines Anderen durch Liebe und Vertrauen geschenkt werden kann, wenn es echt bleibt, seinen beständigen Bezug auf den begegnenden Anderen behält, so gut bleibt das christliche Selbstverständnis ständig Antwort auf das ständig begegnende Wort Gottes, das Gottes Heilstat so verkündet, daß sie in ihm ständige Gegenwart ist." Vgl. GV IV, 196.
[163] GV II, 257ff; vgl. GV I, 332.   [164] KM I, 31, 33.

2.1.2.3 Strukturvergleich

R. Bultmann legt ein Programm vor, das die Elemente des „Glaubens", der „Geschichte" und des „Kerygmas" in ihren Zusammenhang stellt und aneinander vermittelt[165]. Ausgangspunkt des Programms ist die Existentialanalyse. Die Glaubensstruktur entfernt sich aber durch ihr Proprium von dieser und scheint ihr bei aller begrifflichen Entsprechung der Sache nach entgegengesetzt. Dieser Eindruck fängt indessen nicht das Ganze und Eigentümliche des Bultmannschen Gedankens ein; die Entgegensetzung tritt dann zutage, wenn – wie im vorigen Abschnitt – die formalen Unterschiede als solche schematisch herausgearbeitet werden. In der Tat bleibt die Existenz bei Bultmann nicht nur Ausgangspunkt, sondern die Begrifflichkeit der existentialen Analyse durchdringt auch das Sprechen von Glauben, sie imprägniert die Glaubensstruktur und überlagert diese schließlich weithin. Nur im dialektischen Ineinander der Strukturen wird das Programm Bultmanns sichtbar.

Indem wir die Konturen der Bereiche von Existenz und Glauben heraushoben, traten zugleich die verschiedenen Ursprünge dieses Denkens hervor. Es zeigt sich, daß es von einem biblischen und einem philosophischen Ursprung ausgeht und daß es diese Ursprünge in ihrer eigenen Ursprünglichkeit bewahren

---

[165] Zur kritischen Auseinandersetzung vgl. außer den in Anm. 54 genannten Autoren die Diskussionssammlungen „Kerygma und Mythos", hrsg. von H. W. Bartsch, Hamburg 1952ff: KM I: Ein theologisches Gespräch (1954); KM II: Diskussion und Stimmen zum Problem der Entmythologisierung (1952); KM III: Das Gespräch der Philosophie (1954); KM IV: Die ökumenische Diskussion (1955); KM V: Die Theologie Bultmanns und die Entmythologisierung in der Kritik der katholischen Theologie (1955); KM VI/1: Entmythologisierung und existentiale Interpretation (1963); KM VI/2: Entmythologisierung und Bild (1964); KM VI/3: Hermeneutik – Technik – Ethik (1968); KM VI/4: Hermeneutik, Mythos und Glaube (1968); auch: Festschrift Rudolf Bultmann. Zum 65. Geburtstag überreicht, hrsg. von E. Wolf, Stuttgart 1949; Zeit und Geschichte. Dankesgabe an R. Bultmann, hrsg. von E. Dinkler, Tübingen 1965; Post Bultmann Locutum. Diskussion der Professoren Gollwitzer und Braun zu Mainz, hrsg. von H. Symanewski u.a. (Theologische Forschung, 37), Tübingen 1965; Post Bultmann Locutum II. Zur Diskussion mit Herbert Braun, hrsg. von H. W. Bartsch (Theologische Forschung, 37), Hamburg 1966. Die Diskussionsbeiträge von katholischer Seite faßt jetzt zusammen K. Hollmann, Existenz und Glaube. Entwicklung und Ergebnisse der Bultmann-Diskussion in der katholischen Theologie, Paderborn 1972. Vgl. K. Barth, Rudolf Bultmann. Ein Versuch, ihn zu verstehen (Theologische Studien, 34), Zürich ²1953; A. Brandenburg, Existentialtheologie – Gewinn und Gefährdung, Essen 1970; P. Eickelschulte, Hermeneutik und Theologie bei Rudolf Bultmann. Zu den Möglichkeiten eines Gesprächs mit der katholischen Theologie, in: ThPh 40 (1965) 23ff; Die Theologie Rudolf Bultmanns, hrsg. von D. Georgi, Hamburg 1972; K. Jaspers – R. Bultmann, Die Frage der Entmythologisierung, München 1954; Ch. Kegley (Hrsg.), The Theology of Rudolf Bultmann, New York 1966; F. Mildenberger, Theologie für die Zeit. Wider die religiöse Interpretation der Wirklichkeit in der modernen Theologie, Stuttgart 1969, 116ff; J. Moltmann, Theologie der Hoffnung. Untersuchungen zur Begründung und zu den Konsequenzen einer christlichen Eschatologie (Beiträge zur evangelischen Theologie, 38), München 1966, 51ff; D. J. Schniewind, Antwort an Rudolf Bultmann. Thesen zum Problem der Entmythologisierung, in: KM I, 77ff. Im übrigen vgl. die in Anm. 2 genannte Diskussionsübersicht von G. Bornkamm.

und zugleich vermitteln will[166]. Wie sieht aber die konkrete Durchdringung der Strukturen aus?

Bislang ging es darum, die je besondere Gangart der Strukturen philosophisch erhellter Existenz und theologisch reflektierten Glaubens in den Blick zu bekommen; denn an ihnen ist die Differenz der Strukturen vor allem wahrzunehmen[167]. Die verschiedenen Vorgänge, als welche sich die Strukturen entfalten, müssen aber, faßt man das Ganze Bultmannschen Denkens ins Auge, zusammengesehen werden; die auseinandergelegten Strukturen zeigen alsdann eine gemeinsame Orientierung, *eine einzige Grund- und Gesamtrichtung*, die Bultmanns theologisches wie philosophisches Denken bestimmt.

Es ist im Grunde *eine* Determinante, die alle strittigen theologisch-dialektischen Elemente von Gott und Mensch, Glaube und Existenz, Kerygma und Geschichte in einer bestimmten Hinsicht ordnet. Diese Determinante tritt etwa im *Gottesbegriff* Bultmanns hervor[168], wenn er feststellt: „Aber was weiß der Mensch, wenn er das [die Begriffe von Gottes Allmacht, Heiligkeit, Ewigkeit, Jenseitigkeit] weiß, von Gott? Kennt er damit Gott, daß er einen Begriff von Gott hat? Keineswegs. Er hat damit nur die Frage nach Gott; und das Wissen, das in dieser Frage enthalten ist, ist im Grunde kein anderes Wissen als ein Wissen um das, was er nicht hat und nicht ist und was er doch haben möchte und sein möchte; ein Wissen um die Begrenztheit und Nichtigkeit des Men-

---

[166] Bultmann weiß um den eigenen Ursprung ntl. Aussagen; er selbst hat sich geäußert, die abendländische Philosophie stehe in der Abhängigkeit des NT und der christlichen Tradition: „Faktisch ist sie [die existentiale Analyse] freilich nicht ohne das Neue Testament entdeckt worden; es würde die moderne Philosophie ja gar nicht geben ohne das Neue Testament, ohne Luther, ohne Kierkegaard" (KM I, 35). Bei Bultmann ist diese direkte biblische Traditionslinie nicht weniger zu berücksichtigen als jene andere, philosophische von M. Heidegger her (vgl. Anm. 62). – Kennzeichnend für die Methode, wie Bultmann die beiden Ursprünge, so denen er denkt, zu vermitteln sucht, ist sein Aufsatz „Der Begriff der Offenbarung im NT" (GV III, 1 ff). Hier geht Bultmann von dem ‚philosophischen' Vorverständnis aus, entfaltet dann den ntl. Offenbarungsbegriff und setzt schließlich beide Weisen des Verstehens einander gegenüber, indem er die Differenz von ‚Vorverständnis' und ‚Offenbarung' durch den theologischen Begriff der ‚Sünde' mitbedenkt. – Vgl. dazu F. Konrad, Offenbarungsverständnis, 135: „Die Annahme dieser [biblischen bzw. christlichen] Tradition oder das Festhalten an ihrer Autorität ist das besondere Kennzeichen für die Christlichkeit seiner [Bultmanns] Theologie"; auch H. Ott, Geschichte, 89 f; G. Hasenhüttl, Glaubensvollzug, 18 ff. – Andere sehen darin einen ‚autoritären', ‚kerygmatischen' oder ‚mythologischen' Rest in Bultmanns Entmythologisierungsprogramm, den es letztendlich auch noch zu ‚entmythologisieren' oder ‚entkerygmatisieren' gilt (vgl. F. Buri in: KM II, 85 ff).

[167] Bultmanns Denken wird man nur gerecht, wenn man in sein Denken einsteigt, seiner Bewegung oder ‚Richtung' folgt. Bultmanns Denken ist von Anfang an nicht das eines ‚Entweder-Oder', sondern des „Woraufhin"; vgl. GV I, 25 ff; GV II, 219; Eschatologie, 126. Auf der Frage des „Woraufhin" des Verstehens und Denkens gründet Bultmanns Hermeneutik; vgl. GV II, 219. Deshalb wird ihm H. Otts Interpretation nicht gerecht, der sein Denken auf ein ‚Entweder-Oder' ‚restringiert' bzw. ‚reduziert' (Geschichte, 77 ff bzw. 155 ff). Dem „Woraufhin" von Bultmanns Denken zu folgen, darauf ist unsere Bultmann-Interpretation angelegt (s. O. S. 35 ff).

[168] Vgl. den Aufsatz „Welchen Sinn hat es, von Gott zu reden", in: GV I, 26 ff.

schen."[169] Für Bultmann gilt also: von Gott sprechen bedeutet vom Menschen sprechen[170]. Vor Gott wird sich der Mensch bewußt, daß seine Existenz eine geschichtliche ist, begrenzt in sich selbst, leer aus sich selbst, der Erfüllung von Gott bedürfend[171]. Dies ist es eigentlich, was der Mensch von Gott weiß. Für Bultmanns System gilt also durchgängig: In der Rede von Gott und seiner Offenbarung richtet sich der Blick von Gott auf den Menschen[172].

Auf dieses Prinzip ist jedes Element des Systems zu beziehen. Gewiß setzt das Denken Bultmanns bei Gott bzw. seiner Tat und bei seiner Offenbarung bzw. dem Kerygma an; aber für Gott und seine Offenbarung wird die Hinsicht auf Existenz wesentlich, so daß Existenz selbst konstitutiv für das Sprechen von Gott und Offenbarung erscheint[173]. Offenbarung geschieht im Wort: Dieses Wort ist aber nach Bultmann nicht allein Wort der Mitteilung, sondern Wort der Anrede und des Anspruchs[174]; es ist so sehr Wort an die Existenz, daß es nur im Antworten und Verantworten durch die Existenz als Wort vernehmbar wird. Erst als Wort an die Existenz wird auch Offenbarung als ,göttliches' Wort verstanden. Daß dieses Wort, das göttliche Offenbarungswort, gehört, verstanden und verantwortet wird, gehört nach Bultmann zum ,,eschatologischen" Ereignis mit hinzu[175]. Ebenso gilt für das Heilsgeschehen, daß sich die Tat Gottes nur dort ereignet, wo gläubige Existenz in ihrer Geschichtlichkeit betroffen wird und sich der neuen Situation aus dem Glauben stellt. Zum Heilsgeschehen gehört für Bultmann die Annahme oder Ablehnung durch die hörende Existenz mit hinzu[176].

Dies die Grundrichtung im System Bultmanns. Weiterhin ist nun die latente Tendenz Bultmanns aufzuweisen, auch die ursprünglichen Daten von

---

[169] GV II, 82; vgl. GV I, 18f.

[170] Die Tendenz der späteren Entwicklung wird in dem frühen Satz Bultmanns deutlich: ,,Gegenstand der Theologie ist ja Gott, und von Gott redet die Theologie, indem sie redet vom Menschen, wie er vor Gott steht, also vom Glauben aus" (GV I, 25); vgl. GV I, 36, 26ff, 28, 117; GV IV, 135, 162, 177; KM II, 185; vgl. J. Moltmann, Theologie, 44ff, 51ff; G. Koch, Auferstehung, 130ff.

[171] GV III, 1ff; vgl. GV II, 82ff, 94, 252f; GV III, 3, 5f, 15ff, 32; KM II, 203.

[172] Bultmann gesteht selbst: ,,Ich gebe zu, daß ich Anlaß gegeben haben mag, mir solchen Individualismus zuzuschreiben" (GV III, 184).

[173] GV III, 21. ,,Daß das Wort dieses vermag: dem Menschen seine Sünde zugleich aufdecken und vergeben, das macht den Charakter als Wort Gottes aus. Aber dies vermag es als echte Anrede nur so, daß es den Hörer fragt, ob er sich verstehen will" (GV I, 284); vgl. GV I, 260, 180, 282f.

[174] Vgl. GV I, 282f, 263; GV III, 30; GV IV, 179, 53f; Eschatologie, 181.

[175] GV I, 260; vgl. GV I, 180, 208; GV III, 23; GV IV, 137, 162; Theologie, 301f.

[176] ,,Denn Offenbarung ist Offenbarung nur in actu und pro me; sie wird nur in der persönlichen Entscheidung als solche verstanden und anerkannt" (KM III, 56); vgl. GV III, 23; GV I, 179, 212, 297.

„Glaube", „Kerygma" und „Eschatologie" von den Existentialien des „Selbstverständnisses" her zu erläutern[177].

Untersuchen wir zunächst den Begriff der „*Eschatologie*". Es fiel uns oben auf, wie wenig Bultmann die Begriffe „historisch" – „geschichtlich" und „historisch" – „geschichtlich" – „eschatologisch" in der Durchführung auseinanderhält[178]. Verrät die Ungenauigkeit des Sprachgebrauchs nicht etwas von der Problematik des Bultmannschen Geschichtsbegriffes überhaupt? Die Differenzierung von „Geschichte" und „Eschatologie" erwies sich theologisch und philosophisch notwendig; sie wird bei Bultmann von dem fundamentalen Prinzip existentialer Geschichtlichkeit her gewonnen[179].

Bei näherem Zusehen wird deutlich, daß in der Beziehung aller Begriffe auf diese fundamentale Geschichtlichkeit sowohl deren Unterscheidung wie auch deren wiederholte Vermischung gründet. Denn wenn alle geschichtlichen Phänomene von der Existenz her gesehen werden, sind in ihnen zwar die verschiedenen Modi uneigentlich und eigentlich geschichtlichen Daseins, „Historie" und „Geschichte" bzw. „Eschatologie", zu unterscheiden, denn sie alle unterstehen den Bedingungen geschichtlichen Geschehens überhaupt, doch leistet dieses Kriterium über die Unterscheidung von Historie und Geschichte bzw. Eschatologie hinaus nichts; denn es läßt die von „Geschichte" und „Eschatologie" selbst nicht sehen. Da Bultmann zu dieser Unterscheidung kein eigenes Kriterium angibt, stellt sich die Frage, ob Geschichte und Eschatologie Modi „eigentlicher" Geschichtlichkeit sind oder ob Geschichte theologisch „uneigentlicher" Geschichtlichkeit zuzurechnen ist, da die Eschatologie doch alle Geschichte überholt?[180] Bultmann stellt sich die Frage nicht, da es ihm ausschließlich um die Geschichtlichkeit des Daseins, nicht um die Wirklichkeiten von Historie, Geschichte und Eschatologie geht. Existentialanalytisch meint Geschichte die Realisierung der Geschichtlichkeit des Menschen, und darauf

---

[177] Auf diese Weise kann Bultmann die ntl. Theologie auf die in ihr impliziten „anthropologischen Begriffe" hin lesen; vgl. Theologie, 193 ff.

[178] Siehe o. S. 44; vgl. KM I, 129: „geschichtlich" bzw. „eschatologisch" wird vor allem ‚antithetisch' gegenüber „historisch" gebraucht.

[179] Vgl. J. Körner, Eschatologie, 117 ff; vgl. KM I, 125.

[180] Typisch für diese Aporie sind etwa folgende Zitate: „Die entscheidende Geschichte ist nicht die Weltgeschichte, die Geschichte Israels und der anderen Völker, sondern die Geschichte, die jeder Einzelne selbst erfährt. Für diese Geschichte ist die Begegnung mit Christus das entscheidende Ereignis, ja in Wahrheit das Ereignis, durch das der Einzelne beginnt, wirklich geschichtlich zu existieren, weil er beginnt, eschatologisch zu existieren" (GV III, 102). Dann aber stellt sich die Frage: „Gibt es überhaupt echte geschichtliche Entscheidung, die nicht zugleich ‚eschatologische' Entscheidung ist"? (GV III, 183); im Grunde nicht; denn „Geschichte ist von der Eschatologie verschlungen" (GV III, 106), und andererseits ist Geschichtsphilosophie „säkularisierte Eschatologie", und das selbst „in der existentialen Interpretation Kierkegaards" (GV II, 200); vgl. GV II, 241; Eschatologie, 135.

liegt demnach der Akzent in Bultmanns System; darum bekommt der Begriff „Geschichte" im philosophischen Kontext wie auch im theologischen ein Übergewicht und kann mit allen anderen Begriffen ausgetauscht werden.

In der Folge ist jedoch zu fragen, wie sich Eschatologie unter den allgemeinen Bestimmungen geschichtlicher Existenz verstehen läßt, ohne daß man den ursprünglich theologischen Ansatz Bultmanns aufgibt. Eschatologie bedeutet auch für Bultmann primär, wie wir oben sahen[181], die „Tat Gottes"[182] und deren eigene Geschichte, die sich „jenseits" menschlicher Geschichte ereignet[183]. Dann aber ist Eschatologie die Geschichte Gottes am Menschen und demnach zugleich – entgegen der Bestimmung Bultmanns – wahrhaft Geschichte des Menschen. In ihr nämlich schafft sich die eschatologische Geschichte ihre eigenen Bedingungen und Möglichkeiten. Ist es überhaupt möglich, in einer existentialen Analytik über die formalen Strukturen von Geschichte und Geschichtlichkeit in sich zu handeln, ohne die konkrete Geschichte und deren konkrete Strukturen zu bedenken, die selbst wiederum geschichtlich sind? Wird Geschichte, wie sie Bultmann versteht, nicht geradezu geschichtslos, wenn sie nichts anderes als die Realisierung der grundsätzlichen Möglichkeiten existentialer Geschichtlichkeit, d. h. Funktion der Existenz, ist? Und ist schließlich die Existenz, von der her Bultmann doch alles sieht und denkt, wirklich radikal genug gedacht, wenn sie nicht ganz geschichtlich gedacht wird? Hat die Existenz lediglich ihre Geschichte, oder ist sie nicht vielmehr diese selbst?

Ähnlich wie die Eschatologie auf die Geschichtlichkeit werden von Bultmann „Kerygma" und „Glaube" auf das Selbstverständnis des Menschen hin ausgelegt. Der Glaube ist „verstehender Glaube"[184] und „existentiales Selbstverständnis"[185]; er „ist kein blinder Glaube, der auf äußere Autorität hin etwas Unverständliches akzeptiert. Denn der Mensch kann verstehen, was das Wort der Offenbarung sagt, da es ihm die beiden Möglichkeiten seines Selbstverständnisses anbietet."[186]

Das von ‚außen' ansprechende und ‚autoritative' Wort Gottes darf nach Bultmann nicht äußeres Wort bleiben, wie wir auch oben sahen[187], sondern muß verstanden werden können. Dies die erste Bedingung an das Wort Gottes nach

---

[181] Siehe o. S. 43.
[182] Zur Diskussion, ob „Tat Gottes" dann nur noch ein formaler Titel und nicht mehr das konkrete Heilshandeln Gottes ist, vgl. H. Ott, Geschichte, 164 ff; vgl. KM I, 82, 124, 221 f; KM II, 196 ff.
[183] Siehe o. S. 43.
[184] KM I, 46; vgl. GV I, 163, 263, 283 ff.
[185] GV II, 232; vgl. KM II, 189, 201; GV I, 283.
[186] KM III, 57 f.
[187] Siehe o. S. 45 f.

Bultmann. Die zweite Bedingung besteht darin, daß solches Verstehen nach Bultmann nur als Sich-selbst-Verstehen geschehen kann, und das wiederum nur in den zwei Weisen der Eigentlichkeit und Uneigentlichkeit[188]. Bultmann führt somit den Glauben auf Verstehen und Verstehen auf das Selbstverständnis zurück. Wenn Bultmann aber gläubiges Verstehen am Vorgang existentialen Verstehens abliest, erfährt der Glaube in der Offenbarung allein die Wahrheit über das Selbst: „Was ist also geoffenbart worden? Gar nichts, sofern die Frage nach Offenbarung nach Lehren fragt. [...] Aber alles, insofern dem Menschen die Augen geöffnet sind über sich selbst und er sich selbst wieder verstehen kann."[189] An ein solches Glaubensverständnis ist aber die Frage zu stellen, ob es den Ursprung des Glaubens aus der freien Tat Gottes nicht außer acht läßt und ob der Glaube nicht sein eigenes Verstehen stiftet, das nicht einfachhin unter das existentiale Verstehen verrechnet werden darf.

Ebenso wird das „Kerygma" auf das Selbstverständnis hin ausgelegt. „Die Möglichkeit des Wortes Gottes, verstanden zu werden, fällt zusammen mit der Möglichkeit für den Menschen, sich selbst zu verstehen. Ob er sich verstehen will, wie ihm im Wort gesagt ist, danach ist er gefragt. Daß er sich so verstehen kann, darin liegt das einzige Kriterium für die Wahrheit des Wortes."[190] Hier wird die Intention Bultmanns erneut deutlich. Wohl spricht das Kerygma den Menschen „von außen", d.h. von ,oben', an, doch ist es wiederum das „Selbst", das entscheidet, wie es sich auf Grund des Kerygmas verstehen „*will*"[191]. Am Willen des Selbst also liegt es, ob Kerygma wahrhaft Kerygma ist. Das „einzige Kriterium", das Bultmann noch nennt, ist zugleich das entscheidende; bevor das Kerygma überhaupt ein neues Verstehen schaffen kann, muß der Mensch sich bereits verstehen „*können*". Damit fallen die Möglichkeiten des Wortes Gottes unter die Bedingungen der Möglichkeit existentialen Verstehens. Kerygma ist bei Bultmann somit: Ruf an die Existenz in ihre Eigentlichkeit[192]. Glaube ist „existentielles Selbstverständnis"[193].

Es zeigt sich also, daß sich das Grundprinzip des Bultmannschen Systems in allen seinen Elementen durchhält. Das das ganze System und jedes seiner

---

[188] Bultmann kennt durchaus verschiedene Weisen des Verstehens; aber das Verstehen des Glaubens kann bei ihm nur eines sein, es ist „kein rationales; freilich auch kein mystisches, sondern ein existentielles, kein objective et speculative, sed realiter experiri" (GV I, 151); GV II, 212, Anm. 4.

[189] GV III, 29; vgl. GV I, 155, 177f, 282ff; KM I, 50.

[190] GV I, 284; vgl. GV I, 295.   [191] Vgl. KM I, 137, 223; GV I, 280.

[192] Die Tendenz Bultmanns, die wir an den Begriffen Eschatologie, Glaube und Kerygma nachgewiesen haben, wäre an einer Reihe theologischer Begriffe, wie „Sünde", „Leben", „Christen", „Verkündigung" u.a., aufzuzeigen; dazu vgl. F. Konrad, Offenbarungsverständnis, 83ff; H. Ott, Geschichte, 93ff.

[193] KM II, 189.

Elemente prägende Zugleich bleibt nicht ohne Folgen für das ganze Programm Bultmanns[194]. Die Kombination philosophischer und theologischer Struktur glückt letztlich nicht. Die Brüchigkeit des Systems ist überall dort zu spüren, wo er auf das „*Paradoxon*" und das „Skandalon" des Glaubens zu sprechen kommt. Gerade mit der Rede vom Paradoxon sucht er die unverbundene Gleichzeitigkeit der Strukturen aufrechtzuerhalten.

Das Grundparadoxon des christlichen Glaubens lautet für Bultmann: „Das Wort ist Fleisch geworden"[195], das Geheimnis der Menschwerdung. In der Auslegung ist das „Paradoxon", daß das „eschatologische" Geschehen Jesu Christi „Historie" geworden ist, und das „Skandalon", daß von diesem Geheimnis in menschlich verständlicher Sprache geredet werden kann. Im Grundparadoxon Jesu Christi findet Bultmann seine Einsicht bestätigt: „Glauben" ist „Verstehen", und das „historische Ereignis" ist zugleich das „eschatologische", wenn auch in merkwürdiger Paradoxie. Dabei betont Bultmann für die theologische Paradoxie nicht so sehr das ‚Ungetrennt' und ‚Unvermischt' von Gott und Mensch, sondern den „Gegensatz" des „Göttlichen" und „Menschlichen"[196]. Die Paradoxie Jesu wird nicht in der Einheit des historischen Jesus mit dem Gottessohn erkannt, sondern der „historische" Jesus muß nach Ostern von den Jüngern „fortgegangen", „jede Anschaulichkeit" seiner Gestalt getilgt sein, damit er im vollen Sinne „der Offenbarer" werde[197]. Es bleibt zu klären, ob solche Paradoxie aus der Sache des Glaubens erwächst oder nicht vielmehr in der „Verstehens"-problematik Bultmanns angelegt ist.

Das Kerygma kündet bei Bultmann von einem paradoxen Geschehen. „Diese Paradoxie ist also die Behauptung, daß ein historisches Ereignis das eschatologische Ereignis ist."[198] Für Bultmanns Denken ist die Identifikation von Historie und Eschatologie in ein und demselben Geschehen tatsächlich „paradox"; denn zuerst stehen sich beide diametral gegenüber. „Eschatologie" ist gerade das Ende der „Historie"[199]. Wird Historie im Sinne Bultmanns als Objektivation, Vorhandenheit und Verfallenheit verstanden, bedeutet eschatologisches Geschehen gerade dessen Gegenteil, Entscheidung und Heil; eschatologisches Heil ist unableitbares Geschenk und unverfügbare Gabe. Wie sollen wir dann eschatologisches und historisches Ereignis identifizieren können? Bultmanns Antwort lautet: nur in der „Verkündigung"[200]. Die Identität von Historie und

---

[194] Vgl. auch F. Konrad, Offenbarungsverständnis, 83 ff.
[195] KM I, 48; GV III, 18, 23, 136, 202, 204; Johannes, 40 f.
[196] Theologie, 394.
[197] Ebd.
[198] GV IV, 136; vgl. GV IV, 186 ff; KM II, 205; GV III, 106, 187, 202.
[199] Siehe o. S. 44.
[200] Vgl. GV IV, 136 f, 186 f; KM I, 46; GV III, 168, 205 f; GV I, 208.

eschatologischem Geschehen gründet allein darin, daß sie als solche geoffenbart ist und verkündet wird. Die von Bultmann festgestellte Identität ist somit formal. Sie wird aus dem christologischen Geschehen selbst erhoben. Im Gegenteil nimmt das eschatologische „Daß" bei Bultmann nie ‚weltliche' Gestalt an, objektiviert sich eigentlich nie in einem „Was"[201]. Die Dialektik von „Daß" und „Was" bleibt hier bis zum Zerreißen gespannt und wird nur ausgehalten in der Verkündigung. Das Kerygma kündet aber nicht nur von einem paradoxen Geschehen, sondern es ist selbst von dieser Art. Wie kann Kerygma zugleich ganz „Glaube" und ganz „Verstehen" sein? Darin besteht das „Ärgernis" oder „Skandalon" des christlichen Glaubens, daß Glaube ganz Gnade und Geschenk Gottes ist und zugleich Glaube, ‚sofern er sich selbst versteht'[202]. Es ist für Bultmann ein „soziologisches", „historisches" und auch „philosophisches" Ärgernis, daß der Glaube über Phänomene der Psychologie, Historie und Philosophie – etwa über den „historischen" Jesus – Aussagen macht und doch nicht „mehr" auszusagen hat als diese. „In der Tat: das Wort der Verkündigung sagt mir ‚nicht mehr, als was ich im profanen Selbst-verständnis je schon wußte' bzw. je schon wissen konnte."[203] Das Paradox wird wiederum überwunden im „Daß" der Verkündigung[204]: daß dem so ist, daß Kerygma neben dem menschlichen Wort noch eschatologisches Geschehen ist, daß Glauben sich selbst hell ist als „paradoxe Einheit von Freiheit und Gnade"[205]. Der Unterschied von Glauben und solchem Verstehen überhaupt ist nur durch das „Daß" des tatsächlichen Glaubensanspruchs garantiert; daß dieses Verstehen Glaube ist, weiß nur der Glaube durch seine existentielle Zustimmung[206].

Ist die Paradoxie also wirklich die spezifisch theologische, oder ist sie nicht lediglich die Paradoxie des Menschen, seines Verstehens und seiner Geschichtlichkeit? Ist die Paradoxie bloß der „Widerspruch" Gottes „gegen den Menschen"[207] oder wahrhaft das ‚Ungetrennt' und ‚Unvermischt' von Gott und Mensch in Jesus Christus? Wohl betont auch Bultmann, daß es „Widerspruch" nur gibt, „wo ein Verhältnis besteht"[208], doch bestimmt er dieses Verhältnis

---

[201] Vgl. GV II, 138, 77; GV I, 208, 266; GV IV, 196; KM I, 133, 30; Verhältnis, 9, 17.
[202] GV I, 282; vgl. GV III, 29.
[203] Geschichtlichkeit, 83.
[204] Die Verkündigung bringt kein neues „Was" mit, sondern nur ein die gläubige Existenz ansprechendes, eschatologisches „Daß" (GV I, 292); vgl. GV III, 29.
[205] GV II, 158.
[206] Vgl. GV II, 158; GV I, 282: „Ich kann das Gesagte nicht einfach als Mitteilung akzeptieren, sondern ich verstehe bejahend oder verneinend. Nicht etwa, daß ich zuerst verstehe und dann Stellung nehme, sondern das Verstehen vollzieht sich nur im Bejahen oder Verneinen. Denn es handelt sich um die Erschließung meiner eigenen Möglichkeit, die ich als meine ergreifend verstehe oder ablehne" (GV I, 127).
[207] GV II, 119.   [208] GV II, 120.

nicht als das von Gott und Mensch – und thematisiert daher auch nicht die Paradoxie und Widersprüchlichkeit dieses Verhältnisses selbst –, sondern als das „verkehrte Verhältnis"[209], in dem der Mensch zu Gott steht. Letztlich ist es das Verhältnis des Menschen zu sich selbst vor Gott, von dem Bultmann spricht; das „Beständige" dieses Verhältnisses ist das „Selbst", „die Frage nach seiner Eigentlichkeit", „das Selbstverständnis"[210]. Gründet die Paradoxie Bultmanns also nicht allein in der Widersprüchlichkeit menschlicher Existenz, in der Widersprüchlichkeit von Eigentlichkeit und Uneigentlichkeit, von Verfallenheit und Wahrheit? Die Perspektive, von der her die Paradoxie aufgeht, ist für Bultmann der empirisch welthafte Mensch; denn paradox ist, „was von dem anschaulichen Menschen nicht gesagt werden kann"[211], „für den Blick des natürlichen Menschen"[212], „vom Standpunkt des natürlichen Menschen aus"[213].

Der Schlußstein des philosophischen und theologischen Programms Bultmanns, d.i. das Paradoxon, gründet offenbar nicht in der theologischen Dialektik des Verhältnisses von Theologie und Philosophie selbst, sondern in der sein System bestimmenden Existenzdialektik.

2.1.3 Auferstehung

Ausführlich und grundsätzlich behandelt R. Bultmann die Auferstehung[214] in dem für seine Theologie zentralen Aufsatz „Neues Testament und Mythologie. Die Entmythologisierung der neutestamentlichen Verkündigung als Aufgabe.

---

[209] GV II, 120.   [210] GV II, 120 bzw. 121.   [211] GV I, 22.   [212] GV III, 20.
[213] GV II, 257. Das Paradox entspricht dem „natürlichen Selbstverständnis des Menschen" (KM I, 137).
[214] Zur Darstellung der Auferstehungstheologie Bultmanns vgl. U. Asendorf, Gekreuzigt und Auferstanden. Luthers Herausforderung an die moderne Christologie (Arbeiten zur Geschichte und Theologie des Luthertums, 25), Hamburg 1971, 23 ff; A. Geense, Auferstehung und Offenbarung. Über den Ort der Frage nach der Auferstehung Jesu Christi in der heutigen deutschen evangelischen Theologie (Forschungen zur systematischen und ökumenischen Theologie, 27), Göttingen 1971, 30 ff; B. Klappert, Diskussion um Kreuz und Auferstehung, Wuppertal 1967, 53 ff; G. Koch, Die Auferstehung Jesu Christi (Beiträge zur historischen Theologie, 27), Tübingen 1957, 130 ff; A. Kolping, Sola fide. Aus der Diskussion um Bultmanns Forderung der Entmythologisierung des Evangeliums. Bericht und Kritik, in: KM V, 11 ff; K. Lehmann, Auferweckt am Dritten Tag nach der Schrift (Quaestiones disputatae, 38), Freiburg 1968, 320 ff; J. Kremer, Das älteste Zeugnis von der Auferstehung Christi. Eine bibeltheologische Studie zur Aussage und Bedeutung von 1 Kor 15, 1–11 (Stuttgarter Bibelstudien, 17), Stuttgart 1966, 95 ff; K. Hollmann, Existenz und Glaube. Entwicklung und Ergebnisse der Bultmann-Diskussion in der katholischen Theologie, Paderborn 1972, 141 ff; J. E. Scheid, Die Heilstat Gottes in Christus. Das Heilsgeschehen Tod und Auferstehung Jesu im Lichte der Entmythologisierung Rudolf Bultmanns (Ergänzungsband 2 zu KM V) (Theologische Forschung, 23), Hamburg 1962; E. Schick, Die Bemühungen der neueren protestantischen Theologie um den Zugang zum Jesus der Geschichte, insbesondere zum Faktum der Auferstehung, in: BZ 6 (1962) 256 ff.

Der Vollzug der Entmythologisierung in Grundzügen"[215]. In diesem Aufsatz kommen alle Linien des Bultmannschen Ansatzes zusammen. Er ist gleichsam seine „programmatische Schrift"[216], in der Bultmann noch einmal seine eigene Position mit den liberalen[217], religionsgeschichtlichen[218], idealistischen[219] und anderen (philosophischen) Konzeptionen konfrontiert[220]. Gerade an ihr hat sich denn auch die Auseinandersetzung um Bultmann entzündet[221]. In die Mitte seines Entmythologisierungsprogramms stellt Bultmann nun die Problematik von Kreuz und Auferstehung[222]. In Kreuz und Auferstehung, in Bultmanns Verständnis dieser Problematik, spiegeln sich alle wichtigen Begriffe, Strukturen und Konsequenzen seines Denkens wider.

„Entmythologisierung" ist ein *hermeneutisches Programm*. Dies der Rahmen für die anstehende Problematik. Die Forderung, die ntl. Texte zu entmythologisieren, kennzeichnet dabei die kritisch analytische Seite des Bultmannschen Programms, dessen positiver Teil in der Erarbeitung der Grundzüge einer „existentialen Interpretation" besteht.

Entmythologisiert werden sollen gerade auch die ntl. Aussagen über die Auferstehung. Hinter den ntl. Formeln von Auferstehung steht für Bultmann die „mythische" „Vorstellungsweise", „die alle Aussagen des NT umschließt", ein archaisch-orientalisches Weltbild, das heute nicht mehr gilt[223]. Für Bultmann sind bestimmte Züge im biblischen Sprechen von Kreuz und Auferstehung nur auf dem Hintergrund „jüdischer Apokalyptik" und des „gnostischen Erlösungsmythos" verständlich[224], so der ,Stellvertretungs-', ,Sühne-' und ,Opfercharakter' des Kreuzes[225], die Aussagen über die „Erhöhung" des Auferstandenen als „Herr" und „König"[226] und über die „Totenauferstehung"[227] überhaupt.

Über die negative Aufgabe der Sprachkritik[228] hinaus stellt sich Bultmann die positive Aufgabe, „auch die dualistische Mythologie des Neuen Testamentes existential zu interpretieren"[229]. Der Mythos in den Aussagen ist nicht zu „akzeptieren"[230], er ist zu „interpretieren"[231]. Interpretieren aber ist als Verstehensvorgang Moment der fundamentalen Verstehensproblematik Bultmanns überhaupt, die so auch nicht vor dem Christusgeschehen, vor Kreuz und Auferstehung haltmacht. Das Christusgeschehen bedarf nach Bultmann nicht so sehr der historischen Vermittlung als vielmehr der Vermittlung durch die Existenz, eine Aufgabe, „die mit Notwendigkeit aus der Situation des modernen Men-

[215] KM I, 15ff.   [216] H. W. Bartsch, Vorwort, in: KM I, 1.
[217] KM I, 24f.   [218] KM I, 25.   [219] KM I, 19f.   [220] KM I, 32ff.
[221] KM I, 1, 7; KM II, 179ff.   [222] KM I, 41ff.   [223] KM I, 21; vgl. KM I, 15ff.
[224] KM I, 16, 26.   [225] KM I, 20, 23, 42; Theologie, 295ff.   [226] KM I, 16.   [227] Ebd.
[228] KM I, 17, 21f.   [229] KM I, 26.   [230] KM I, 17.   [231] KM I, 22, 24.

schen erwächst"[232]. Für Bultmann entspricht das Programm Entmythologisierung der „Glaubensforderung", den Glauben nicht als fides historica „zum Werk zu erniedrigen", ihm andererseits aber auch kein „sacrificium intellectus" abzuverlangen[233]. Glaube ist ihm „verstehender Glaube"[234], der das neue „Selbstverständnis des modernen Menschen" in sich aufnimmt[235]. Diesem Selbstverständnis wird die „existentiale Interpretation" gerecht. Sie ermöglicht es dem Menschen, sich in den ntl. Texten neu zu verstehen, den „Ruf der Entscheidung"[236] aus ihnen zu vernehmen, ‚sich zu gewinnen oder zu verlieren'[237]. Die existentiale Interpretation erhebt den „anthropologischen" Kern der Glaubensaussagen; was Glaubensaussagen über den existentialen Ruf, das Existenzverständnis hinaus mitteilen, verfällt dem Urteil der „Objektivation"[238]. Wir werden darauf zu achten haben, wie dieses Urteil Bultmanns Sprechen von Auferstehung modifiziert.

Die hermeneutische Arbeit der Interpretation hat es im letzten nicht nur mit der Auslegung ntl. Texte zu tun, sondern vor allem mit dem Christusgeschehen selbst. Mit der Entscheidung zur hermeneutischen Methode wird somit auch über die *Christologie* entschieden, auch sie muß entmythologisiert werden; denn das NT spricht im Mythos über das Christusgeschehen[239]. Als Beispiele nennt Bultmann die christologischen Grundprobleme des „präexistierenden Christus"[240], der „Jungfrauengeburt"[241] sowie „Wunder", „Wissen" und „Macht" Christi[242]. Sie alle stellen vor das Problem, wie „Historisches und Mythisches"[243] mit Hilfe der existentialen Interpretation neu verstanden werden können. Wenn sich aber die ntl. Sprache am Seins- und Selbstverständnis des heutigen Menschen auszuweisen hat, stellt sich auch für Bultmann die Frage, ob es letztlich nicht nur ein „mythologischer Rest" ist, der von der Christologie übrigbleibt, ja sogar „ob das christliche Seinsverständnis vollziehbar ist ohne Christus"[244]. Das ist zugleich die entscheidende Frage an die existentiale Interpretation: „Liegt es in ihrer Konsequenz, das Christusgeschehen zu eliminieren oder durch Interpretation seines anstößigen Geschehenscharakters zu entkleiden?"[245] Alle diese Fragen entscheiden sich für Bultmann an Kreuz und Auferstehung[246].

Das Kreuz Christi ist für Bultmann zunächst „mythisches Ereignis", wie auch die Auferstehung „mythisches Ereignis" ist[247]. Wenn jedoch dem Menschen heute mythisches Sprechen unzumutbar ist, wie kann dann noch über

---

[232] KM I, 19. [233] KM I, 17. [234] KM I, 46. [235] KM I, 18. [236] KM I, 23.
[237] Ebd. [238] Ebd. [239] KM I, 40f. [240] KM I, 21. [241] KM I, 21 u. ö.
[242] KM I, 41, 23. [243] KM I, 41. [244] KM I, 31. [245] KM I, 32.
[246] KM I, 41: „Schließlich konzentriert sich alles auf die Hauptfrage nach Kreuz und Auferstehung."
[247] KM I, 42 bzw. 44.

Kreuz und Auferstehung geredet werden? Eine erste fundamentale These Bultmanns lautet: „Kreuz und Auferstehung gehören zu einer Einheit zusammen."[248] Und diese Einheit schafft neue Bedingungen der Möglichkeit des Sprechens von Kreuz und Auferstehung. Als „eschatologisches" Ereignis begründet die *Einheit von Kreuz und Auferstehung* einen neuen Geschehens- und Bedeutungszusammenhang, der über die Ereignishaftigkeit von Kreuz und Auferstehung je hinausragt. Kreuz und Auferstehung sind zweierlei nur „sub specie der menschlichen Zeitlichkeit, nicht als eschatologisches Geschehen"[249]. Wo – wie teilweise im NT – die Ereignisse von Kreuz und Auferstehung nicht in diesem Zusammenhang, sondern in ihrer eigenen Ereignishaftigkeit gesehen wurden, bildete sich eine „primitive Mythologie" heraus[250]. Mit dem Kreuz verband sich so die mythische Vorstellung der „stellvertretenden Genugtuung"[251], und Jesu Auferstehung ging als „mirakulöses Naturereignis" in das Verständnis der Gläubigen ein[252].

Welcher Art sind nun der neue Bedeutungszusammenhang und das ihm angemessene Sprechen bzw. Verstehen? Bultmann formuliert: „Gerade nicht mythologischem, sondern geschichtlichem Verständnis erschließt sich das historische Ereignis als Heilsereignis, sofern echt geschichtliches Verständnis ein historisches Ereignis in seiner Bedeutsamkeit versteht."[253] Das dem eschatologischen Geschehen von Kreuz und Auferstehung angemessene Verstehen ist demnach das *geschichtliche Verstehen;* Kreuz und Auferstehung sind im Sinne geschichtlicher Ereignisse zu *verstehen* und können nach Art historischer Ereignisse in ihrer „Bedeutsamkeit" erschlossen werden. Doch kann diese Feststellung zu Mißverständnissen führen, da die Auferstehung für Bultmann gewiß kein „historisches" Ereignis ist. Wie gebraucht Bultmann dann aber die Begriffe „historisch", „geschichtlich" und „eschatologisch" im Zusammenhang von Kreuz und Auferstehung?

Zunächst ist das Kreuz für Bultmann ein positiv „historisches Ereignis"[254], das festgestellt und datiert werden kann. Aber damit ist es noch nicht das Kreuz *Christi,* d. i. das „eschatologische" Ereignis; damit ist es auch noch kein wahrhaft „geschichtliches" Ereignis. Letzteres wird das historische Ereignis „nicht, sofern es in dem objektivierbaren weltgeschichtlichen Zusammenhang, sondern in seiner Bedeutsamkeit gesehen wird"[255]. Bultmann fragt sich jedoch, ob „dem historischen Ereignis des Kreuzes seine Bedeutsamkeit anzusehen" ist, „daß es das Kreuz Christi, daß es das eschatologische Ereignis ist", d. h., ob sich „geschichtlichem" Verstehen – und nur dem – der Heilscharakter des Kreuzes er-

---

[248] KM I, 44; vgl. Theologie, 292f. [249] KM I, 130.
[250] KM I, 20. [251] Ebd. [252] Ebd. [253] KM I, 43.
[254] Ebd.; vgl. GV I, 208. [255] KM I, 42.

schließt[256]. Das Kreuz Christi ist nicht nur von allgemein „geschichtlicher", sondern für Bultmann immer von „eschatologischer" Bedeutsamkeit. Es ist das konstitutive „Heilsereignis" des christlichen Glaubens[257]. Der Zusammenhang mit dem eschatologischen Ereignis der Auferstehung konstituiert seine eschatologische Bedeutung. Die Auferstehung ist „der Ausdruck der Bedeutsamkeit des Kreuzes"[258]. Die Auferstehung ist *die* „eschatologische" „Tat Gottes"[259], d. h., durch Christus ist der Tod besiegt[260], das Gericht Gottes da[261], und zugleich wird der Dienst der Versöhnung verheißen[262]. „Kommt" aber die Auferstehung zum Kreuz wirklich nur als Sinn des Kreuzes „hinzu"?[263] Bedeutet sie darüber hinaus nichts an sich selbst?

In der eschatologischen Einheit von Kreuz und Auferstehung findet Bultmann also den neuen Verstehenszusammenhang eines „historischen" Ereignisses mit seiner „Bedeutsamkeit". Um Kreuz und Auferstehung zu begreifen, zieht Bultmann also sein geschichtlich-hermeneutisches Modell heran. Formal entspricht zwar der Zusammenhang von Kreuz und Auferstehung der Geschichtsdialektik Bultmanns, es fragt sich aber, ob solch geschichtliches Verstehen dieser eschatologischen Einheit auch im Geschehen selbst begründet ist?

Nirgends wird aber bei Bultmann ein einheitlicher Zusammenhang geschichtlichen Verstehens sichtbar, weder von der Hinsicht des Kreuzes aus noch von der Hinsicht der Auferstehung. Zunächst ist das Kreuz für Bultmann nicht mehr als „historisches" Faktum, „wir wissen von ihm als historisches Ereignis nur durch historischen Bericht"[264]. Fallen aber die Bedeutungen des Kreuzes, wie „Sühne", „Opfer" oder „Stellvertretung", als mythische Elemente des NT weg, dann ist nicht mehr zu sehen, was die Bedeutsamkeit des Kreuzes nach Bultmann in Wirklichkeit ist. So geht die Bedeutsamkeit des Kreuzes nach Bultmann nicht vom Kreuz selbst her auf, sondern in dem von ihm verschiedenen Geschehen der Auferstehung. Kein Verstehen, auch kein „geschichtliches" Verstehen, kann das „historische Faktum" Kreuz zum „eschatologischen" Ereignis des Kreuzes wirklich ‚emporheben'[265].

A fortiori entzieht sich aber das Geschehen der Auferstehung jedem Geschichtsverständnis, da es nach Bultmann per definitionem kein „historisches" Ereignis ist[266]. Er vermeidet im Zusammenhang der Auferstehung streng die Adjektive „historisch" und „geschichtlich" und spricht ausschließlich von

---

[256] KM I, 43 bzw. 46; vgl. Theologie, 294, 303. KM I, 134: „geschichtliche" Forschung „kann es nur zur geschichtlichen Begegnung mit dem historischen Jesus bringen; aber der Kyrios Christos begegnet nur im Kerygma der Kirche". Vgl. KM I, 133.
[257] KM I, 42, 46; vgl. KM I, 128f.
[258] KM I, 44.   [259] KM I, 45, 47.   [260] KM I, 44.   [261] Ebd.
[262] KM I, 47.   [263] Ebd.   [264] KM I, 44.   [265] KM I, 42; vgl. Theologie, 305.
[266] KM I, 47; vgl. Theologie, 305, 295; GV I, 54f.

dem „eschatologischen" Ereignis[267]. Der Zusammenhang der Geschichtsbegriffe „historisch", „geschichtlich" und „eschatologisch" wird im Falle der Auferstehung durchbrochen; Bultmann selbst „zerreißt das Band der Auferstehung an die Geschichte"[268]; die genannten Begriffe können nicht mehr in einen einheitlichen Verstehenszusammenhang gebracht werden.

Andererseits: Werden in der Sprache seines hermeneutischen Programms Kreuz und Auferstehung inhaltlich nicht eigenartig reduziert? Werden sie in ihrer Bedeutsamkeit nicht eher verschlossen als erschlossen? Nach Bultmann ist das Kreuz ein „mythisches" Ereignis, und das NT spricht in „objektivierenden Vorstellungen" davon[269]. Seine christologische Bedeutung kommt ihm von der Auferstehung her zu; inhaltlich besagt also das Kreuz beinahe nichts. In einer anderen Hinsicht aber bedarf das Kreuz kaum der Entsprechung durch die Auferstehung, da „mit dem Kreuz Jesu Werk abgeschlossen ist und keiner Ergänzung durch eine körperliche Auferstehung bedarf"[270]. Der „historische" Jesus ist durch das Kreuz an sein Ende gekommen. Aus dieser Sicht stellt die Auferstehung einen nicht notwendigen Anhang zum Kreuzesgeschehen dar[271]; ihre Bedeutsamkeit ist ausschließlich die des Kreuzes als Kreuz Christi, darüber hinaus besagt sie für sich selbst nichts. Bultmanns dialektische Auferstehungstheologie könnte man daher auf die paradoxe Formel bringen: Die Auferstehung sagt, was das Kreuz ist, und das Kreuz sagt, was die Auferstehung ist.

Bultmann sieht im geschichtlichen Verstehen von Kreuz und Auferstehung *das* Paradigma seines Geschichtsverständnisses und seines Entmythologisierungsprogramms überhaupt. Wird dieses Geschichtsverständnis nicht gerade am Geschehen von Kreuz und Auferstehung zerbrochen? Scheitert sein hermeneutisches Programm der existentialen Interpretation des Christusgeschehens nicht auf der Spitze der christologischen Fragestellung? Sprengen Kreuz und Auferstehung nicht den streng geschichtlichen Zusammenhang, in den Bultmann sie stellt? Erweist sich seine Klassifizierung dieses Zusammenhangs durch die Kategorien „Historie", „Geschichte" und „Eschatologie" nicht als grundsätzlich ungenügend? Läßt sich der innere Zusammenhang von Kreuz und Auferstehung durch Bultmanns dialektisches Geschichtsverständnis konstruieren, oder ereignet er sich nicht im Geschehen von Kreuz und Auferstehung selbst?

Man wird darin das besondere Interesse Bultmanns sehen müssen, Kreuz und Auferstehung als das Paradigma seines Geschichtsverständnisses herauszustellen, wenn er im Abschnitt über das „Kreuz" des genannten Aufsatzes so sehr

---

[267] KM I, 45; vgl. G. Greshake, Historie, 72 Anm. 26.
[268] GV III, 188; vgl. Theologie, 295.
[269] KM I, 42.
[270] GV III, 205; vgl. Theologie, 409.
[271] Vgl. J. Kremer, Zeugnis, 102, Anm. 36.

auf das geschichtliche Verstehen des Zusammenhangs von Kreuz und Auferstehung pocht, während in dem folgenden Abschnitt über die „Auferstehung" davon nicht mehr die Rede ist und Bultmann die eschatologische Einheit von Kreuz und Auferstehung in dem dieser Einheit angemesseneren und für ihn genuineren „Kerygma" begründet: Weil der Gekreuzigte als der Auferstandene *verkündigt* wird, darum ist die Einheit von Kreuz und Auferstehung immer schon vorgegeben. „Christus, der Gekreuzigte und Auferstandene, begegnet uns im Wort der Verkündigung, nirgends anders."[272]

Der gekreuzigte und auferstandene Christus ist ausschließlich im Wort der Verkündigung präsent. Dieses Wort, das Kerygma, ist für Bultmann die einzige, nicht hinterfragbare Positivität des Offenbarungsgeschehens. Das Wort von der Einheit von Kreuz und Auferstehung ist Postulat des Wortes Gottes selbst, das jedem Verstehen zuvorkommt. Dieses Wort Gottes ist für die eschatologische Einheit der beiden Heilsereignisse in einem solchen Maß konstitutiv, daß das Kerygma zum Geschehen von Kreuz und Auferstehung mit hinzugehört. „Mit anderen Worten: das im Osterereignis entsprungene Wort der Verkündigung gehört selbst zum eschatologischen Geschehen."[273] Zum einen gründet das Wort der Verkündigung im Ostergeschehen, zum anderen wird das Ostergeschehen selbst so worthaft, daß Bultmann davon spricht, ‚Christus sei ins Kerygma auferstanden‘[274].

An dieser Stelle wird die doppelte Herkunft Bultmanns wiederum greifbar. Der lutherisch-reformatorische Ursprung seiner Wort-Gottes-Theologie: „Christus, der Gekreuzigte und Auferstandene, begegnet uns im Worte der Verkündigung, nirgends anders", streitet geradezu mit seinem anderen, hermeneutischen Denkmodell, das Bultmann eher postulatorisch einführt: „geschichtlichem Verständnis erschließt sich also das historische Ereignis in seiner Bedeutsamkeit". In dem von uns behandelten Aufsatz bleibt die Dialektik dieser verschiedenen Betrachtungsweisen unvermittelt und ungelöst nebeneinander bestehen. Tritt hier nicht die grundsätzliche Dialektik von Kerygma und Geschichte in Bultmanns Gesamtprogramm zutage?[275] Und zeigt sich hier nicht

---

[272] KM I, 46; vgl. GV II, 10; Theologie, 301 f.
[273] KM I, 47; vgl. Theologie, 305; Verhältnis, 27.   [274] Verhältnis, 27.
[275] Die ungelöste Dialektik von „Kerygma" und „Geschichte" bei Bultmann wird aus dem Vergleich der hier vorgetragenen Interpretation mit einem Text sichtbar, der offensichtlich das Kerygma streng von jedem ‚historischen‘ und auch ‚geschichtlichen‘ Verstehen abhebt: „Es gibt freilich auch Begegnung des Historikers mit der Vergangenheit; aber nicht sofern er die Ereignisse in der Erinnerung reproduziert, sondern sofern er in der Vergangenheit (als einer Geschichte) menschlicher Existenz und ihrer Auslegung begegnet. Anders aber die ‚Erinnerung‘ des Kerygmas. Diese präsentiert weder Fakten der Vergangenheit in ihrer bloßen Vorfindlichkeit, noch führt es zur Begegnung mit menschlicher Existenz und ihrer Auslegung, sondern – als sakramentales Geschehen – es vergegenwärtigt das Geschehen der Vergangenheit so, daß es dasselbe erneuert und mir so selbst zum Begegnis wird" (KM I, 132).

in aller Schärfe die Inadäquatheit des hermeneutischen Modells vor dem analo-
gielosen Ursprungsgeschehen von Kreuz und Auferstehung?

Bultmann treibt im Fortgang des Aufsatzes die Dialektik von Kerygma und
Verstehen wenn auch nicht im Hinblick auf geschichtliches Verstehen, so doch
in Richtung auf „gläubige Existenz" weiter. Das Wort Gottes spricht auf
„*Glauben*" hin an. Das „verkündigende Wort" kann immer noch leeres Wort
sein, allein der Glaube gewährt, daß es als „legitimiertes Ġotteswort" ankommt[276]. „Das Wort der Verkündigung begegnet als Gottes Wort, demgegenüber wir nicht die Legitimationsfrage stellen können, sondern das nur fragt,
ob wir es glauben wollen oder nicht."[277] Der Glaube gehört wiederum zum
ursprünglichen Wort Gottes und damit zum Ostergeschehen hinzu, so daß „ihr
[der Jünger] Osterglauben [...] selbst zum eschatologischen Geschehen, das der
Gegenstand des Glaubens ist", gehört[278]. Kreuz und Auferstehung sind so nicht
eigentlich Grund des Glaubens, sondern selbst „Gegenstand des Glaubens"[279].
„[M]an kann nicht einen Glauben [an das Kreuz] durch einen anderen Glauben
[an die Auferstehung] sichern"[280], sondern der Glaube ist es, der Kreuz und
Auferstehung sein läßt, was sie sind. Entscheidend am Ostergeschehen wird
Bultmann die Entstehung des Glaubens der Jünger: „Das Ostergeschehen, sofern es als historisches Ereignis neben dem Kreuz gekannt werden kann, ist ja
nichts anderes als die Entstehung des Glaubens an den Auferstandenen."[281]

Der Osterglaube eröffnet die eschatologische Dimension des Heilsgeschehens
von Ostern: „Ja, der Auferstehungsglaube ist nichts anderes als der Glaube an
das Kreuz als Heilsereignis."[282] Von hierher muß die bekannte Formel Bultmanns verstanden werden: „Man kann also nicht zuerst an Christus glauben
und daraufhin an sein Kreuz; sondern an Christus glauben heißt an das Kreuz
als das Kreuz Christi glauben. Nicht weil es das Kreuz Christi ist, ist es das
Heilsereignis, sondern weil es das Heilsereignis ist, ist es das Kreuz Christi.
Abgesehen davon, ist es das tragische Ende eines edlen Menschen."[283] Hier
sind noch einmal alle Stufen des verstehenden Glaubens ausdrücklich gemacht
und gegeneinander abgesetzt: Das Kreuz als historisches Ereignis ist Ende.
Auch kein Verstehen vom Kreuz her eröffnet das Geschehen in seiner Bedeutsamkeit. Erst der Glaube offenbart das Kreuz bzw. die Auferstehung als
Heilsereignis.

Schließlich ist aber „der *verstehende* Glaube an das Wort der Verkündigung
[...] der echte Osterglaube"[284], d.h., es ist der Glaube, der versteht und der
im Verstehen *existentiell* angeeignet wird. An Kreuz und Auferstehung glauben

---

[276] KM I, 46.   [277] Ebd.   [278] KM I, 47.   [279] KM I, 45.
[280] Ebd.; vgl. Theologie, 295.   [281] KM I, 46; vgl. GV III, 204.
[282] Ebd.; vgl. Verhältnis, 27.   [283] KM I, 46.   [284] Ebd.

heißt dann für Bultmann, sich vom Kreuz und der Auferstehung her selbst zu verstehen. „An das Kreuz glauben" bedeutet näherhin, „das Kreuz Christi als das eigene übernehmen"[285], es „Gegenwart im konkreten Lebensvollzug der Glaubenden" werden zu lassen[286]. „Indem Gott Jesus kreuzigen ließ, hat er für uns das Kreuz errichtet."[287] „Im konkreten Lebensvollzug" erweist sich auch, was Auferstehung ist, nämlich „Freiheit von der Sünde"[288], „Ablegen ,der Werke der Finsternis'" und Leben aus „der Kraft Gottes"[289]. Kreuz und Auferstehung sind demnach nur wirklich, wenn sie Wirklichkeiten der gläubigen Existenz werden. Und gerade dadurch werden sie zum „eschatologischen Ereignis"[290], daß sie für die gläubige Existenz diese „entscheidende geschichtsumwandelnde Bedeutung" haben[291]. Die gläubige Existenz wird so in Hinsicht auf Kreuz und Auferstehung ihrerseits „eschatologische Existenz"[292]. Darin sind der Existenz neue Möglichkeiten eröffnet, uns ist eine neue „Möglichkeit des Verständnisses unser selbst" gegeben[293]. Glaube an das Heilsereignis ist „verstehendes Ja oder Nein" der Existenz[294].

Vom Ergebnis her gelesen, können für Bultmann „geschichtliches Verstehen" und „Glaubensverständnis", die bislang unverbunden nebeneinanderstanden, doch im Begriff des „verstehenden Glaubens" zusammenkommen. Ist es aber nicht ein existential interpretierter Glaube, der Bultmanns Auferstehungstheologie ermöglicht und zusammenhält, ein Glaube also, der aus dem System Bultmanns abgeleitet ist?

2.2. Gerhard Ebeling

2.2.1 Die neue Situation

Die Schüler Bultmanns setzten sich mit den Thesen ihres Lehrers auseinander und damit zugleich von ihm ab. Die Antworten, welche sie auf die durch Bultmann aufgeworfenen Fragen versuchten, erwuchsen aus einer neuen geistesgeschichtlichen Situation. Wiederum wollen wir den geschichtlichen Raum, in welchem dieses neue Denken gründet, in seinen Umrissen und entscheidenden Koordinaten skizzieren, um das Denken aus seinen Bedingungen heraus zu verstehen.

---

285 KM I, 42.   286 KM I, 43.   287 KM I, 42.
288 KM I, 45.   289 KM I, 46.   290 KM I, 42.   291 Ebd.
292 KM I, 30; vgl. KM I, 42f, 45₁.   293 KM I, 46.   294 KM I, 46, 43.

2.2.1.1 Die Zeit nach Bultmann

In den fünfziger Jahren des 20. Jahrhunderts folgen zwei für die Theologie entscheidende Ereignisse kurz aufeinander, und das nicht zufällig. Ebeling redigierte im Jahre 1950 die „Zeitschrift für Theologie und Kirche" neu und leitete sie mit dem programmatischen Aufsatz ein: „Die Bedeutung der historisch-kritischen Methode für die protestantische Theologie und Kirche"[1]. 1953 eröffnete Käsemann mit einem 1954 in der gleichen Zeitschrift erscheinenden Vortrag „Das Problem des historischen Jesus"[2] die neue Diskussion um den historischen Jesus. Beide Neueinsätze kamen nicht von ungefähr. Der eine Ansatz verbindet sich mit den Namen E. Fuchs und G. Ebeling, der andere mit E. Käsemann, G. Bornkamm, H. Conzelmann, J. M. Robinson u. a. m. Wir halten uns an den erstgenannten, da er sich ausdrücklich „fundamentaltheologisch"[3] versteht, während der andere mehr die exegetische Aufarbeitung leistet. Es wird sich zeigen, daß beide Richtungen im Problem des ‚historischen Jesus' konvergieren[4].

In dem genannten Aufsatz Ebelings wird vor allem die Hervorhebung der ‚Hermeneutik' im Gefolge und in Absetzung von Bultmann programmatisch: „[D]ie hermeneutische Frage bildet den Brennpunkt der gegenwärtigen theologischen Problematik. Ein kurzer Blick auf die einzelnen theologischen Disziplinen vermag diese Behauptung zu decken." – Darauf zählt Ebeling die theologischen Einzeldisziplinen auf[5]. Die Hermeneutik wird hier als die gesamte Theologie umfassende Wissenschaft angesetzt, sie läßt sich nicht auf die Exegese beschränken. Allerdings nahm die neue theologische Hermeneutik ihren Ausgang von der exegetischen Fragestellung, wie es die grundsätzliche Darstellung in Ernst Fuchs' Buch „Hermeneutik" (1954) ersichtlich macht[6]. Er zeigt darin die Notwendigkeit auf, daß eine vertiefte exegetische Besinnung in grundsätzliche hermeneutische Überlegungen hineinführen muß. Im Vergleich mit Bult-

---

[1] In: ZThK 47 (1950) 1 ff (= WG I, 1 ff).
[2] In: ZThK 51 (1954) 125 ff.
[3] Ebeling versteht seine Arbeit ausdrücklich als „fundamentaltheologische", d. h., es leitet ihn ein systematisches Interesse; vgl. WG II (Vorwort, IV); WG I, 339; WG II, 105, 109; ders., Erwägungen zu einer evangelischen Fundamentaltheologie, in: ZThK 67 (1970) 479 ff; Sprachlehre, 227 f u. ö. Wegen dieses systematischen Interesses haben wir Ebeling in unsere Untersuchungen einbezogen.
[4] Eine Einführung in die Entwicklung der Bultmannschule nach Bultmann und der sogenannten ‚Neuen Hermeneutik' geben: J. M. Robinson, Kerygma und historischer Jesus, Zürich ²1962; Neuland in der Theologie. Gespräche zwischen amerikanischen und europäischen Theologen, II: Die Neue Hermeneutik, hrsg. von J. M. Robinson – J. B. Cobb, Zürich 1965.
[5] WG I, 12.
[6] E. Fuchs, Hermeneutik, Bad Cannstatt 1954. Eine Darstellung der Theologie von E. Fuchs gibt R. Heijne, Sprache des Glaubens. Systematische Darstellung der Theologie von Ernst Fuchs, Tübingen 1972.

manns programmatischem Vorwort des „Jesus"-Buches aus den zwanziger Jahren wird zugleich die Übereinkunft wie die reflexe und systematische Erweiterung der hermeneutischen Fragestellung deutlich[7]. „Sofern aber schon die Arbeitsweise der exegetischen Theologie im Einzelfall Rechenschaft über ihre Voraussetzungen fordert, bedarf es einer ausdrücklichen Besinnung über die Voraussetzungen der Exegese. Auch die Exegese muß über die Mittelbarkeit der Offenbarung, aber im Blick auf das Historische, und zwar aufgrund ihrer Erfahrung mit dem Historischen, diskutieren. So bedarf es also einer systematischen Einleitung in die Exegese des NT. Das ist die Aufgabe, der wir in dieser Hermeneutik im Blick auf das NT nachgehen wollen"[8]. Während Bultmann in seinem „Jesus"-Buch von einer exegetischen Fragestellung ausging und diese die hermeneutische implizierte, werden nun diese hermeneutischen Voraussetzungen selbst zum Gegenstand theologischer Reflexion erhoben. Während Bultmann die implizit hermeneutische Frage des NT durch ein neues Geschichtsverständnis und das Prinzip Geschichtlichkeit nur indirekt auffing, arbeitet Fuchs aus der Exegese die hermeneutische Frage direkt heraus und betont, daß diese nicht von anderswoher, sondern nur von den neutestamentlichen Texten her zu beantworten sei. Wer Exegese betreibt, sieht sich aber an die neutestamentlichen Texte, also an historisches Material, verwiesen. So muß sich die neue Hermeneutik erneut mit dem Begriff der ‚Historie' auseinandersetzen. Von daher wird deutlich, daß sich die beiden nachbultmannianischen Richtungen, die exegetische Frage nach dem ‚historischen Jesus' und die systematische Frage nach der ‚neuen Hermeneutik', vor der gemeinsamen Frage der Historie nicht nur zufällig begegneten. Beide Richtungen betraten zwar denselben Boden, auf welchem auch Bultmann stand und welcher den geistesgeschichtlichen Hintergrund der gesamten Neuzeit bildet, denn „[d]em Menschen der Neuzeit wird alles, die ganze Wirklichkeit, zu Geschichte"[9], aber die Begriffe von ‚Geschichte' und ‚Historie' werden durch sie neu interpretiert.

Die ‚neue Hermeneutik' bekam aus einer bestimmten Richtung kräftige Impulse. Heidegger hatte die Rede von der Hermeneutik zu Zeiten Bultmanns neu begründet; inzwischen war er aber zu einer veränderten und erweiterten ‚Hermeneutik' übergegangen[10]. Hermeneutik meinte demnach nicht mehr das

---

[7] Zur Gegenüberstellung der beiden hermeneutischen Ansätze vgl. das oben zu Bultmanns Hermeneutik Gesagte; s. o. S. 26 ff.

[8] E. Fuchs, a.a.O. 100–101.

[9] WG I, 381; vgl. WG I, 2, 13, 27, 33, 41, 87, 321, 385 u.ö.

[10] M. Heidegger, Vom Wesen der Wahrheit, Frankfurt 1949; Holzwege, Frankfurt ²1950; Erläuterungen zu Hölderlins Dichtung, Frankfurt ²1951; Platons Lehre von der Wahrheit. Mit einem Brief über den ‚Humanismus' (Überlieferung und Auftrag, Reihe Probleme und Hinweise, 5), Bern 1947; Was ist das – die Philosophie?, Pfullingen 1956; Unterwegs zur Sprache, Pfullingen 1959, u.a. Zur Heidegger-Bibliographie vgl. H. Lübbe, Bibliographie der Heidegger-Literatur 1917–55, in: Zeit-

Verstehen existentieller Vollzüge, Verstehen von Existenz, sondern ein ‚Selbstverständnis‘, das in der ‚Sprache‘ gründet. Heidegger betonte die Bedeutung der Sprache und die Sprachlichkeit der Phänomene für den Menschen überhaupt. E. Fuchs und G. Ebeling übernahmen seine Überlegungen und sichteten die Bedeutung von „Sprachereignis" (E. Fuchs) und „Wortgeschehen" (G. Ebeling) für die Theologie[11]. Auf der systematischen Ebene führte das zu einer fruchtbaren Konfrontation mit Bultmann. So stellt E. Fuchs fest: „Gewiß ist [so] die Sprache auf den Menschen angelegt und das Sein existenzbezogen. Darin stimme ich mit Bultmann doch wohl überein. Aber umgekehrt ist nun auch sowohl das Sein als auch der Mensch auf Sprache angelegt, und insofern sind wir auf Gott bezogen [...]. Die Verantwortung für das Sprechen liegt selber schon in der Sprache, nicht außerhalb ihrer. Das ist meine These. Wer darauf achtet, der erkennt, daß die Sprache ‚gewährt‘. Die Sprache ist nicht die Abbreviatur des Denkens, sondern das Denken ist Abbreviatur der Sprache. Sprache ist Gabe [...]. Wie Bultmann, so bestreite ich auch, daß jemand über den Glauben ‚verfügen‘ könne. Der Grund dafür liegt aber nicht nur in der Tatsächlichkeit der Sünde, sondern zuvor in der Abhängigkeit des Glaubens vom Wort, von Gottes Wort [...]. Deshalb ging ich dazu über, die Geschichtlichkeit als Sprachlichkeit der Existenz aufzuweisen."[12] Der Gesichtspunkt der Sprache eröffnet nach Fuchs und Ebeling der Theologie neue Perspektiven. Von den Vertretern des Historismus bis zu Bultmann sei Sprache verkannt oder das Wortgeschehen vernachlässigt worden; man sei einer eindeutigen ‚Reduktion‘ oder

---

schrift für Philosophische Forschung 11 (1957) 401 ff. Zur Bedeutung der ‚Kehre‘ in Heideggers Philosophie für die Theologie vgl. Neuland in der Theologie. Gespräche zwischen amerikanischen und europäischen Theologen, I: Der spätere Heidegger und die Theologie, hrsg. von J. M. Robinson – J. B. Cobb, Zürich 1964; Heidegger und die Theologie, Beginn und Fortschritt der Diskussion, hrsg. von G. Noller (Theologische Bücherei, 38), München 1967; H. Ott, Denken und Sein. Der Weg Martin Heideggers und der Weg der Theologie, Zürich 1959; G. Ebeling, Verantworten des Glaubens und Begegnung mit dem Denken M. Heideggers. Thesen zum Verhältnis von Philosophie und Theologie, in: WG II, 92 ff.

[11] Vgl. etwa E. Fuchs, Was ist ein Sprachereignis. Ein Brief, in: Gesammelte Aufsätze, II: Zur Frage nach dem historischen Jesus, Tübingen ²1965, 424 ff; G. Ebeling, Wort Gottes und Hermeneutik, in: WG I, 319 ff, bes. 333 ff. Die Anknüpfung der Neuen Hermeneutik an Heidegger wird deutlich etwa an folgendem Zitat von E. Fuchs, Zum hermeneutischen Problem in der Theologie, in: Gesammelte Aufsätze, I: Zum hermeneutischen Problem in der Theologie, Tübingen 1965, 115: „Das Sein entspringt der Sprache, wenn uns die Sprache in den unser Leben bestimmenden Raum unserer Existenz einweist. Ist das der ‚Sinn‘ des Wortes Gottes? Dann wäre Hermeneutik in der Theologie allerdings nichts anderes als ‚Lehre vom Worte Gottes‘ (G. Ebeling), Sprachlehre des Glaubens, und umgekehrt, die theologische Lehre vom Worte Gottes wäre die Frage nach dem Sein im Horizont der biblischen Sprache. Der Inhalt menschlicher Geschichtlichkeit hieße also nicht Fraglichkeit, sondern Sprachlichkeit."

[12] E. Fuchs, Zur Frage nach dem historischen Jesus, in: Gesammelte Aufsätze, II: Zur Frage nach dem historischen Jesus, Tübingen ²1965, 427–429.

‚Abstraktion' von Sprache verfallen. Die gleiche oder ähnliche Begrifflichkeit bei E. Fuchs und Bultmann darf über eine grundsätzliche Verschiebung der Akzente, eine Verlagerung der Schwerpunkte und eine Neuorientierung dieser neuen Hermeneutik nicht hinwegtäuschen. Die Begrifflichkeit muß in ihrem neuen Kontext erarbeitet werden, um das Sprechen zu verstehen. Die ‚neue' Hermeneutik versucht alle ihre Begriffe auf ‚Sprachlichkeit' hin zu übersetzen. Damit wird der neue und erweiterte Sinn von ‚Hermeneutik' endgültig deutlich. Die Bedeutung einer solchen Hermeneutik für die Theologie, die mit ihr gegebene Neuorientierung der Maßstäbe hat sich aus dem angeführten Zitat schon ersehen lassen: Existenz ist wie Sprache ‚gewährt', der Mensch steht in ‚Abhängigkeit' vom Wort Gottes. Die Konsequenzen solchen Denkens werden uns beschäftigen müssen.

2.2.1.2 Die Kritik Ebelings an Bultmann

In Ebeling fanden die Gedanken einer neuen Hermeneutik ihren systematischen Ausdruck. Zugleich setzt sich Ebeling stark mit Bultmann auseinander. An ihm wird deutlich, wo die Übereinkunft der neuen Hermeneutik mit dem System Bultmanns aufhört und die Korrektur beginnt. Ebeling setzt seine Korrektur gerade am Zentralbegriff in Bultmanns Konzeption, am ‚Kerygma', an[13]. In der Kritik des Kerygmabegriffs laufen die zahlreichen Stränge und Motive einer kritischen Neubesinnung zusammen, die nun einzeln aufzuweisen sind.

Ebeling sieht die spezifische Situation der neueren Theologie in der Auseinandersetzung von ‚Geschichte' und ‚Glaube'. Diese Auseinandersetzung spitzt sich in der ‚Christologie' zu: „Nun hat sich aber im Gefolge des geschichtlichen Denkens der Neuzeit die theologische Problematik aufs stärkste in die Christologie konzentriert [...]. Die für den christlichen Glauben konstitutive Beziehung von Glaube und Geschichte hat ihre entscheidende Verknotung in der Christologie. Darum kommt auch die Auseinandersetzung mit dem geschichtlichen Denken der Neuzeit in der Christologie zur Entscheidung."[14] Seit dem Ende der Leben-Jesu-Forschung stand die Auseinandersetzung zwischen ‚Geschichte' und ‚Glaube' im Mittelpunkt, in die auch Ebeling eintritt. Die Konsequenzen dieser Auseinandersetzung für eine Christologie, die bislang noch nicht so recht in den Blick kamen, werden nun ausdrücklich theologisch reflektiert. Was sind solche Konsequenzen für die Christologie? Und sind sie etwa an der Christologie zu korrigieren? Das sind Ebelings Fragen an Bultmann. Er sieht nämlich Bultmann mitten in diesem Problemzusammenhang, indem

---

[13] G. Ebeling, Theologie und Verkündigung. Ein Gespräch mit Rudolf Bultmann (Hermeneutische Untersuchungen zur Theologie, 1), Tübingen 1962, bes. 19–82.
[14] ThV, 19–20; vgl. 23, 24, Anm. 1.

dieser vom Kerygma her auf die christologische Frage zu antworten versucht; aber schließlich kann ihm dessen Antwort nicht genügen, obschon Ebeling als Bultmanns Verdienst anerkennt: „Bultmann hat mittels des Begriffs des Kerygmas das Problem der Christologie unter den veränderten Verstehensbedingungen der Neuzeit so in den Griff zu bekommen versucht, daß der Bezug zur Geschichte und der Bezug zu Gott zugleich und unabgeschwächt zur Geltung kommt. Seine gesamte theologische Arbeit hat überhaupt in dieser Grundlegung von Christologie als Proklamierung der Heilstat Gottes in Jesus Christus ihren durchaus orthodoxen Skopus."[15] Bei Bultmann trat das ‚Kerygma' in die alles vermittelnde Funktion von Gott, Geschichte, Glaube und Christologie ein. Ebeling kritisiert aber Bultmanns Verständnis von Kerygma, da Bultmann das Kerygma „in ein Reden von Existenz"[16] auflöse und ihm so alle zu vermittelnden Termini, wie Gott, Geschichte und Christologie, aus den Händen glitten. Für Ebeling stellt sich die Frage: „Sind [im Kerygma Bultmanns] wirklich der Bezug zur Geschichte und der Bezug zu Gott in überzeugender Weise miteinander zur Geltung gebracht?"[17], und er hält Bultmann entgegen: „Für die Christologie ist der Bezug auf Jesus konstitutiv."[18] Diesen Bezug auf den ‚historischen' Jesus hatte Bultmann gerade seines Geschichtsbegriffes wegen vermeiden wollen. Aber für Ebeling gibt es kein Ausweichen, kein Überspringen des christologischen Problems auf ein Drittes: „Müßte man nicht – radikaler – so sagen: Entweder zerstört die Frage nach dem historischen Jesus die Christologie, oder aber die Frage nach dem historischen Jesus muß sich als identisch erweisen mit dem christologischen Problem – tertium non datur?"[19]

Die Christologie kann nicht auf das historische Problem verzichten, wie Bultmann meinte, sondern von ihm kommt der Christologie gerade ihre Originalität zu. Um über die Aporie Bultmanns hinauszukommen, greift Ebeling auf das *Kerygma als ‚Sprachgeschehen'* zurück: „Wenn aber die Theologie in sachgemäßer Weise der Geschichte zugewandt ist, d. h. im Fragen nach dem, was zur Sprache gekommen ist, und wenn sie dieses Zur-Sprache-gekommen-Sein als Ereignis im Wortgeschehen versteht, dann ist sie der hermeneutischen Aufgabe so auf der Spur, daß sich eine Überwindung des neuzeitlichen Zwiespaltes zwischen Historischem und Dogmatischem anbahnt."[20] Ebeling versucht die Kluft von ‚Historie' und ‚Christologie' dort zu überwinden, wo seine Kritik an dem überkommenen Kerygmabegriff ansetzt, indem er Kerygma neu vom Sprachgeschehen selbst her versteht. Hier ist der „entscheidende Knotenpunkt für den, der die Sache der Theologie hermeneutisch vorantreiben will"[21].

---

[15] ThV, 25.   [16] ThV, 30; vgl. ThV, 25, 37.   [17] ThV, 26.
[18] WG I, 300; vgl. WG I, 13, 23, 207; WG II, 70; Wesen, 33, 50ff.
[19] WG I, 302.   [20] WG I, 307–308.   [21] ThV, 38.

Ebelings Beitrag gründet in einer neuen Sicht der Hermeneutik und zielt auf den rechten Begriff von Kerygma ab. Die entscheidende Frage an Bultmann stellt sich damit so: „Wie kommt es zum Verstehen des Kerygmas als Kerygma [s] [!]?"[22] Kerygma setzt ein Sprachgeschehen voraus; denn Kerygma meint auch nach den Begriffen Bultmanns „ein Geschehen am Hörenden", ein Wort, das „zur Entscheidung zwischen Glauben und Unglauben" zwingt[23].

Das berechtigt Ebeling, nach den Bedingungen und Voraussetzungen des Kerygmas im Sprachgeschehen zu fragen, die von Bultmann unbedacht blieben. Vom Gesichtspunkt des Sprachgeschehens her zeigt sich aber, daß Bultmann den Kerygmabegriff nicht einheitlich gebraucht, sondern dieser sich in zwei Komponenten aufspaltet. Einmal hat Kerygma hinsichtlich von Sprache die Funktion, „Anrede" zu sein; und von daher ist der Begriff überwiegend geprägt[24]. Andererseits überliefert das Kerygma das „Faktum" Jesus Christus, Kerygma ist Überlieferung[25]. Für Ebeling differenziert sich somit vom Sprachgeschehen her die Rede vom ‚Kerygma' in die Doppelheit des „überlieferten" und „auszurichtenden Kerygmas", des „überlieferten" und des „gegenwärtigen" Kerygmas[26] oder des „Kerygmas im historischen Sinn" und des „Kerygmas im aktualen Sinn"[27]. Solche Unterscheidungen blieben Bultmann verborgen; sie sind aber gerade wichtig für das Verständnis von ‚Wortgeschehen'[28]. Nach Ebeling dient das Verstehen eines Sprechens der Einsicht, wie etwas *damals* – das Geschehen Jesus Christus – zur Sprache kam und – in der Verkündigung – *heute* noch zur Sprache kommen will. Für den Gesichtspunkt des Sprachgeschehens ist es gerade wichtig, aufzuzeigen, wie das Sprechen von damals bis heute fortschreitet, und zu erörtern, ob und inwieweit damals gültiges Kerygma noch heute und trotz des Wandels des übrigen Sprechens seine Gültigkeit behält. Es bedeutet eine „empfindliche Problemverkürzung", wenn man „die für den Fortgang des Kerygmas entscheidende Relation zwischen dem überlieferten, gewesenen Kerygma und dem gegenwärtig geschehenden Kerygma"[29] nicht berücksichtigt. Nur so bleibt Kerygma das, was es sein will: Kerygma damals und heute.

Das Achten auf das Sprachgeschehen will den Sprachvorgang – die Überlieferung des Kerygmas – verstehen, um die Sprache selbst – Kerygma selbst – zu ‚verstehen'[30]. Ja, Sprache will sich aus seinen Ursprüngen verstehen; denn Sprache ist „Verstehen"[31]. Das ist das Anliegen Ebelings. Ebeling versteht dieses Anliegen als Sprach-Hermeneutik: Sprach-‚Verstehen'. Will sich nun Sprache und vor allem geschichtliches Sprechen verstehen, muß Sprechen auf sich selbst

---

[22] Ebd.   [23] ThV 36.   [24] ThV, 39.
[25] Ebd.; vgl. WG I, 301: Der historische Jesus bleibt das „Kriterium" der Christologie.
[26] ThV, 39.   [27] ThV, 39 bzw. 41.   [28] ThV, 77; vgl. ThV, 40, 81.
[29] ThV, 40.   [30] ThV, 45, 49.   [31] WG I, 333.

und seinen Ursprung achten, d. h. im Blick auf seinen Ursprung sich selbst ‚*interpretieren*'[32] und sich selbst *rechtfertigen*[33]. Nur so wird auch Kerygma sein, was es ist: „Grund des Glaubens"[34]. Die Differenz zwischen ‚überliefertem' und ‚aktualem' Kerygma zeigt sich von daher als „hermeneutische Differenz"[35], als eine Verstehensdifferenz, die durch die Verstehensvorgänge Interpretation und die Besinnung auf den Ursprung überbrückt werden muß. Die hermeneutische Differenz ist nach Ebeling wesentlich ‚historische' Differenz, das bedeutet aber für eine kerygmatische Theologie, daß sie ihr Kerygma von dem historischen, ‚christologischen' Kerygma[36] her *interpretieren* muß und daß sie ihre heutige „*Notwendigkeit*"[37] aus dem Ursprung einsichtig machen muß. Die Notwendigkeit des Kerygmas für den Glauben gründet darin, daß es die ‚qualifizierte Situation' eines Geschehens aufweist, das je neu ins Kerygma drängt[38].

Ebelings Kritik läßt sich darin zusammenfassen, daß ihm zufolge für eine angemessene Sprachhermeneutik die Hermeneutik eines ‚Verstehens' allein, wie sie bei Bultmann anzutreffen ist, nicht mehr genügt[39]. Die Hermeneutik des ‚Verstehens' hebt das historische ‚Daß' des Heilsfaktums und das kerygmatische ‚Daß' der Verkündigung in ein dialektisches ‚Daß' des Existenzverständnisses auf. Das eigentliche ‚Sprachgeschehen' wird aber dadurch gerade übersprungen. Denn dem ‚Sprachverstehen' geht es gerade um das ‚Daß' des Einmal-zur-Sprache-gekommen-Seins und das ‚Daß' des Immer-wieder-zur-Sprache-Kommens[40]. Es geht ihm so darum, daß Einheit und Differenz von Ursprung und Kerygma gewahrt bleiben. Das Sprachgeschehen kann nicht nur als dialektischer Prozeß beschrieben, es muß gerade auch als geschichtlicher Vorgang aufgefaßt werden. Sind so bei Ebeling geschichtliche Überlieferung und geschichtliche Gleichzeitigkeit im Kerygma vermittelt, muß sich nun zeigen, ob diese Vermittlung in seinem theologischen Konzept und vor allem in seinem Sprechen von Auferstehung durchgehalten wird.

2.2.2 Wort und Wort Gottes

Die neue Sprachhermeneutik gab Ebeling Kriterien an die Hand, das Zur-Sprache-Kommen des Wortes in einem Sprachgeschehen und das Wie dieses Zur-Sprache-Kommens zu erheben. Nach diesen Kriterien konnte Ebeling Bultmanns Kerygmabegriff präzisieren und korrigieren. Sprachhermeneutik meint für Ebeling aber nicht nur hermeneutisches Überprüfen einzelner Sprachvor-

---

32 ThV, 39 ff, 48 ff.   33 ThV, 48 ff.   34 ThV, 31; vgl. ThV, 50.
35 ThV, 42.   36 Vgl. ThV, 47, 39.   37 ThV, 49.
38 ThV, 49 ff.   39 ThV, 40.   40 ThV, 38 ff.

gänge, sondern Hermeneutik ist Verstehen von Sprache überhaupt. Sprachhermeneutik ist demnach nicht bloße Hilfswissenschaft der Geisteswissenschaften oder auch der Philosophie; sie ist vielmehr die „Grundlegung der Geisteswissenschaften", ihre ontologische Fundierung überhaupt. Hermeneutik ist für Ebeling „Fundamentalontologie"[41], und dies gerade auch für die Theologie[42]. Im Hinblick auf das ontologische Geschehen von Sprache erschließen sich Ebeling die fundamentalen Strukturen einer jeden Ontologie von Gott, Mensch und Welt[43]. Deshalb gilt es, zunächst die Sprachhermeneutik Ebelings in ihren Grundzügen darzustellen.

2.2.2.1 Wort

Im Verständnis Ebelings hat es Sprachhermeneutik nicht allein mit den Grundelementen von Sprache und mit Sprache überhaupt zu tun, sondern Sprache umfaßt mehr, weist über sich hinaus. Sprache ist nicht nur ein Vorgang neben anderen, sondern im Sprechen deutet sich ein Grundgeschehen dessen an, der zum Sprechen ermächtigt ist: des Menschen. Denn der „Sprachvorgang" ist in Wirklichkeit der „Lebensvorgang"[44], der Mensch ist das „Wesen der Sprache"[45]. So hat Sprache, wo sie verstanden wird, weithin erschließende Funktion. *Sprache erschließt den Menschen.* Eine ‚fundamentale Sprachlehre' führt Ebeling zu einer Ontologie von Gott und Mensch[46].

---

[41] WG I, 333.
[42] WG I, 338f; Sprachlehre, 221ff.
[43] Wichtige systematische Darstellungen der Theologie G. Ebelings finden sich bei: P. Knauer, Verantwortung des Glaubens. Ein Gespräch mit Gerhard Ebeling aus katholischer Sicht (Frankfurter Theologische Studien, 4), Frankfurt 1969; M. Raske, Sakrament, Glaube, Liebe. Gerhard Ebelings Sakramentenverständnis – eine Herausforderung an die katholische Theologie (Koinonia, 11), Essen 1973; H. Th. Goebel, Wort Gottes als Auftrag. Zur Theologie von Rudolf Bultmann, Gerhard Ebeling und Wolfhart Pannenberg, Neukirchen 1972, 103ff; Th. Lorenzmeier, Exegese und Hermeneutik. Eine vergleichende Darstellung der Theologie Rudolf Bultmanns, Herbert Brauns und Gerhard Ebelings, Hamburg 1968; R. Marlé, Foi et parole. La théologie de Gerhard Ebeling, in: RThL 50 (1962) 5ff. Vgl. auch W. Kern – P. Knauer, Zur Frage der Glaubwürdigkeit der christlichen Offenbarung. Zur Diskussion zwischen Walter Kern SJ, Innsbruck, und Peter Knauer SJ, Frankfurt a. M., in: ZKTh 93 (1971) 418ff. Doch geben die genannten Autoren die Theologie G. Ebelings entweder unter einem systematischen Begriff wieder, oder sie beschränken sich auf eine besondere Perspektive. Unserer Untersuchung geht es im folgenden dagegen um die Denkrichtung des Ebelingschen Ansatzes, um die innere Logik dieses Denkens und besonders um die Logik seiner Theologie. Wir geben deshalb nicht die gesamte Theologie Ebelings wieder, sondern achten auf die Struktur und Konsequenz seines systematischen Gedankens; die zahlreichen Verweise auf die Arbeiten Ebelings in den Anmerkungen dokumentieren diese durchgängige Struktur in seinem Gesamtwerk.
[44] Sprachlehre, 214.
[45] WG II, 97; vgl. Sprachlehre, 216.
[46] Vgl. Sprachlehre, 188ff., 195ff., 219ff.; WG I, 447.

Die Sprachhermeneutik, mit der Ebelings Fundamentaltheologie einsetzt, hat zunächst die Aufgabe, Sprache selbst zu verstehen. „Gegenstand der Hermeneutik [ist] das Wortgeschehen."[47] Die „*Lehre vom Wort*" wird dann als „hermeneutisches Prinzip" führend[48]. Dabei ist mit ‚Wort' nicht die einzelne Vokabel gemeint, sondern das Grundgebilde von Sprache selbst, das Sinnganze, das im Sprechen zu Wort kommt[49]. Mit dieser Konzentration von Sprache auf das sinnvolle und sinnverstehende Wort wendet sich Ebeling gegen für ihn „depravierte"[50] Sprachverständnisse der Neuzeit, die Sprache etwa auf ihre ‚Bezeichnungs-' oder ‚Aussagefunktion', auf eine informative oder nur signifikative Mitteilung oder, kurz, auf ihre ‚Zeichenfunktion' reduzieren wollen[51]. Eine Hermeneutik, die auf solchen Prinzipien aufbaut, versteht sich als das Verstehen sprachlicher Äußerungen und deren Funktionen, während Ebelings Sprachverständnis das Sprachgeschehen selbst zu verstehen und zu erheben sucht[52]. Hierbei hat die Besinnung auf das Wort die entscheidende „hermeneutische Funktion"[53]. Selbstverständlich ist nach Ebeling das Wort auch Informationsträger, selbstverständlich will es Mitteilung sein. Wort ist aber mehr, Wort bewirkt mehr als Aussage. Wort ist „Wortgeschehen"[54]. Wort ist das „gute", „treffende" Wort, das anspricht und den Angesprochenen verändert[55]. Im Sprechen ‚geschieht' mit dem Sprechenden und dem Angesprochenen etwas. Dem Wort wohnt eine ihm eigentümliche „Macht" ein[56]. In theologischer Sicht geht der Blick nicht so sehr auf das, was das Wort ‚mitteilt', sondern auf das, ‚was es wirkt'[57]. Die Frage bei Ebeling lautet: „Was geschieht durch das Wort?"[58] Die dem Wort eigentümliche Macht ist es, die unsere Existenz betroffen macht, Existenz überhaupt betrifft und verändert. Dem Menschen ist das „gute" Wort so notwendig wie „Essen und Trinken"[59]. Dieses Wort läßt Existenz erst Existenz sein, ‚begründet', ‚erhellt' sie und schafft die Wirklichkeit des Menschen ‚neu'[60]. Existenz kann sich nur in dem offenen Raum der Wahrheit und Freimütigkeit realisieren; diesen Raum schaffen ist das Wesen von Sprache. Wortgeschehen ist fundamental Wahrheitsgeschehen.

---

[47] WG I, 335.   [48] Ebd.
[49] WG I, 370; Wesen, 249.   [50] WG I, 307, Anm. 13.
[51] Vgl. WG I, 214, 307, 342, 370, 430; WG II, 40f, 408f; Wesen, 106f, 110.
[52] WG I, 333.   [53] WG I, 334, 340.
[54] Wesen, 106f, 248, 250; WG I, 342, 348, 380; WG II, 408ff.
[55] Wesen, 248. Wort ist da, wo es „uns in unserer Existenz zu betreffen und zu ändern vermag, indem einer dem anderen etwas von seiner eigenen Existenz, von seinem Wollen, von seinem Lieben und Hoffen, von seiner Freude und seinem Leiden, aber auch von seiner Härte, seinem Haß, seiner Gemeinheit, seiner Bosheit mitteilt und eben so daran Anteil gibt" (Wesen, 249).
[56] Wesen, 249; vgl. WG I, 342; WG II, 97; ThV, 94; Sprachlehre, 202ff, 250ff.
[57] Vgl. Wesen, 250; WG I, 342.
[58] WG II, 410; vgl. Wesen, 110; ThV, 93.
[59] Wesen, 253.   [60] Wesen, 253, 255; vgl. WG I, 342.

Ebeling entdeckt in solcher Besinnung auf Sprache vier „entscheidende Problemdimensionen einer umfassenden Sprachlehre"[61]. Kein Mensch steht von sich her in der ‚Wahrheit'[62]; Wahrheit gewährt sich vom anderen, Wahrheit gewährt sich im Sprechen. Deshalb verfügt das Sprechen über die ihm eigentümliche Macht, in die Wahrheit einzuführen oder die Wahrheit zu verbergen. Daraus ergibt sich die ‚Verantwortung'[63], dem anderen Wahrheit zuzusprechen, ihm seine ‚Situation'[64] zu offenbaren und so die ‚Freiheit'[65] des Wortes und der Wahrheit zu gewähren. Die Wahrheit des Wortes muß schließlich auch seine ‚Richtigkeit'[66] haben, die Sache, die zur Rede steht, soll ja ins ‚Verstehen'[67] kommen. Deshalb ist es Pflicht der Wahrheitsliebe, angemessene ‚Sprachkritik'[68] zu üben. Wenn schließlich die ‚Verständigung'[69] aller Dimensionen gelingt, erfüllt sich das Wortgeschehen in ‚Kommunikation' und ‚Partizipation'[70]. Somit kann Ebeling das ‚Wortgeschehen' mit den Existenzbegriffen ‚Freiheit'[71], ‚Verantwortung'[72], ‚Verstehen'[73], ‚Kommunikation'[74], ‚Wahrheit'[75] und schließlich ‚Liebe'[76] wiedergeben; denn die Erfüllung des Wortgeschehens kann nur in verstehender und rücksichtsvoller ‚Liebe' gelingen.

Wenn Sprache so beschrieben wird, stellt sie vor einen hohen Anspruch, einen zu hohen Anspruch, wie Ebeling vermutet. Die fundamentale Sprachlehre hat eine Sprachdimension entdeckt, in der die menschliche Schwäche sichtbar wird. Der hohe Anspruch aber bringt erst in den Blick, was Sprache zugleich übersteigt und begründet. Es wird sinnvoll, von ‚Gott' zu reden[77].

Nach Ebeling erfährt der Mensch in der Sprache sein Wesen und ist doch seiner Sprache nicht mächtig: „Er [der Mensch] lebt von der Macht eines Wortes, das nicht das seine ist, und hungert zugleich nach der Macht eines Wortes, das gleichfalls nicht das seine sein kann."[78] Sprache wird so zur Stätte

---

[61] Sprachlehre, 215.
[62] Vgl. Sprachlehre 204ff., 215f., 239ff.; vgl. Wesen, 147; ThV, 16.
[63] Sprachlehre, 204f, 253ff.
[64] Sprachlehre, 205.
[65] Sprachlehre, 253f, 255.
[66] Vgl. Sprachlehre, 239f, 207ff, 231.
[67] Sprachlehre, 207f, 255f.
[68] Sprachlehre, 190ff, 217, 220.
[69] Sprachlehre, 211ff, 256ff.
[70] Vgl. WG I, 342; Wesen, 105, 106; Sprachlehre, 217.
[71] Sprachlehre, 254; vgl. WG II, 41; Wesen, 175; ThV, 94.
[72] Sprachlehre, 204ff; vgl. WG I, 374; WG II, 33f, 106.
[73] Sprachlehre, 207f.
[74] Vgl. WG I, 342; WG II, 39, 40.
[75] Sprachlehre, 216ff; vgl. WG I, 340.
[76] Sprachlehre, 217: „Das einzig Wahre ist die Liebe"; vgl. WG II, 39, 41; Sprachlehre, 241ff, 757f.
[77] Vgl. Wesen, 253; WG I, 341f; WG II, 415.   [78] WG II, 417–418.

des Aufgangs Gottes. Denn sprechend erfährt der Mensch die Brüchigkeit mitmenschlicher ‚Kommunikation' und ‚Liebe'. Er wird schuldig, versagt vor dem Anspruch des Wortes, er kann nicht wahrhaft das „gute" und die Existenz „heilende" Wort spenden[79]. Am Ende ist jeder Mensch ein homo ‚mendax', der den anderen nicht in ‚Wahrheit' und ‚Freiheit' leben läßt. Nur einer ist ‚verax': Gott[80]. Nur er ist die ‚Liebe', nur er gewährt ‚Wahrheit' und ‚Freiheit'[81]. So ist Gottes Wort letztlich das eigentliche Wort im Sinne Ebelings, „reines, wahres Wort, in dem das, was das Wort eigentlich sein und wirken soll, zur Erfüllung kommt und geschieht"[82]. Gott tritt gerade dort in die menschliche Existenz ein, wo diese ihr Wesen vollzieht: im Sprechen. „Die Vokabel ‚Gott' weist in ein immer schon im Schwange gehendes Wortgeschehen."[83] Wenn vom „Wesen der Sprache her die Grundsituation des Menschen" gegeben ist[84], dann wird gerade „die Grundsituation des Menschen als Wortsituation"[85] zur Stätte Gottes, „dann wird durch das Reden von Gott der Mensch bei seiner Sprachlichkeit behaftet"[86].

Die fundamentale Sprachhermeneutik Ebelings führt in das *Verstehen des Menschen* ein[87]. Das menschliche Wesen findet sich in der Dynamik des ‚Wortgeschehens'. Dieses Geschehen bringt aber, wenn wir Ebelings Ansatz weiterreflektieren, zugleich eine neue Sicht der menschlichen Konstituenten mit sich. Die Hermeneutik zeigt in ihrer Beschäftigung mit dem, was im Sprechen geschieht, zugleich die Verstehensstrukturen des menschlichen Seins auf, Strukturen, die die Existenz vom Wortgeschehen her bestimmen.

Die Wesensstruktur des Menschen läßt sich nach Ebeling so umreißen: „Der Mensch ist letztlich nicht Täter, sondern Empfänger, weil er vom Wort lebt. Obschon fähig, alle Dinge aus neutraler Distanz zu objektivieren, kann er doch mit sich selbst nicht in die Neutralität entrinnen. Sosehr er in jeder Hinsicht weltverhafteter Mitmensch ist und bleibt, ist er doch in all diesen Bezügen er selbst, verantwortlicher Einzelner, mündige Person, dazu berufen, das Geheimnis der Wirklichkeit, das ihn umgibt und das seine wahre Situation ausmacht, durch rechten Gebrauch des Wortes zur Geltung zu bringen und zu wahren. Sagten wir: Der Sinn des Wortes ‚Gott' ist die Grundsituation des Menschen

---

[79] WG I, 252; vgl. Wesen, 253; WG I, 280.
[80] Sprachlehre, 216f, Anm. 71; WG I, 341, 452; Wesen, 114.
[81] Vgl. WG II, 41.
[82] Wesen, 253; vgl. WG I, 341, 343, 430ff; WG II, 37, 41.
[83] WG II, 417.
[84] WG II, 415.
[85] WG II, 416, 417.
[86] WG II, 417.
[87] Im Wort offenbart sich der Mensch. „Das Wort – das ist offenbar der Mensch selbst" (Wesen, 250).

als Wortsituation, so können wir nun auch sagen: ‚Gott' – das ist das Geheimnis der Wirklichkeit.'' [88]

Ein erstes Strukturmerkmal menschlichen Seins, das die Hermeneutik im Verstehen von Sprache aufzeigt, ist der ‚relationale' [89] Charakter, der in der Beziehung von Gott und Mensch waltet. Diese Relationalität wird von Ebeling so streng gedacht, daß man sich verfehlt, „[w]enn man von der getrennten und isolierten und je in sich vollständigen Existenz zweier Wirklichkeiten ausginge, um dann erst die Frage zu stellen, wie eine zur anderen kommt: wie der Mensch Gott erkennt oder Gott sich dem Menschen zu erkennen gibt, wie der Mensch sich zu Gott aufschwingt oder Gott sich zum Menschen herabläßt, wie der Mensch sich auf Gott hin erweitert oder von Gott her Ergänzung erfährt'' [90]. Wie bei Bultmann kann sich bei Ebeling Existenz nicht eigentlich aus sich, sondern nur von Gott her verstehen, und zwar dergestalt, „daß die Relation zu Gott nicht etwas, was zur Wirklichkeit der Welt hinzukommt, sondern dasjenige ist, was die Wirklichkeit der Welt in Wahrheit ist'' [91].

Sind sich Bultmann und Ebeling in der Beurteilung der Grundstruktur menschlicher Existenz einig, zeigen sich doch grundsätzliche Unterschiede, wenn wir uns wiederum das *Gefälle dieser Struktur, ihre Richtung und Ausformung* ansehen.

Gegen Bultmann kennzeichnet Ebeling die Verwiesenheit des Menschen auf Gott als dessen „radikale Fraglichkeit'' [92]. „Man könnte sagen: Die Bedingung der Möglichkeit des Verstehens dessen, was das Wort ‚Gott' besagt, ist ein Nichtverstehen. Man darf allerdings nicht bei bloß vorletztem und vorläufigem Nichtverstehen stehenbleiben und somit etwa Gott einen Platz anweisen in den Lücken unserer Erkenntnis, so daß, indem sich solche Erkenntnislücken schließen, sozusagen der Raum für Gott beschränkt wird und seine Wirklichkeit sich mit den Grenzen unserer Erkenntnis immer weiter hinausschiebt, Gott sich also auf dem Rückzug befindet – wie man in der Neuzeit infolge fundamentalen Mißverstehens gemeint hat. Vielmehr handelt es sich um das Widerfahrnis eines radikalen und umfassenden Nichtverstehens, das eben jene die Welt und mich

---

[88] WG II, 419.
[89] Mit Hilfe der Kategorie der ‚Relation' und des ‚relationalen' Verhältnisses vor allem interpretiert P. Knauer (Verantwortung, VII, bes. 31 ff., 20 ff.) den Gottesbegriff und das Wirklichkeitsverständnis G. Ebelings. Vgl. WG I, 421, 279, 340, 343, 355, 368, 371, 375 ff, 420, 433; WG II, 285; Wesen 134 f.
[90] WG II, 241; vgl. WG I, 433.
[91] WG I, 421.
[92] Vgl. WG I, 35; 365 ff; WG II, 36, 281; Wesen, 100 ff., 146; ThV, 85. Es ist für G. Ebeling Sinn der klassischen Gottesbeweise, an die ‚Fraglichkeit' aller Wirklichkeit heranzuführen; WG I, 364 ff. Vgl. dazu P. Knauer, Verantwortung, 26 ff.

selbst umgreifende Fraglichkeit ist."[93] Die existentiale Struktur des Menschen ist so zuerst als grundlegendes ,Nichtverstehen' zu charakterisieren, das jedes wie auch immer geartete Verstehen oder Vorverständnis überholt[94]. Die radikale Fraglichkeit des Menschen ist Index für die gänzliche Abwesenheit allen Verstehens und gleichzeitig Index für die fundamentale Angewiesenheit auf ein dem Menschen von anderswoher zukommendes Verstehen seiner selbst[95]. Die Fraglichkeit ist so radikal, daß sie in keiner Wirklichkeit von Mensch oder Welt ihre Antwort findet. „Sie ist nicht beantwortbar durch ein zwar unbekanntes, aber schließlich doch aufzudeckendes Element der mich angehenden Wirklichkeit selbst."[96] Ebeling betont gegen Bultmann, daß die Fraglichkeit des Menschen, bevor sie positive Bedingung eines neuen ,Selbstverständnisses' zu werden vermag, zunächst jedes ,Vorverständnis' des Menschen radikal ins Nichts aufhebe[97].

Damit hat sich von Bultmann zu Ebeling die existentiale Struktur gedreht, wenn sich auch die Begrifflichkeit nicht durchgehend ändert. Existenz wird radikaler vom anderen, das Gott ist, her verstanden, und diese Verwiesenheit kann auf keine Weise mehr unterfangen werden. Denn „das Geheimnis des menschlichen Personseins [ist], daß es in Wahrheit ein von anderswoher Gerufensein ist, ein Existieren in Antwort und als Antwort, und daß darum der Mensch nur dann ganz er selbst ist, wenn er nicht gefangen ist in sich selbst, sondern den eigentlichen Grund seiner Existenz außerhalb seiner selbst hat"[98]. Vorausgesetzt, der Mensch existiert als Frage und Offenbarung geschieht, so ist diese Offenbarung nur als Antwort auf diese Frage denkbar. Der Offenbarung kommt in der existentialen Struktur des Menschen der Platz unverfügbarer Antwort

---

[93] WG I, 366.
[94] Vgl. WG II, 11. Im Unterschied zu Bultmann ist die Grunderfahrung des Selbst nicht so sehr das aktive Selbstverständnis, sondern die Erfahrung seiner „Passivität" (vgl. Wesen, 145, 101; WG I, 367) und „Endlichkeit" (vgl. WG I, 368).
[95] Auch Bultmann setzt bei der ,Fraglichkeit' des Menchen ein: „Der Mensch als solcher, als ganzer, ist von Gott in Frage gestellt" (GV I, 19; vgl. GV I, 297f). Aber Bultmann versteht die Fraglichkeit auf typisch andere Weise als Ebeling; denn bei ihm hat auch der natürliche Mensch ein Wissen um diese Fraglichkeit (vgl. Die Frage der natürlichen Offenbarung, in: GV II, 79ff); vor allem geht es der Philosophie um diese letzte Fraglichkeit, „indem sie um die Freiheit des Daseins weiß; denn damit weiß sie um die dieser Freiheit wesenhaft zukommende Fraglichkeit" (GV I, 310). Damit ist die Fraglichkeit von einem Vor-verstehen durchdrungen, während Ebeling gerade auf dem ,Nicht-verstehen' beharrt; vgl. GV II, 82, 101, 232; KM II, 192.
[96] WG I, 365; vgl. WG I, 374; Wesen, 113.
[97] Dazu vgl. P. Knauer, Verantwortung, 138ff. „Das Kerygma ist als Wort des Glaubens ein Geschehen am Hörenden, das es zur Entscheidung zwischen Glaube und Unglauben und eben damit auch zur Entscheidung über das Selbstverständnis kommen läßt" (ThV, 36). Glaube ist „das radikale Gegenteil von Selbstgewißheit: nämlich Gegründetsein extra me und d. h. Gottesgewißheit" (ThV, 85; vgl. WG I, 215, 216, 424; WG II, 172f, 285 u. ö.).
[98] Wesen, 145; vgl. Wesen, 209; WG I, 212, 389, 371.

zu: „Was als Gottes Wort überliefert ist, kann [...] nur dann als Wort verstanden werden, wenn es an den Menschen und dessen Welt den Kontext hat, in den hinein es Verborgenes ansagt, nicht beliebig Verborgenes, sondern dasjenige, was als Verborgenes und so Angesagtes, kurz als die Wahrheit, über das Menschsein des Menschen entscheidet. Die Tradition des Wortes Gottes tritt also nicht beziehungslos zu unserer Erfahrung hinzu oder als deren Ergänzung, als Verdrängung unserer Wirklichkeit oder als deren Verbrämung. Sie will uns vielmehr in bezug auf unser Sein in der Welt verifizieren [...], ‚wahr machen‘, zur Wahrheit bringen."[99]

Glaube, der unter den Bedingungen der existentialen Struktur steht, muß nach Ebeling ebenfalls als Antwort geschehen, denn „[s]oll die Glaubensverkündigung Sinn haben, so muß sie diesen ihren Sinn und damit ihre Notwendigkeit gerade in der Erhellung jener vorgegebenen Wirklichkeit [der Existenz] erweisen"[100]. Dann aber gilt: „Der Glaube ist nicht in eine von vornherein feststehende Wirklichkeit des Menschseins wie in einen vorgegebenen Rahmen an der ihm zukommenden Stelle einzuzeichnen, so daß dem Glauben eine vom Menschen hergeleitete und darum im Rahmen seiner Möglichkeiten bleibende Wirklichkeit zukäme"[101], die „aus allgemeinen Möglichkeiten des Menschseins abzuleiten"[102] wäre, sondern der Glaube selbst wird bei Ebeling „zum tragenden Grund für das Ganze der Wirklichkeit"[103], und es ist „der Glaube das, worin Existenz ihr Gegründetsein widerfährt"[104].

Wenn der Mensch so das andere sein Dasein bestimmen läßt, wird die ganze Grundstruktur der Existenz von Gott bestimmt. Die Grundstruktur der Existenz ist so das relationale Verhältnis von Gott und Mensch. Ebeling gibt schließlich den ‚Ort‘ an, wo die relationalen Momente existentialer Struktur aufeinandertreffen. Das „Gewissen" ist der Ort, wo Gott, Welt und Mensch präsent werden[105].

---

[99] WG II, 428–429.
[100] WG II, 11; vgl. dazu P. Knauer, Verantwortung, 6.
[101] Wesen, 153.
[102] RGG[3] III, 827.
[103] P. Knauer, Verantwortung.
[104] WG I, 216; vgl. WG I, 252.
[105] „Gewissen" ist einer der Zentralbegriffe Ebelings; vgl. WG I, 348, 374, 378ff, 404ff, 288ff, 429ff, 433; WG II, 172; Wesen, 211 u.ö. Im Begriff des Gewissens spiegeln sich alle Grundbegriffe der Sprachhermeneutik Ebelings; denn für ihn ist „der Mensch als Gewissen" „hermeneutisches Prinzip" (WG I, 348; vgl. WG I, 452). So ist das Gewissen das Präsentwerden des Zusammenhangs von „Mensch, Welt und Gott" (WG I, 432f), es ist ‚Ort‘ der „Erfahrung Gottes" (WG I, 367; vgl. WG I, 289), der Erfahrung der „radikalen Fraglichkeit" (WG I, 290, 367, 436); in ihm wirkt sich die „Vollmacht" des Wortes aus (WG I, 379); vgl. P. Knauer, Verantwortung, 78ff; H. Th. Goebel, Wort Gottes, 114ff.

2.2.2.2 Wort Gottes

Ebeling bezeichnet als „Grundsatz der Theologie", „daß allein Gott im Wort allein kommt"[106]. Die Offenbarung konzentriert sich auf das „*Wort Gottes*". Hier hat nach Ebeling jede Theologie anzusetzen: „[Z]ur Gewinnung des rechten Redens vom Heil [kann] nicht intensiv genug dem nachgedacht werden, warum die Weise, wie uns von Gott allein Heil zukommt, allein das Wort ist, dem allein der Glaube entspricht."[107] Ebeling denkt hier streng vom ‚Wort Gottes' her. Nun haben wir oben gesehen, wie sehr Ebeling nicht nur dem ‚Wort Gottes', sondern der Wirklichkeit des ‚Wortes' überhaupt nachdenkt. Dabei zeichneten sich innerhalb des Wortgeschehens und innerhalb der Sprachlichkeit des Menschen die Konturen ‚Gottes' ab.

Uns stellt sich aber die Frage: Wie kann es innerhalb der menschlichen Sprachlichkeit ‚Wort Gottes' geben? Wird mit dem Wort Gottes dem Menschen eine neue, zusätzliche Sprachlichkeit – sozusagen eine Metasprache[108] – eröffnet, und ist das ‚Wort Gottes' wirkliches ‚Wort' – menschliches Wort? Ebelings Antwort ist deutlich: Das ‚Wort Gottes' ist wirkliches ‚Wort', ist „wahrhaft menschliches Wort"[109], denn „[w]ir kennen kein anderes Wort als menschliches Wort"[110]. Wenn das Gotteswort trotzdem „in radikalem Gegensatz"[111] zum Menschenwort steht, dann ist jedoch diese Gegensätzlichkeit nicht im ‚Wortcharakter' oder der ‚Wörtlichkeit' des ‚Wortes' Gottes überhaupt zu suchen, sondern die Gegensätzlichkeit beider Worte haftet dem Wort als „Wortgeschehen" an[112]. Sie gründet darin, was sich mit dem ‚Wort' begibt, „was das Wort wirkt"[113], was es im Zueinander von Menschen bewirkt. „Nun, es ist allerdings angebracht, in schärfstem Gegensatz zu allem, was an Wort zwischen den Menschen faktisch laut wird und geschieht, von einem schlechthin anderen, nämlich von Gottes Wort zu reden. Denn dieses gute, wohltuende, heilschaffende, wirklich erhellende und wahre Zukunft eröffnende Wort ist normalerweise nicht anzutreffen."[114]

Ist Wort Gottes auch wahrhaft ‚Wort', so ist nicht schon jedes Wort ‚Wort Gottes'. Dasselbe gilt vom Wortgeschehen: nicht jedes Wortgeschehen ist bereits Geschehen Gottes. Diese Differenz bei Ebeling gilt es über das früher

---

[106] WG II, 41; vgl. WG I, 23; vgl. dazu P. Knauer, Verantwortung, 16.
[107] G. Ebeling, Verständnis von Heil, 13.
[108] Vgl. WG I, 340; Wesen, 109, 111 f.
[109] Wesen, 253; vgl. Wesen, 111; WG I, 340f. Vgl. dazu H. Th. Goebel, Wort Gottes, 105.
[110] Wesen, 111; vgl. Wesen, 112; WG I, 377.
[111] WG I, 341; vgl. Wesen, 107, 111, 112 f.
[112] WG I, 341; vgl. WG I, 326 ff., 380; ThV, 18, 77.
[113] Wesen, 250; vgl. Wesen, 113.
[114] Wesen, 253.

Gesagte hinaus noch einmal deutlich zu machen. Wenn sich im Wortgeschehen menschlichen Sprechens gewisse Konturen abzeichneten, die Ebeling Konturen ‚Gottes‘ nannte, stellt er nun doch die Frage, was uns ermächtigt, das sich dort Zeigende eindeutig mit dem Namen ‚Gottes‘ zu belegen.

Ebeling fragt: Woher rührt dieser Name, und worauf wenden wir ihn an? Im Blick auf die Religionsgeschichte[115] stellt Ebeling als erste Antwort fest, daß der Name ‚Gottes‘ dort recht „schillernd“ auftritt und oft nur ‚versperre‘, was Gott wahrhaft meint[116]. In der Neuzeit sinke Gott immer mehr in die „Sprachlosigkeit“ ab, so daß der Name nicht einmal genannt werde[117]. Über die Vorläufigkeit dieser Antwort hinaus führt ihn seine eigene Reflexion auf Sprache als Fraglichkeit[118]. Sprache ist ihm darin so radikal fraglich, daß sie als ‚Frage‘[119] nicht bereits eine mögliche ‚Antwort‘ Gottes antizipiert. Mit der radikalen Fraglichkeit der Sprache sagt Ebeling ihre schlechterdings unbestimmte Offenheit aus. Ebeling ist es „sehr problematisch, den Zusammenhang zwischen dem, was wir als radikale Fraglichkeit bezeichneten, und der Offenbarung einfach als das Verhältnis von Frage und Antwort zu sehen“[120]. Als solche unbestimmte Offenheit und radikale Fraglichkeit hat Sprache den Horizont von Antwort überhaupt bei sich und insofern auch die Möglichkeit der Antwort, die ‚Gott‘ ist[121]. Aber daß Gott ist und daß Gott spricht, ist für Ebeling die absolute Positivität des Wortes Gottes[122]. Diese absolute Positivität gilt derart, daß es erst aus dem Glauben möglich ist, eigentlich von der ‚Fraglichkeit‘ menschlicher Existenz zu reden und die existentiale Struktur des Menschen als ‚Frage‘ und ‚Antwort‘ auszulegen[123]. Das Sprechen von Gott und das Wort Gottes sind völliger Neuanfang und Neueinsatz, der in keiner Weise unterlaufen werden kann.

Somit bedürfen das menschliche Wort und auch das Wort ‚Gott‘ des ‚Wortes Gottes‘. Nur indem *Gott spricht*, gibt sich der Sinn seines Namens, nur indem Gott spricht, d. h. er der Urheber von Sprache ist, gibt sich der Sinn der Sprachlichkeit des Menschen[124]. Die ‚Fraglichkeit‘ des Menschen erfährt sich so

---

[115] WG II, 430.
[116] Ebd.
[117] WG II, 431.
[118] WG I, 369ff.
[119] WG II, 94. ‚Frage‘ ist für Ebeling hier die Denkweise der Philosophie.
[120] WG I, 369; vgl. WG I, 365.
[121] WG I, 365: „Gott kommt als Frage zur Erfahrung.“
[122] Vgl. ebd.
[123] WG I, 369: „Als ob nicht erst die Offenbarung in der rechten Weise erkennen ließe, was eigentlich in Frage steht, und somit erst die Radikalität der Fraglichkeit offenbar machte, und als ob nicht umgekehrt in der Wirklichkeit als Fraglichkeit bereits das von Gott ausgehende Wortgeschehen im Gang wäre.“ Vgl. WG I, 365, 367.
[124] WG II, 425: Gott ist die „andauernde Sprachgewährung“.

eigentlich als An-‚Frage' Gottes. Ebeling faßt zusammen: „Kurz: Das Wort ‚Gott' bedarf des Wortes Gottes, so wie das Wort Gottes des Wortes ‚Gott' bedarf."[125]

Die Verhältnisbestimmung des ‚Wortes Gottes' zum ‚Wort' vom ‚Wort' her hat seine doppelte Schwierigkeit: einmal nämlich bedarf das ‚Wort' der Explikation durch das ‚Wort Gottes', und zum anderen ist das ‚Wort Gottes' selbst auf das ‚Wort' angewiesen. Die Schwierigkeit löst sich für Ebeling, indem er darauf achtet, wie sich das *Wort Gottes unter den anderen Worten* als solches ausweist[126].

Das Wort Gottes kommt im Sprechen von Gott – in der Predigt und Verkündigung – zur Gegebenheit. „Hätten wir von Gott nie reden hören – eine absurde Hypothese! –, so würden wir schwerlich dergleichen von uns erzeugen können."[127] Das Wort Gottes und somit der Name Gott begegnen uns in einem überkommenen Sprechen von ihm, in der Form der ‚Schrift'[128], der ‚Predigt'[129] und der ganzen ‚Tradition'[130]. Damit steht das Wort im Kontext überlieferten Wortes. Indem es jedoch diesen Kontext durchbricht, unterscheidet sich Wort Gottes vom Wort überhaupt. Denn es genügt nicht, das Wort Gottes in seiner überkommenen Sprachgestalt zu belassen, vielmehr will dieses ‚Wort', aus einem ihm ursprünglichen ‚Wortgeschehen' hervorgehend, immer wieder in ‚Wortgeschehen' eingehen – d. i. in ‚Verkündigung'[131]. Nur so ist das ursprüngliche Wort Gottes „rettendes, heilsnotwendiges Wortgeschehen", darin entbirgt es sein Unterscheidendes. Es hat seine „*Vollmacht*"[132] über alle „sprachlosmachenden Mächte" in der Geschichte bewiesen[133]. Nach Ebeling gewährt es Sprache von Anfang an neu. Einmal offenbart es zuallererst den Namen Gottes: im AT ist es der Name „Jahwe" und im NT „Jesus"[134]. Zum anderen bewährt es die Vollmacht dieses Namens darin, daß es ihn immer neu und in sich wandelnder Situation auszusagen vermag[135]. Das Wort Gottes weist eine „erstaunliche Sprachkontinuität" auf[136], da es immer aus der gleichen „Quelle des Wortgeschehens" schöpft[137]. „Wort Gottes im Sinne der biblischen Über-

---

[125] WG II, 421.
[126] Vgl. WG II, 418, 424.
[127] WG II, 421–422; vgl. WG I, 354.
[128] Wesen, 25, 33 ff; WG I, 74, 320; Sprachlehre, 229 f.
[129] Wesen, 35 f, 47.
[130] WG II, 421; WG I, 352; Wesen, 25; ThV, 13 ff; Sprachlehre, 236.
[131] Vgl. WG II, 425, 419; Wesen, 116 f, 120, 177, 245 f; ThV, 9. Hier wird Ebelings sich überall durchhaltende Konzentration auf das Verkündigungsgeschehen deutlich; vgl. H. Th. Goebel, Wort Gottes, 165 f.
[132] WG II, 425; vgl. WG II, 419, 107; WG I, 248, 283, 394, 398; Wesen, 239, 248 f; ThV, 94; Sprachlehre, 250 ff.
[133] WG II, 425.   [134] Ebd.   [135] Ebd.   [136] Ebd.   [137] Ebd.

lieferung will also nicht als veraltetes, sondern sich ständig erneuerndes, nicht partikularistisch abschließendes, sondern Welt eröffnendes, nicht uniformierendes, sondern sprachschöpferisches Wortgeschehen verstanden sein."[138] In der Kraft dieses Wortes dokumentiert sich die Echtheit, Wahrheit und Ursprünglichkeit des ,Wortes' Gottes.

Die Frage nach der Verhältnisbestimmung von Wort und Wort Gottes ist die Frage nach der Rekonstitution der Struktur des Wortes unter dem Wort Gottes, und weil das Wort dem Menschen sein Wesen erschließt, ist es die Frage nach der *Struktur menschlicher Existenz unter dem Anspruch des Wortes Gottes*.

Nach Ebeling erfüllt das Wort Gottes, was jedes Wort intendiert, nämlich Existenz zu ,begründen'[139] und den „Menschen als Menschen" herauszustellen[140]. Wort Gottes „verifiziert sich selbst, indem es den Menschen verifiziert"[141], es entscheidet, was menschliche Existenz ist. Existenz bestimmt sich vor dem Wort Gottes neu, sie wird sich vor ihm erst ihrer Eigentlichkeit bewußt und gewahr. Das Wort Gottes sagt die „Wahrheit über das Menschsein des Menschen"[142], indem „es den Menschen auf dessen Grundsituation als Wortsituation hin anspricht, also darauf, daß der Mensch als Mensch schon immer von Gott angegangen ist"[143]. Das Wort Gottes entlarvt den Menschen, es entlarvt das Wort des Menschen, der sich nicht Gott stellt, als ,Lüge'[144], insofern er nicht „existiert als das Wort, das seiner Grundsituation entspräche, nämlich als bejahende Antwort an Gott"[145]. Darin ist der Mensch im Widerspruch, mit sich uneins, ein „Gottloser"[146]. Des Menschen „Existenz ist, recht verstanden, Wortgeschehen, das im Wort Gottes seinen Ursprung hat und, diesem Wort antwortend, Raum gibt durch rechten, heilsamen Gebrauch des Wortes. Darin ist der Mensch Ebenbild Gottes"[147].

Die Erhellung des Wortes Gottes vom Wortgeschehen her legt die Struktur sprachlicher Verfaßtheit des Menschen und somit menschlicher Existenz offen[148]. Der Mensch existiert so nach Ebeling als „Antwort" auf ein ihn angehendes Wort[149]. Menschliches Wort und menschliche Sprache sind von hier aus letztlich immer ,Antwort', d. h. aber, menschliche Existenz lebt grundsätzlich aus einem ,relationalen' Geschehen von Gott und Mensch[150], da Wort immer, somit auch Gottes Wort kommunikativ verfaßt ist. Das gleiche gilt vom Glau-

---

[138] WG II, 426.   [139] WG I, 216.   [140] WG II, 429.   [141] WG II, 426.
[142] WG II, 429; vgl. WG I, 159, 344; WG II, 38; Wesen, 250.
[143] WG II, 429; vgl. WG I, 343, 348; Wesen, 138, 147.
[144] WG I, 341; vgl. Anm. 80.
[145] WG II, 429.   [146] Ebd.   [147] WG I, 343, 369.
[148] Menschliche Existenz ist worthaft ausgelegt, denn „schon die Struktur der radikalen Fraglichkeit impliziert ja die Struktur der Worthaftigkeit" (WG I, 369).
[149] WG II, 418.
[150] Vgl. WG I, 225, 211 ff, 239, 340; vgl. Anm. 89.

benswort. Da „Gott auf Glaube abzielt, geschieht seine Offenbarung im Wort"[151]. Als Wort ist das Wort Gottes ,Anruf' und ,Anfrage' an den Menschen[152].

Das Wort Gottes entwirft seine eigene Struktur. Wir müssen aber noch genauer auf die Gestalt *dieser Struktur, ihren eigenen Ursprung und ihre eigene Richtung* eingehen. Die Richtung deutete sich im existentialen Bereich des Menschen, in seiner Grundsituation aus dem Wort, als radikale Fraglichkeit an. Die existentiale Struktur war so mit der Gestalt von ,Frage' und ,Antwort' vergleichbar. In der genuin theologischen Struktur verschieben sich noch einmal für Ebeling die Entsprechungen dieser Gestalt.

Mehr noch als ,Anfrage' ist das Wort „Zusage" Gottes an den Menschen[153]. In seinem Wort sagt sich Gott dem Menschen selbst zu. Ebeling stellt fest: „Es geht nicht nur um eine Mitteilung über Gott, sondern um ein Teilgewinnen, um ein Partizipieren an Gott selbst, also um ein Geschehen, in dem Gott selbst zur Mitteilung kommt."[154] Dementsprechend gibt der Mensch im Glauben seine Antwort nicht als Antwort auf eine Frage, sondern als „*homologische*"[155] Antwort. Seine Existenz wird ganz ,Antwort'[156], der Mensch wird homologische Existenz. So wird ,Homologie' zum Strukturmodell gläubiger Existenz überhaupt: „In der Homologie hängen [...] drei Momente aufs engste zusammen: daß ich mich identifiziere mit einem mich identifizierenden Wort; daß diese Einstimmung meiner selbst in ein Wort extra me mich zur Verantwortung dieses Wortes nötigt; und daß solch einstimmendes Reden wiederum zum Einstimmen ruft."[157] In seinem ,Homologie'-Modell nennt Ebeling alle wichtigen Elemente gläubiger Existenz und zeigt zugleich den Richtungssinn homologischer bzw. gläubiger Struktur auf. Homologie ist Wortgeschehen und darin Antwort auf ein mich betreffendes Wort. Der Glaube ist im Wort Gottes begründet. Das Wort ist aber ein Wort „extra me"; es ist nicht „Werk des Menschen, sondern Werk Gottes am Menschen"[158]. Dieses Wort ,extra me'[159] will ganz das Innen des Glaubens und gläubiger Existenz werden. Es drängt zur Identifikation des Menschen mit sich selbst. Diese Identifikation bedeutet das Ende der ,Fraglichkeit' und den Beginn homologischen Redens. Und nur in einer solchen Identifi-

---

[151] Wesen, 115.
[152] Vgl. WG I, 369; Wesen, 140.
[153] Wesen, 254; vgl. WG I, 343; Sprachlehre, 196 ff, 207.
[154] Wesen, 107.
[155] ThV, 83 ff; vgl. ThV, 19, 80, 81; RGG³ VI, 753, 785.
[156] WG I, 343: „seine [= des Menschen] Bestimmung ist es, als Antwort zu existieren". Vgl. WG I, 370; WG II, 36; Wesen, 145.
[157] ThV, 84.
[158] Wesen, 139.
[159] Vgl. ThV, 85.

kation ist der Mensch Mensch. Schließlich ruft das Wort Gottes in die kerygmatische Weiterverkündigung dieses Wortes.

Diese Richtung des Wortgeschehens von Gott zum Menschen hält sich als
Grundrichtung im Denken Ebelings durch und wird am biblischen Doppelbe-
griff „*Gesetz*" – „*Evangelium*" ausdrücklich reflektiert[160].
Die Dialektik von Gesetz und Evangelium klärt die bisher noch nicht durch-
sichtige Dialektik im Wortgeschehen selbst auf, wie nämlich Gottes Wort wahrhaft menschliches Wort sein kann. Diese Dialektik wird allein aus der Grundrichtung des einen zum anderen Wort durchsichtig; denn Gesetz wie Evangelium sind ‚Wort‘[161], Wort aber, die den Menschen in ein je verschiedenes
Verhältnis zu Gott und zu sich einweisen[162]. ‚Gesetz‘ besagt dann das „Wort",
durch das nicht mehr geschieht, „als was ein Mensch von sich aus am anderen
tun kann, als einer, der selbst gefangen ist in sich selbst"[163], „Wort" ohne
Gott[164]; ‚Gesetz‘ ist im Grunde die konkrete „Wirklichkeit" des Menschen[165],
die er von sich her vermag und schafft. ‚Evangelium‘ dagegen ist das Wort Gottes, das sich von sich her und aus eigenem Ursprung dem Menschen gibt und
das den Menschen aus seiner Gefangenschaft befreit. Es ist „dasjenige Wort,
in dem Gott als anwesender und offenbarer kommt, d. h. aber das Wort, durch
welches er schafft und zustande bringt, daß ich ihn als Gott gelten lasse, ihm
als Gott Ehre gebe, ihm Glauben schenke und darum ihm mich öffne, ihm ver-

---

[160] Die Unterscheidung von „Gesetz" und „Evangelium" gehört in das Zentrum der Ebelingschen
Theologie. Ebeling hat sich immer wieder um die rechte Interpretation dieser alten lutherischen
Unterscheidung bemüht; vgl. WG I, 50 ff, 65 ff, 154 f, 255 ff, 277 ff, 138 ff, 343 ff, 410 ff, 407 ff, u. ö.;
Luther, 120 ff; Sprachlehre, 247 ff. Denn in der Unterscheidung von Gesetz und Evangelium geht
es „um den Nerv der Theologie, weil es hierbei um das rechte christliche Wort geht" (Luther,
129); an dieser Unterscheidung geht „die Unterscheidung Gott – Mensch" auf (ThV, 82). Vgl. P.
Knauer, Verantwortung, 52 ff; H. Th. Goebel, Wort Gottes, 112 ff.
[161] Ebelings Neuinterpretation der Begriffe Gesetz und Evangelium gründet in der Rückführung
dieser Begriffe auf das fundamentale Wortgeschehen zwischen Gott und Mensch; denn ‚Gesetz‘
und ‚Evangelium‘ sind zuerst „Geschehen", Wirklichkeit und dann erst „Lehre" (WG I, 290). Ebeling unterscheidet die „lex ipsa", d. h. „geschehendes Gesetz", „demgegenüber jede positive lex
bloße Folge bzw. Interpretament ist" (WG I, 290 f); vgl. Luther, 129; WG I, 144. Gesetz und Evangelium sind Formen des „Zur-Sprache-Kommens" der Wirklichkeit (WG I, 145, 253).
[162] Mit dieser Unterscheidung kann Ebeling alle Unterscheidungen seiner Theologie zum Ausdruck
bringen. „Evangelium" ist für ihn die „Erfüllung" schlechthin; vgl. WG I, 52, 281, 283; WG II,
96; Wesen, 121; u. ö. „Gesetz" ist der „paedagogus"; vgl. WG I, 65, 287; u. ö. Beide sagen die
Wirklichkeit des Menschen „anders" aus (WG I, 141); das geschieht in der „Predigt", vgl. WG
I, 67, 140, 145, 253. Die Unterscheidung bestimmt etwa das Verhältnis von ‚Theologie‘ und ‚Philosophie‘ (vgl. WG II, 95 f), von ‚alt‘ und ‚neu‘ (vgl. WG I, 270), von ‚Leben‘ und ‚Tod‘ (WG I,
266, 343), von ‚Freiheit‘ zu ‚Freiheit‘ (WG I, 289) u. a. Vgl. WG I, 154, 68, 138 ff, 277 ff; WG II,
95 f; Wesen, 115 ff, 121, 223 f.
[163] Luther, 132; vgl. Luther, 152; WG I, 65.
[164] Luther, 133; vgl. WG I, 148 f.
[165] WG I, 290 f; vgl. WG I, 142, 144, 145, 141, 271, 291 ff; WG II, 95; Wesen, 117.

traue, ihm mich ausliefere, um so von mir selbst und von allen Mächten, an die ich mich verkauft habe, frei zu werden. Gottes Wort in diesem strengen Sinn kann nur das Wort des Glaubens sein, d. h. das Wort, das den Menschen ganz darauf anspricht, daß er Empfangender, Beschenkter, Begnadeter ist."[166] ‚Gesetz' und ‚Evangelium' sind und bleiben ‚Wort'[167]. An ihrer Worthaftigkeit sind sie nicht zu unterscheiden. Das Unterscheidende von ‚Evangelium' und ‚Gesetz' ist die Weise, „wie das Evangelium als Evangelium zur Sprache kommt"[168]. ‚Evangelium' steht dafür, daß Gottes Wort in menschliches Wort übersetzt wird und doch Gottes Wort bleibt, da es den Menschen ganz auf Gott ausrichtet. Evangelium als menschliches Wort wird Wort Gottes, wenn es den Menschen aus der „Gefangenschaft in sich selbst, diesem Ausgeliefertsein an sich selbst befreit, das ihm eine Hoffnung eröffnet, die nicht in ihm selbst begründet ist, ihm Mut zuspricht, der nicht aus ihm selbst geschöpft ist, das ihn also nicht als den Tätigen anspricht, der sich aus seinen Werken rechtfertigen soll, sondern als den, der sich nicht sich selbst verdankt, der sich selbst zum Geschenk geworden ist und der sich weiterhin als einer verstehen darf, der vom Geschenk, von der Gnade, von der Vergebung lebt"[169].

Das Wortgeschehen vom Wort zum Menschen vollendet sich für Ebeling im *Glauben* als Ant-wort des Menschen auf Gottes Wort. „Der Glaube bringt nichts Neues zu dem Wort hinzu, sondern ist das Wirksamwerden des Wortes als das, was es zu sein beansprucht: als Gottes Wort."[170] Die Antwort auf das Wort Gottes ist der Glaube allein – ‚sola fide'[171]. Mit der Besinnung auf ‚Wort' und ‚Glaube' öffnet und schließt sich das theologische Programm, das Ebeling selbst umschreibt, „die reformatorische Konzentration auf Wort und *Glaube* als theologische Prinzipienlehre gegenwärtig zu verantworten"[172].

Sprache konstituiert sich jeweils als ‚Wort' und ‚Antwort'. Das Sprachgeschehen ist daher relationales Geschehen, als ‚Wort' und ‚Antwort' ist es ‚personales' Geschehen[173]. Ebenso verhält es sich mit dem ‚Wort Gottes'. Der Glaube ist das ‚relationale'[174] Geschehen von ‚Wort Gottes' und ‚Antwort' der gläubigen

---

166 Luther, 133; vgl. WG I, 148f, 153, 343, 267.
167 WG I, 278: „Gesetz und Evangelium wären dann in gleicher Weise Wort Gottes [...]; nur verschiedene, voneinander untrennbare Strukturmomente des einen Wortes Gottes. Man müßte erst einmal erfaßt haben, was Wort Gottes im Unterschied zum Menschenwort ist, ehe man an die sekundären Charakter tragende Unterscheidung von Gesetz und Evangelium innerhalb des einen Wortes Gottes herangeht." Vgl. Sprachlehre, 247.
168 WG II, 58–59; vgl. WG I, 279, 410.
169 Luther, 132.
170 Evangelienauslegung, 382.   171 WG I, 21f.   172 WG I, V (Vorwort).
173 Vgl. WG I, 212, 248; Wesen, 140, 145, 209f.
174 Vgl. WG I, 211, 212, 216, „316, 317"; Wesen, 216.

Existenz. Wort Gottes ist ‚Anrede' und ‚Zusage'[175], es fordert Existenz heraus und begegnet dem gläubigen Dasein als ‚reines, verheißendes Wort', das die Existenz mit sich „identifiziert"[176]. Glauben ist dann nichts anderes als ‚sich einlassen auf' und ‚einstimmen in' dieses Wort[177]. Die ‚Antwort' des Menschen fügt dem Wort Gottes nichts hinzu, sondern sie ist Antwort, indem sie das Wort Gottes sein läßt. Glaube ist so das ‚Wirksamwerden' des Wortes Gottes in der Existenz. Er befreit den Menschen aus seinem ‚Selbstwiderspruch', indem er die ‚bejahende Antwort' zu Gott und zu sich selbst ist[178]. Das Unterscheidende des ‚Wortes Gottes' ist es, daß es „den Menschen menschlich macht, indem es ihn zum Glaubenden macht"[179]. Diesen Sachverhalt sagt Ebeling auch anders, wie oben gezeigt, als die ‚homologische' Struktur des Glaubens aus. Durch den Glauben wird der Mensch ‚homologische Existenz', d. i. verdankende Existenz. Der Glaube wird zum neuen „Grundakt der Existenz"[180]; Glaube ist das „Geschehen"[181], das Existenz zur „Existenz in Gewißheit"[182] werden läßt. Mit dem Glauben tritt eine verändernde ‚Macht' in das existentiale Dasein ein, ein wahrhaftes „Partizipieren an der Allmacht Gottes"[183]. Glaube dreht das existentiale Daseinsverständnis um, er ist „das radikale Gegenteil von Selbstgewißheit, nämlich Gegründetsein extra me, und d. h. Gottesgewißheit, wie sie Jesus eröffnet und wie sie von daher bestimmt ist als Teilhaben an Gottes Allmacht, als Angerufensein durch Gottes Wort und als Ermächtigtsein zum Anrufen Gottes"[184]. So sehr ist ‚Wort Gottes' selbst vom Glauben, das ‚Wort' von der ‚Antwort' bestimmt, daß der Glaube zur Bestimmung des Wortes Gottes selbst hinzugehört: „[...] Wort Gottes ist nicht vielerlei, sondern ein einziges: das Wort, das den Menschen menschlich macht, indem es ihn zum Glaubenden macht."[185] So kann Ebeling die christliche Wirklichkeit auch von der Perspektive des Glaubens – sola fide – her formulieren. Denn Glaube macht auf das ‚Wortgeschehen' aufmerksam. Dabei muß alle ‚christliche Wirklichkeit' so sehr auf dieses Wortgeschehen hin interpretiert werden, daß es bei Ebeling heißen kann: „In dem sola fide der reformatorischen Rechtfertigungslehre liegt sowohl die Ablehnung aller vorfindlicher Sicherungen der Vergegenwärtigung, seien sie ontologischer,

---

[175] Vgl. WG I, 214, 343.
[176] Vgl. ThV, 84; „gewißmachendes Wort" (ThV, 82).
[177] ThV 84; vgl. WG I, 315; Wesen, 88.
[178] WG II, 429; vgl. Anm. 170.
[179] WG I, 344
[180] WG I, 180.
[181] Vgl. WG I, 247; Wesen, 136, 210ff, 199, 217.
[182] WG I, 247.
[183] WG I, 248; vgl. WG I, 249, 315; Wesen, 107, 139, 172, 177, 235.
[184] Wesen, 131f.
[185] WG I, 344; vgl. Wesen, 136, 138.

sakramentaler oder hierarchischer Art, als auch positiv das Verständnis der Vergegenwärtigung im Sinne echt geschichtlicher, personaler Begegnung. Ereignet sich diese Begegnung mit der geschichtlichen Offenbarung allein im Hören auf das Wort [...]"[186], ist die Basis christlich-reformatorischer Wirklichkeit erreicht. Diese Wirklichkeit ist nach Ebeling zurückzunehmen auf das ,Wortgeschehen', das Geschehen von ,Wort' und ,Glaube' – ,sola fide'[187].

2.2.2.3 Strukturvergleich

Bisher beschrieben wir Ebelings Analysen von Wort und Wort Gottes[188]. Ebeling kennzeichnet jede dieser Teilanalysen als Aufgaben einer umfassenden Sprachhermeneutik. Und tatsächlich ist die ,Hermeneutik' das umfassende Programm Ebelings, von ihm her sind seine philosophischen wie theologischen Aussagen zu verstehen[189]. Die Hermeneutik ist die Disziplin, in der sich „theologische Hermeneutik auf weite Strecken mit nichttheologischer Hermeneutik in Übereinstimmung"[190] befindet. Ebeling zielt gerade auf eine allgemeine Hermeneutik, die aller speziellen Hermeneutik voran diese erst begründet. Herme-

---

[186] WG I, 44–45. Aus dieser Konzentration auf ,Wort' und ,Glaube' beurteilt Ebeling das Wesen des Katholizismus; vgl. WG I, 19, 21 f, 37 ff. Vgl. vor allem M. Raske, Sakrament, Glaube, Liebe. Gerhard Ebelings Sakramentsverständnis – eine Herausforderung an die katholische Theologie (Koinonia, 11), Essen 1973.

[187] WG I, 21 f.

[188] Zur Kritik an G. Ebeling im einzelnen vgl. (außer den in Anm. 43 genannten Autoren) W. Anz, Verkündigung und theologische Reflexion, in: ZThK 58 (1961) (Beiheft 2) 47 ff; F. Duensing, Fragen zu Ebelings Glaubens- und Gottesbegriff, in: EvTh 24 (1964) 34 ff; G. Eichholz, Die Grenze der existentialen Interpretation. Fragen zu G. Ebelings Glaubensbegriff, in: EvTh 22 (1962) 565 ff; S. M. Daecke, Teilhard de Chardin und die evangelische Theologie, Göttingen 1967, 140 ff; R. Frick, Theologie und Verkündigung. Zu dem gleichnamigen Buch von G. Ebeling, in: MPTh 52 (1963) 50 ff; E. Jüngel, Gott als Wort unserer Sprache, in: EvTh 29 (1969) 1 ff, bes. 3 ff; R. Kösters, Dogma und Bekenntnis bei Gerhard Ebeling. Zur kontroverstheologischen Problematik des Begriffs der kirchlichen Lehre, in: Cath 24 (1970) 51 ff; W. Kreck, Das reformatorische ,pro me' und die existentiale Interpretation heute. Studien zur Geschichte und Theologie der Reformation, in: Festschrift für Ernst Bizer, hrsg. von L. Abramowski – J. F. G. Goeters, Neukirchen 1969, 283 ff; Th. Lorenzmeier, Das Gottesverständnis in der Theologie Gerhard Ebelings, in: MPTh 55 (1966) 80 ff; H. v. Mallinckrodt, Das Ende der existentialen Hermeneutik?, in: KatBl 93 (1968) 297 ff; F. Mildenberger, Bevollmächtigtes Reden von Gott? Die Aporie im Reden von Gott bei Gollwitzer und Ebeling, in: DPBl 64 (1964) 281 ff; J. Moltmann, Anfrage und Kritik. Zu Ebelings Theologie und Verkündigung, in: EvTh 24 (1964) 25 ff; H. Schmidt, Das Verhältnis von neuzeitlichem Wirklichkeitsverständnis und christlichem Glauben in der Theologie Gerhard Ebelings, in: FKuD 9 (1963) 71 ff; W. Simonis, Zum Wesen des christlichen Glaubens. Zu einem Buch von Gerhard Ebeling, in: Cath 19 (1965) 225 ff; L. Steiger, Die Sprachschule des christlichen Glaubens, in: KidZ 17 (1962) 105 ff; dazu die Kontroverse zwischen G. Ebeling und W. Pannenberg: W. Pannenberg, Die Krise des Ethischen und die Theologie, in: ThLZ 87 (1962) 7 ff.

[189] WG I, 12: „die hermeneutische Frage [bildet] den Brennpunkt der gegenwärtigen theologischen Problematik"; vgl. WG I, 22 f, 27.

[190] WG I, 340; Sprachlehre, 219 ff.

neutik ist zur Grundlage jeder wissenschaftlichen Disziplin geworden, sie dient der „Grundlegung der Geisteswissenschaften", ist „Inbegriff der Philosophie" und als „Fundamentalontologie"[191] Grund aller wissenschaftlichen Teilbereiche. Auf dieser fundamentalen Ebene der Hermeneutik treffen die Strukturen von Wort und Wort Gottes aufeinander, Identität und Differenz der Strukturen werden hier sichtbar. Hermeneutik ist so für Ebeling der umfassende Horizont seines Denkens. Die Theologie wird darin bestimmt als „Hermeneutik des Glaubens"[192].

Wenn wir im vorhergehenden Inhalt und Konsequenzen der hermeneutischen Analysen Ebelings referiert haben, gilt es nun, die Hermeneutik Ebelings selbst zu thematisieren, ihren spezifischen Gebrauch und ihre fundamental methodologische Funktion innerhalb aller Wissenschaften zu reflektieren[193]. Hermeneutik ist für Ebeling zunächst die „Lehre vom Verstehen"[194]. Während sich aber die herkömmliche Hermeneutik auf Probleme des Verstehens „von Sprache", vornehmlich des Verstehens von Texten, beschränkte, setzt Ebeling das hermeneutische Verstehen primär nicht im „Verstehen von Sprache" an, sondern im „Verstehen durch Sprache"[195]. Mit anderen Worten, es ist nicht das Verstehen, sondern die Sprache erste hermeneutische Instanz, indem sie allererst Verstehen vermittelt und eröffnet, d. h., „[d]as Wort selbst hat hermeneutische Funktion"[196]. Hermeneutik ist primär nicht mehr die Lehre vom ‚Verstehen' – siehe Bultmann[197] –, sondern „Lehre vom Wort"[198]. Unter ‚Wort' versteht Ebeling jedoch nicht die Vokabel, sondern das „Wortgeschehen"[199]. Wo solches Wortgeschehen sich tatsächlich ereignet, liefert es sein Verstehen mit, ist es selbst-‚verständlich'. „[G]eschehenes Wort zum Verstehen"[200] bringen als Funktion der Hermeneutik besagt hier lediglich, es erneut auszusagen. Wo das Wortgeschehen jedoch „gestört"[201] ist, wird das Verstehen des ursprünglichen Wortgeschehens dringend, radikalisiert sich die hermeneutische Aufgabe. Dies trifft vor allem für „sprachliche Überlieferungen"[202] zu, hier tritt die Hermeneutik ein, das ursprüngliche Wortgeschehen, das am Anfang der

---

[191] Vgl. WG I, 333, 202.
[192] WG I, 447; vgl. WG II, 70, 109.
[193] WG I, 12: „Wir stehen [hier] offenbar vor dem fundamentalen Methodenproblem der Theologie."
[194] WG I, 328.
[195] WG I, 333.
[196] WG I, 334; vgl. WG I, 338.
[197] Siehe o. S. 26 ff.
[198] WG I, 335.
[199] Ebd.; vgl. WG I, 328, 447.
[200] WG I, 328; vgl. WG II, 107.
[201] WG I, 334; Sprachlehre, 190 ff.
[202] Vgl. WG I, 338.

Überlieferung stand, wieder aufzudecken und zugänglich zu machen; so unter den Bedingungen seines Verstehens aufgesucht, vermittelt das ursprüngliche Wortgeschehen sodann sein Verstehen von neuem. Insofern sich so verstandene Hermeneutik über weite Teile mit sprachlichen Überlieferungen beschäftigt, deckt sich die neue Hermeneutik teilweise mit der klassischen, obschon ihr ein von dieser sehr verschiedener Begriff zugrunde liegt.

Der so gezeichneten allgemeinen Hermeneutik fügt sich die theologische Hermeneutik ein. Was dort gesagt wurde, gilt entsprechend für die Theologie. „Für die Theologie wird darum das hermeneutische Problem heute zum Ort der Begegnung mit der Philosophie."[203] Es gilt, „zugleich Gemeinsamkeit und Gegensatz"[204] beider nach Ebeling aufzuzeigen. Das „Grundproblem theologischer Hermeneutik"[205] läßt sich in Übereinkunft mit der Definition von Hermeneutik allgemein als „Lehre vom Wort", nun als „Lehre vom Wort Gottes"[206], bestimmen. Hier wie dort hat das „Wort" primär „hermeneutische Relevanz"[207]. Aus dem ,Wortgeschehen' des Wortes Gottes erhebt die Theologie die spezifische „Verstehensstruktur"[208] dieses Wortes. Theologie als Hermeneutik ist somit zuerst „theologische Verstehenslehre"[209]. Sie erarbeitet das Verstehen des Gotteswortes. Hermeneutik als „fundamentaltheologische Methodologie"[210] umgreift daher alle übrigen theologischen Disziplinen oder begründet diese erst.

Von solch umfassend hermeneutischem Grund aus entwirft nun Ebeling das Gesamtprogramm einer Theologie. Dieses Gesamtprogramm ist im folgenden daraufhin zu untersuchen, wie in ihm jegliche Arbeit durchgängig von der hermeneutischen Methode geprägt ist. Ebeling selbst umreißt sein Gesamtprogramm folgendermaßen: „Die Grundstruktur der Theologie ist durch die Bewegung von geschehener Verkündigung zu geschehender Verkündigung gegeben. Entsprechend ist die Aufgabe der Theologie einerseits auf die Verkündigung gerichtet, und zwar in der dreifachen Gliederung dieser historischen Ausrichtung: auf das Alte Testament als Zeugnis der vorläufigen, auf das Neue Testament als Zeugnis der endgültigen und auf die Kirchengeschichte als Zeugnis der nachfolgenden Verkündigung; andererseits auf die geschehende Verkündigung, und zwar in der doppelten Ausrichtung dieser systematisch-normativen Aufgabe: auf das zu Verkündigende (Dogmatik) und auf den Vorgang

---

[203] WG I, 333; vgl. Sprachlehre, 226ff.
[204] Ebd.
[205] WG I, 338.
[206] Ebd.; vgl. WG I, 348.
[207] WG I, 338.
[208] WG I, 339; vgl. ThV, 15.
[209] Ebd.
[210] Ebd.

der Verkündigung (Praktische Theologie)."[211] Danach gliedert sich die Theologie in einen ‚historischen‘ und ‚systematischen‘ Teil[212]. Das ‚Ganze‘[213] der Theologie wird jedoch durch eine einheitliche Grundstruktur zusammengehalten: eine ‚Bewegung‘[214] umspannt alle ihre Teile, eine ‚Bewegung‘ setzt mit den ‚historischen‘ Voraussetzungen der Theologie ein und kommt in der ‚Verkündigung‘ an ihr Ende. Theologie ist die Bewegung „vom Text zur Verkündigung"[215]. Die Theologie hat eine ‚historische Ausrichtung‘, ihr ‚Vorgang‘ (der Verkündigung) geschieht in der Praktischen Theologie, das Verstehen des ‚zu Verkündigenden‘ kommt in der Dogmatik zum Zuge; das sind Anfang, Ziel und Mitte der theologischen ‚Bewegung‘.

Diese Bewegung bezieht ihren Charakter als Bewegung aber vom ‚Wort‘ oder besser vom „Wortgeschehen"[216]; denn das Wort ist ‚Geschehen‘, ist die Bewegung von seinem Ursprung zu seinem Ankommen. Der theologische Auftrag, fortzuschreiten vom „Text zur Predigt"[217], „vom Text der Heiligen Schrift zur Predigt"[218], vom „Text zur Verkündigung"[219] oder von „der Schrift zum mündlichen Wort"[220] ist zugleich die Forderung, „den Text als Wort zu interpretieren"[221]. Es gilt also, das ursprüngliche Wort oder Wortgeschehen freizulegen, damit so die Bewegung, die im Wort Jesu begann, bis heute weiterwirke. Nach Ebeling ist es „widersinnnig", einen nur „überlieferten Text als Wort Gottes zu bezeichnen"[222]. Das ursprüngliche „Verkündigungsgeschehen"[223] immer neu zu erheben ist die tatsächlich „hermeneutische Aufgabe"[224] der Theologie. Theologie ist „Sprachschule der Verkündigung"[225].

Ebeling gibt die Bewegung vom ‚Text zur Predigt‘ ebensooft mit der „Bewegung von geschehener Verkündigung zu geschehender Verkündigung"[226] wieder. Es ist der Sache nach dasselbe. Diese Wendung stößt uns aber erneut auf die Kritik Ebelings an Bultmann. Ebeling hatte an Bultmann ja gerade kritisiert, daß jener den Doppelaspekt des ‚Kerygmas‘, ‚überliefertes‘ und ‚aktuales‘ Kerygma zu sein, übersehen habe. Mit dieser Unterscheidung war für Ebeling der Rückgriff auf den ‚historischen Jesus‘, der Rückgriff auf Historie überhaupt

---

[211] WG I, 448; vgl. WG II, 112f; vgl. H. Th. Goebel, Wort Gottes 138ff.
[212] Vgl. ThV, 10ff.
[213] Vgl. WG I, 448.
[214] Vgl. WG I, 326.
[215] Vgl. WG I, 338; ThV, 1ff.
[216] WG I, 448; vgl. WG I, 348
[217] WG I, 345.   [218] WG I, 326.
[219] WG I, 338.   [220] WG I, 345.
[221] Ebd.; vgl. WG II, 116; ThV, 15.
[222] Ebd.   [223] ThV, 39.   [224] WG I, 345.
[225] ThV, 18; vgl. WG I, 448; Sprachlehre, 226ff.
[226] WG I, 448; vgl. WG I, 345.

in der Theologie allgemein, wieder wichtig geworden. Jetzt aber wird deutlich, daß der Begriff der ‚Historie‘ bei Ebeling noch aufzuarbeiten ist, denn ihm scheint ein bestimmtes Verständnis zugrunde zu liegen. Ebeling ordnet ‚Historie‘ der übergreifenden Bewegung des Wortgeschehens vom ‚überlieferten‘ zum ‚aktualen‘ Kerygma, zur Verkündigung, ein. Wie es für Ebeling ‚überliefertes‘ ohne das es fundierende Wortgeschehen nicht gibt, ist es für ihn ebenso unmöglich, von ‚Historie‘ zu sprechen, ohne zugleich an die Aufhebung der Historie in das Wortgeschehen zu denken[227]. ‚Historie‘ allein ist für Ebeling ein defizienter Modus oder ein reduziertes Verständnis von ‚Wort‘: Es ist eine „depravierte Auffassung vom Wort: die Abstraktion vom Wortgeschehen und die Reduktion auf den Aussagecharakter"[228]. Gegenüber einem ‚historischen‘ Geschichtsverständnis, das auch noch in den klassischen hermeneutischen Wissenschaften vorherrschte und vor allem dem Historismus zugrunde liegt, bezieht sich Ebeling auf ein Geschichtsverständnis, „das am Wortgeschehen und damit an der Sprachlichkeit der Wirklichkeit orientiert ist"[229]. Die tatsächliche Geschichte ist nicht mit einem Tatsachenbegriff zu identifizieren, sondern Geschichte ist die Antwort auf die Frage: „Was ist zur Sprache gekommen?"[230] Nur das Zur-Sprache-Gekommene ist wahrhaft Geschichte. Geschichte wird in der Hermeneutik Ebelings in die ‚Sprachlichkeit‘ der Geschichte aufgehoben.

Während Bultmann offenließ, ob Geschichte im Verstehen von Geschichte aufgehe oder das Verstehen die Geschichte der Existenz sei, löst Ebeling den Gegensatz von Geschichte und Verstehen eindeutig in die Sprachlichkeit allen Geschehens auf.

Von daher läßt sich schließlich verstehen, mit welchem Nachdruck Ebeling die Einheit von ‚historischer‘ und ‚systematischer‘ Theologie im Gesamtpro-

---

[227] Ebeling hat sich gelegentlich über seinen Begriff des „Historischen" geäußert; vgl. WG I, 302 ff. Dabei löst er die „grundsätzliche Problematik der Historik" am Beispiel des historischen Jesus als „hermeneutische Aufgabe" (WG I, 308). ‚Historie‘ wird so in ‚Hermeneutik‘ überführt: „Es ist die Aufgabe, das zur Sprache kommen zu lassen, was in Jesus zur Sprache gekommen ist" (WG I, 307); das historische Ereignis Jesus ist „ein Ereignis im Wortgeschehen" (WG I, 308). Darüber hinaus ist nach Ebeling eine historische Auslegung des Textes als „personale Begegnung mit dem Text" (WG I, 46) zu verstehen; „geschichtliche Begegnung" vollzieht sich nach dem Modell des „Personalismus" (WG I, 202).
Demgegenüber ist der spätere Aufsatz „Zeit und Wort" (WG II, 121 ff) bemerkenswert. Zwar gilt es auch hier noch, die „Sprachlichkeit der Zeit" (135) zu bedenken, aber doch als Frage, ob sich „auf dem Grunde des Zeitgeschehens im Wortgeschehen" abspielt (134). „Wort" ist dann „Vollmacht" in der Zeit, es hat „temporalen Sinn" (ebd.); „Sprache" ist „Umgang mit der Zeit" (135), die ihre Genese in der „Strittigkeit der Zeit selbst" hat (134). Das „Wort" ist so primär „Zeitwort" (ebd.); das „Wortgeschehen" spielt in der Zeit und ist so fundamental zeitlich (ebd.). Die Konsequenzen aus diesem ausbaufähigen Ansatz vermißt man allerdings bei Ebeling; die Applikation etwa auf die ‚Historie‘-Problematik fällt aus. Vgl. H. Th. Goebel, Wort Gottes, 105 ff.
[228] WG I, 307; vgl. Anm. 13.
[229] WG I, 307; vgl. WG I, 202.   [230] WG I, 307; vgl. WG I, 33.

gramm von Theologie immer wieder vertritt[231] und betont, daß die Konzentration auf das Wortgeschehen über die seit der Reformation aufgerissene Kluft zwischen den ‚historischen‘ und ‚systematischen‘ Wissenschaften hinweghelfe. „Das Geschehen des Wortes Gottes“ läßt in der Theologie tatsächlich ein „unteilbares Ganzes“ sehen, das nur „in verschiedene Disziplinen strukturiert“ ist[232]. Denn die Bewegung des Wortgeschehens ist ein einheitlicher hermeneutischer Vorgang, in dem die ‚historische‘ und ‚systematische‘ Arbeit nur Teilvorgänge des Gesamten sind. Die historische Wissenschaft weist dem Christentum den Ort seines geschichtlichen Ursprungs zu und hilft so, ihn zu verstehen; die systematische Wissenschaft erhebt das Verständnis nur historischer Texte, damit wir uns im Licht dieser Texte neu verstehen.

Ebeling kann den von ihm bekämpften ‚Methodendualismus‘[233] Bultmanns durch die einheitliche hermeneutische Wissenschaft überwinden. Die Hermeneutik gilt aber nicht nur für die Theologie. Daher kann er die fundamentaltheologische Aufgabe, die er ja als hermeneutische begreift, mit der fundamentalontologischen Aufgabe unserer Zeit überhaupt, die ebenfalls in der Hermeneutik besteht, identifizieren. Es ist aber zu fragen, ob hier Ebeling nicht der Gefahr eines Methoden-‚Monismus‘ verfällt. Kommen nämlich die bei aller Vergleichbarkeit grundsätzlich verschiedenen Strukturen von Wort und Wort Gottes in der hermeneutischen Methode nicht völlig zur Deckung? Ebeling könnte darauf einwenden, daß die hermeneutische Methode eine andere Struktur des Wortes Gottes als die des Wortes aufdeckt, insofern er das Wortgeschehen des Wortes Gottes als ‚Homologie‘ und das Verhältnis von ‚Wort‘ und ‚Wort Gottes‘ als das von ‚Gesetz‘ und ‚Evangelium‘ bestimmt. Das Unterscheidende des Wortes Gottes ist es, als Wort des ‚Deus verax‘ das die Existenz allein identifizierende Wort zu sein. Nun bleibt aber doch die Frage, ob das Unterscheidende des Wortes Gottes für Ebeling nicht in die Geschlossenheit eines Systems hineinnivelliert wird. Prinzip dieses Systems ist die Hermeneutik. Aus ihm wird deduziert, was im Gegenüber von ‚Wort‘ und ‚Existenz‘ überhaupt geschehen kann. Sind damit nicht die Möglichkeiten des Wortes Gottes unter die Möglichkeiten des Wortes überhaupt vereinnahmt? Ist das Unterscheidende des Wortes Gottes also lediglich eine bestimmte Modifikation solchen Geschehens? Kommt das Wort Gottes, und damit auch sein Unterscheidendes, nur vor unter den allgemeinen Bedingungen des Wortes, von dem es nicht unterschieden ist?

---

[231] Vgl. WG I, 46, 78ff, 203, 302, 322; WG II, 112f; ThV, 10ff, 52ff.

[232] WG I, 448; vgl. WG I, 89; ThV, 93. Ebeling betont die Konzentration aller theologischen Wissenschaften auf das „Wort“ so sehr, daß alle „locihafte Vielheit [des Wortes Gottes] (im traditionell dogmatischen Schema: als Theologie, Christologie, Pneumatologie, Soteriologie, Eschatologie) als einziges Wort sich erweist“ (ThV, 93).

[233] Vgl. ThV, 55; WG I, 450.

2.2.3   Auferstehung

Mit dem Glauben an die ‚Auferstehung von den Toten'[234] hat der gläubige Christ – nach Ebeling – dieselben Schwierigkeiten wie mit anderen „problematischen" und „mythologischen" Aussagen des NT, z. B. der von der „Jungfrauengeburt", der „Höllen- und Himmelfahrt"[235]. Allerdings hat die Auferstehung einen ganz anderen Stellenwert im Gesamt des NT als jene „peripheren christologischen Bekenntnisaussagen"[236]. Würde nämlich das Auferstehungszeugnis gestrichen, „würde das Wesen des christlichen Glaubens angetastet"[237]. Diesem Dilemma des Verstehens von Auferstehung ist nach Ebeling nur zu entgehen, wenn man die Auferstehung nicht wie gewohnt als „Glaubensgegenstand"[238], sondern als Mitte und ‚Zum-Ziel-Kommen' von Christologie versteht[238a]. Was Auferstehung ist, geht von der Mitte von Christologie überhaupt erst auf.

Ebeling bestimmt *Christologie* folgendermaßen: „Die Frage nach der Relation von Jesus und Glaube betrifft den Kern der Christologie."[239] ‚[D]as Grundproblem der Christologie' bringt er auf die Formel: „Ich glaube an Jesus."[240] Die christologische Relation ist demnach jene von ‚Jesus' und ‚meinem Glauben'. Innerhalb dieser Relation von ‚Glaube' und ‚Jesus' hat nun die Auferstehung ihre hervorragende Stellung, denn „im Glauben an den Auferstandenen" spricht sich „der Glaube an Jesus schlechthin" aus[241]. Um die besondere Stellung der Auferstehung innerhalb dieser Relation auszumachen, ist zunächst die christologische Relation von Jesus und Glaube selbst zu reflektieren. Dabei ist es bedeutsam festzuhalten, daß Ebeling die christologische Relation ‚Jesus' – ‚Glaube' jener anderen für ihn fundamentalen Relation von ‚Wort Gottes' – ‚Glaube' zuordnet[242]. Die christologische Relation ist also im Grunde eine Abwandlung der anderen Relation des Glaubens[243]. Wie dem ‚Wort Gottes' wird

---

[234] Etwas ausführlichere Darstellungen der Auferstehungstheologie G. Ebelings finden sich in U. Asendorf, Gekreuzigt und Auferstanden. Luthers Herausforderung an die moderne Christologie (Arbeiten zur Geschichte und Theologie des Luthertums, 25), Hamburg 1971, 58ff; A. Geense, Auferstehung und Offenbarung. Über den Ort der Frage nach der Auferstehung Jesu Christi in der heutigen deutschen evangelischen Theologie (Forschungen zur systematischen und ökumenischen Theologie, 27), Göttingen 1971, 138ff; P. Knauer, Verantwortung, 170ff; U. Kühn, Das Problem der zureichenden dogmatischen Begründung der christlichen Auferstehung, in: KuD 9 (1963). Gegenüber diesen Autoren ordnen wir Ebelings Auferstehungstheologie strenger seiner Christologie zu; denn von der Christologie Ebelings her, so meinen wir, wird erst der Ort der Auferstehung sichtbar. Zur Christologie Ebelings vgl. P. Knauer, Que signifie: ‚Je crois en Jésus-Christ'? La christologie de Gerhard Ebeling, in: RThL 2 (1971) 385ff.

[235] Wesen, 70.   [236] Wesen, 71.   [237] Ebd.
[238] Wesen, 72.   [238a] Ebd.   [239] WG I, 203.
[240] Ebd.; vgl. WG I, 219ff, 316; Wesen, 50.
[241] Wesen, 72.
[242] Vgl. ThV, 83ff.
[243] Siehe o. S. 89ff; vgl. WG I, 251.

auch ‚Jesus' in gleicher Weise zugesprochen, „Quelle und Grund des Glaubens" zu sein[244]. Es bleibt die Frage, von welcher Art das Verhältnis der beiden Relationen zueinander ist, ob sie sich gegenseitig explizieren oder ob eine der beiden Relationen auf die andere zurückgeführt werden kann.

Von einem anderen christologischen Grundsatz Ebelings her mag diese Frage angegangen werden. Ebeling formuliert: „Christologie interpretiert die Homologie: ‚Ich glaube an Jesus.'"[245] Darin spricht sich die Doppeldeutigkeit von Christologie bei Ebeling aus. Er unterscheidet nämlich „Sache der Christologie" und „Christologie"[246]. Diese Unterscheidung expliziert er an der ‚Homologie': ‚Ich glaube an Jesus', ja in dieser gewinnt er sie erst. „Im Wesen von Homologie" tritt „das Wesen der Sache der Christologie" zutage[247], ohne daß die ‚Sache der Christologie' in ‚Homologie' aufginge. Was ‚Sache der Christologie' ist, bleibt bei Ebeling letztlich offen. Nur von der ‚Homologie' her ist sie für Ebeling denk- und sagbar. Was in der ‚Homologie' von der ‚Sache der Christologie' zur Sprache kommt, ist für Ebeling nun wieder durch die „Christologie" – das sind für ihn etwa die ‚Würdetitel' und ‚kerygmatischen Aussagen' – zu explizieren und zu interpretieren[248].

Wie ist diese Verschränkung der christologischen Begrifflichkeit bei Ebeling zu verstehen? Den Schlüssel zum Verständnis liefert uns auch hier Ebelings Modell von ‚Homologie'. Homologie ist, wie wir gesehen haben, die besondere Struktur des Wortgeschehens zwischen Gott und Mensch[249]. Daß das Wesen der ‚Sache der Christologie' in der Homologie hervortritt, gründet darin, daß auch die Sache der Christologie selbst „Wortgeschehen"[250] ist. Sie ist also „homologisch"[251], weil dieses Wortgeschehen, in dem Homologie und Sache der Christologie übereinstimmen, als „Sprachstruktur des Glaubens" verfaßt ist[252]. Die ‚Christologie' dagegen, wie sie uns in den Bekenntnissen und Christusprädikationen begegnet, ist nach Ebeling Interpretation dieses ‚Wortgeschehens': als ‚überliefertes' Kerygma überkommene Interpretation, als ‚aktuales' Kerygma heute notwendige Explikation dieses Geschehens[253]. ‚Christologie' in diesem anderen Sinn steht so im Dienst des Verstehens eines ursprünglichen Geschehens, wie Verstehen immer im Dienst des ursprünglichen ‚Wortgeschehens' steht. So verstandene ‚Christologie' hat hermeneutische Funktion, und „den Glauben an Jesus homologisch [zu] interpretieren", ist ihre „hermeneutische Grundregel"[254]. Von diesem Verständnis der hermeneutischen Aufgabe her hatte die Kritik Ebelings an Bultmanns Christologie angesetzt, da Bultmann

---

[244] WG I, 204; vgl. WG I, 244f.
[245] ThV, 83.   [246] Ebd.
[247] Ebd.   [248] Ebd.   [249] Siehe o. S. 82f.
[250] WG I, 310; vgl. ThV, 83ff; Wesen, 122.   [251] ThV, 83, 84.   [252] ThV, 83.
[253] Ebd.; vgl. oben zu ‚aktual' – ‚überliefert', S.89f.   [254] ThV, 83.

zuwenig berücksichtigt habe, das Verstehen des ursprünglichen Wortgeschehens zur Sprache zu bringen[255]. Das Ganze der Christologie ist bei Ebeling somit nach dem Modell von ‚Wortgeschehen‘[256] entworfen und muß in diesem hermeneutischen Programm als ursprüngliches ‚Sprachgeschehen‘ – die ‚Sache‘ – und dessen ‚Verstehen‘ – die ‚Interpretation‘ – gesehen werden: Die ‚Sache der Christologie‘ ist dieses ‚Geschehen‘, die ‚Homologie‘ gibt dem Geschehen die besondere Sprachstruktur, und die ‚Christologie‘ erbringt das ‚Verstehen‘ des Ganzen.

Die christologische Relation ‚Jesus‘ – ‚Glaube‘ hat sich demnach als die Relation ‚Wort‘ – ‚Glaube‘ erwiesen und ist in dieses Modell transponierbar. Im folgenden geht es darum, die einzelnen Schritte dieser Transposition nachzuvollziehen, um so in diesem Modell Ort und Funktion Jesu auszumachen. Von daher wird sich uns Ebelings Verständnis von Auferstehung erschließen. Erinnern wir uns an das oben angeführte Modell von Wort und Glaube[257], so ist *Jesus* nun das „treffende Wort"[258], „das den Menschen identifizierende Wort"[259], das „den Glauben erweckt"[260] und „zum Einstimmen" „ermutigt"[261], so daß der Mensch, darin einstimmend, „mit sich selbst einig"[262] wird. Als ‚Sache der Christologie‘ führt Ebeling in diesem Modell an: „Dieses Wort ist Jesus, indem er sich selbst als gewißmachendes Wort des Lebens, d.h. als in die Begegnung rufend und Sprache einräumend erweist."[263] Und ‚Glaube an Jesus‘ heißt: „Jesus begegnet als reines verheißendes Wort [...]. Einstimmen in Jesus heißt darum: mich in der Weise mit dem Wort, das er ist, identifizieren, daß ich der, der ich bin, als schon Vergangener sein kann, weil ich mich auf die zugesagte Zukunft einlasse als darin schon Eingelassener."[264] Christologie begibt sich also bei Ebeling in ‚Wort‘ und ‚Glaube‘. Glaube bedeutet dabei ‚Sich-einlassen‘ auf und ‚Einstimmen‘ in das ‚Wort‘ Jesu.

Ebeling genügt es aber nicht, aufgrund „formaler Strukturen"[265] das Verhältnis von ‚Jesus‘ und ‚Glaube‘ am Modell von Homologie zu explizieren. Denn es bei einer Explikation dieser Art belassen hieße die Relation von Jesus und Glaube auf die von ‚Wort‘ und ‚Glaube‘ reduzieren und damit Jesus in die Reihe anderer Gestalten von Offenbarung einordnen[266]. Die Begründungsverhältnisse würden so gleichsam auf den Kopf gestellt. Auch für Ebeling bleibt die Frage: Warum ist christlicher Glaube christologischer Glaube? Warum ist er auf Jesus gegründet? Es geht also um die „Grund-Notwendigkeit"[267] von Homologie, die Grundnotwendigkeit des ‚Ich glaube an Jesus‘.

---

[255] Vgl. oben S. 68ff.   [256] Vgl. WG I, 310.   [257] Siehe o. S. 85.   [258] ThV, 83.
[259] ThV, 84.   [260] Ebd.; vgl. WG I, 241, 242, 89; Wesen, 27.
[261] ThV, 84; vgl. ThV, 19; Wesen, 65.   [262] ThV, 84.
[263] Ebd.   [264] ThV, 84–85.   [265] ThV, 84.   [266] WG I, 250ff.
[267] ThV, 84; vgl. WG I, 343, 344; WG II, 32, 68, 69f; Wesen, 196; ThV, 12, 49ff.

Diese Frage nach Jesus stellt sich für Ebeling als die Frage nach der Notwendigkeit von Homologie für die Existenz dar. Sie ist „die Grundfrage des Menschen", das ganze „Menschsein als Gefragtsein" steht auf dem Spiel[268]; die ‚Notwendigkeit' von Homologie gründet in der „Not des Menschen"[269], in der Homologie geht es „um das Leben selbst"[270]. Wie nämlich kann der Mensch in sein Leben einstimmen? Wie vermag er „Gewißheit"[271] zu sich selbst gewinnen? Darauf konzentriert sich das Interesse Ebelings. ‚Gewißheit' wird dem Menschen nach Ebeling nur in der „Erfahrung konkreter Situation"[272] zuteil. Der Mensch lebt und gewinnt sich selbst in „Konkretion"[273], zumal in der Begegnung. Als höchste Möglichkeit der Menschen, sich einander zu eigener Gewißheit zu verhelfen, bezeichnet Ebeling das „Vorbild"[274]. Das Vorbild lebt in ‚analogen Situationen', lebt sie durch, spricht durch dieses Verhalten den anderen an, indem es ihm Weisung ist, ‚ermutigt' so den anderen zu gleichem Verhalten und macht durch seine ‚Gewißheit' auch den anderen seiner selbst ‚gewiß'. Auch ‚Jesus' ist ‚Vorbild' und vermittelt ‚Gewißheit', allerdings auf überlegene Weise: „Unvergleichliche Macht als Vorbild übt Jesus aus in der Ganzheit seiner Worte und Verhalten umfassenden Erscheinung."[275] Er ist auf überlegene Weise Vorbild, weil sein Verhalten für „alles Verhalten" und „jede Situation" Gültigkeit besitzt[276]. Jesu Gewißheit ist die ‚Grund-Gewißheit' menschlicher Existenz überhaupt und gilt für Existenz schlechthin[277].

Daß Jesus für alles Verhalten und jede Situation Gültigkeit besitzt, läßt die Frage nach eben jenem Verhalten und seiner konkreten Situation aufkommen. So bricht in der Frage der Homologie zugleich die Frage nach dem ‚historischen Jesus' auf[278]. Denn Homologie redet auch tatsächlich nicht nur vom ‚Christus des Glaubens', sondern ausdrücklich von dem ‚historischen Jesus': „Ich glaube an Jesus." Dieser historische Jesus ist das die Existenz gewißmachende Vorbild. Gerade die Notwendigkeit christologischer Homologie führt so über die traditionelle Spaltung von ‚historischem Jesus' und ‚kerygmatischem Christus' hinweg. „Die Zusammengehörigkeit von *Jesus* und *Glaube* begründet die Kontinuität zwischen dem historischen Jesus und dem sogenannten Christus des Glaubens."[279] In der christologischen Relation von ‚Jesus' und ‚Glaube'[280] – für

---

[268] ThV, 85.   [269] Wesen, 115.   [270] ThV, 84.
[271] ThV, 85; vgl. WG I, 70, 94, 239.   [272] ThV, 88; vgl. WG I, 250f.
[273] WG I, 250f.   [274] ThV, 88.   [275] Ebd.   [276] ThV, 89.
[277] Vgl. WG I, 245; ThV, 19; Jesus ist so das „gewißmachende Wort"; vgl. ThV, 81, 82.
[278] WG I, 317; vgl. WG I, 207, 301, 318.
[279] WG I, 317; ggl. Wesen, 49ff.
[280] „Jesus und Glaube gehören aufs engste zusammen. Und zwar einmal so, daß der Glaube angewiesen ist auf Jesus: Er ist Glaube an Jesus. Und darum offenbar auch so, daß dieser Jesus gewissermaßen angewiesen ist auf den Glauben" (Wesen, 50). Hier wird die Tendenz dieser strengen Relation ‚Jesus' – ‚Glaube' sichtbar.

Ebeling aller Anfang von Christologie – ist die Korrelation von ‚Jesus‘ und ‚Christus‘ schon mitgesetzt. Die Notwendigkeit christologischer Homologie gründet so im Wesen des Menschen und im Wesen *Jesu*, als Notwendigkeit ist sie die Weise, wie ‚Jesus‘ dem ‚Menschen‘ in der Homologie not-wendig ist.

Wie kommt nun in diesem Zusammenhang Glaube für Ebeling ins Spiel, wie ist er begründet, und wie steht es näherhin um das Zueinander von ‚Jesus‘ und ‚Glaube‘? Vorbild menschlicher Gewißheit gibt nach Ebeling der *historische Jesus*. Jesu Gewißheit aber ist für ihn „Gewißheit im Glauben"[281]. Das gesamte Verhalten des historischen Jesus, alle Worte und Taten, sprechen von Glauben und „fordern zum Glauben heraus"[282]. Im Leben des historischen Jesus werden gerade jene analogen und konkreten Situationen vorgefunden, die zu eigener Gewißheit im Glauben ermutigen: sie sind „exempla fidei"[283]. In ihnen spricht sich Jesu Gewißheit konkret aus: seine ‚Freiheit‘, ‚seine Vollmacht‘, seine ‚Liebe‘ und in allem sein ‚Glaube‘[284]. Um zu gleicher Gewißheit im Glauben zu gelangen, bedarf der Mensch eines „Zeugen des Glaubens"[285]. Denn „[n]ur das Wort eines Zeugen kann vollmächtiges, autoritatives, Glauben weckendes Wort sein. Was immer an Besonderheit der Person Jesu noch mit in Betracht zu ziehen sein mag – jedenfalls liegt darin eine Struktureigentümlichkeit des Glaubens, daß die Entstehung des Glaubens angewiesen ist auf Begegnung mit Zeugen des Glaubens."[286] Der historische Jesus wird so zum „Zeugen des Glaubens"[287]. Das ganze Leben Jesu, seine Existenz, ‚bezeugt‘ das eine: den ‚Glauben‘[288], ist die „Konzentration" in das eine: ‚Glaube als Gewißheit der Existenz‘[289]. So kann Jesus selbst nach Ebeling mit Recht als Glaubender bezeichnet werden[290]. Doch Jesus thematisiert seinen Glauben nicht, vielmehr geschieht dieser als gläubige Tat, die im Menschen ‚Glauben weckt‘[291]. Als ‚Zeuge des Glaubens‘ erweckt er den Glauben und ermutigt zu ihm, indem er dazu ermutigt, es ihm gleichzutun. Bei Ebeling ist die Redewendung zur christologischen Formel geworden: „In Jesus ist der Glaube zur Sprache gekommen."[292] Darin konzentriert sich das ganze Geheimnis Jesu. „Denn diese Formulierung will zusam-

---

[281] ThV, 85 ff.
[282] WG I, 242.
[283] WG I, 251, 252, 253.
[284] ThV, 89; vgl. Wesen, 53; Sprachlehre, 237 ff.
[285] Wesen, 48 ff.
[286] WG I, 251.
[287] WG I, 311 ff; vgl. WG I, 202, 310; Wesen, 48 ff, 88.
[288] WG I, 251 f, 308 f.
[289] ThV, 91; vgl. WG I, 309 f.
[290] Vgl. WG I, 240 ff.   [291] Vgl. WG I, 240 f, 308 ff; Wesen, 68.
[292] WG I, 308 ff; vgl. WG I, 310 u. ö.

menfassend charakterisieren, was in Verkündigung und Verhalten des historischen Jesus das eine schlechthin Entscheidende und alles Bestimmende ist."[293] „Diese Einheit Jesu mit dem Glauben kommt sachgemäß zur Sprache eben nicht im Reden Jesu über seinen eigenen Glauben, sondern als Zeugnis des Glaubens im Dasein für andere."[294]

Das Zeugnis Jesu lädt zum Glauben ein, zu tun, wie er getan hat, befreit von Angst und Schuld, ‚im extra se' gegründet, einig mit sich selbst und darin mit Gott versöhnt[295]. Solches Leben lebt Jesus nach Ebeling „stellvertretend"[296] für alle, er wird zum „Platzhalter" für die Menschen[297]. Aber in eins damit, daß er Platzhalter der Menschen vor Gott wird kraft göttlicher ‚Gewißheit', wird er zugleich zum „Platzhalter Gottes"[298]. Denn er hat sich ganz auf Gottes Wort und seine Zuverlässigkeit eingelassen, so daß „er sich selbst mit seinen Worten identifiziert, daß er in der Identifikation mit diesen Worten sich der Wirklichkeit Gottes preisgibt und daß er darauf, daß Gott diese Worte wahr macht und wirklich sein läßt, seine Existenz gegründet sein läßt"[299]. Jesus selbst wird „Garant" dieses Wortes, Garant der Wahrheit und des Eintreffens des Wortes Gottes, das Jesus dem Glauben zuspricht[300]. Jesus selbst wird zum „Glaubensgrund". Aus dem ‚Zeugen des Glaubens' wird er zum „Grund des Glaubens", wie das ‚Wort Gottes' Grund des Glaubens ist[301]. Jesus ist so das ‚Wort Gottes' in Person. Sein ganzes Tun ist ‚Wort', „in echter Weise autoritatives und darum zum auctor fidei werdendes Wort", aber nur weil es ein ‚Wort' ist, „das so gesagt wird, daß sich der Betreffende, der es sagt, damit identifiziert"[302]. Im Reden und Tun Jesu wird das Wort Gottes konkret und den Menschen mit sich einend verkündet[303]. ‚Jesus' und das „Wort Gottes" sind eins; damit ist die Relation von ‚Wort Gottes' und ‚Glaube' sowie von ‚Jesus' und ‚Glaube' ein und dieselbe. Diese Einheit wurde einsichtig durch ein Wortgeschehen, das die Gestalt der Homologie trägt. Denn Ebeling stellt fest: „Die Frage nach dem historischen Jesus ist die Frage nach diesem Sprachgeschehen, das der Grund des Glaubensgeschehens ist."[304]

---

[293] WG I, 308; vgl. WG I, 206. An dieser Stelle steht bei Ebeling gewöhnlich die Modellformel Hebr 12,2: „Jesus ist der Anführer und Vollender des Glaubens"; vgl. WG I, 206; Wesen, 65, 26.
[294] WG I, 309–310.
[295] WG I, 244.
[296] Ebd.; vgl. WG I, 244.
[297] ThV, 89.
[298] Ebd.
[299] WG I, 244.
[300] WG I, 245 f; Jesus hat wie das Wort „Vollmacht" (ThV, 95 ff).
[301] Bei Ebeling ist Gott, das Wort Gottes und Jesus „Grund"; vgl. WG I, 214; ThV, 31 ff, 45, 76 ff.
[302] WG I, 251; vgl. ThV, 56, 80.   [303] WG I, 251–252.   [304] WG I, 318.

Wie trägt sich das bisher Gesagte in Ebelings Verständnis von Auferstehung ein? Für Ebeling gilt: Glaube an Jesus ist Glaube an den *Auferstandenen*[305]. Kreuz und Auferstehung gehören so in die christologische Relation von ‚Jesus‘ und ‚Glaube‘, ‚Wort Gottes‘ und ‚Glaube‘ mit hinein. Wenn aber mit ‚Jesus‘ vorrangig der ‚historische Jesus‘ gemeint ist, welche Stellung kann dem Auferstandenen in einem als Sprachgeschehen verstandenen Glauben an ‚Jesus‘ noch zukommen? Ebeling formuliert: „Es darf auch in christologischer Hinsicht nichts über Jesus ausgesagt werden, was nicht im historischen Jesus begründet ist und sich nicht darauf beschränkt, auszusagen, wer der historische Jesus ist.“[306] Demnach kann die Auferstehung dem Leben des historischen Jesus nichts mehr hinzufügen.

Es wird verständlich, warum der Tod für Ebeling „das Heilsereignis schlechthin“ bedeutet[307]. Denn Tod und das Kreuz sind, obzwar Ende des Lebens Jesu, „die äußerste Erfüllung der Zeugenschaft des Glaubens und somit die Summe seines Lebens“[308]. Indem Jesu hingebende Liebe zu Gott im Tod in ihr Äußerstes gelangt[309], ist sein Glaube „ganz zur Sprache gekommen“[310]. Im Tod ist das Werk seiner auf Glauben gründenden Existenz, „das Werk seiner gewißmachenden Gewißheit vollbracht“. In seinem Tod wird er radikal zum „Zeugen des Glaubens“[311].

Der Zeugenschaft Jesu kann die Auferstehung nach Ebeling nichts mehr hinzufügen. Auferstehung bringt nur noch das „Zum-Ziel-gekommen-Sein“[312] des im Tod geendeten Jesus und die ‚Gewißheit‘ dieses Zum-Ziel-gekommen-Seins zum Ausdruck. Deshalb wäre es eine „Fehldeutung“[313], anzunehmen, was der historische Jesus nicht vermochte, hätte das ‚zusätzliche‘ und ‚supranaturale‘ Faktum der Auferstehung zustande gebracht. Der „nachösterliche Glaube“ ist vielmehr „die Folge der Gewißheit Jesu“[314]. Mit Ostern kamen die Apostel zur Gewißheit des Zeugen des Glaubens und seines Bezeugten. Das ist der Sinn von Ostern. Den Einwand, ob nicht Jesus bereits im Leben ‚Zeuge des Glaubens‘ war und gewißmachenden Glauben erweckte[315], beantwortet Ebeling mit dem Hinweis auf die Doppeldeutigkeit jeden Zeugnisses, der auch der ‚Zeuge‘ Jesus und sein Zeugnis unterworfen waren. Der Glaube an den historischen Jesus konnte auch als „Augenzeugenschaft“[316], als ein „Sehen“[317] oder als „chronologisch zufällige Begegnung“ mit dem Menschen Jesus mißverstanden werden[318]; das ‚gewißmachende Wort‘ lief Gefahr, mit einem „apokalyptisch-enthusiastischen Erleben“ verwechselt zu werden[319]. Die Gewißheit

---

[305] WG I, 314f.   [306] WG I, 311.   [307] ThV, 90.   [308] Wesen, 68.
[309] Vgl. ebd.; ThV, 90.   [310] WG I, 310.   [311] Vgl. ThV, 90; Wesen, 173.
[312] Wesen, 68.   [313] ThV, 90.   [314] Ebd.   [315] WG I, 314.
[316] ThV, 91.   [317] WG I, 315.   [318] ThV, 91.   [319] Ebd..

Jesu konnte nur dann rein und unmißverständlich „laut" werden, wenn die historische Gestalt vergangen, abwesend war[320]; gerade der „historische Vergangene"[321] wird zur Vorbedingung eines lauteren Zeugnisses. Nach dem Tod erst setzt für Ebeling die reine Verkündigung der Botschaft Jesu ein, diese Botschaft eröffnet neue eschatologische Existenz[322]: „Das verbum Dei incarnatum kommt als verbum Dei zu Gehör und zum Ziel erst als verbum Dei praedicatum."[323] Es gilt also, das ,reine' ,Wortgeschehen'[324] zum Zug kommen zu lassen. Deshalb bildeten weniger „die Tatsache der Auferstehung"[325] als vielmehr die ,Erscheinungen' des Auferstandenen den „Kern der Osterüberlieferungen"[326]. In ihnen erfüllt sich das Wortgeschehen des Glaubens: „daß Jesus als der Zeuge des Glaubens zum Grund des Glaubens wurde und die so Glaubenden Zeugen des Glaubens sind als Zeugen Jesu"[327]. In ihnen ereignet sich der ,Übergang' des Glaubens an den historischen Jesus zum Glauben an den kerygmatischen Christus[328]. Nicht daß Jesus erst jetzt Glauben fand[329], aber erst jetzt wird er zum ,Grund des Glaubens'. Der Übergang vom historischen Jesus zum kerygmatischen Christus ist so für Ebeling der Übergang vom ,Zeugen des Glaubens' zum ,Grund des Glaubens'. In den Erscheinungen wurde den Jüngern die Gestalt des ,historischen Jesus' „offenbar"[330]. Den Erscheinungen eignet die hermeneutische Funktion, den vorösterlichen Jesus „recht zu verstehen"[331]. Jesus sei ,Grund des Glaubens' geworden, heißt dann: Jesus werde jetzt erst als ,Zeuge des Glaubens' recht erkannt und es stelle sich jetzt erst heraus, was Glaube sei[332]. ,Glaubensgrund' ist das, „was den Glauben Glauben sein läßt und den Glauben dabei erhält, daß er wirklich Glaube bleibt, worauf also der Glaube letztlich angewiesen ist"[333]. In dieses rechte Verstehen Jesu führen die Erscheinungen ein. Jetzt wird offenbar, was Jesus immer schon war: „Anführer und Vollender des Glaubens" (Hebr 12,2)[334]. Der Glaube an den Auferstandenen kann im Kontext von Wortgeschehen im Sinne Ebelings so zusammengefaßt werden: „Es heißt ihn als Zeugen des Glaubens Glaubensgrund sein lassen und darum sich auf ihn und seinen Weg einlassen; an ihm und seinem

---

[320] Ebd.
[321] WG I, 310. Diese Beurteilung von Tod und Auferstehung impliziert einen eigenen Historiebegriff: „Der Tod ist die Grenze historischer Aussagen. Im übrigen kann das neuzeitliche Geschichtsverständnis auch nicht dem historischen Jesus gegenüber eine Ausnahme machen" (WG I, 304). An dieser Stelle wird besonders deutlich, daß Ebeling die alte Historieproblematik keinesfalls überwindet, im Gegenteil sogar voraussetzt.
[322] ThV, 91.   [323] Ebd.
[324] Vgl. Wesen, 253 bzw. WG I, 314.
[325] WG I, 315.   [326] Vgl. WG I, 314; Wesen, 80ff.
[327] Ebd.   [328] WG I, 311.   [329] WG I, 314.
[330] Vgl. WG I, 310f, 315; Wesen, 72.
[331] WG I, 315.   [332] Ebd.
[333] WG I, 317.   [334] Ebd.; vgl. o. Anm. 293.

Wege partizipieren und darin an dem partizipieren, woran dem Glauben zu partizipieren verheißen ist, nämlich an der Allmacht Gottes. Angesichts des Gekreuzigten, dieses Gekreuzigten, und zwar dieses seines im Sterben sich vollendenden Glaubenszeugnisses, glauben heißt eo ipso: an ihm die Allmacht Gottes, und das heißt: die Macht des totenerweckenden Gottes, bekennen. An Jesus glauben und an ihn als Auferstandenen glauben ist ein und dasselbe."[335]

Wie im Mittelpunkt des Ostergeschehens die Erscheinungen stehen und diese dem rechten Verstehen von Glauben dienen, so zielt Auferstehung allgemein auf das ,Verstehen' des Glaubens. Von daher wird die Ausrichtung des Ostergeschehens auf die *Verkündigung* deutlich.

Die Auferstehung bringt das Jesu Leben bestimmende ,Wortgeschehen' zur Vollendung. Dieses Wortgeschehen gipfelt aber nach der hermeneutischen Intention Ebelings in der „Verkündigung"[336]. So dient Auferstehung schließlich dem „Verkündbarwerden"[337] des Glaubens und „der Konstituierung des christlichen Kerygmas"[338]. Das ,Zum-Glauben-Kommen' derjenigen, denen Erscheinungen zuteil wurden, macht sie zu „Glaubenszeugen"[339], die den Glauben an Jesus weitersagen und verkündigen. Die Erscheinungen treten so in die Mitte des Ostergeschehens, denn sie sind „für das weitere Verkündigungsgeschehen konstitutiv"[340].

Ebeling integriert in seinen Entwurf einer Christologie als Grundgeschehen von ,Jesus' und ,Glaube', von ,Wort' und ,Glaube' die Ereignisse von Kreuz und Auferstehung beinahe nahtlos. Nur einmal wird Ebeling diese Konzeption fraglich, wenn er nämlich die Funktion der Auferstehung als Jesu Übergang vom ,Zeugen des Glaubens' zum ,Grund des Glaubens' bestimmt[341]. Welchen Unterschied mag es machen, daß der irdische Jesus oder der Auferstandene zum Glauben einlädt? Wie wird da Auferstehung noch notwendig?[342] Aber diese Unklarheit, die Ebeling selbst auffällt[343], mag Anlaß grundsätzlicher Fragen an den christologischen Entwurf Ebelings und des ihm zugrunde liegenden Verständnisses von Sprachgeschehen sein.

Die ,Christologie' wurde bei Ebeling nach dem hermeneutischen Modell als ,Wortgeschehen' und dessen ,Interpretation', d. i. dessen ,Verstehen', verstanden. Dieses hermeneutische Modell gilt bei Ebeling auch für den historischen Jesus. Jesu Tun und Wirken, das Ganze seines Lebens, ist nach ihm ,Wort'.

---

[335] WG I, 315.   [336] Siehe o. S. 88ff.   [337] WG I, 314.
[338] Ebd.   [339] WG I, 314.   [340] Wesen, 81.   [341] Siehe o. S. 99.
[342] Das Dilemma wird deutlich, wenn Ebeling etwa vom Glauben spricht: „Wer glaubt, ist beim historischen Jesus" (WG I, 311).
[343] Nach Ebeling bedürfen seine Ausführungen über die Auferstehung in: Wesen, 73, noch einiger „Erläuterungen", die er in WG I, 314ff nachliefert. Hier wird die grundsätzliche Unzulänglichkeit des Ansatzes aber nur deutlicher.

Alles, was vom historischen Jesus zur Sprache gekommen ist, ist Wort, in dem Glaube geschieht. Darin ist Jesus ‚Zeuge des Glaubens'. Diese Zeugenschaft Jesu erfüllt sich im Kreuz, denn hier kommt sie an ihr Ende. Hier und nur hier, im Blick auf das Kreuz, wird Ebeling jedoch gewahr, daß diesem Zeugnis eine Ungewißheit und Zweideutigkeit anhaftet; das Zeugnis des irdischen Jesus ist noch nicht das gewißmachende Wort für das gläubige Dasein. Das ‚Wortgeschehen' ist noch nicht in Reinheit und voller Gewißheit möglich. ‚Historie' erscheint plötzlich als ein defizientes Moment im Ganzen des Wortgeschehens. Historie muß zu Ende gehen, Jesus muß am Kreuz sterben, Jesus muß vergehen, abwesend und tot sein, damit das Geschehen von Wort und Glaube zur Vollendung kommt. Aus dieser Aporie der Historie gewinnt Ebeling Möglichkeit und Sinn der Auferstehung. Denn sie ist das unhistorische Ereignis, das das Wortgeschehen nicht mehr hemmt, in ihr kommen die Jünger zum wahren Glauben, Jesus wird vom ‚Zeugen des Glaubens' zum ‚Grund des Glaubens'. Mit dem Ostergeschehen wird das Wortgeschehen von Jesus und Glaube von seinen Mängeln bereinigt. Ostern ist dieses bereinigte Wortgeschehen. Denn das Wesen von Ostern ist das ‚verbum praedicatum'[344], d. i. Wortgeschehen. Und „[d]as verbum Dei incarnatum kommt als verbum Dei zu Gehör und zum Ziel erst als verbum Dei praedicatum"[345].

Es stellt sich aber die Frage, ob diese Auffassung vom unreinen Wortgeschehen des Zeugen Jesus und vom bereinigten Wortgeschehen des auferstandenen Jesus nicht Ebelings ursprüngliches Verständnis von ‚Historie' beeinträchtigt, da Historie gerade überwunden werden muß, damit das in ihr begonnene Wortgeschehen zur Erfüllung komme? Oder anders gefragt, wird nicht an Kreuz und Auferstehung deutlich, daß Ebeling den ‚historischen Jesus' als ganz in das Wortgeschehen aufzuhebenden verstanden wissen will? Dann aber ist zu fragen, ob Ebeling dem Geschehen von Kreuz und Auferstehung gerecht wird oder ob er nicht vielmehr beide Ereignisse auf ihre bloße Funktionalität innerhalb eines Wortgeschehens reduziert. Jedenfalls läßt sich die Auferstehung als Funktion des Wortgeschehens von Ebeling gut in das hermeneutische Modell einbringen: innerhalb der ‚Christologie' stellt der ‚historische Jesus' das ‚Geschehen' – die ‚Sache' der Christologie – dar, während die Auferstehung die ‚Interpretation' – das ‚Verstehen' dieses Geschehens – mit hinzubringt[346]. Das Programm einer ‚Christologie', das wir oben unter dem Doppelaspekt der ‚Sache der Christologie' und ihrer ‚Interpretation' kennzeichneten, wäre damit zu Ende gedacht.

---

[344] ThV, 91.   [345] Ebd.

[346] Das hermeneutische Modell ermöglicht uns die Explikation der Bestimmung des Osterglaubens nach Ebeling: „Der nachösterliche *Glaube* weiß sich als nichts anderes als das *rechte Verstehen* des vorösterlichen Jesus" (WG I, 315).

Die Nähe zu Bultmanns Verhältnisbestimmung von Kreuz und Auferstehung und damit zu Bultmanns Verständnis von Auferstehung überhaupt ist offensichtlich. Wenn Bultmann sagt: Die Auferstehung interpretiert das Kreuz, dann ist dies nichts anderes als Ebelings Aussage, der auferstandene Jesus interpretiere den historischen Jesus.

2.3 Wolfhart Pannenberg

2.3.1 Zeitgeschichtliche Situation

2.3.1.1 Pannenbergs Einstieg in die theologische Diskussion

Im Jahre 1959 veröffentlicht Pannenberg seinen programmatischen Aufsatz „Heilsgeschehen und Geschichte"[1]. Der Aufsatz beginnt: „Geschichte ist der umfassendste Horizont christlicher Theologie. Alle theologischen Fragen und Antworten haben ihren Sinn nur innerhalb des Rahmens der Geschichte, die Gott mit der Menschheit und durch sie mit seiner ganzen Schöpfung hat, auf eine Zukunft hin, die vor der Welt noch verborgen, an Jesus Christus jedoch schon offenbar ist. Diese Voraussetzung christlicher Theologie muß heute nach zwei Seiten innerhalb der Theologie selbst verteidigt werden; einerseits gegen die Existenztheologie Bultmanns und Gogartens, die die Geschichte auflöst in die Geschichtlichkeit der Existenz; andererseits gegen die These, daß der eigentliche Glaubensgehalt übergeschichtlich sei, eine Auffassung, die innerhalb der heilsgeschichtlichen Tradition von Martin Kähler entwickelt wurde."[2] Pannenberg versteht sein Programm ausdrücklich als Kontrastprogramm. Er will die bisherige „Kerygmatheologie"[3] oder „Theologie des Wortes Gottes"[4], die das Bild protestantischer Theologie des 20. Jahrhunderts bestimmte, in einem eigenen Entwurf überholen. Der Bezugspunkt, an dem sich Differenz und Übereinkunft zwischen Pannenberg und der zeitgenössischen protestantischen Theologie zeigen, ist Pannenbergs Verständnis von „Geschichte". Geschichte wird nach Pannenberg in den herrschenden theologischen Tendenzen mißverstanden.

---

[1] In: KuD 5 (1959) 218f, 259ff (= Grundfragen, 22ff); vgl. dazu J. M. Robinson, Offenbarung als Wort und als Geschichte, in: Theologie als Geschichte. Neuland in der Theologie. Gespräche zwischen amerikanischen und europäischen Theologen III, hrsg. von J. M. Robinson – J. B. Cobb, Zürich 1967, 11ff.
[2] Grundfragen, 22.
[3] Grundfragen, 80; vgl. Grundfragen 58f, 79f.
[4] Grundfragen, 80; vgl. Offenbarung, 132, 147.

Sie wird über- bzw. unterinterpretiert in den Theologien der ‚Geschichtlichkeit'
bzw. der ‚Heilsgeschichte'. Dabei gelingt es Pannenberg besser, sich von den
Theologien der ‚Geschichtlichkeit' abzusetzen, als er dies von den ‚heilsgeschichtlichen' Interpretationen christlicher Überlieferung kann[5].

Das ist jedoch nicht weiter verwunderlich, denn das positive Programm Pannenbergs, das neue Verständnis von Geschichte, entstand ja gerade aus dem zeit-
geschichtlichen Klima einer heilsgeschichtlichen Theologie heraus, wie es in den
Entwürfen O. Cullmanns und G. v. Rads seinen Ausdruck fand. G. v. Rads
alttestamentliche Theologie dominierte an der Heidelberger Universität nach
dem Zweiten Weltkrieg. Bald fand sich dort auch eine Gruppe Gleichgesinnter
und fast Gleichsemestriger zusammen, die in Dissertationen und Habilitationen
verschiedenster theologischer Disziplinen einen gemeinsamen Gedanken ver-
folgten: die Geschichtsbezogenheit der Theologie. In dieser Gruppe sind
Namen zu nennen wie W. Pannenberg (Systematische Theologie) – die zentrale
Gestalt der Gruppe –, dazu R. und T. Rendtorff (Atl. bzw. Systematische Theologie), K. Koch (Atl. Theologie), U. Wilckens (Ntl. Wissenschaft), D. Rößler
(Ntl. bzw. Praktische Theologie) und M. Elze (Kirchengeschichte)[6]. Dieser
‚Pannenberg-Kreis' legte 1961 ein gemeinsames Programmheft vor, das den die
Intention bezeichnenden Titel „Offenbarung als Geschichte" trägt[7].

Der Anstoß für die neue Forschungsrichtung, wie sie sich in dem Programmheft niederschlägt, kam vor allem aus den atl. Wissenschaften. W. Zimmerli hatte
in seinen Untersuchungen zum atl. „Erweiswort" die Offenbarung des AT als
„Selbstoffenbarung" gekennzeichnet[8]. Der Alttestamentler R. Rendtorff gab
diesem Begriff der „Selbstoffenbarung" den entscheidenden Akzent, indem er
feststellte, daß die „Offenbarung" des AT sich vornehmlich als Erweis in der
„Geschichte" vollzieht[9]. Pannenberg nahm die Stichworte „Selbstoffenbarung"
und „Geschichte" auf, er verstand sie zunächst als Beitrag zur religionsgeschichtlichen Forschung; denn Pannenbergs Interesse ist durchaus auch religi-
onswissenschaftlicher Natur. Für ihn hat sich in Israel eine vortreffliche Interpretation der göttlichen Wirklichkeit durchgesetzt, die aber mit theologischen
Interpretationen anderer Religionen, Kulturen und Kulturstufen (der Griechen
u. a.) verglichen werden muß. Das ntl. Gottesbild Jesu Christi bestätigt und erweitert zugleich die atl. Kategorien von Selbstoffenbarung und Geschichte. Von

---

[5] Offenbarung, 7. Vgl. dazu O. Cullmann, Christus und die Zeit, Tübingen ³1962, 9f (Vorwort);
vgl. Stellungnahme, 315; vgl. Anm. 24.
[6] Vgl. Grundfragen, 22, Anm. 1; vgl. auch J. M. Robinson, a. a. O. 22ff.
[7] Offenbarung als Geschichte, hrsg. von W. Pannenberg (KuD, Beihefte 1), Göttingen ²1963.
[8] W. Zimmerli, Gottes Offenbarung. Gesammelte Aufsätze zum Alten Testament (Theologische
Bücherei, 19), München 1961, 133ff; vgl. Offenbarung, 132, Anm. 1; Christologie, 126. Vgl. dazu
J. M. Robinson, a. a. O. 63ff.
[9] R. Rendtorff, Die Offenbarungsvorstellungen im Alten Israel, in: Offenbarung, 21ff.

diesem Gottesbild ist das Abendland geprägt. Denn dieselben offenbarungstheologischen Grundbegriffe stehen zumindest seit Hegel auch im Mittelpunkt der systematisch-philosophischen Gottesfrage. Gerade hier schließt der persönliche Beitrag Pannenbergs an: er wendet sich gegen den Anschluß der Kerygmatheologie an Kant, sein Interesse gilt vielmehr den philosophisch-theologischen Implikationen Hegels. Unter Berücksichtigung all dieser Ergebnisse formuliert er schließlich seine systematisch theologischen Thesen zur Offenbarung und christlichen Theologie[10].

2.3.1.2 Pannenbergs Auseinandersetzung mit der hermeneutischen Methode

Pannenberg reflektiert in seinem Aufsatz „Hermeneutik und Universalgeschichte"[11], wie bereits Ebeling[12], seine eigene Position im Rückblick auf die Anfänge reformatorischer Theologie. Wie Ebeling sieht auch Pannenberg im reformatorischen Prinzip des Schriftverständnisses die hermeneutische Frage der letzten Jahrhunderte begründet. Wie Bultmann setzt er sich in dem genannten Aufsatz mit der Entwicklung der hermeneutischen Wissenschaft auseinander, vornehmlich mit der des letzten Jahrhunderts[13]. Zugleich bezieht Pannenberg gegenüber den Vertretern einer theologischen Hermeneutik, wie wir sie in Bultmann und Ebeling kennengelernt haben, Stellung.

Für Pannenberg hat sich die exegetische Frage, die sich mit dem Schriftverständnis Luthers notwendig ergab, in zwei Problembereiche auseinanderentwickelt, einmal in die „historische Problematik", zum anderen in die „hermeneutische Problematik"[14]. Pannenberg sieht beide Problembereiche in einem umgreifenden Ganzen begründet. Dabei stellt sich ihm die Frage, „ob das beide Aspekte umgreifende Ganze nun als Hermeneutik oder als Geschichte anzusprechen ist"[15]. Zunächst konstatiert er, „daß das hermeneutische Thema historisches Fragen als untergeordnetes Moment in sich begreift"[16]. Insofern aber das hermeneutische Fragen an die Sache, an den „Rückgang zum Text" verwiesen ist, steht Hermeneutik zugleich in historischen Zusammenhängen[17]. Ihr geht es um die Erhellung der Bedeutungs- und Geschehenszusammenhänge, die die Geschichte selbst ist. Historie bzw. Geschichte (Pannenberg gebraucht

---

[10] Offenbarung, 18ff, 106, 136ff, Anm. 14; Christologie, 329ff, Anm. 89.
[11] Grundfragen, 91ff; vgl. Wissenschaftstheorie, 157ff.
[12] Siehe o. S. 67ff, 90f.
[13] Siehe o. S. 26ff.
[14] Grundfragen, 91.
[15] Grundfragen, 92.
[16] Ebd.   [17] Ebd.

die Begriffe synonym) ist dabei nicht als die Summe von Einzelereignissen, sondern als der Bedeutungs- und Geschehenszusammenhang selbst zu denken. Sie weist nach Pannenberg auf „Universalgeschichte" hin, da nur das Ganze von Geschichte der Geschichte Sinn und so der Hermeneutik den Maßstab ihrer Auslegung an die Hand geben kann. „Insofern aber umgreift das historische Fragen als universalgeschichtliches seinerseits das spezifisch hermeneutische Thema."[18] Historie und Hermeneutik stehen so im Zusammenhang gegenseitiger Begründung.

Dieser Begründungszusammenhang wurde im Laufe der Ausbildung der historischen und hermeneutischen Wissenschaften verschieden interpretiert. Pannenberg wendet sich zuerst der hermeneutischen Schule des 19. Jahrhunderts zu. Er führt aus, Schleiermacher und auch Dilthey sähen noch das „Nebeneinander von Historie und Hermeneutik"[19]. Historie und Hermeneutik seien in der „psychologischen Interpretation" aufeinander zu beziehen und miteinander zu vermitteln[20]. Dilthey sehe die Möglichkeit eines solchen Interpretationsgeschehens in der Gemeinsamkeit des menschlichen Wesens begründet. Für ihn gilt: „Die erste Bedingung der Möglichkeit der Geschichtswissenschaft liegt darin, daß ich selbst ein geschichtliches Wesen bin, daß der, welcher die Geschichte erforscht, derselbe ist, der die Geschichte macht."[21] Die (faktische) Identifikation dessen, der Geschichte macht, mit dem, der Geschichte versteht, empfindet Pannenberg aber gerade als verhängnisvoll. Mit Dilthey gerate das eigentlich „historische Verstehensproblem" aus dem Blick[22]. Das tritt nach Pannenberg bei Bultmann zutage, wenn dieser sich auf das Aufzeigen der „existentialen Struktur" geschichtlichen Menschseins konzentriert[23] und das hermeneutische Anliegen von seinem Existenzverständnis aus als „existentiale Interpretation" umformuliert[24]. Der notwendige „Lebenszusammenhang" von gewesenem Geschehen und heutiger Interpretation – wie er von Dilthey gesehen wurde – wird neu interpretiert als „die einfache Tatsache, daß Voraussetzung des Verstehens das Lebensverhältnis des Interpreten zur Sache ist, die im Text – direkt oder indirekt – zu Wort kommt"[25]. Das Verhältnis des Interpreten zur Sache trete damit in den Mittelpunkt des Interesses, Bultmann habe so ein gebrochenes Verhältnis – ein ‚direktes oder indirektes' Verhältnis – zur Sache. In der Folge – so Pannenberg – werde die „Frage nach dem Menschsein eingeengt

[18] Grundfragen, 93; vgl. Grundfragen, 12, 13, 21.
[19] Grundfragen, 96; vgl. Wissenschaftstheorie, 158 ff.
[20] Grundfragen, 97 f.
[21] Grundfragen, 99 (Pannenberg zitiert Dilthey, Gesammelte Werke VII, 278).
[22] Ebd.   [23] Ebd.
[24] Grundfragen, 100.
[25] Ebd. (Pannenberg zitiert Bultmann, GV II, 217).

auf Möglichkeiten menschlichen Daseinsverständnisses"[26]. Pannenberg wirft Bultmann „anthropologische Verengung"[27] vor, eine „hermeneutische Abblendung der intentio recta, der Intention auf Aussagen über Gott, die Welt und die Geschichte"[28]. Damit gehe Bultmann zugleich der „historische Abstand" verloren[29]. Pannenberg sieht das Programm der ‚neuen Hermeneutik' bei E. Fuchs und G. Ebeling in direkter Folge des Existenzverständnisses Bultmanns. Lege Bultmann den „Anspruch" eines historischen Textes an den heutigen Hörer als „Frage" und „Anspruch" aus[30], so trete dieser Anredecharakter eines Textes bei E. Fuchs in die Mitte der hermeneutischen Überlegungen. Der Bezug des Textes zum Leser bzw. Hörer werde von ihm als „Ruf" und „Antwort" verstanden, er sei somit selbst sprachlich. Die Sprachlichkeit werde denn auch das Prinzip der neuen Hermeneutik[31]. In der Identitifikation von Sprachlichkeit mit dem Anredecharakter von Sprache sieht Pannenberg die Gefahr, in einer „bedenklich unvermittelten Weise auf das Ethische" abzugleiten[32]. Vor allem kritisiert er, daß Ebeling die Aussagefunktion radikal aus den Sprachfunktionen ausscheidet und Sprache auf die Mitteilungsfunktion als personales Geschehen reduziert[33]. Nach Pannenberg gehören dagegen „Sachbezug und Personbeziehung" immer schon zusammen[34]. Die eigentliche Auseinandersetzung mit der Hermeneutik führt Pannenberg mit H. G. Gadamer. Denn H. G. Gadamer habe das Verstehen und die Sprache in all ihren Funktionen umfassender berücksichtigt als die theologischen Vertreter der Hermeneutik. Seine hermeneutischen Analysen bleiben für Pannenberg zwar innerhalb einer „Hermeneutik des Sprachgeschehens"[35], aber H. G. Gadamer bemühe sich mit allem Nachdruck, die „historische Differenz" zwischen überliefertem Text und Ausleger zu wahren[36]. Und so „durchdringen sich bei Gadamer im engeren Sinne hermeneutische mit historischen Motiven"[37]. Die Weise nun, wie Gadamer „Damaliges

---

[26] Grundfragen, 101.

[27] Grundfragen, 102; vgl. Grundfragen, 37, 39.

[28] Grundfragen, 101.   [29] Grundfragen, 102.

[30] Grundfragen, 105; vgl. Wissenschaftstheorie, 172 ff.

[31] Grundfragen, 105.

[32] Ebd.; Vgl. Wissenschaftstheorie, 173, Anm. 353 u. 175, Anm. 357. Um das „Ethische" dauert eine längere Auseinandersetzung zwischen Pannenberg und Ebeling immer noch an; vgl. G. Ebeling, Die Evidenz des Ethischen und die Theologie, in: ZThK 57 (1960) 318 ff (= WG II, 1 ff); W. Pannenberg, Die Krise des Ethischen und die Theologie, in: ThLZ 87 (1962), 7 ff; W. Pannenberg – G. Ebeling, Ein Briefwechsel, in: ZThK 70 (1973) 448 ff (Pannenberg), 462 ff (Ebeling).

[33] Grundfragen, 113; vgl. Offenbarung, 14; Wissenschaftstheorie, 174.

[34] Grundfragen, 113.

[35] Grundfragen, 106; vgl. Wissenschaftstheorie, 163 ff.

[36] Grundfragen, 106; vgl. Grundfragen, 15, 18; Offenbarung, 139.

[37] Grundfragen, 106.

und Heutiges" – die „historische Differenz" – in Beziehung bringt, findet Pannenberg „ausgezeichnet"[38]. Pannenberg zielt hier auf Gadamers „Horizontverschmelzung"[39]. Dieser Vorgang besagt, daß sich zwei verschiedene Verstehenshorizonte – der überlieferte eines Textes und der aktuale des Auslegers – zu begegnen und zu verschmelzen vermögen und zu einem erweiterten, neuen Horizont konstellieren. Erst in der verschiedenen Bewertung der Dynamik dieses Vorgangs tut sich die Differenz Pannenbergs zu Gadamer auf. Während Gadamer in der ,Gesprächssituation' ein Analogon des gesamten Verstehensvorgangs sieht, hält Pannenberg dem entgegen, daß man Textauslegung im eigentlichen Sinne nicht als „Gespräch mit dem Text" auffassen könne[40]. Für ihn wird eine ,Horizontverschmelzung', in der die ,historische Differenz' tatsächlich gewahrt wird, nur möglich, indem der „Geschichtszusammenhang der Gegenwart mit der damaligen Situation, aus der der Text stammt", reflektiert wird, d. h. aber: dieser Zusammenhang bringt das Gemeinsame und Umfassende, das Ganze der Geschichte, in den Blick, den „Zusammenhang der Gesamtgeschichte"[41]. Der hermeneutische Vorgang gelingt so nach Pannenberg nur im Horizont der „Universalgeschichte". „Erst im Zusammenhang der Universalgeschichte kann das Damals des Textes mit dem Heute des Auslegers so verbunden werden, daß ihre zeitliche, historische Differenz nicht verwischt wird, sondern in dem beide verbindenden Geschehenszusammenhang bewahrt und doch überbrückt wird."[42] So sieht Pannenberg in seinem universalgeschichtlichen Programm die Anliegen der reformatorischen und philosophischen Tradition zusammengefaßt. Die Konsequenzen dieses Programms sind nun näher aufzuzeigen[43].

---

[38] Grundfragen, 107.

[39] Ebd. (Pannenberg verweist auf H. G. Gadamer, Wahrheit und Methode, 286–290); vgl. Grundfragen, 17; Wissenschaftstheorie, 164 f.

[40] Grundfragen, 107; vgl. Grundfragen, 109 ff.

[41] Grundfragen, 116.

[42] Grundfragen, 118; vgl. Grundfragen, 19.

[43] Gesamtdarstellungen der Theologie liegen z. Z. vor bei: I. Berten, Geschichte, Offenbarung, Glaube, München 1970; H. Th. Goebel, Wort Gottes als Auftrag. Zur Theologie von Rudolf Bultmann, Gerhard Ebeling und Wolfhart Pannenberg, Neukirchen 1972, 179 ff; F. Konrad, Das Offenbarungsverständnis in der evangelischen Theologie, München 1971, 277 ff; A. D. Galloway, Wolfhart Pannenberg (Contemporary Religious Thinkers Series), London 1973; Theologie als Geschichte. Neuland in der Theologie. Gespräche zwischen amerikanischen und europäischen Theologen III, hrsg. von J. M. Robinson – J. B. Cobb, Zürich 1967.

2.3.2 Geschichte und Offenbarung

2.3.2.1 Geschichte

Wenngleich es Pannenberg in „*Was ist der Mensch?*"[44] darum geht, Leitlinien einer theologischen Anthropologie zu entwickeln, da er für den Theologen relevante „Methoden" und „Resultate" der anthropologischen Wissenschaften theologisch verarbeitet, zielt sein Bemühen primär auf Anthropologie als solche[45]. Die Weise ihrer Integration in die Theologie muß uns noch beschäftigen.

Pannenberg fragt zunächst, welcher Grundzug nach Auskunft der neueren Anthropologie „den Menschen zum Menschen macht". Er selbst bezeichnet diesen Grundzug als „Weltoffenheit"[46]. „Der Mensch ist ganz und gar ins Offene gewiesen. Er ist über jede Erfahrung, über jede gegebene Situation hinaus immer noch weiter offen. Er ist offen auch über die Welt hinaus, nämlich über sein jeweiliges Bild von der Welt; aber auch über jedes mögliche Weltbild hinaus und über das Suchen nach Weltbildern überhaupt; so unerläßlich es ist, bleibt er offen im Fragen und Suchen. Solche Offenheit über die Welt hinaus ist sogar Bedingung der Welterfahrung selbst."[47] Daß der Mensch sich je transzendieren muß, ist nach Pannenberg somit die Grundstruktur menschlichen Daseins und die Dynamik aller Daseinsformen und -vollzüge. In seinen Einzelanalysen von Dasein und Glaube spielt er diesen Grundzug durch. Der Mensch fragt nach sich und, indem er nach sich fragt, nach der Wirklichkeit im einzelnen und ganzen. Fragend nach der Wirklichkeit des Ganzen überhaupt, vermag er freilich nie sie einzuholen. Und doch muß er fragen, muß die „Ganzheit der Wirklichkeit"[48], die „Gesamtheit" und „Einheit der Wahrheit"[49] suchen, will er sich nicht selbst entgehen.

Worin ist nun die transzendierende Macht des Menschen begründet, und woraufhin transzendiert er? Pannenberg reduziert diese Frage nicht auf die „menschliche Antriebsstruktur"[50], vielmehr setzt für ihn die unendliche Angewiesenheit des Menschen im Fragen und Suchen „ein entsprechend unendliches, nicht endliches, jenseitiges Gegenüber" immer schon voraus[51]. Die Sprache gibt

---

[44] W. Pannenberg, Was ist der Mensch? Die Anthropologie der Gegenwart im Lichte der Theologie, Göttingen 1962.
[45] Mensch, Vorwort; vgl. Mensch, 5ff, 12ff.
[46] Mensch, 5ff, 31ff.
[47] Mensch, 9–10; vgl. Grundfragen, 376f.
[48] Grundfragen, 109; vgl. Grundfragen, 202f; Christologie, 129f.
[49] Grundfragen, 202f.
[50] Mensch, 11.
[51] Ebd.

diesem Gegenüber den Namen „Gott"[52]. Und nur von jener Angewiesenheit des Menschen her bekommt die Vokabel ‚Gott' selbst auch Sinn. „Das Wort Gott kann nur sinnvoll verwendet werden, wenn es das Gegenüber der grenzenlosen Angewiesenheit des Menschen meint."[53]

In dieser Durchführung des anthropologischen Ansatzes wird die Nähe Pannenbergs zu Bultmann und Ebeling offensichtlich. Bedeutet nicht die ‚Weltoffenheit' des Menschen zugleich seine fundamentale „Gottoffenheit"?[54] Findet sich nicht auch bei Pannenberg der Mensch immer schon auf Gott bezogen, und eignet dieser Relation Gott – Mensch nicht eben der Charakter, den Ebeling und Bultmann ihr als „Frage" und „Antwort" zusprachen?[55]

Pannenberg stellt sich diesen Anfragen und nimmt innerhalb seiner oben gezeichneten Redeweise in der Folge Differenzierungen vor. Zwar ist gewiß auch für Pannenberg die „Grundstruktur" des Menschseins dessen „Fraglichkeit"[56]; die Formel von der ‚Fraglichkeit' ist eine andere Wendung des anthropologischen Grundverhaltens von „Weltoffenheit"[57]. Aber dieser „Fragecharakter des Menschseins"[58] ist ihm nicht notwendig Hinweis auf die Antwort, die Gott ist; „Fraglichkeit des Daseins" versteht er als Charakteristikum des modernen Bewußtseins überhaupt[59]. In „Die Frage nach Gott" betont er, daß die allgemeine Offenheit des Menschen nicht ohne weiteres mit seiner Offenheit für Gott identifiziert werden könne[60]. Der Nihilismus bzw. der Existenzialismus Sartres habe gezeigt, daß der Mensch nicht unbedingt der Antwort Gott bedarf[61]. Wohl ist Pannenberg der Überzeugung, daß jede Frage auf Antwort zielt, so auch die radikale Frage des Menschen auf einen ihn und seine Fraglichkeit tragenden Grund, „einen ihn tragenden Grund"[62], der mit nichts in der Welt Vorfindlichem identisch ist; jedoch belegt er selbst diesen Grund nicht unvermittelt mit dem Namen Gott. Fragend greift der Mensch zunächst aus nach einem ‚ihn überhaupt tragenden Grund', „der sowohl das ins Offene transzendierende Dasein des Menschen als auch die Gesamtheit aller vorfindlichen Wirklichkeit, die Welt, trägt"[63].

---

[52] Ebd.
[53] Ebd.
[54] Mensch, 88; vgl. Grundfragen, 372, 376 ff; Mensch, 11 f.
[55] Grundfragen, 368 ff.
[56] Grundfragen, 373.
[57] Grundfragen, 372.
[58] Grundfragen, 373.
[59] Grundfragen, 373 ff.
[60] Grundfragen, 361 ff.
[61] Grundfragen, 373 ff.
[62] Grundfragen, 377 f.
[63] Grundfragen, 378; vgl. Grundfragen, 79 f.

Pannenberg folgert, daß solcher Grund des Fragens, solche Antwort, der „Grund alles Wirklichen" oder „die Macht über alles Wirkliche" ist[64]. Zu allen Zeiten haben es Menschen unternommen, zu diesem Grund vorzustoßen, ihn zu fassen, und die ‚Gottesbeweise' sind nur ein Ausdruck dieses Bemühens[65]. Tatsächlich ist nach Pannenberg die Antwort aber erst im konkreten Umgang mit der befragten Wirklichkeit zu vernehmen, allein in der Erfahrung von Wirklichkeit vermittelt sich der Zugang zu ihrem Grund[66]. Antwortentwürfe, was der Grund der Wirklichkeit sei, müssen sich auf vorgängige Erfahrung von Wirklichkeit stützen[67]. Solche Erfahrungen sind ‚geschichtliche Erfahrungen'[68]. So stellt sich Pannenberg die Frage nach der ‚Weltoffenheit' oder ‚Fraglichkeit' des Menschen als *Frage nach der ‚Geschichte'* des Menschen oder der ‚Geschichte' überhaupt[69]. Denn in der jeweiligen Erfahrung geschichtlicher Wirklichkeit werden je neue Entwürfe menschlichen Daseins provoziert, in denen die Antwort auf die Frage nach dem Grund der Wirklichkeit Gestalt gewinnt[70]. In diesem Prozeß schafft der Mensch immer neue Entwürfe von Geschichte, korrigiert sie aneinander, um sie so schließlich in eine umfassende Geschichte, die „Universalgeschichte"[71], einzubringen. So hat sich für Pannenberg zunächst einmal die ‚Universalgeschichte' als ‚der überhaupt tragende Grund' allen Suchens und Fragens des Menschen erwiesen.

Die Priorität der geschichtlichen Erfahrung und der Erfahrung von Wirklichkeit überhaupt bleibt nicht ohne Rückwirkung auf Pannenbergs Anthropologie. ‚Fraglichkeit' und ‚Weltoffenheit' des Menschen erweisen sich ihm lediglich als formale Strukturen und ‚Abstraktionen'[72]. Das Fundament menschlichen Daseins ist die „Erfahrung" oder die „Geschichte" des Menschen[73]. Deshalb muß der Mensch als geschichtliches Wesen definiert werden: „Der Mensch ist seinem Wesen nach geschichtlich."[74] Die Erfahrung von Geschichte ist die erste Positivität menschlicher Bestimmung. In die Geschichte tretend in grundsätzlicher ‚Weltoffenheit' und sich in konkreten Erfahrungen und Entscheidungen aus der Geschichte zurückholend, gestaltet sich die Individualität menschlichen Lebens. „Die Geschichte, der je verschiedene Lebensweg, ist das principium

---

[64] Grundfragen, 378, 380; vgl. Grundfragen, 284, 285, 292.
[65] Grundfragen, 378 f.
[66] Grundfragen, 379 ff.
[67] Grundfragen, 380.
[68] Grundfragen, 380; vgl. Grundfragen, 238 f.
[69] Vgl. Grundfragen, 385.
[70] Grundfragen, 385 f, 380 ff.
[71] Vgl. Grundfragen, 19, 36, 67, 68 f, 95 u.ö.
[72] Mensch, 95 ff.
[73] Grundfragen, 379, 380.
[74] Mensch, 96 ff.

individuationis."[75] Nur wenn der Mensch sich angehen läßt von der ganzen geschichtlichen Wirklichkeit, der Universalgeschichte, findet er seine Identität[76].

Pannenberg sieht das Zentrum der modernen Anthropologie in der Erkenntnis der Geschichtlichkeit des Menschen. Wie aber ist der Mensch zu dieser Erkenntnis gekommen? Der Entwicklung des heutigen Daseinsverständnisses nachzugehen ist Pannenbergs *religionsgeschichtliches bzw. religionswissenschaftliches* Interesse[77].

Pannenberg hält die geschichtlichen Erfahrungen des *Volkes Israel* mit seinem Gott Jahwe für die entscheidende Erfahrung des Menschen als geschichtliches Wesen überhaupt[78]. Zwar kannten auch die Völker des Alten Orients schon so etwas wie „geschichtliches Geschehen"[79], doch war dies nur die unaufhörliche Variation des ewig Gleichen, des „zyklisch" „Urzeitlichen"[80], des kultisch „Göttlichen"[81], des „Mythos"[82] und der „Ideen"[83]. Dagegen bedeutet für Israel Geschichte „historischer Prozeß"[84]; Geschichte als historischer Prozeß wird für Israel gerade zum „Sinnträger"[85] seiner Wahrheit und seines Glaubens. Das Geschichtsbewußtsein Israels rührt aus seinem „Gottesgedanken"[86]: Jahwe ist der „lebendige Gott", der immer Neues wirkt, der „verheißt" und seine Verheißungen „erfüllt"[87]. Pannenberg sieht die „Struktur israelitischen Geschichtsbewußtseins" in der „Spannung von Verheißung und Erfüllung"[88]. „Geschichte ist das zwischen Verheißung und Erfüllung hineingespannte Geschehen, indem es durch die Verheißung eine unumkehrbare Zielrichtung auf künftiges Geschehen hin erhält."[89] Dabei treten die Horizonte von ‚Verheißung' und ‚Erfüllung' im Geschichtsbewußtsein Israels immer weiter auseinander. Die ‚Erfüllung' wird schließlich nicht mehr als innergeschichtliches Ereignis erwartet, sondern als „das Ende der ganzen Weltgeschichte"[90]. Hier hat die

---

[75] Mensch, 97.
[76] Vgl. Grundfragen, 108f, 144ff.
[77] Vgl. Grundfragen, 75, 252ff.
[78] Vgl. Grundfragen, 23ff, 37 u.ö.
[79] Grundfragen, 23.
[80] Grundfragen, 23, Anm. 2.
[81] Grundfragen, 23f.
[82] Grundfragen, 24.
[83] Stellungnahme, 335; vgl. Grundfragen, 27.
[84] Grundfragen, 23, Anm. 2.
[85] Ebd.
[86] Vgl. Grundfragen, 24ff, 84ff, 291ff, 385.
[87] Grundfragen, 25; vgl. Grundfragen, 9.
[88] Grundfragen, 25; vgl. Grundfragen, 44; Nachwort, in: I. Berten, Geschichte, 133f.
[89] Grundfragen, 25.
[90] Grundfragen, 26.

Apokalyptik ihren Ursprung[91]. Der Bund als ‚Verheißung' Gottes an Israel schließt die ewige Erwählung der Schöpfung mit ein[92]. Israel versteht die Geschichte nicht wie die Griechen als Teilbereich im Gesamtkosmos[93], sondern Geschichte umschließt die gesamte Schöpfung von ihrem Beginn bis zu ihrem Ende. „Geschichte ist die Wirklichkeit in ihrer Totalität."[94] Das Schema ‚Verheißung' – ‚Erfüllung' ist also nicht als starres Schema anzusetzen. Denn mit der Ausweitung des Geschichtsverständnisses wird auch der Zusammenhang von ‚Verheißung' – ‚Erfüllung' modifiziert. In den sich ablösenden und einander jeweils korrigierenden Modellen von Verheißung und Erfüllung dokumentiert sich die Dynamik von Geschichte überhaupt. Pannenberg bezeichnet Geschichte daher als ein sich ständig weitertreibendes „Überlieferungsgeschehen"[95]. Anhand dieses Modells expliziert Pannenberg auch das Zueinander von Altem und Neuem Testament[96].

Die *abendländische Geschichtsphilosophie* hat nach Pannenberg in diesem biblischen Geschichtsbewußtsein ihren Ursprung und muß, will sie sich nicht aufgeben, diesem Ursprung auch weiterhin verpflichtet bleiben, d.h. aber, die Geschichtsphilosophie muß also dem ‚universalgeschichtlichen' Horizont des biblischen Bewußtseins von der Geschichte als der Einheit aller Wirklichkeit nachdenken[97]. Der Gedanke der Universalgeschichte fand nach Pannenberg in der abendländischen Philosophie immer wieder Zuspruch, aber ebensoviel Kritik[98]. Kritisiert werde das schier unüberwindliche „Dilemma" der Universalgeschichte[99]: Soll eine universalgeschichtliche Konzeption durchführbar sein, muß das „Ganze der Geschichte" in den Blick kommen[100]. Ist aber das Ganze der Geschichte überschaubar, dann verliert die Geschichte ihre Dynamik als sich ständig übersteigendes „Überlieferungsgeschehen"[101]. Andererseits steht bei Pannenberg die Geschichte immer schon im Zusammenhang von Geschichte überhaupt. „Ohne Weltgeschichte gibt es keinen Sinn der Geschichte."[102] Das ‚Dilemma' einer Universalgeschichte ist geschichtsphilosophisch das der „Notwendigkeit" und „Kontingenz" von Geschichte[103].

---

[91] Vgl. Grundfragen, 26, 19; Offenbarung, 96.
[92] Grundfragen, 27.
[93] Grundfragen, 27, Anm. 7.
[94] Grundfragen, 27; vgl. Offenbarung, 96f.
[95] Vgl. Grundfragen, 9, 18, 25ff, 84, 89, 129, 139; Offenbarung, 137ff, 112ff; Stellungnahme, 329ff.
[96] Vgl. Offenbarung, 133, 139f; Grundfragen, 31f, 88f; Christologie, 27.
[97] Vgl. Grundfragen, 19, 36, 67, 68f, 222f.
[98] Grundfragen, 40ff; vgl. Grundfragen, 37.
[99] Grundfragen, 42, 40.
[100] Grundfragen, 42; vgl. Grundfragen, 5.
[101] Grundfragen, 42, 44.
[102] Grundfragen, 69; vgl. Grundfragen, 42, 44.
[103] Vgl. Grundfragen, 40f, 69f, 71, 73, 142, 222, 331, 336f, 343f.

Da die Universalgeschichte Grundgestalt aller geschichtlichen Wirklichkeit und damit aller Wirklichkeit ist, muß sich das geschichtsphilosophische Dilemma auf der Ebene *philosophischer Reflexion* in der Auffassung aller Wirklichkeit widerspiegeln und in jeder Hinsicht auf Wirklichkeit konstatieren lassen[104].

Nach Pannenberg artikuliert sich das genannte Dilemma in verschärfter Form bei Dilthey, der seine hermeneutischen Untersuchungen zur Erkenntnisstruktur am problematischen Verhältnis von ‚Teil' und ‚Ganzem' reflektiert[105]. *Geschichtsphilosophisch* hat der Grundsatz von Teil und Ganzem seine Anwendung in der Feststellung, daß es „im Grunde keine andere Geschichte als Universalgeschichte geben kann, weil sie nur vom Ganzen aus das Einzelne in seiner Einzelbedeutung bestimmt"[106]. Auf die *historisch*-methodische Erkenntnisweise angewandt, ist es das Dilemma der Erkenntnis von ‚Faktum' und ‚Bedeutung', ein Verhältnis, das in der historisch-kritischen Forschung zugunsten des Faktums allein aufgelöst wurde[107]. Dagegen kommt nach Pannenberg das einzelgeschichtliche ‚Faktum' nur in einer universalgeschichtlichen Sicht zu seiner ‚Bedeutung'[108]. ‚Bedeutung' aber ist ein Lebensbegriff, also eine anthropologische Kategorie[109]. So ist die *Anthropologie* ebenso von dem Verhältnis von Teil zum Ganzen bestimmt: „Die Kategorie der Bedeutung bezeichnet das Verhältnis von Teilen des Lebens zum Ganzen, das im Wesen des Lebens gegründet ist."[110] Das gesamte historisch-hermeneutische, geschichtsphilosophische und anthropologische Dilemma hat letztlich seine Begründung in der *ontologischen*[111] Problematik der Verhältnisse von ‚Notwendigkeit' und ‚Kontingenz'[112], von ‚Allgemeinheit' und ‚Individualität'[113] oder theologisch von ‚providentia Dei' und ‚Freiheit' des Menschen[114]. Der Zusammenhang von ‚Ganzem' und ‚Teil' ist eine fundamental ontologische Kategorie.

---

[104] Pannenbergs philosophische Reflexion findet auf verschiedenen Ebenen statt, die nicht immer klar zu unterscheiden sind, auf der „ontologischen", „erkenntnistheoretischen", „anthropologischen", „geschichtsphilosophischen" (Grundfragen, 5, Anm. 2); vgl. Grundfragen, 6, 151. Dieser umfassende Ansatz entspricht dem universalen Anspruch, den Pannenberg für Philosophie und Theologie erhebt.

[105] Grundfragen, 142 ff; vgl. Wissenschaftstheorie, 162 f.

[106] Grundfragen, 142 (Pannenberg zitiert H. G. Gadamer, Wahrheit und Methode, 187).

[107] Vgl. Grundfragen, 7, 16, 92, 83, 124 ff, 132, 143 ff; Offenbarung, 137.

[108] Grundfragen, 92 f; vgl. Nachwort, in: I. Berten, Geschichte, 130 f; Grundfragen, 132.

[109] Grundfragen, 142 ff.

[110] Grundfragen, 142 (Pannenberg zitiert W. Dilthey, Gesammelte Schriften VII, 233); vgl. Grundfragen, 142 ff, 149; Wissenschaftstheorie, 163.

[111] Grundfragen, 147 ff; Christologie, 134 ff.

[112] Vgl. Anm. 103.

[113] Vgl. Grundfragen, 142 ff, 41, 52 f, 71, 72, Anm. 64 u. 125, Anm. 8.

[114] Vgl. Grundfragen, 331, 41 f, 73 f.

Wenn nun aber das ‚Ganze‘ – die „Einheit der Wahrheit"[115] (ontologisch), die „Einheit der Geschichte"[116] (geschichtsphilosophisch), die „Ganzheit menschlichen Daseins"[117] (anthropologisch), der umfassende Sinn oder die „Bedeutung"[118] (historisch-hermeneutisch) – dieser Perspektiven gegeben ist, weil das „Ende"[118a] überall noch aussteht, sind dann Ontologie, Anthropologie, Geschichte sinnlos? Oder wie können sie dennoch sinnvoll begründet werden?

Eine solche Begründung universalgeschichtlichen Denkens gibt Pannenberg mit seinem *Modell der „historischen Vernunft"*. In Anlehnung an Collingwood beschreibt er, wie historisches Erkennen bei der konkreten Arbeit an geschichtlichem Material zustande kommt[119]. Die historische Einzelforschung hat demnach zuerst einen „Entwurf des Gesamtgeschehens", in dem das Einzelgeschehen steht, zu erstellen[120]. Erst in diesem Gesamtentwurf bekommt das einzelne ‚Faktum‘ seine angemessene ‚Bedeutung‘. Über Collingwood hinausgehend, fordert Pannenberg sowohl die universalgeschichtliche Ausweitung dieses Entwurfs wie auch seine Verifikation am Einzelfaktum[121]. Nur wo im Zueinander von Gesamtentwurf und Einzelfaktum die Bedeutung des Ganzen und des Einzelnen sichtbar wird, wird historische Erkenntnis geleistet. Das Modell historischen Erkennens verläuft nach Pannenberg nach dem Prozeß von „Imagination" – „Verifikation"[122]. Wohl hatte Collingwood den Grund des Gesamtentwurfs in der Spontaneität geschichtlicher ‚Imagination‘ richtig aufgewiesen, den Rückbezug des Gesamtentwurfs auf das individuelle Einzelgeschehen jedoch nicht bedacht. Nur die Ergänzung der ‚Imagination‘ durch ‚Verifikation‘ – das Einbringen des Individuellen in das Ganze – löst die geschichtliche Problematik von ‚Kontingenz‘ und ‚Notwendigkeit‘. Bei Pannenberg erhält das Modell der historischen Vernunft zentrale und fundamentale Bedeutung zur Erfassung der Konstitution aller Wirklichkeit. Die Momente des Modells, ‚Entwurf‘, ‚Faktum‘ und ‚Bedeutung‘ bzw. ‚Imagination‘ und ‚Verifikation‘, finden sich abgewandelt in jeder der genannten Hinsichten Pannenbergs auf Wirklichkeit. Besonders die an der Arbeit des Historikers gewonnene Einsicht der Vorwegnahme der Geschichte überhaupt durch einen Gesamtentwurf setzt sich nun folgenreich im Gesamtprogramm Pannenbergs durch.

---

[115] Vgl. Grundfragen, 202 ff.
[116] Grundfragen, 73.
[117] Grundfragen, 144.
[118] Grundfragen, 132, 125.
[118a] Vgl. Grundfragen, 75, 218 f.
[119] Grundfragen, 70 ff.
[120] Grundfragen, 70; vgl. ·Grundfragen, 109, 118, 373; Offenbarung, 146.
[121] Grundfragen, 70 ff, 77.
[122] Grundfragen, 71.

Denn das Sein im ganzen ist auf „Vorwegnahme" aus[123]. Nach Pannenberg ist das Sein „proleptisch"[124] verfaßt. Was ‚Sein' ist, wird die ‚Zukunft' erweisen. Was ‚Wahrheit' ist, wird sich geschichtlich erweisen. Hier wird deutlich, warum ‚Sein' und ‚Wahrheit' sich für Pannenberg nur geschichtlich, als „Geschichte" von Sein und Wahrheit[125], verstehen lassen. Die *ontologische* und *geschichtsphilosophische* Struktur der ‚Prolepse' spiegelt sich in der *Anthropologie:* „Kennzeichnet Verwiesenheit auf Zukunft nicht nur das menschliche Dasein, sondern alles Seiende überhaupt, dann läßt sich nur im Vorgriff auf seine Zukunft sachgemäß sagen, was etwas ist, und dann ist das Gegenwärtige in seiner Erscheinung wesentlich Antizipation seiner Zukunft."[126]

Ausgehend vom Modell historischen Erkennens, stößt Pannenberg so zur strukturellen Identität von Denken und Sein als ‚Prolepse' oder ‚Antizipation' vor, „also impliziert der antizipatorische Charakter der Wesensbenennung eine eigentümliche Form der Übereinstimmung von Denken und Sein, die freilich konkret-inhaltlich wieder nur in Gestalt von Antizipationen auftritt und deren endgültige Wahrheit ein Thema der Eschatologie bleibt"[127].

Wenn die Grundstruktur von Sein, Mensch und Geschichte von der Vorwegnahme her bestimmt ist, muß sich nun die *konkrete antizipatorische Struktur von Denken und Sein* in den Gestalten von Mensch und Vernunft aufzeigen lassen.

Wir sahen bereits, daß der Mensch bei Pannenberg *anthropologisch* durch sein ‚umweltfreies' Wesen und seine ‚Weltoffenheit' bestimmt ist[128]. „Person" wird der Mensch nun, indem er sich auf die konkrete Wirklichkeit eines Gegenübers bezieht[129]. Pannenberg definiert seinen Personbegriff im Sinne von Relation, Beziehung oder Bezogensein[130]. Der Vollzug des Personseins geschieht aber konkret geschichtlich: der Name ‚Gott' steht bei Pannenberg in diesem Zusammenhang für die Offenheit des Menschen auf die künftige Geschichte seines Daseins hin[131]. Nun hat der Mensch seine ganze Geschichte niemals vor sich, sondern sie kommt ihm aus dem Ende seiner Geschichte und der Geschichte überhaupt zu. Nur in der Vermittlung durch Geschichte und in der Bezogenheit auf die Ganzheit der Geschichte vollzieht der Mensch seine Bezogenheit auf Gott, nur darin wird er Person. Der Mensch ist nur ‚prolep-

[123] Grundfragen, 146; vgl. Stellungnahme, 331f; Offenbarung, 98, 102 Anm. 15, 143.
[124] Vgl. Grundfragen, 147; Offenbarung, 143.
[125] Grundfragen, 217.
[126] Grundfragen, 147.
[127] Ebd.; vgl. Grundfragen, 150; Offenbarung, 143.
[128] Siehe o. S. 108f.
[129] Vgl. Christologie, 347ff, 351ff.
[130] Vgl. RGG³ V, 230ff; Christologie, 351f.
[131] Vgl. Christologie, 197; Mensch, 95ff.

tisch' oder in ‚Vorwegnahme' ganz da; die Ganzheit seines Daseins gründet in der Ganzheit von Geschichte. Sie kann ihm nur von der Zukunft her zukommen; das Dasein ist auf Zukunft hin angelegt; Zukunft erhält den „Primat" der Zeitlichkeit im Dasein [132]. Vom menschlichen Dasein kann „nur in der Weise solcher Antizipation geredet werden" [133].

Die ‚Antizipation' der Ganzheit des Daseins ist aber nur Vorgriff und muß sich in ihrer ‚Verifikation' ausweisen [134]. Die ‚Antizipation' muß sich in der ‚Verifikation' des Entwurfs am gegenwärtigen Leben bewähren [135], andernfalls wäre sie nur leerer Vorlauf und verfehlte ihren fundamentalen Sinn für den Daseinsvollzug. „Das antizipierte Lebensziel, von dem her das eigene Dasein sich jeweils als Ganzes erschließt, muß sich daran bewähren, inwieweit es tatsächlich die Integration der Daseinsmomente zu leisten vermag. Dabei wird sich herausstellen, daß stets nur eine mehr oder weniger glückliche Antizipation erfolgt, die ihren Glanz aus der antizipierten Zukunft empfängt, als bloße Antizipation aber überholt werden kann und muß." [136] So ist Antizipation nach Pannenberg anthropologisch zwar berechtigter und positiver Vorgriff auf die Ganzheit des Daseins, ein Vorgriff aber, der, konfrontiert mit der Wirklichkeit des Daseins, sich eben als Vor-griff und damit als „bloße Antizipation", die ständig zu überholen ist, herausstellt. Diese Kraft der ‚Verifikation' der ‚Antizipation' eignet der „Reflexion" [137]. Die Reflexion ist aber selbst wieder korrigierende, da die erste Antizipation überholende ‚Antizipation', denn im Korrekturprozeß bringt sie einen neuen Entwurf hervor. Die erste unausdrückliche Antizipation des Daseins muß so in der ‚Reflexion' eingeholt werden; in der „reflektierten Antizipation" stellt sie sich als „bloße Antizipation" heraus [138]. Mit ‚Antizipation', ‚Verifikation' und ‚Reflexion' finden wir so bei Pannenberg Struktur und Dynamik menschlichen Daseins beschrieben.

Mit der anthropologischen Bestimmung des Menschen lassen sich auch die Grundvermögen des Menschen näher kennzeichnen. Diese Grundvermögen kommen bei Pannenberg zusammen im Vermögen der *„Vernunft"*. Pannenbergs Begriff der Vernunft deckt sich jedoch nicht mit dem allgemein gebräuchlichen Begriff. Eine „Theologie der Vernunft" [139] – so Pannenberg – bleibt bis heute noch ein „Desiderium" [140]. Was wir unter ‚Vernunft' verstehen, würde Pannenberg als „reflektierte Antizipation" bezeichnen [141].

---

[132] Grundfragen, 393, 394, 398.
[133] Grundfragen, 148.
[134] Vgl. Grundfragen, 148, 139.
[135] Grundfragen, 148.
[136] Grundfragen, 148; vgl. Grundfragen, 139.   [137] Grundfragen, 149f.
[138] Ebd.   [139] Vgl. Offenbarung, 146, 97; Christologie, 10.
[140] Offenbarung, 146.   [141] Grundfragen, 149f.

Seinen Begriff der Vernunft gewinnt er am Modell „geschichtlicher Vernunft"[142]. Er greift dabei auf die Formel der „vernehmenden Vernunft" zurück[143]. „Diese würde nach meiner Vorstellung die Vernunft nicht als apriorisches Vermögen, sondern in ihrer geschichtlichen Struktur von Entwurf und Reflexion beschreiben, damit aber auch in ihrer wesensgemäßen (dagegen nicht immer faktischen) Offenheit auf eine Wahrheit hin, die im Vollzug des entwerfenden Denkens immer vorausgesetzt, aber nie eingeholt wird."[144] Die Vernunft wird also von ihrer ‚Offenheit' auf Wahrheit und vor allem auf Geschichte hin definiert: Geschichtliche Vernunft besitzt sich nicht selbst, sondern gewinnt im Hinnehmen und Vernehmen geschichtlicher Erfahrungen ihre konkrete Gestalt[145]. Geschichtliche Vernunft steht in der geschichtlichen Dynamik inne. Gemäß den existentiellen Bewegungen von ‚Antizipation', ‚Verifikation' bzw. ‚Bewährung' und ‚Reflexion'[146] werden nun die Grundvermögen des Daseins und der Vernunft als ‚Phantasie' (oder ‚Vertrauen'), ‚Verifikation' und ‚reflektierende Vernunft' charakterisiert[146a].

In der Bezogenheit auf Wirklichkeit im ganzen erarbeitet das Dasein ‚Entwürfe', die jene Ganzheit antizipieren. Darin äußert sich die „Macht der Phantasie"[147]. Pannenberg geht hier auf Kant zurück, der die „produktive Einbildungskraft", die „schöpferische Phantasie"[148], als die Mitte der Vernunft erkannte. Gemäß dieser antizipierenden Grundbewegung des Menschen spricht Pannenberg von der Phantasie als dem „schöpferischen Grundzug im menschlichen Verhalten"[149]. Durch sie erschließt sich der Mensch die Wirklichkeit[150], schafft er „Kultur" und „bewältigt" er sein Dasein[151]. Die schöpferische Kraft der Vernunft greift antizipierend über Tod und Welt auf eine letzte Zukunft aus[152], die nur im Horizont einer umfassenden „Eschatologie" zur Erfüllung kommt[153]. Auf diese Weise überwindet die Phantasie die in der Prolepse begründete, Sein und Wahrheit je immanente Differenz. Die ‚Phantasie' überfliegt die Differenz in schöpferischer Begeisterung; das ‚Vertrauen' hält die Differenz aus[154]. Das Vertrauen stellt sich dem Überschuß des Daseins in seiner Unvollkommenheit und Abgeschlossenheit, indem es das Dasein angewiesen weiß „auf

---

[142] Grundfragen, 247, 244.   [143] Grundfragen, 246, 244.
[144] Offenbarung, 146.
[145] Grundfragen, 246ff; Offenbarung, 146ff.
[146] Vgl. Grundfragen, 147ff; Mensch, 13ff, 22ff.
[146a] Vgl. Grundfragen, 242ff.   [147] Mensch, 9.
[148] Grundfragen, 247; vgl. Grundfragen, 246.
[149] Mensch, 19.   [150] Ebd.   [151] Mensch, 19ff.
[152] Mensch, 31ff; vgl. Grundfragen, 249f; Christologie, 81.
[153] Grundfragen, 250. ‚Eschatologisch' wird hier zunächst vor-theologisch gebraucht, zeigt jedoch bereits eine gewisse theologische Einfärbung.
[154] Vgl. Offenbarung, 102, Anm. 15 u. 101; Grundfragen, 224, 236.

117

das in jeder Situation undurchschaut bleibende Ganze der begegnenden Wirklichkeit"[155] und es als solches annimmt. In solchem Vertrauen auf Dasein überhaupt hat sich menschliches Dasein der Wirklichkeit immer schon anvertraut. ‚Schöpferische Phantasie' und ‚Vertrauen' bedürfen schließlich der Vermittlung mit der Wirklichkeit als „Bewährung". Pannenbergs ‚Reflexionsstruktur' des Denkens wird hiermit deutlich. Es ist die Struktur eines Denkens, das sich von dem ‚unabgeschlossenen Prozeß' der ‚Phantasieleistungen' reflektierend abhebt und „sich immer wieder auf sich selbst zurückwendet, sich von sich selbst abstößt angesichts der dabei erkannten Differenz seiner selbst von seinem Gegenstand und neue Stufen erreicht durch eine je neue Synthese, die wie jede frühere als Leistung der produktiven Phantasie entsteht"[156]. So erst vollendet sich „die ins Offene treibende, geschichtliche Bewegung der Vernunft"[157].

2.3.2.2 Offenbarung

Pannenbergs Analyse des Menschen deckte die ‚Fraglichkeit' als Grundstruktur menschlichen und geschichtlichen Daseins auf. Fragend transzendiert der Mensch sich je auf ein ihn Übersteigendes hin. *In welchem Verhältnis steht dieses Fragen zu Gott?*

Gott diesen Ort in der Grundstruktur des Menschen unvermittelt zuzuweisen lehnt Pannenberg als vorschnell ab. Die Frage des Menschen zielt ihm zufolge zunächst auf einen ihn überhaupt tragenden und bewahrenden Grund; der Mensch als Frage präjudiziert daher nicht die Antwort „Gott"[158]. „Daß der Mensch ‚Frage' ist, die in der begegnenden Wirklichkeit Gottes ihre Antwort findet, bedeutet keine ‚Theologie des religiösen Apriori', wie Hamilton behauptet[159], da die Wahrheit der religiösen Erfahrung – zumal als Gotteserfahrung – nicht aus der Struktur der Fraglichkeit des Menschen zu begründen ist, sondern nur aus dem Widerfahrnis der Wirklichkeit, die als Antwort auf die offene Frage unserer Existenz erfahren wird."[160] Daß der Mensch Widerfahrenes auf Antwort hin versteht, ist notwendig. Was solche Antwort besagt, ist erst im Umgang mit der ‚Wirklichkeit' selbst zu erfahren.

Philosophie und Religion interpretieren die eine Erfahrung von Wirklichkeit auf verschiedene Weise und geben ihre spezifischen Antworten auf die Frage

---

[155] Grundfragen, 250f.
[156] Grundfragen, 248; vgl. Grundfragen, 149f, 152.
[157] Grundfragen, 248; vgl. Grundfragen, 149f.
[158] Grundfragen, 372.
[159] Stellungnahme, 288f. Pannenberg geht hier auf Vorwürfe ein, die ihm W. Hamilton, Die Eigenart der Theologie Pannenbergs, in: Theologie als Geschichte, a.a.O. 225ff, gemacht hatte. Vgl. Grundfragen, 280, Anm. 43.
[160] Stellungnahme, 289, Anm. 2.

des Menschen. Die Antwort der Religion heißt: ‚Gott' ist der tragende Grund aller Wirklichkeit. Die Religion spricht dabei aus einer die natürliche Wirklichkeitserfahrung übertreffenden Offenbarung, die sich dennoch in der Wirklichkeit ereignet und sich also unter die Bedingungen menschlicher Erfahrbarkeit und Interpretation begibt. „Die Offenbarung Gottes in Jesus von Nazareth ist nicht ein einzelnes, isoliertes Ereignis supranaturalen Ursprungs, sondern sie steht in einem Zusammenhang mit einem schon vorausgesetzten, vorläufigen Wissen von dem Gott, dessen eigentliche Wirklichkeit erst durch Jesus enthüllt wird."[161] Wirklichkeit als solche ist daher nach Pannenberg aus der Perspektive des Glaubens immer schon von Gott affiziert.

Die Erfahrungen der Offenbarungsreligion müssen sich der philosophischen Reflexion stellen, die ihrerseits, wie oben für Pannenberg gezeigt wurde, die Universalgeschichte als Grund aller Wirklichkeit postuliert, wie auch umgekehrt diese philosophische Antwort jene religiösen Erfahrungen zu bedenken hat. Nach Pannenberg lassen sich die *Wege der christlichen und philosophischen Tradition* nicht trennen, wie die abendländische Geistesgeschichte zeigt[162]. Der biblische Ursprung seiner eigenen philosophischen Analyse des Menschen als geschichtliches Sein ist ihm wohl bewußt[163]. Was aber macht die biblische Antwort philosophisch bedenkenswert, welche biblische Aussage über Gott ist es, die die philosophische Reflexion in Gang bringt?

Nach Pannenberg wird die christliche Antwort im Umkreis anderer Religionen und im „heutigen Daseinsverständnis" nur dann relevant, wenn diese zu „überzeugen" vermag[164]. Wenn Pannenberg die Götter der Religionen daran mißt, „ob sie auch uns als Gott, als Macht über alles gelten können"[165], dann spricht sich darin aus, daß nur der überlegene, der mächtige Gott dem heutigen Daseinsverständnis wahrhaft Gott sein kann. In diesem Denken ist Gott, wenn er ist, „Macht über alles"[166] und allem Sein und Fragen Grund. Daß Gott ist, ist nun aber gerade die Behauptung der Religionen. „Ob ein behaupteter Gott wahrhaft Gott, d. h. aller Dinge mächtig ist, das kann sich doch nur zeigen an dem Geschehen, dessen dieser Gott der Behauptung mächtig sein soll. Es kann sich endgültig nur an der Gesamtheit allen Geschehens zeigen, sofern wir mit dem Worte ‚Gott' diejenige Macht denken, die alles Seienden mächtig ist."[167] Der Gott Israels, wie ihn die biblischen Texte bekennen, will sich gerade da-

---

[161] Jesus, 152; vgl. Jesus, 169.
[162] Siehe o. S. 112f.
[163] Siehe o. S. 111f. H. Th. Goebel, Wort Gottes, 190.
[164] Stellungnahme, 297; vgl. Jesus, 168f; Grundfragen, 5, 292.
[165] Stellungnahme, 297.
[166] Vgl. ebd.; Grundfragen, 138 u. ö.
[167] Stellungnahme, 298.

durch als der einzige Gott Israels und aller Dinge erweisen, daß er sich in seinen Machttaten als aller Dinge mächtig zeigt[168]. Nach Pannenberg ist der Gott Israels also dem heutigen Daseinsverständnis denkbar: Denn Gott ist per definitionem die „Macht des Seins"[169].

Ist Gott als ‚Grund der Wirklichkeit' und ‚Macht über alles' bestimmt, dann liegt es in der Konsequenz seines oben ausgeführten Gesamtkonzepts, daß Pannenberg die Erkenntnis Gottes mit den philosophischen Begriffen des ‚Ganzen' und der ‚Geschichte' verbindet, da nach ihm die Wirklichkeit nur als geschichtliches Sein und die Geschichte nur als die Ganzheit geschichtlicher Wirklichkeit recht verstanden sind. Pannenberg formuliert: „[D]a ein ‚Gott', der nicht aller Dinge mächtig wäre, nicht wahrhaft Gott wäre, so muß die Theologie – wenn anders es ihre Aufgabe ist, das Reden von Gott im Denken zu verantworten – den Gott Israels und Jesu zu denken suchen als den, der aller Dinge mächtig ist, also in bezug auf das Ganze aller Wirklichkeit. Nur in bezug auf das Ganze der Wirklichkeit kann Gottes Gottheit gedacht werden."[170] Mit dem Gedanken Gottes geht also der des ‚Ganzen' notwendig einher. Denn wenn es einen Gott gibt, dann müssen sich in ihm die Gegensätze von ‚Endlichem' und ‚Unendlichem', von ‚Ganzem' und ‚Einzelnem', von ‚Kontingenz' und ‚Notwendigkeit', von ‚Freiheit' und ‚Allmacht', von ‚Person' und ‚Wesen' versöhnen[171]. Wenn auch menschliches Denken das Ganze nie endgültig zu fassen und zu vermitteln vermag, so denkt es dieses Ganze doch immer schon. Denn ‚einzelnes' läßt sich nur im Horizont des ‚Ganzen' und im ‚Vorgriff' auf das Ganze denken.

In dieser Weise der Anwesenheit des Ganzen in der Endlichkeit unseres Denkens sieht Pannenberg einen Verweis auf den Charakter von Wirklichkeit überhaupt. Wirklichkeit im ganzen ist ihm kein Vorhandenes, Wirklichkeit zeigt sich vielmehr nur im ‚Vorgriff' auf das Ganze, in der Tendenz auf ein Ausstehendes. *Die Wirklichkeit ist „geschichtlich"*[172]. In dieser Überzeugung kommen für Pannenberg modernes Daseinsverständnis und christliches Gottesverständnis zusammen. „Das Thema ‚Geschichte' wird für die Frage nach der Wirklichkeit Gottes, auf die sich das moderne Offenbarungsproblem bezieht, relevant, insofern Geschichte die Wirklichkeit im ganzen charakterisiert: In diesem Fall nämlich ist Gott dann wahrhaft Gott, d. h. die Macht über alle Dinge, wenn er sich als der Herr der Geschichte erweist."[173] Gott ist seinem Begriff nach der „Gott der Geschichte"[174], und zwar gerade der Geschichte im ganzen. Aus

---

[168] Vgl. Jesus, 153ff, 167ff; Stellungnahme, 295ff, 306f.
[169] Grundfragen, 396.
[170] Stellungnahme, 308; vgl. Grundfragen, 138, 194ff; Offenbarung, 104.
[171] Grundfragen, 158; vgl. o. S. 113.
[172] Vgl. Grundfragen, 217, 222, 19.
[173] Stellungnahme, 308; vgl. Grundfragen, 236.   [174] Grundfragen, 21.

dem Begriff Gottes folgt so der Begriff der „Universalgeschichte"[175]. So und nicht anders stellt sich nach Pannenberg der Gottglaube Israels in seinen Dokumenten dar[176]: Wer bekennt, es gebe einen Gott, der bekennt zugleich, daß die Geschichte in ihrer Wirklichkeit und die Wirklichkeit in ihrer Ganzheit in Gott gründet.

Aufgrund der Tatsache, daß die Geschichte noch nicht abgeschlossen ist, das Ganze der Geschichte noch aussteht[177], kommt Pannenberg zu dem Schluß: „Das bedeutet aber zugleich, daß nur das Ganze des Weltgeschehens die Gottheit Jahwes endgültig erweisen konnte. Erst am Ende alles Geschehens kann Jahwe als der eine, einzige Gott endgültig offenbar sein."[178] Erst am Ende der Weltgeschichte wird das Wesen Gottes demnach offenbar; als Noch-Nicht dieses Endes gehört der Verlauf der Geschichte mit zur geschichtlichen Offenbarung Gottes hinzu. In der Geschichte, in ihrer Dynamik, und über der Geschichte, in seiner Macht, erweist sich Gott nach Pannenberg immer mehr als der, der er ist. „Das Wesen Gottes, obwohl von Ewigkeit zu Ewigkeit dasselbe, hat in der Zeit eine Geschichte."[179] In der Geschichte als „Offenbarung seines Wesens"[180] gibt und gewährt Gott die ‚Zukunft' und sich in ihr und so auch das ‚Ende'. Gott als Gott der Geschichte ist nach Pannenberg der Gott der ‚Zukunft'.

Somit kann er die „Macht der Zukunft"[181] oder die „Zukunft" überhaupt als „Seinsweise Gottes", d. h. Gott „mit Futurum als Seinsbeschaffenheit", definieren[182]. Diesen Glauben sieht Pannenberg bereits in Israel vorgebildet; denn Israel hat seinen Glauben an den geschichtlichen Gott vor allem in der „Universalität" Gottes über alle Menschen[183], in der ‚Prophetie' und ‚Apokalyptik' eines endzeitlichen Gottesgeschehens und in der ‚Hoffnung' auf seine Geschichte zum Ausdruck gebracht[184].

In strenger Entsprechung zum Gottesbegriff entwickelt Pannenberg sein *Offenbarungsverständnis*. Denn es ist für Pannenberg Sinn der Offenbarung, daß sich in ihr Gott *als* Gott erweise[185]. ‚Offenbarung' ist ihm also gleichbedeutend mit ‚Selbsterweis', ‚Selbstkundgabe', ‚Selbstbekundung', ‚Selbstoffenbarung', ‚Selbstenthüllung' und ‚Selbsterschließung'[186]. Pannenberg stellt sich da-

---

[175] Offenbarung, 109; Stellungnahme, 309.
[176] Vgl. Jesus, 152 ff, 167 ff.
[177] Siehe o. S.
[178] Offenbarung, 97; vgl. Offenbarung, 91 ff, 95 ff, 105; Christologie, 187.
[179] Offenbarung, 97.   [180] Ebd.
[181] Grundfragen, 396, 292, 293, 295.
[182] Grundfragen, 391, 393.   [183] Grundfragen, 308.
[184] Jesus, 152 ff.   [185] Grundfragen, 393.
[186] Vgl. Jesus, 158 ff; Stellungnahme, 295, 300 ff; Grundfragen, 363; Offenbarung, 8, 92; Christologie, 124 ff.

mit auf den Boden der Aufklärung, der gemäß „nach Offenbarung Gottes nur im Sinne der Selbstbekundung göttlicher Wirklichkeit für menschliches Verstehen gefragt werden"[187] kann. Den eindeutigen Konsens unter Theologen und Philosophen der Neuzeit, Offenbarung wesentlich als „Selbstoffenbarung" Gottes zu verstehen[188], sieht Pannenberg in der Folge dieses Vorentscheides der Aufklärung: Offenbarung muß sich demnach der antiautoritären Urteilsfähigkeit des aufgeklärten Menschen aussetzen und den vernunftbegabten Menschen durch ‚Erweis' überzeugen[189].

Dem grundsätzlichen Konsens der Bestimmung von Offenbarung als ‚Selbstoffenbarung' steht eine Vielzahl von Bestimmungen der Form dieser Offenbarung entgegen. Diese Vielzahl ist nach Pannenberg bereits in der Schrift grundgelegt. In der Schrift offenbart sich Gott in ‚Erscheinungen' und ‚Theophanien', im ‚Wort Gottes', im ‚Gesetz' und im ‚Evangelium' oder auch im ‚Handeln' Gottes[190]. Pannenberg deutet den exegetischen Befund des AT und NT dahingehend, daß die Formen des ‚Wortes' und der ‚Erscheinungen' nicht ‚Selbstoffenbarungen' vom Rang der des ‚Handelns Gottes' in der Geschichte sind. Die „Erscheinungen" und „Kundgaben" des Namens Gottes werden bereits in den Schriften als etwas „Vorläufiges" dem gegenüber hingestellt, wie Gott sich künftig „zu erkennen gibt"[191]. Die Präponderanz der Geschichte gegenüber anderen Formen der Selbstoffenbarung gilt für Pannenberg noch heute. Aus dem biblischen Befund und der neuzeitlichen Problemstellung erhebt er so seinen Begriff der Offenbarung als Machterweis Gottes über die Zukunft und in der Geschichte.

Der Raum der Offenbarung Gottes ist somit die Geschichte[192]. In der Geschichte erweist sich Gott als wahrhafter Gott. Und doch ist der Raum der Geschichte kein ursprünglich theonomer Bereich, in dem Gott sich souverän und direkt selbst darstellte, vielmehr ist Geschichte, will man Heils- und Profangeschichte nicht auseinanderdividieren, zunächst „Weltgeschichte"[193]. Offenbarung, die sich dennoch in Geschichte ereignet, muß sich daher auf „indirekte" Weise vollziehen[194]. Pannenberg erläutert: „Indirekte Offenbarung ist dadurch gekennzeichnet, daß sie nicht unmittelbar Gott zum Inhalt hat."[195] Offenbarung Gottes, die sich in der Geschichte ereignet, wird zweifach gebro-

---

[187] Stellungnahme, 295.
[188] Vgl. Offenbarung, 77ff; Jesus, 158; Stellungnahme, 299f.
[189] Stellungnahme, 294f, 290ff, 318ff, 344f; Nachwort, 129.
[190] Offenbarung, 11ff.   [191] Offenbarung, 12f.
[192] Vgl. Offenbarung, 15, 91; Grundfragen, 67.
[193] Vgl. Stellungnahme, 310ff, 315, Anm. 24; Grundfragen, 67.
[194] Offenbarung, 16ff; vgl. Offenbarung, 12f, 91ff; Grundfragen, 181ff; hier stellt sich Pannenberg dem Problem der „Analogie"; vgl. Grundfragen, 159ff, 49ff, 195.
[195] Offenbarung, 17.

chen: zum einen insofern die Geschichte Medium Gottes ist, das als solches ohnehin nur ‚indirekte‘ Aussagen über Gott zuläßt, zum anderen insofern Geschichte autonome Struktur ist, die sich in einzelnen Ereignissen und Taten vollbringt und von daher Gott nur „partiell"[196] auszusagen vermag. „Indirekte Selbstoffenbarung" geschieht demnach im Verweis jedes einzelnen Ereignisses und der Sinnrichtung des Zusammenhangs vieler Ereignisse untereinander auf das Wesen Gottes. Der Gestalt indirekter Selbstoffenbarung eignet darüber hinaus „personaler" Charakter[197]. Pannenberg greift hier zurück auf das Modell personaler Begegnung. Wo Menschen sich einander in solcher Begegnung offenbaren, geschieht das nach Pannenberg immer medial, auf ‚indirekte‘ Weise[198]. Nur so werden die Personhaftigkeit des Selbst und die Freiheit seines Gegenübers gewährt. Daher ist es nur angemessen, wenn Gott sich in seinem Geschichtshandeln personal zu erkennen gibt.

Der Begriff der ‚Selbstoffenbarung‘ bei Pannenberg ist aber noch strenger zu fassen. Was das einzelne Geschichtsereignis zur Offenbarung Gottes beiträgt, geht nicht aus ihm selbst hervor. Es ist vielmehr an den Zusammenhang aller Ereignisse und an das Ganze der Geschichte verwiesen[199]; und das bedeutet, Selbstoffenbarung vollendet sich „nach" allem Geschehen[200]. „Die Offenbarung findet nicht am Anfang, sondern am Ende der offenbarenden Geschichte statt."[201] Sie ist nur im Horizont der ‚Universalgeschichte‘ wahrhaft zu verstehen[202]. Damit scheint die Möglichkeit von Offenbarung selbst wieder in Frage gestellt. Denn solange Geschichte nicht an ihr Ende kommt, ist Offenbarung nicht möglich[203]. Pannenberg betont gegen diesen Einwand, daß in Wirklichkeit kein Ereignis für sich steht, sondern immer schon auf den Kontext seines Entstehens zurück- und auf mögliche Sinnintentionen seiner Zukunft vorausweist. Eminente Einzelgeschehnisse können gar das „Ganze des Geschehens" „in verschiedenen Weisen der Vorausdarstellung oder der Ankündigung" „antizipieren"[204]. Für die theologische Reflexion prägt Pannenberg daher die Redeweise von ‚teilweise‘ ‚antizipierender‘ Offenbarung in Einzelgeschehnissen und ‚vollständiger‘, ungeteilter Offenbarung am Ende[205]. Der Aufbruch eines einzelnen

---

[196] Offenbarung, 17.
[197] Vgl. Grundfragen, 337, 395, 197ff, 381ff, 395; Christologie, 182f.
[198] Im Kontext des Personalen kann ‚indirekt‘ nur der Gegensatz zur empirischen Greifbarkeit bedeuten; das Personale ist „nicht verfügbar" (Grundfragen, 197), nur so wird die andere Person als Person „respektiert" (ebd.).
[199] Offenbarung, 17.   [200] Offenbarung, 95f, 91ff.
[201] Offenbarung, 95; vgl. Grundfragen, 5.
[202] Grundfragen, 67; Offenbarung, 18f.
[203] Offenbarung, 17, 18.
[204] Stellungnahme, 306; vgl. Nachwort, 131; Stellungnahme, 302, 303, 306f.
[205] Vgl. Offenbarung, 92, 93, 95ff.

Ereignisses zum Ganzen der Geschichte hin geschieht nach Pannenberg überall dort, wo Geschehenes zur „Sprache" kommt[206]. Indem ein Ereignis zur Sprache kommt und im ‚Wort' überliefert wird, wird das faktische Einzelgeschehen über sich hinausgeführt, in einen übergreifenden Geschehenszusammenhang eingeordnet und von daher in seiner geschichtlichen ‚Bedeutung' erschlossen. Dort jedoch, wo ‚Faktum' und ‚Bedeutung' in Verkürzung geschichtlicher Erfahrung voneinander subtrahiert werden – etwa im Historismus[207] –, wird die universalgeschichtliche Tendenz jedes geschichtlichen Geschehens verkannt. Gott, der die ‚Macht über alles' ist, kann also in einem vereinzelten, besonderen Ereignis präsent werden[208].

Hier hat nach Pannenberg das „Wort Gottes" seinen Ort innerhalb der Offenbarungsgeschichte. „So gehören geschichtliche Erfahrung und Sprache zusammen."[209] Das Wort erfaßt im Einzelnen das „Allgemeine"[210], erschließt, über das Einzelgeschehen ausgreifend und vorgreifend, dessen Bedeutung und konstituiert es so als Moment des Universalgeschehens. Darauf beschränkt Pannenberg jedoch die Funktion des Wortes und auch des ‚Wortes Gottes' im Offenbarungsgeschehen[211]. Er nimmt das Wort in den Dienst der ‚Offenbarung als Geschichte', insoweit es ihm die geschichtlichen Dimensionen der Überlieferungsgeschichte und Universalgeschichte auftut. Die Redeweise von Überlieferungsgeschichte und Universalgeschichte ist nach Pannenberg in den Schriften des AT und NT begründet, näherhin im Schema von Verheißung und Erfüllung, das sich schließlich zu dem von Überlieferung und Apokalyptik ausweitet, wobei Apokalyptik den Akzent trägt. Diesem ‚antizipatorischen' Charakter der Wirklichkeit in der biblischen Darstellung entspricht das ‚Wort', das als ‚Kerygma', ‚Weisung' und ‚Verheißung'[212] die ‚Geschichte' Gottes erzählt, interpretiert und immer neue Zukunft verheißt[213]. „Es ist also durch die Sprachlichkeit geschichtlicher Erfahrung bedingt, daß menschliche Geschichte sich stets als Überlieferungsgeschichte vollzieht in Auseinandersetzung mit dem Erbe einer Vergangenheit, die als eigene übernommen oder auch verleugnet wird, und im Vorgriff auf eine Zukunft, die nicht nur die Zukunft des jeweiligen Individuums ist."[214]

---

[206] Vgl. Offenbarung 112, 13; Stellungnahme, 327.
[207] Vgl. Offenbarung, 137; Christologie, 106 f.
[208] Vgl. Stellungnahme, 299 ff, 320 ff, 326; vgl. Anm. 204.
[209] Stellungnahme, 326.   [210] Stellungnahme, 326 f.
[211] Vgl. Grundfragen, 82, 130; Offenbarung, 132 ff.
[212] Vgl. Offenbarung, 112 ff.   [213] Stellungnahme, 326.
[214] Stellungnahme, 327; vgl. Grundfragen, 147; Offenbarung, 132 f; Pannenberg bringt den doppelten Aspekt geschichtlicher Erfahrung, ihre Sprachlichkeit und ihre Geschichtlichkeit, unter dem Nenner der „Sprache der Tatsachen" (Offenbarung, 112) zusammen, allerdings bleibt der Tatsachen-begriff führend.

Die ‚Gott' (‚Christusgeschehen') und ‚Offenbarung' (‚Geschehen') umfassende „proleptische Struktur" ist schließlich auch kennzeichnend für den „*Glauben*"[215]. Zweifach ist die proleptische Struktur begründet; einmal dadurch, daß die „proleptische Struktur" „die Form aller Erkenntnisvollzüge bestimmt"[216], so auch die des Glaubens; zum anderen dadurch, daß sie „der Erkenntnis des Christusgeschehens gerade auch hinsichtlich seines Inhaltes"[217] eignet, denn die „proleptische Struktur des Glaubens (im Zukunftsbezug des Vertrauens) entspricht der Struktur des Christusgeschehens"[218].

Hier wird die Konsistenz des Programms Pannenbergs sichtbar. ‚Christusgeschehen' und ‚Offenbarung' sind zunächst einmal ‚geschichtliche' Vorgänge. Diesem Charakter seines Gegenstandes entsprechend hat der Glaube sich zu organisieren und zu gestalten. Glaube als Form der Erkenntnis setzt demnach geschichtliche Erkenntnis voraus. Die Glaubenserkenntnis ist „nicht übernatürlich"[219], sie basiert auf historisch fundiertem Wissen: „Wir pflegen gewöhnlich Offenbarung als einen Vorgang zu verstehen, den man nicht mit natürlichen Augen wahrnehmen kann, der nur durch eine geheime Mitteilung kund wird. Aber das Offenbarwerden des biblischen Gottes in seinem Handeln ist kein geheimes, mysterienhaftes Geschehen. Ein Verständnis der Offenbarung, das sie in Gegensatz zum natürlichen Erkennen sieht, gerät in Gefahr, die geschichtliche Offenbarung mit einem gnostischen Geheimwissen zu verwechseln."[220] Es liegt demnach nur in der Konsequenz des geschichtlichen Begriffs Pannenbergs von Gott und Offenbarung, die historischen Wissenschaften als die hier zuständige Weise der Erkenntnisvermittlung anzusetzen. Dieses von Pannenberg so aus der Schrift eruierte Glaubensverständnis will wiederum dem aufgeklärten, neuzeitlichen Bewußtsein Rechnung tragen: „Die Frage nach der Offenbarung Gottes, so wie sie auf dem Boden der Aufklärung neu gestellt worden ist, sucht nicht nach einer autoritären Instanz, die kritisches Fragen und eigenes Urteil niederschlägt, sondern nach einer Bekundung göttlicher Wirklichkeit, die sich dem mündigen Verstehen des Menschen als solche bewährt"[221], d. h. mit anderen Worten, die „Logik des Glaubens"[222] fordert ein einsehbares, „überzeugendes' Wissen, fordert die „Begründung des Glaubens durch ein vorausgesetztes Wissen"[223]. „Die Tatsache, daß Gott im Geschick Jesu von Nazareth offenbar

---

[215] Grundfragen, 236; Offenbarung, 146; vgl. Grundfragen, 233 f, 237 ff.
[216] Offenbarung, 146; vgl. Grundfragen, 250.
[217] Offenbarung, 147.   [218] Grundfragen, 236.
[219] Offenbarung, 100; vgl. Stellungnahme, 296, 332, Anm. 43; Grundfragen, 224, 227, Anm. 5; Offenbarung, 18, 98.
[220] Offenbarung, 98 f; vgl. Grundfragen, 45, 224, 227, Anm. 5.
[221] Stellungnahme, 294; vgl. Grundfragen, 13. 223, 241 f; Stellungnahme, 341.
[222] Grundfragen, 226 ff; Stellungnahme, 343; Offenbarung, 145.
[223] Grundfragen, 225; vgl. Offenbarung, 145; Stellungnahme, 343; Grundfragen, 225 ff; Jesus, 164.

ist, eignet diesem Geschehen selbst und wird nicht etwa erst durch die Ereignisse in den Glauben hineingesehen [...]. Wenn das so ist, dann wird man es aber auch nicht prinzipiell von der Hand weisen dürfen, daß eine historische Erforschung dieses Geschehens auch seine Besonderheit, seinen Offenbarungscharakter entdecken könnte und müßte. Ob allerdings historische Forschung faktisch dazu kommt, den Charakter des Geschickes Jesu von Nazareth als Offenbarung Gottes zu entdecken, und wodurch sie etwa daran verhindert wird, das ist eine ganz andere Frage."[224]

Damit wird nun innerhalb des bislang eindeutigen Begründungsverhältnisses von ‚Vernunft' und ‚Glaube' doch eine Differenz angedeutet. Anderwärts geht Pannenberg ausdrücklich auf die Differenz ein[225]. Sie besagt ihm, daß der Glaube, obschon er in einem Wissen notwendig begründet ist, nicht darauf reduziert werden kann, vielmehr einen unselbstverständlichen Überschuß über dieses Wissen darstellt, der aus einem besonderen Akt des Vertrauens resultiert. Pannenberg arbeitet diese Differenz anhand der scholastischen und auch altprotestantischen Unterscheidung von „notitia", „assensus" und „fiducia" aus, indem er auf deren gegenseitiges Begründungsverhältnis zurückgreift[226]. Der ‚notitia' ordnet er die „historische Erkenntnis", die „fides historica", zu[227]. Dabei polemisiert er gegen die positivistische Reduzierung der „fides historica"[228] auf die ‚bruta facta' und behauptet dagegen die Offenheit der ‚fides historica', der Geschichtserkenntnis, auf den sie umfassenden Bedeutungszusammenhang, d. h. hier auf den Glaubenszusammenhang, hin[229]. Geschichtserkenntnis und Glaubenserkenntnis implizieren sich also strukturell, ähnlich wie ‚Vernunft' und ‚Glaube'[230]. Beide beziehen aus der ‚proleptischen Struktur' von Wirklichkeit überhaupt ihren ‚proleptischen Charakter', sie antizipieren die Zukunft, sind angewiesen auf das Ganze der Geschichte und lesen ‚Faktum' und ‚Bedeutung' in eins[231]. Ihre Differenz geht schließlich auf den je spezifischen Bedeutungszusammenhang zurück, den zwischen Geschichtserkenntnis und der Universalgeschichte einerseits und den zwischen Glaubenserkenntnis und Gott andererseits. An dieser Stelle führt Pannenberg den Begriff der ‚fiducia' ein[232].

---

[224] Grundfragen, 63; vgl. Stellungnahme, 341. Nach Pannenberg müssen die Menschen nur „zur Vernunft gebracht werden, damit sie die Wahrheit des Gottes Gottheit offenbarenden Geschehens auch wirklich wahrnehmen" (Grundfragen, 233); vgl. Offenbarung, 98, 100.
[225] Grundfragen, 250 ff.
[226] Ebd.
[227] Ebd.; vgl. Grundfragen, 229; ‚notitia' und ‚fides' werden entsprechend seinem Modell historischer Vernunft von Pannenberg als Erkenntnisweisen von ‚Teil' und ‚Ganzem' charakterisiert, vgl. oben S. 113 ff.
[228] Grundfragen, 229 f.
[229] Grundfragen, 230 ff.
[230] Offenbarung, 102, Anm. 15.
[231] Offenbarung, 137.   [232] Offenbarung, 101.

Die ‚fiducia‘ konstituiert den Glaubenszusammenhang gegenüber geschichtlichem Erkennen neu.

Aber ‚fiducia‘ schließt für Pannenberg immer jenes ‚anthropologische‘ und ‚gnoseologische‘ Vertrauen als Komponente ein, die in der philosophischen Analyse aufgezeigt worden war[233]. Im Verhältnis von theologischer ‚fiducia‘ und anthropologischem ‚Vertrauen‘ wird indessen der Unterschied von ‚Glauben‘ und ‚Vernunft‘ bei Pannenberg deutlich[234]. ‚Vernunft‘ und ‚Glaube‘ sind zukunftsbezogen. Die Gestalt der Zukunftsbezogenheit ist jedoch jeweils eine besondere. Gestalt der Zukunftsbezogenheit der Vernunft ist die ‚Imagination‘ aus Vertrauen und die mit ihr gegebene Gewißheit der Wahrscheinlichkeit, über die historische Erkenntnis nicht hinauskommt. Gestalt der Zukunftsbezogenheit des Glaubens ist jene absolute Gewißheit der ‚fiducia‘, die nicht nur in einem geschichtlichen Entwurf Grund faßt, sondern ihren ganzen Grund aus Gott nimmt, aus Gott, der ihr die Zukunft ist und gewährt. Unterschiedlich ist also der Grund des ‚Vertrauens‘. Während die Vernunft eine mehr implizite, verborgene Ursprungsbeziehung zur Zukunft aller Wirklichkeit hat, ist sich der Glaube der eschatologisch in Christus endgültig angesagten Zukunft absolut gewiß[235]. Darauf vertraut der Christ, und aus diesem Vertrauen lebt sein Glaube: Was sich in Israel und Jesus Christus ereignet hat, das ist göttliche Offenbarung. „Diese weitgehende Unabhängigkeit des Glaubens von der besonderen Gestalt des Geschichtswissens, von der er ausgegangen ist, gründet darin, daß der Glaube im Akt des Vertrauens sich über sein eigenes Bild vom Geschehen hinausschwingt, in dem Geschehen selbst Fuß faßt, indem er sich selbst verläßt auf den darin offenbaren Gott. In der vertrauenden Hingabe seiner Existenz ist der Glaubende, auch über seine eigenen theologischen Formulierungen hinaus, offen für andere und bessere Erkenntnis der Geschichte, aus der er lebt [...]. Dennoch kann nur das Wissen von Gottes Offenbarung, wenn es auch noch so verworren oder noch so sehr vom Zweifel überschattet ist, Grund des Glaubens sein – obwohl noch nicht das Wissen, sondern erst das aus ihm folgende Vertrauen auf Gott des Heils teilhaftig macht."[236]

2.3.2.3 Strukturvergleich

Pannenberg überschreibt sein Programm: „Geschichte ist der umfassendste Horizont christlicher Theologie."[237] Bringt man nun das bisher Erörterte in dieses Programm mit ein – ‚Geschichte‘ ist nur auf dem Hintergrund der ‚Uni-

---

[233] Vgl. Offenbarung, 101, 102, Anm. 15; Mensch, 23, 26.
[234] Grundfragen, 224 ff; Offenbarung, 144.
[235] Offenbarung, 145; Stellungnahme, 348; Jesus, 166.
[236] Offenbarung, 101 f.   [237] Grundfragen, 22.

versalgeschichte' lesbar, die ihrerseits Thema der neueren Philosophiegeschichte ist –, so kann Pannenbergs Programm auch formuliert werden: Die Universalgeschichte ist der umfassendste Horizont der abendländischen Philosophie und christlichen Theologie. So gefaßt, impliziert das Programm den Zusammenhang von Philosophie und Theologie[238]. Ausgehend von der historischen Abhängigkeit der philosophischen von der christlichen Tradition, sieht Pannenberg in der Reflexion und Explikation der letzteren durch das philosophische Bewußtsein der Neuzeit seine Aufgabe. Inhalte und Konsequenzen dieses Zusammenhangs von Theologie und Philosophie wurden im Vorhergehenden aufgezeigt: wir deckten die Entsprechungen der philosophischen – ontologischen, anthropologischen, erkenntnis- und geschichtsphilosophischen – Horizonte im Denken Pannenbergs untereinander auf und zogen von diesen philosophischen Perspektiven aus die Linien zu Pannenbergs theologischen – offenbarungstheologischen, christologischen, heilsgeschichtlichen, pisteologischen – Perspektiven durch. Auf dieses Zueinander von Philosophie und Theologie, ihren besonderen Begründungszusammenhang bei Pannenberg, ist noch einmal eigens einzugehen[239].

Philosophie und Theologie sind bei Pannenberg historisch aufeinander verwiesen: „Verpflichtende Kraft für alle Menschen hat der universale Anspruch des Gottes Israels erst dadurch gewonnen, daß er von der jüdischen und dann von der christlichen Mission als der in der Philosophie gesuchte wahre Gott dargestellt wurde. In dem Anspruch des Gottes Israels, der für alle Menschen allein zuständige Gott zu sein, ist es also *theologisch* begründet, daß der christ-

---

[238] Vgl. Grundfragen, 152.

[239] Zur kritischen Auseinandersetzung mit Pannenberg vgl. außer den in Anm. 43 genannten Autoren: die Beiträge von M. Buss, K. Grobel, W. Hamilton, J. B. Cobb in: Theologie als Geschichte, a. a. O.; G. Klein, Offenbarung als Geschichte?, in: MPTh 51 (1962) 77 ff; ders., Theologie des Wortes Gottes und die Hypothese der Universalgeschichte (Beiträge zur Evangelischen Theologie, 37), München 1964; J. Wirsching, Ein neues theologisches System? Randbemerkungen zur Theologie W. Pannenbergs, in: DPBl 64 (1964) 601 ff; L. H. Steiger, Offenbarungsgeschichte und theologische Vernunft, in: ZThK 59 (1962) 88 ff; E. Fuchs, Theologie oder Ideologie? Bemerkungen zu einem heilsgeschichtlichen Programm, in: ThLZ 88 (1963) 257 ff; G. Muschalek – A. Gamper, Offenbarung in Geschichte, in: ZKTh 86 (1964) 180 ff; G. Sauter, Zukunft und Verheißung, Zürich 1965, 191 ff, 208 ff, 255 ff; P. Althaus, Offenbarung als Geschichte und Glaube, in: ThLZ 87 (1962) 312 ff; H. Fischer, Christlicher Glaube und Geschichte, Gütersloh 1963, 165 ff; C. J. Jellouschek, Zum Verhältnis von Glauben und Wissen, in: ZKTh 93 (1971) 309 ff; H. D. Betz, Das Verständnis der Apokalyptik in der Theologie der Pannenberg-Gruppe, in: ZThK 65 (1968) 257 ff; F. Hesse, Wolfhart Pannenberg und das Alte Testament, in: NZSTh 7 (1965) 174 ff; J. Moltmann, Theologie der Hoffnung, München ⁶1966, 67 ff; die Beiträge von G. Bornkamm, W. Zimmerli, R. Rendtorff, J. Moltmann, H. G. Geyer in: EvTh 22 (1962) 1–104; C. E. Braaten, History and Hermeneutics. New directions in theology today II, Philadelphia 1966; W. Weischedel, Von der Fragwürdigkeit einer philosophischen Theologie, in: EvTh 27 (1967) 113 ff; R. Wittram, Die Verantwortung des evangelischen Historikers in der Gegenwart, in: Im Lichte der Reformation (Jahrbuch des Evangelischen Bundes, V), Göttingen 1962, 26 ff.

liche Glaube auf die *philosophische* Frage nach der wahren Natur Gottes eingehen mußte und ihr bis heute Rede und Antwort stehen muß."[240] Der universale
Anspruch des Gottes Israels ist es also, der Philosophie und Theologie überhaupt zueinander in Beziehung setzt. Diese Beziehung hat den Charakter der
Herausforderung der Philosophie durch die Theologie bzw. der Verpflichtung
der Theologie durch die Philosophie. In ihrem herausfordernden Charakter
wird ihr *historischer* Anlaß, in ihrem verpflichtenden Charakter ihr *sachliches*
Fundament deutlich. Sachlich bestimmt Pannenberg das Verhältnis von Philosophie und Theologie folgendermaßen: Der Philosophie, die auf der ‚Suche‘
nach Gott ist und die ‚Frage‘ nach dem ‚wahren Gott‘ stellt, muß die Theologie
‚Rede und Antwort‘ stehen. Diese Antwort der christlichen Tradition ist ‚universal‘ und hat ‚verpflichtende‘ Kraft für ‚alle‘ Menschen, d. h., es ist Sache philosophischen Denkens, die ‚Frage‘ zu stellen, fragend der Theologie voranzuge-
hen, Sache der Theologie aber, auf diese Frage zu antworten, der Philosophie
Rede zu stehen und dabei die Philosophie wieder verpflichtend in Anspruch
zu nehmen. Diesem Begründungsverhältnis ist in seinen einzelnen Schritten
noch einmal nachzugehen.

Die ursprüngliche Frage der Philosophie ist nach Pannenberg nicht die Frage
nach Gott, sondern die Frage nach dem Menschen: „Was ist der Mensch?" Pannenberg selbst definiert den Menschen als ‚Offenheit‘, Offenheit über sich hinaus, ‚Welt-offenheit‘. In dieser Offenheit ist dem Menschen die Wirklichkeit
überhaupt fraglich, es geht ihm nach Pannenberg immer um die Gesamtheit
der Wirklichkeit und seiner selbst. In der Philosophie steht das „Ganze" auf
dem Spiel[241]. In ihr vollzieht sich „der Streit um das Wesen der Wirklichkeit"[242], der Streit um die „Einheit der Wahrheit"[243], der Streit um die „Einheit
von Vernunft und Glaube"[244]. Die Philosophie fragt nach der „Wirklichkeit
in ihrer Totalität"[245], nach dem „Ganzen des Geschehens"[246] und dem „Ganzen der Wirklichkeit"[247], nach dem Leben als „Ganzem"[248] und nach dem
„Ganzen menschlichen Daseins"[249]. Sie bestimmt den Menschen als ‚Selbst-
transzendenz‘ auf die „Gesamtwirklichkeit" hin[250].

---

[240] Grundfragen, 309; vgl. Grundfragen, 311.
[241] Grundfragen, 218: Pannenberg zitiert Hegel: „Das Wahre ist das Ganze"; vgl. Grundfragen,
110, 89, Anm. 19, 121, 149f.
[242] Grundfragen, 277; vgl. dazu auch H. Th. Goebel, Wort Gottes, 245.
[243] Grundfragen, 202ff; vgl. Grundfragen, 21, 208, 210, 222, 310.
[244] Grundfragen, 237ff.
[245] Vgl. Grundfragen, 27, 76, 126, 138, 141, Anm. 20; Nachwort, 131.
[246] Vgl. Offenbarung 17, 97; Grundfragen, 5, 67, 140, 149f; Christologie, 123.
[247] Vgl. Offenbarung, 5, 18, 89, Anm. 19, 109, 138, 195; Offenbarung, 18, 104.
[248] Grundfragen, 147; vgl. 146ff, 242.
[249] Vgl. Grundfragen, 148ff.
[250] Mensch, 26; vgl. Stellungnahme, 289, Anm. 2.

Die Struktur philosophischen Fragens bleibt zunächst auf diesen Vorgang des Transzendierens beschränkt. Die ‚Welt'-offenheit ist nicht ohne Vorbehalt als Gott-offenheit zu interpretieren. Aber tatsächlich haben sich die Philosophen zu allen Zeiten die Frage nach Gott gestellt. Das „Widerfahrnis der Wirklichkeit"[251] zwang nach Pannenberg immer wieder zu dem Versuch, über die bloße ‚Fraglichkeit' des Menschen hinauszugelangen und eine Antwort zu finden. Diese das Dasein tragende Wirklichkeit werde als das „Göttliche" erfahren, so z. B. von den Griechen die „ἀρχή"[252] als Ursprung der Wirklichkeit, des ‚Kosmos'. Vor allem aber entsprachen die Religionen den „universalen Sinndeutungen"[253] der angehenden Wirklichkeit. Sie verstanden das Verhältnis ihrer eigenen Wirklichkeit zum Ursprung aller Wirklichkeit als das zu ‚Gott'. Diesen universalen Anspruch, Grund aller Wirklichkeit zu sein, behaupten auch die Christen von ihrem biblischen Gott.

Das *Wirklichkeitsverständnis des Christentums* aber ist geprägt von einem besonderen Geschichtsbewußtsein. *Geschichte* ist ihm der umfassende Horizont aller Wirklichkeit und auch der Offenbarung Gottes. Die christliche Tradition gründet nach Pannenberg in diesen Fakten: die biblische Botschaft des AT ergeht in der Geschichte[254], Jesus ist eine historische Persönlichkeit[255], das gesamte NT ist durch sein Geschichtsbewußtsein geprägt[256]. Von daher hat Theologie Geschichtstheologie zu sein[257]. Alle Wirklichkeit wird so zum Denkmal dessen, daß Gott sich in Geschichte offenbart hat.

Mit diesem Anspruch tritt das Christentum in Konkurrenz mit anderen Weisen des Verstehens von Wirklichkeit, es hat sich mit den verschiedenen philosophischen und religionsgeschichtlichen Überlieferungen auseinanderzusetzen. Sein Anspruch muß sich an der ‚integrativen Kraft' seines Gottesbildes bewähren[258]. In diesem Konkurrenzkampf erweist sich nach Pannenberg die Gottheit des christlichen Gottes als die „Macht über alles"[259], die „Macht über alles Geschehen"[260], die ‚Macht über alle Wirklichkeit'[261]. Die Offenbarung Gottes geschieht als ‚Selbsterschließung', ‚Selbsterweis', ‚Selbsterscheinung' inmitten dieser Wirklichkeit. Sich unter die Bedingungen der Geschichte begebend, geht Gott aus ihr hervor als der „Herr aller Geschichte"[262].

Der christliche Offenbarungsbegriff vermag somit den Sinn von Wirklichkeit zu erschließen und auszusagen. Er bewährt sich „an der Welt- und Selbsterfah-

---

[251] Stellungnahme, 289, Anm. 2; vgl. Grundfragen, 379 ff.
[252] Christologie, 166; vgl. Grundfragen, 19, 203; Offenbarung, 98, 104.
[253] Grundfragen, 274; vgl. Nachwort, 132; Grundfragen, 7, 9, 122.
[254] Grundfragen, 16.   [255] Grundfragen, 77.   [256] Grundfragen, 28.
[257] Vgl. Grundfragen, 35, 36 f.
[258] Vgl. Christologie, 169; Grundfragen, 217, 244, 274; vgl. dazu H. Th. Goebel, Wort Gottes, 244 f.   [259] Stellungnahme, 297, 306.
[260] Stellungnahme, 306.   [261] Stellungnahme, 308.   [262] Ebd.

rung des Menschen"[263], „an den Phänomenen", deren Sinnstruktur [...] [er] erschließt"[264]. Ihrem Begriff nach hat die christliche Offenbarung nicht nur „universal entscheidende Bedeutung"[265], sondern eröffnet erst recht die „universalen Sinndeutungen" aller Wirklichkeit[266]. Von diesem Geschichtsverständnis her konnte das Christentum nach Pannenberg die Einheit aller Wirklichkeit, die Einheit des ‚Ursprungs der Welt' mit dem ‚Urheber des Heils' aussagen. „Nur so konnte der Gott der Geschichte als der Urheber der gesamten Wirklichkeit [...] auftreten und zugleich [das] Weltverständnis verwandeln."[267]

Pannenbergs Konzeption einer „Universalgeschichte", mit der er die Einheit von „Profan- und Heilsgeschichte" postuliert[268] – denn nach Pannenberg kann weder der Historiker ohne die Hypothese Gott auskommen[269] noch der Theologe ohne die Wirklichkeit als Geschichte –, läßt einige *Fragen* offen. Der universalgeschichtlichen Konzeption eignet der Charakter eines Totalitätsentwurfs, der Philosophie und Theologie einbegreift. Das gilt trotz der überlieferungsgeschichtlich und antizipatorisch vorläufigen, endlich vermittelten Struktur der Universalgeschichte. Abgesehen von der Frage, ob solche Totalitätsentwürfe der Entwicklung der neuzeitlichen Philosophie nicht geradezu entgegenlaufen, erscheinen die theologischen Konsequenzen bedenklich. Es ist höchst fragwürdig, ob sich die biblische Botschaft in einen solchen Geschichtsentwurf einbringen läßt, ob gar die Geschichte überhaupt letzter und umfassender Horizont der biblischen Offenbarung und damit tatsächlich das exklusiv adäquate Medium der Selbstoffenbarung Gottes ist. Wo läßt ein solcher Geschichtsbegriff noch Raum für die konkreten Erscheinungsformen der Geschichte, für den Unterschied von Profan- und Heilsgeschichte, für negative und positive Geschichte, für geschichtslose und geschichtsbildende Ereignisse, für die Freiheitsgeschichte der Menschen und die Freiheitsgeschichte Gottes? Und folgt nicht aus dem Begriff der Geschichte als dem einzigen und voraussetzungslosen Medium der Offenbarung die Reduzierung des Gottesbildes auf den Gott, der ‚Macht über alles' ist und sich in der Geschichte ausweisen muß? Ist das wahrhaft die Mitte der christlichen Botschaft von Gott? Bedeuten nicht vielmehr Bund, Verheißung, Liebe, Gerechtigkeit und Treue Gottes die Mitte dieser Botschaft? Und sind nicht gerade sie geschichtsbildende Wirklichkeiten, an denen nicht zuletzt auch der ‚Geschichtsbegriff' Pannenbergs zu korrigieren wäre? Und impliziert Pannenbergs Argumentationsreihe: „Gott offenbart sich in der Geschichte"[270], er offenbart „durch die Geschichte seine Gottheit"[271], „[s]o

---

[263] Grundfragen, 8.   [264] Ebd.   [265] Grundfragen, 126.
[266] Grundfragen, 274.   [267] Jesus, 169.
[268] Stellungnahme, 315 ff, Anm. 24; vgl. Grundfragen, 47.
[269] Vgl. Grundfragen, 75 ff.
[270] Stellungnahme, 323.   [271] Ebd.

erweist der kontingent [in der Geschichte] handelnde Gott sein Wesen"[272], der Gott Israels ist „erst im Laufe der von ihm gewirkten Geschichte zu dem einen wahren Gott aller Menschen geworden"[273], „[a]us der Zuordnung des Offenbarwerdens Gottes zum Ende der Geschichte ergibt sich die Konsequenz, daß der biblische Gott in gewissem Sinne selbst eine Geschichte hat [...] – sonst wäre es [das Offenbarungsgeschehen] nicht Offenbarung seines Wesens"[274], „[d]as Wesen Gottes, obwohl von Ewigkeit zu Ewigkeit dasselbe, hat in der Zeit eine Geschichte"[275], impliziert diese Argumentationsreihe nicht einen unlösbaren Zusammenhang von Gott und Geschichte, so daß Gott, auf die Vermittlung durch Geschichte angewiesen, nur *ist* als der sich in der Geschichte offenbarende? „Gott ist in gewissem Sinn die Geschichte; oder wenigstens er ist per definitionem in der Geschichte, wo historische Methode ihn finden kann."[276]

Letztlich bleibt also die Frage offen, ob bei Pannenberg die Geschichte nicht nur zum Grund der Wirklichkeit der Welt und des Menschen, sondern auch Grund der Wirklichkeit Gottes geworden ist.

2.3.3   Die Auferstehung Jesu

Die Auferstehung bildet bei Pannenberg die Mitte des christologischen Entwurfs[277]. Auf ihr als ontologischer und gnoseologischer Grundlage ruht nach Pannenberg jede Christologie[278]. Von der Auferstehung her erarbeitet Pannen-

---

[272] Grundfragen, 337.   [273] Offenbarung, 97.   [274] Ebd.   [275] Ebd.

[276] W. Hamilton, Die Eigenart der Theologie Pannenbergs, in: Theologie als Geschichte, a.a.O. 237; vgl. auch H. Th. Goebel, Wort Gottes, 253ff; J. Moltmann, Theologie, 68. Pannenberg hat auf ähnliche Fragen schon einmal geantwortet. Er nennt es „irreführend", zu sagen, „die Geschichte offenbare Gott" (Stellungnahme, 315ff, bes. 323). Es ist nur die Frage, ob man ihm solche Aussagen unterschoben hat oder ob Pannenberg angesichts der obigen Argumentationsreihe nicht selbst Anlaß zu solcher ‚Irreführung' gegeben hat.

[277] Zur Darstellung und Kritik der Auferstehungstheologie vgl. U. Asendorff, Gekreuzigt und Auferstanden. Luthers Herausforderung an die moderne Christologie (Arbeiten zur Geschichte und Theologie des Luthertums, 25), Hamburg 1971, 195ff; A. Geense, Auferstehung und Offenbarung. Über den Ort der Frage nach der Auferstehung Jesu Christi in der heutigen deutschen evangelischen Theologie (Forschungen zur systematischen und ökumenischen Theologie, 27), Göttingen 1971, 102ff, 189ff; W. Kreck, Zum Verständnis des Todes Jesu, in: EvTh 28 (1968) 277ff; U. Kühn, Das Problem der zureichenden dogmatischen Begründung der christlichen Auferstehung, in: KuD 9 (1963) 16ff; B. Klappert, Diskussion um Kreuz und Auferstehung, Wuppertal 1967, 233ff; H. G. Geyer, Die Auferstehung Jesu Christi, in: W. Marxsens – U. Wilckens – G. Delling – H. G. Geyer, Die Bedeutung der Auferstehungsbotschaft für den Glauben an Jesus Christus. Ein Überblick über die Diskussion in der gegenwärtigen Theologie (Schriftenreihe des Theologischen Ausschusses der EKU), Gütersloh 1966, 91ff. Vgl. Autoren in Anm. 43, 239.

[278] Christologie, 134ff; vgl. Christologie, 127f; Grundfragen, 155ff; Auferstehung, 105, 107.

berg seine „Neubegründung der Christologie"[279], die er in „Grundzüge der Christologie" vorlegt[280]. Die Christologie wiederum versteht er als die „Verdeutlichung und Bewährung"[281] seines philosophischen und theologischen Gesamtprogramms.

Die Christologie beschreibt er als den „Versuch, die ontologischen, erkenntnistheoretischen und geschichtsphilosophischen Implikationen der eigenartig antizipatorischen Struktur des Auftretens und Geschickes Jesu von Nazareth zu bedenken, anläßlich einer philosophischen Situation, deren eigene Probleme auf derartige Lösungen zu konvergieren scheinen"[281a]. Im Vorwort benennt Pannenberg sein Verfahren ausdrücklich: er erstellt seine Christologie auf dem Boden der „geschichtstheologischen Konzeption"[282], die sich ihrerseits an dem so gewonnenen Christusverständnis „bewähren" muß. Erst in solcher Bewährung wird das Recht der geschichtstheologischen Fragestellung überhaupt begründet. Auch die fundamentale Aussage Pannenbergs, die „Offenbarung Gottes" sei „aus ihrer historischen Erscheinung" erkennbar, muß sich an jenem Christusverständnis bewähren, d. h. am historischen Jesus. Zu einer historisch fundierten Christologie bedarf es nach Pannenberg „ontologischer" und „erkenntnistheoretischer" Voraussetzungen[283], zum einen daß „die Geschichte Jesu ihren Sinn in sich selber trägt"[284], zum anderen daß die dieser Geschichte „eigene Bedeutsamkeit"[285] auf die „universale Sinnintention" „alles Wirlichen" und „aller Wahrheit" ausgreift[286]. Das Verhältnis dieser Voraussetzungen ist also das von ‚Faktum' und ‚Bedeutung' in seinem universalgeschichtlichen Konzept. Unter diesen Voraussetzungen hat das Christusgeschehen für Pannenberg „universalen" und „eschatologischen" Charakter[287]. Die Bedeutsamkeit des Christusgeschehens geht nach Pannenberg in vollem Umfang nur auf, wo es im Horizont der jüdischen Überlieferungsgeschichte gesehen und durch die „gegenwärtige Reflexion" vermittelt wird[288]. Dieser Abriß der christologischen Arbeit Pannenbergs macht deutlich, daß Auferstehung und Christologie sogar bis in die Terminologie hinein in sein Gesamtanliegen eingefügt sind.

Die Einordnung der Christologie in ihren philosophischen und theologischen Kontext folgt bei Pannenberg aus dem Verständnis des Christusgeschehens

[279] Christologie, 9 (Vorwort).
[280] W. Pannenberg, Grundzüge der Christologie, Gütersloh 1964.
[281] Christologie, 10.
[281a] Grundfragen, 151–152.
[282] Grundfragen, 151–152.
[283] Christologie, 9.
[284] Christologie, 10.
[285] Ebd.   [286] Ebd.
[287] Christologie, 10f; vgl. Christologie, 43, 69, Anm. 1, 106ff.
[288] Christologie, 11.

selbst, das sich für ihn in großen „Überlieferungszusammenhängen" konstituiert. Es ist also nicht ein „isoliertes Faktum", sondern steht in einem es aufschließenden Kontext. Dieser Kontext ist für Jesus zunächst die „israelitische Tradition"[289], darüber hinaus brachte Jesus nach Pannenberg kaum etwas „völlig Neues"[290]. Was aber der Gott Israels und damit Jesus bedeuten, kann nur innerhalb des „religionsgeschichtlichen" Zusammenhangs und des „religiösen Phänomens" überhaupt in den Blick kommen[291]. Schließlich geht erst in der philosophisch-menschlichen Gottesfrage die Bedeutsamkeit Jesu und seiner alles überbietenden Gottheit vollends auf[292].

Welchen Ort aber hat nach Pannenberg *Jesus in dem* genannten *Überlieferungszusammenhang,* und wie gewinnt er in der Krisis aller überkommenen Gestalten seine eigene und einzigartige Kontur? Jesus bringt die Erfüllung aller bisher vorhandenen Gottesvorstellungen[293], indem er diese aufnimmt, sich ihnen einordnet und sie gleichzeitig weiterführt; in dieser integrativen Kraft zeigt sich Jesu Göttlichkeit.

Die jüdische Überlieferung richtete ihre Aufmerksamkeit immer stärker auf die kommende ‚Gottesherrschaft', die ‚Nähe Gottes', das ‚eschatologische Mahl', das ‚entscheidende Endhandeln' und die damit korrespondierende ‚eschatologische Hoffnung', wie sie sich in den apokalyptischen Erwartungen niederschlug[294]. In diese von ‚Prophetie' und ‚Apokalyptik' geprägte ‚proleptische' Traditionskette trat Jesus ein[295]. Ja das Christusgeschehen hat seinem Grundzug nach selbst „proleptische Struktur"[296]. Die Erwartungen auf die nahe Zukunft Gottes, die Jesus bei den Menschen weckte, wäre aber enttäuscht worden, wenn ihre ‚Erfüllung' in einem überzeugenden eschatologischen Ereignis ausgeblieben wäre. Jesu Gottheit hat sich gerade darin erwiesen, daß mit ihm das eschatologische Ereignis eintrat. Nur im Zusammenhang der Prolepse und ihrer Erfüllung konnte sich also nach Pannenberg Jesu Gottheit im biblischen Umkreis bewähren.

Ähnlich erfüllt Jesus Pannenbergs philosophisch-theologisch gewonnenen Begriff von Gott und Offenbarung. Aus seinem Gedanken der ‚Selbstoffenbarung'[297] Gottes folgt, daß sie im Grunde ‚einzig' und ‚endgültig' sein muß. Es ist daher verständlich, daß Jesus, in dem Gott sich selbst offenbart, mit dem Anspruch der ‚Einzigkeit' und ‚Endgültigkeit' aufgetreten ist[298]. Als das eine geschichtliche Ereignis war Jesus aber auch die einzige Selbstoffenbarung Gottes, und insofern dieses konkrete und kontingente Ereignis ‚eschatologischen',

---

[289] Ebd.; vgl. Grundfragen, 89, Anm. 19; Jesus, 142.
[290] Jesus, 142.   [291] Jesus, 139.   [292] Jesus, 141.
[293] Jesus, 142f; vgl. Offenbarung, 103.   [294] Jesus, 145; Christologie, 55ff.
[295] Jesus, 146.   [296] Grundfragen, 236; Christologie, 57ff.   [297] Jesus, 158.
[298] Jesus, 158; vgl. Jesus, 152; Offenbarung, 106, 99ff; Christologie, 127f.

das ‚Ende‘ antizipierenden Charakter hat – denn Jesus kündigte in seiner Person das nahe Ende an –, war diese Selbstoffenbarung „endgültig"[299]. In Jesus erfüllten sich auch die anderen Bedingungen der Offenbarung Gottes. Denn als historisches Ereignis ist die Offenbarung Jesu „historischer Erkenntnis" zugänglich[300]. Überdies wird die Erkenntnis der eschatologischen Erwartungshaltung Jesu Anlaß, zu „vertrauen" und zu „glauben"[301]. Erst wo menschliches Denken alle diese philosphisch-theologischen Grundpostulate anerkennt, kann ihm Jesus nach Pannenberg als ‚Schöpfer‘ bzw. ‚Urheber‘ und zugleich als ‚Eschaton‘ der Welt aufgehen[302]. In Jesus, in dem Gott so seine ‚Allmacht‘ erweist, konnten nach Pannenberg die Philosophen ihren Gott der Schöpfungswirklichkeit mit dem Gott der Geschichte Israels versöhnen und akzeptieren[303]. Pannenberg faßt zusammen: „Das ist bis heute das einzige Kriterium für die Wahrheit der Offenbarung Gottes in Jesus von Nazareth, daß sie sich nachträglich immer wieder bewahrheitet an der Erfahrung der Wirklichkeit, in der wir leben. Solange das Ganze der Wirklichkeit von Jesus her tiefer und überzeugender verständlich wird als ohne ihn, so lange bewahrheitet sich uns in unserer alltäglichen Erfahrung und Erkenntnis zu unserem Teil, daß in Jesus der schöpferische Ursprung aller Dinge offenbar ist."[304]

Dieses Ergebnis der Christologie Pannenbergs gründet in seiner ‚Logik der Antizipation‘, die sowohl für den biblischen wie den philosophischen Zusammenhang entscheidend war. Mit dem Begriff der Antizipation meint Pannenberg eine grundlegende Aporie der Neuzeit überhaupt in den Griff zu bekommen. Es könnte sich der „apokalyptische Grundzug des Auftretens und Geschickes Jesu durch seine antizipatorische Struktur [...] als Schlüssel zur Lösung einer Grundfrage philosophischer Reflexion in der nachhegelschen Problemsituation erweisen, die noch immer die unsere zu sein scheint: An der Geschichte Jesu ließe sich eine Antwort gewinnen auf die Frage, wie ‚das Ganze‘ der Wirklichkeit und ihrer Bedeutung gedacht werden kann unbeschadet der Vorläufigkeit und geschichtlichen Relativität alles Denkens sowie der Offenheit der Zukunft für den Denkenden, der sich erst auf dem Wege und noch nicht am Ziele weiß"[305]. An der Geschichte Jesu läßt sich demnach für Pannenberg das Desiderat einer „Universalgeschichte" verifizieren[306].

---

[299] Jesus, 160; vgl. Jesus, 158; Offenbarung, 104f; Christologie, 29f, 322; Grundfragen, 158, 199.
[300] Jesus, 161.   [301] Jesus, 166.   [302] Jesus, 168.
[303] Ebd.; vgl. Jesus, 169.   [304] Jesus, 169.
[305] Grundfragen, 158; vgl. Grundfragen, 39, Anm. 19, 121, 126, 153. Von der Christologie her lassen sich die Fragen oben (s. S. 113) lösen: die der „Kontingenz" (Christologie, 29f), die von „Faktum" und „Bedeutung" (Christologie, 43), die der Geschichte als „Überlieferungsgeschichte" (Christologie, 43) und die der „Universalität" (Christologie, 43).
[306] Offenbarung, 106; vgl. Grundfragen, 44, 47, 222, 236.

Am konkreten Gang der geschichtlichen Offenbarung in Jesus Christus will Pannenberg die Grundlagen seiner *Christologie, ihre „proleptische" Strukturverfassung,* ausweisen[307].

Die proleptische Struktur des Werks und der Person Jesu faßt Pannenberg in die Begriffe des „Vollmachtsanspruchs"[308] Jesu und der göttlichen „Bestätigung" dieser Vollmacht[309]. Es ist die Auferstehung, die diese ‚Bestätigung' leistet, und als solcher eignet ihr zentrale Bedeutung. Nur am Geschehen der Auferstehung läßt sich der Begriff von Gott und Offenbarung endgültig bestimmen: „Das Christusgeschehen ist nur insofern Offenbarung Gottes [...], als es den Anbruch des Endes aller Dinge bringt. Darum ist die Auferweckung von den Toten, in der sich das allen Menschen bevorstehende Ende an Jesus im voraus ereignet hat, das eigentliche Offenbarungsgeschehen. Nur wegen der Auferstehung Jesu, nämlich weil dieses Geschehen der Anbruch des allen Menschen bevorstehenden Endes ist, kann von Selbstoffenbarung Gottes in Jesus Christus gesprochen werden. Ohne das Ereignis der Auferweckung Jesu wäre dem theologischen Reden von einer Selbstoffenbarung Gottes in Jesus Christus der Boden entzogen."[310] Von diesem endzeitlichen Ereignis her legt Pannenberg also das irdische Leben Jesu ‚proleptisch' aus[311].

Wie geschieht das näherhin? Pannenberg macht mit dem „historischen Jesus" ernst[312]. Er zitiert E. Käsemann und stellt sich damit in die Reihe derjenigen, die die Frage nach dem historischen Jesus post Bultmann neu aufgeworfen haben: „Nur wenn die Verkündigung Jesu entscheidend mit der Verkündigung von Jesus zusammenfällt, ist es verständlich, tragbar und notwendig, daß das christliche Kerygma im NT die Botschaft Jesu verdeckt, ist der Auferstandene der historische Jesus. Von da aus sind wir gerade auch als Historiker gefordert, hinter Ostern zurückzufragen. Wir werden dabei dessen innewerden, ob er hinter dem Wort seiner Kirche steht oder nicht, ob das christliche Kerygma ein von seinem Wort und von ihm selbst ablösbarer Mythos ist oder uns geschichtlich und nicht lösbar an ihn bindet."[313] Käsemann geht es hier um die Kontinuität vom ‚historischen Jesus' zum ‚kerygmatischen Christus', und er sieht diese Kontinuität in dem ‚Entscheidungsruf', den der historische Jesus wie der kerygmatische Christus gleichermaßen bedeuten, gewahrt. Pannenberg greift diese

---

[307] Siehe o. S. 139.
[308] Christologie, 47ff; vgl. Christologie, 106ff.
[309] Christologie, 57ff; vgl. Christologie, 61.
[310] Christologie, 127.
[311] Vgl. Christologie, 143; Grundfragen, 201.
[312] Christologie, 15ff.
[313] Christologie, 49–50 (Pannenberg zitiert E. Käsemann, Probleme neutestamentlicher Arbeit in Deutschland, in: Die Freiheit des Evangeliums und die Ordnung der Gesellschaft, 1952, 151). Vgl. E. Käsemann, Das Problem des historischen Jesus, in: ZThK 51 (1954) 125ff.

Frage auf, rückt sie jedoch in eine neue Dimension, indem er den christologisch zu kurz greifenden Begriff des historischen Jesus als ‚Entscheidungsruf' in einen ‚Vollmachtsanspruch' auslegt, dessen göttliche ‚Bestätigung' noch aussteht. Entscheidend ist also für Pannenberg der nicht endgültige Charakter der Verkündigung Jesu und damit die ‚proleptische' Struktur des Vollmachtsanspruches, denn „der Anspruch Jesu bedeutet eine Vorwegnahme einer erst von der Zukunft zu erwartenden Bestätigung"[314]. In diesem Zusammenhang führt Pannenberg etwa Lk 12,8 an: „Ich sage euch aber, wer sich zu mir bekennt vor den Menschen, zu dem wird sich der Menschensohn bekennen vor den Engeln Gottes."[315] Aufgrund der Unterscheidung Jesu vom Menschensohn ist ihm dieser Spruch als vorösterlich gesichert, und er interpretiert diesen Entscheidungsruf als Anspruch Jesu an die Menschen, sich vor ihm zu bekennen, welches Bekenntnis von dem noch ausstehenden, grundlegenden Urteil des kommenden Menschensohns unterfangen wird. Die proleptische Struktur des Vollmachtsanspruchs Jesu entspricht so der prophetisch-apokalyptischen Zukunftsschau, die hier und jetzt in die Entscheidung ruft, deren Gültigkeit aber noch der künftigen Bewährung und Erfüllung harrt.

Jesus stand mitten in der eschatologisch-apokalyptischen Situation des Judentums[316]. Dieser eschatologische Erwartungshorizont, der zur Zeit Jesu die Situation kennzeichnete, ist nach Pannenberg im Grunde für den heutigen Menschen gleichfalls bestimmend[317]. Ja erst im Kontext eines umfassenden menschlichen Erwartungshorizontes wird das, was Auferstehung ist und meint, verständlich; denn „die Auferstehungserwartung muß schon vorausgesetzt sein, als traditionell gegebene oder als anthropologisch, philosophisch zu begründende Wahrheit, wenn man von der Auferweckung spricht. Daß diese Erwartung an Jesus schon Ereignis geworden ist, kann rückwirkend die Wahrheit der Erwartung erhärten, sie aber nicht begründen."[318] Pannenberg bringt diese Erwartung auf die Formel ‚Weltoffenheit', die, christlich als ‚Gottoffenheit' interpretiert, alle Erwartungshorizonte der Welt und des eigenen Lebens übersteigt und in ‚transmortale Bereiche' transzendiert[319]. Das aber ist die Chance der Verkündigung der Auferstehungsbotschaft, da sie „von Voraussetzungen heutigen Denkens her keineswegs als sinnlos erscheinen muß, sondern vielmehr als sachgemäßer Ausdruck der menschlichen Bestimmung zu begründen ist"[320].

---

[314] Christologie, 52–53.
[315] Christologie, 53 f.
[316] Vgl. Christologie, 62 u. ö.
[317] Vgl. Auferstehung, 113 ff.
[318] Christologie, 77.
[319] Vgl. Offenbarung, 101, Anm. 14; Christologie, 81 ff, 197; Grundfragen, 221.
[320] Christologie, 84.

Wurden bislang das Verhältnis der Christologie zum universalgeschichtlichen Programm Pannenbergs und das der Christologie zur Auferstehung behandelt, so gilt es im folgenden das so durch die Christologie gestiftete Zueinander von *Auferstehung und Universalgeschichte* bei Pannenberg näherhin zu analysieren. Die Auferstehung ist die Erfüllung und Bestätigung schlechthin. Deshalb kann Pannenberg sie als das „eigentliche Offenbarungsgeschehen"[321] bezeichnen. Denn in der Auferstehung wird der Vollmachtsanspruch des irdischen Jesus ,begründet'[322], ,bewährt'[323] und ,bestätigt'[324], sie führt die prophetischen und apokalyptischen Zukunftserwartungen der Juden an ihr Ziel[325], in ihr findet die Hoffnung der Menschheit auf ein jenseitiges Leben ihre Erfüllung[326], sie bildet die Basis der Christologie[327] und bringt den „Erweis" dessen, was Jesus tatsächlich ist und war[328].

Als Erweis dessen, was Jesus ist und war, hat Auferstehung geschichtlichen Charakter. Diese für seine Konzeption entscheidende These ist an der vierfach ausgefalteten Bewegung des einen Geschehens, das der mit einem Vollmachtsanspruch auftretende Jesus und dessen göttliche Bestätigung durch die Auferstehung sind, einzuholen.

Eine Christologie muß nach Pannenberg „von dem Vollmachtsanspruch Jesu her" konzipiert werden[329]. Doch genügt es nicht, diesen Vollmachtsanspruch im irdischen Jesus „allein"[330] zu begründen. Der Vollmachtsanspruch bedeutet eine gewisse „Vorwegereignung"[331] der tatsächlichen Wirklichkeit Jesu. Aber „[d]ie Einheit Jesu mit Gott ist noch nicht durch den in seinem vorösterlichen Auftreten implizierten Anspruch begründet, sondern erst durch seine Auferweckung von den Toten"[332]. Allerdings ist es auch nicht die Auferstehung „allein"[333], die die Göttlichkeit Jesu erweist, sondern beides, der irdische Vollmachtsanspruch und die Bestätigung durch die Auferstehung, konstituiert das Offenbarungsgeschehen Jesu[334]. Der Vollmachtsanspruch versetzt in die escha-

---

321 Christologie, 127; vgl. Auferstehung, 105.
322 Christologie, 47.
323 Christologie, 57ff.
324 Vgl. Christologie, 61, 62, 69, 130, 160, 252; Offenbarung, 92, 141; Grundfragen, 199; Auferstehung, 108.
325 Vgl. Christologie, 62ff, 65ff, 69ff; Offenbarung, 92, 107, 141f; Grundfragen, 20, 236.
326 Vgl. Christologie, 210ff, 79ff; Offenbarung, 103f.
327 Christologie, 69; vgl. Christologie, 22.
328 Christologie, 69; vgl. Offenbarung, 92.
329 Christologie, 130.
330 Christologie, 61.
331 Christologie, 56, 59.
332 Christologie, 47.
333 Christologie, 134.
334 Vgl. Christologie, 135, 62f.

tologische Erwartung, er stellt in den Horizont des Endgeschehens. Die Auferstehung bewährt diesen Anspruch, sie vermittelt erst die volle Erkenntnis in ihn und in die tatsächliche Vollmacht Jesu. Sie ist aber nicht nur Erkenntnisprinzip der Christologie, sondern indem sie die „Macht"[335] Jesu über das Leben offenbart, ist sie selbst ‚ontische' Wirklichkeit und stellt das Christusgeschehen als ontisches Geschehen heraus. Die Auferstehung hat für die Geschichte Jesu „rückwirkende"[336] Bedeutung, indem sie offenbart, was Jesus in Wirklichkeit ist und war.

Die Auferstehung bildet so die Mitte der Theologie und Christologie Pannenbergs, ihren Angelpunkt. „Der hier versuchte Entwurf der Christologie, der das Interesse am Werden der gottmenschlichen Einheit im irdischen Wege Jesu (mit anderen) teilt [...], unterscheidet sich (von anderen Entwürfen) dadurch, daß der Bestätigungssinn der Auferweckung Jesu mit der ihm rückwirkenden Kraft als Angelpunkt für die Erkenntnis der Person Jesu verstanden wird. Dadurch ist es einerseits ermöglicht, die Tatsache zu würdigen, daß traditionsgeschichtlich erst die Auferstehung Jesu den Ausgangspunkt für die Erkenntnis seiner Einheit mit Gott bildete. Andererseits aber macht der rückwirkende Sinn der Auferstehung als Bestätigung des vorösterlichen Auftretens und Anspruchs es möglich, das, was von der Auferstehung her wahr ist, als wahr für die Totalität der Person von Anfang an zu begreifen."[337] Dieser Einsicht entsprechend sind die „Grundzüge der Christologie" aufgebaut[338]. Der I. Teil handelt von der „Erkenntnis der Gottheit Jesu", die Begründung dieser Erkenntnis wird in der vorangehenden Erörterung aus der Auferstehung geleistet[339]. Die Auferstehung macht die Gottheit Jesu „offenbar"[340]; sie führt aber auch in die Wirklichkeit Jesu ein, ist „ontologisches"[341] Geschehen, ist „Christologie". Der II. Teil schaut zurück auf den Menschen Jesus und erhellt aus der Offenbarung die Erfüllung „der Bestimmungen des Menschen in Jesus"[342]. Jesus hat „universale Bedeutung für uns"[343], er ist der „eigentliche Mensch"[344], unser „Repräsentant"[345].

In ihrer rückwirkenden Bedeutung für die Geschichte Jesu ist die Auferstehung Element dieser Geschichte und der „Geschichte" überhaupt. Als solche aber ist sie das eschatologische „Endgeschehen"[346]. „Wenn Jesus auferweckt

---

[335] Christologie, 43, 64.   [336] Vgl. Auferstehung, 116, 108.
[337] Christologie, 317; vgl. Auferstehung, 106f, 116.
[338] Vgl. Christologie, 22ff, 47.   [339] Vgl. Christologie, 47ff.
[340] Christologie, 47, 64; vgl. Grundfragen, 16, 76; Offenbarung, 11.
[341] Vgl. Christologie, 134ff, 169, Anm. 128, 317.
[342] Vgl. Christologie, 43.   [343] Ebd.   [344] Christologie, 211, 43.
[345] Christologie, 202; zur Frage des Verhältnisses von Christologie und Soteriologie, vgl. Christologie, 41ff.
[346] Vgl. Grundfragen, 153, 156, 173, 220, 235; Christologie, 69.

ist, dann ist das Ende der Welt angebrochen."[347] Aber erst von dem Ende der Geschichte her kommt Geschichte zu ihrem Ziel; die Auferstehung ist deshalb *das* eminente Ereignis der Geschichte[348]. In diesem eschatologischen Ereignis ist die „Selbstoffenbarung" Gottes Wirklichkeit geworden[349]; in dem Endgeschehen der Auferstehung gelangt sie zur „Endgültigkeit"[350]. Die Auferstehung bewahrheitete weiterhin die von Pannenberg aufgewiesene Struktur aller Wirklichkeit, ihren ‚proleptischen' Charakter[351]. Denn die Auferstehung hat nach Pannenberg nur Sinn innerhalb einer ‚proleptisch' verfaßten, auf die Endzeit vorlaufenden Geschichte. Dann aber hat sie für alle Geschichte gültige Bedeutung, „universalen" Charakter; ihr Horizont ist die ‚Universalgeschichte'[352]. Innerhalb dieses universalen Zusammenhangs von Geschichte kann Pannenberg die Auferstehung auch ein „historisches" Ereignis nennen[353]. Allerdings müssen dieser Zusammenhang und seine besondere Bedeutung immer mitgesehen werden, um Pannenbergs Intention nicht mißzuverstehen: „In diesem Sinne also wäre die Auferweckung Jesu als ein historisches Ereignis zu bezeichnen: Wenn die Entstehung des Urchristentums, die, abgesehen von anderen Überlieferungen, auch bei Paulus auf Erscheinungen des auferstandenen Jesus zurückgeführt wird, trotz aller kritischen Prüfung des Überlieferungsbestandes nur verständlich wird, wenn man es im Lichte der eschatologischen Hoffnung einer Auferstehung von den Toten betrachtet, dann ist das so Bezeichnete ein historisches Ereignis, auch wenn wir nichts Näheres darüber wissen. Als historisch gesehen ist dann ein Ereignis zu behaupten, das nur in der Sprache der eschatologischen Erwartung aussagbar ist."[354]

Mit dieser Interpretation der Auferstehung als eines historischen Ereignisses schließt sich die Konzeption Pannenbergs zu einem stimmigen Ganzen. Sie bildet gleichsam deren Schlußstein. Und doch wird gerade von hier her die Stimmigkeit des Ganzen fraglich. Hält Pannenberg seine Redeweise von Historie und Geschichte tatsächlich durch, oder wird an seiner besonderen Redeweise von Auferstehung als historischem Ereignis erst recht eigentlich deutlich, was Pannenberg unter historisch versteht und immer schon verstanden wissen wollte?

Fragen wir zunächst noch einmal, was ‚Historie' und ‚historisch' im Zusammenhang der Auferstehung bedeuten. Was ist ‚historisch' an der Auferstehung?

---

[347] Christologie, 62; vgl. Christologie, 64; Grundfragen, 156; Offenbarung, 103.
[348] Grundfragen, 157, 176.   [349] Christologie, 127.
[350] Christologie, 64.   [351] Christologie, 104f.
[352] Vgl. Christologie, 65, 66, 43.
[353] Vgl. Auferstehung, 109ff, 111f; vgl. die gegenüber Christologie, 85ff, differenzierenden Aussagen in Auferstehung, 112f; vgl. Stellungnahme, 336ff; Jesus, 148, 163.
[354] Christologie, 95; vgl. Grundfragen, 16.

Pannenberg setzt zunächst die Gewißheit der Apostel, der erhöhte Herr sei ihnen erschienen, als historische Tatsache an, an der niemand zweifeln kann. Er folgert daraus die Historizität der Auferstehung, da die Gewißheit der Apostel ihren konkreten, objektiven Anlaß haben mußte. „In diesem Sinne wäre die Auferstehung Jesu auch als ein historisches Ereignis anzusehen, nämlich so, daß die Jünger Jesu von einer ihnen widerfahrenen Wirklichkeit überwältigt wurden, für die nicht nur sie, sondern auch wir keine andere Erklärung und daher keine andere Bezeichnung haben als die gleichnishafte Rede von einer ‚Auferstehung von den Toten‘."[355] ‚Historisch‘ ist also nicht primär das Ereignis der Auferstehung selbst, davon können wir nur ‚gleichnishaft‘ reden, sondern das Ankommen dieses Ereignisses bei den Jüngern, in das es sich auslegt[356].

Auferstehung ist für Pannenberg also konstituiert durch ein ‚Geschehen‘ und die ‚Interpretation‘ dieses Geschehens, wobei die Interpretation des Geschehens als (faktisch) geschehen und das Geschehen nur gleichnishaft oder interpretierend aussagbar sind. Bei Pannenberg verhält sich das Zueinander von Auferstehung als Ereignis in sich und Auferstehung als Ereignis für die Jünger als umgekehrt proportional zum Zueinander des gleichnishaften und wörtlichen Sprechens von Auferstehung. Die darin sich ausdrückende Paradoxie ist in der Sache selbst begründet, und jedes Sprechen von Auferstehung muß in die Logik dieser Paradoxie einsteigen. Pannenberg jedoch löst diese Paradoxie auf bzw. überspringt sie[357]. Er löst die Paradoxie auf, indem er von der Historizität der in einem konkreten Anlaß begründeten Gewißheit der Jünger auf die „historische" „Faktizität"[358] der Auferstehung als „Ereignis" in sich zurückschließt[359]. Damit führt Pannenberg die oben aufgestellte Verhältnisbestimmung umge-

---

[355] Grundfragen, 221–222; vgl. Auferstehung, 110; vgl. I. Berten, Geschichte, 43 ff.

[356] Vgl. Auferstehung, 111.

[357] Das Auflösen bzw. Überspringen der Paradoxie entspricht den beiden verschiedenen Zusammenhängen, in denen Pannenberg auf das Ereignis der Auferstehung zu sprechen kommt. Diese Zusammenhänge sind getrennt und je in sich zu bewerten. Zum einen versucht Pannenberg, die Auferstehung als „historisches Ereignis" herauszustellen; in diesem Zusammenhang findet der „historische Rückschluß" (vgl. I. Berten, Geschichte, 96) seine Anwendung; vgl. Christologie, 85 ff; bes. 95 ff; Christologie, 103; Nachwort, 135 f; Stellungnahme, 324 ff. Zum anderen reflektiert Pannenberg auf das Geschehen der Auferstehung in sich als „absolute Metapher" (Christologie, 189); hier ist kein „Schlußfolgern" (Christologie, 186; vgl. Grundfragen, 186 ff), sondern nur ein „metaphorisches" bzw. „doxologisches" Reden angebracht; vgl. Christologie, 185 ff, 70 ff; Grundfragen, 199 ff; vgl. Nachwort, 137 f (aus einem Brief an I. Berten vom 16. 12. 1968); Auferstehung, 113, 114. Im ersten Fall des historischen Rückschlusses ‚löst aber Pannenberg die genannte Paradoxie auf‘; im letzten ‚überspringt‘ er sie.

[358] Vgl. Grundfragen, 125; Nachwort, 136, 139.

[359] Zur Terminologie vgl. Christologie, 86; Pannenberg hält 1 Kor 15 für einen „Zeugenbeweis für die Tatsächlichkeit der Auferstehung", für einen „historischen Nachweis". Christologie, 95, Anm. 97 wendet er sich gegen Conzelmann, der sagt, die „Historie" könne die „Faktizität der Auferstehung" nicht erweisen. Vgl. Nachwort, 136; Stellungnahme, 337, 338, Anm. 47.

kehrter Proportionalität auf eine direkte und eindeutige Zuordnung bzw. Gleichung zurück[360]. Pannenberg überspringt diese Paradoxie und den ersten Versuch ihrer Auflösung, indem er die Auferstehung zu *einem* Fall seiner universalgeschichtlichen Konzeption macht[361]. Die Paradoxie der Auferstehung, die uns Indikator ihrer Einzigartigkeit ist, verallgemeinert Pannenberg zum Konstitutionsgesetz eines jeden historischen Ereignisses[362]. Denn, so

---

[360] Die Auflösung des paradoxen Geschehenscharakters der Auferstehung in eine direkte Aussageweise wird etwa an der Behauptung Pannenbergs deutlich: „Wenn wir auf den Begriff eines historischen Ereignisses hier verzichten würden, dann ließe sich überhaupt nicht mehr behaupten, daß die Auferweckung Jesu bzw. die Erscheinungen des auferweckten Jesus in dieser unserer Welt zu bestimmter Zeit wirklich geschehen sind. Es gibt keinen Rechtsgrund, die Auferweckung als ein wirklich geschehenes Ereignis zu behaupten, wenn sie nicht historisch als solche zu behaupten ist" (Christologie, 96); vgl. Nachwort, 135f, 137 (aus einem Brief an I. Berten vom 16. 12. 1968); Auferstehung, 109. Dieser Behauptung liegt ein einliges Verständnis von Wirklichkeit und Geschehen zugrunde.

[361] Pannenberg weiß um die „Paradoxie" theologischer Aussagen (Christologie, 157, 185, 312f) und der Auferstehung (Offenbarung, 143). Sie tritt als „unumgänglicher Ausdruck der eschatologischen Offenbarung im Geschick Jesu von Nazareth", also des Göttlichen in der Geschichte, auf (Christologie, 157). Doch sind paradoxe Aussagen nur „anscheinend widersprüchliche Vorstellungen" (Christologie, 185). Ihre Widersprüchlichkeit wird einsehbar von der „Notwendigkeit ihrer Entstehung vom Sachverhalt der proleptischen Erscheinung des Eschaton in der Geschichte Jesu" (Christologie, 157). Der universalgeschichtliche Zusammenhang, der in der ‚Prolepse' und dem noch ausstehenden ‚Endgeschehen' begründet ist, übernimmt hier das Verständnis der theologischen Paradoxie. Noch deutlicher wird die Einordnung der paradoxen theologischen Aussagen in seine universalgeschichtliche Konzeption an der Verhältnisbestimmung von ‚dogmatischer' bzw. ‚metaphorischer' oder ‚doxologischer' und ‚historischer' Aussage (Grundfragen, 199ff, 174ff). ‚Dogmatische' Aussagen gründen in solchen ‚Paradoxien' (Christologie, 185). Zu ihnen gehört die Auferstehung. Sie ist Pannenberg das ‚gleichnishafte' Geschehen (Grundfragen, 221), die ‚Metapher' (Christologie, 189), das Faktum ohne Analogie. „Auf der absoluten Metapher der Totenauferstehung als des Endgeschehens beruht sowohl die christliche Botschaft selbst als auch das proleptische Element, das die ihrerseits wieder in besonderer Weise metaphorisch strukturierten doxologischen Aussagen über den in Jesus offenbaren Gott fundiert" (Christologie, 189). Der ‚doxologische' bzw. ‚metaphorische' Charakter des Sprechens von Auferstehung klärt sich wiederum aus der (universalgeschichtlichen) Bedeutsamkeit der Auferstehung, ‚proleptisch' strukturiert und das ‚Endgeschehen' zu sein. Damit ist es möglich, die ‚dogmatische' Tatsache der Auferstehung ‚universalgeschichtlich' bzw. ‚historisch' auszusagen, wie das nach Pannenberg von jeder ‚dogmatischen' Aussage zu behaupten ist (Grundfragen, 171). Denn ‚dogmatische' und ‚historische' Aussagen sind entgegen anderer Meinung „eigentlich Momente eines einzigen Erkenntnisvorganges", nämlich des universalgeschichtlichen (Grundfragen, 171). Diese universalgeschichtliche Zusammenschau beider Aussageweisen wird deutlich, wenn Pannenberg formuliert: „Dogmatische Aussagen [...] setzen [...] das historisch Besondere voraus und suchen dessen universale Bedeutung für das Ganze der Wirklichkeit und des menschlichen Wahrheitsbewußtseins zu formulieren. Historische Aussagen setzen umgekehrt einen universalen Bedeutungshorizont immer schon voraus, wenigstens unausdrücklich und vorläufig" (Grundfragen, 171; vgl. Grundfragen 171ff, 174ff, 195f; Christologie, 187f). ‚Historische' und ‚dogmatische' Aussage korrespondieren somit im universalgeschichtlichen Modell.

[362] Die für uns konstitutiv theologische Paradoxie wird für Pannenberg bereits konstitutiv für seinen Begriff der ‚Prolepse' und damit für das universalgeschichtliche Modell allgemein, „[...] dieser Begriff der Prolepse des Eschaton ist selbst schon paradox" (Christologie 157). „Das Wort Paradoxie ist freilich nur ein vergleichsweise begriffsloser Ausdruck für den hier gemeinten Sachverhalt.

Pannenberg: „Als historisch geschehen ist [...] ein Ereignis zu behaupten, daß nur in der Sprache der eschatologischen Erwartung aussagbar ist."[363] Aus diesem universalgeschichtlichen Grundgesetz resultiert jene Paradoxie des Historischen, die das Historische nur antizipatorisch-eschatologisch und das Eschatologische faktisch-historisch aussagbar sein läßt[364]. Die sachlich begründete Paradoxie des Auferstehungsgeschehens wird somit beseitigt auf Kosten der paradoxen Rede Pannenbergs vom ,Historischen'.

Aus dem Gesagten geht zugleich hervor, daß bei Pannenberg Geschichte und das Verständnis von Geschichte der Interpretationen und Übersetzungen bedarf, d. h., daß es sich bei seinem geschichtstheologischen Konzept letztlich doch um ein latent hermeneutisches Modell handelt, dessen ,hermeneutischer Zirkel' eben jene paradoxe Rede vom ,Historischen' ist.

An seiner Stelle steht darum bei uns der Begriff der Prolepse" (Offenbarung, 143). Die ursprünglich theologische Paradoxie wird von Pannenberg in das universalgeschichtliche Modell transponiert. „Die Kategorie der Antizipation oder Prolepse, die ursprünglich zur Beschreibung der eigentümlichen Struktur der Geschichte Jesu, besonders seiner Auferstehung, eingeführt worden war, stellt sich damit als fundamentales Strukturmoment sowohl des Erkennens und der Sprache als auch des Seins des Seienden in seiner Zeitlichkeit heraus" (Stellungnahme, 332); vgl. Grundfragen, 90, Anm. 19.

[363] Christologie, 95; vgl. Grundfragen, 90, Anm. 19.

[364] Die Erkenntnis des Theologen und die des Historikers korrespondieren; sie ist in der Sprache des anderen jeweils aussagbar; vgl. Grundfragen, 66. Zum einen ist der „Gottesgedanke" auch für den Historiker von Bedeutung. Der „Gottesgedanke", der „die Einheit der Geschichte in Wahrung der Eigenart des Geschichtlichen" erst ermöglicht, sollte „dem Historiker unentbehrlich sein" (Grundfragen, 75); vgl. Grundfragen, 68. Beide, Theologe wie Historiker, treffen sich auf der Ebene der Universalgeschichte: Es „läßt sich im Thema der Ganzheit der Geschichte eine streng gemeinsame Bezugsebene theologischer und historischer Arbeit vermuten" (Grundfragen, 140). Eine Besinnung auf die ,historische Vernunft' führt „in den Horizont der Eschatologie" (Grundfragen, 250), wie erst „diese eschatologische Struktur" (Grundfragen, 250) der historischen Vernunft dem Einzelgeschehen „seine definitive Bedeutung" (Grundfragen, 250) gibt. Es gilt die „noetische und ontologische Bedeutung des Eschaton" „für alles vorausgegangene [historische] Geschehen" zu erkennen (Stellungnahme, 333, Anm. 43). Zum anderen muß Gottes Offenbarungshandeln, das in einer „Theologie der Geschichte" zu interpretieren ist, nach Pannenberg „prinzipiell historisch verifizierbar" sein (Grundfragen, 76); vgl. Grundfragen, 76, Anm. 3; Christologie, 96ff. „Wenn die der Geschichte Jesu Christi eignende Bedeutung nicht erst der Dogmatik vorbehalten ist, sondern auch schon Inhalt historischer Aussagen sein kann, wie sich soeben abzeichnete, dann wird es kaum möglich sein, zwischen dogmatischer und historischer Aussage über das Christusgeschehen prinzipiell zu unterscheiden" (Grundfragen, 171). Pannenberg will dem Historiker die Beweislast zumuten, daß sich in Jesus von Nazareth Gott geoffenbart hat (Grundfragen, 67). Die Folge ist die unübersehbare Annäherung von historischer Wirklichkeit und Auferstehungswirklichkeit in einem umfassenden universalgeschichtlichen Rahmen; der Auferstehungswirklichkeit, da „jedes geschichtliche Ereignis einmalig ist und die (komparative) Analogielosigkeit [der Auferstehung] nur einen Grenzfall dieser Einmaligkeit darstellt" (Auferstehung, 109); der durch Vernunfterkenntnis wahrgenommenen Wirklichkeit, denn „[g]erade in der Ausrichtung auf eine letzte, eschatologische Zukunft kann der Glaube sich als Kriterium für die Vernünftigkeit der Vernunft bewähren" (Grundfragen, 251). Vgl. B. Klappert, Diskussion, 22; H. U. v. Balthasar, Mysterium Paschale, in: MySal III/2, 261, Anm. 26.

3

Die Aufbereitung des Problems

3.1   Stand der Diskussion

Unsere bislang geleistete Darstellung der philosophischen und theologischen
Programme der zur Diskussion anstehenden protestantischen Theologen Bultmann, Ebeling und Pannenberg setzte damit an, daß sie zunächst das je eigene
philosophische Vorverständnis der Theologen erhob, um dann dem nachzugehen, wie dieses philosophische Vorverständnis jeweils in das genuin theologische Verstehen Eingang findet bzw. dieses theologische Verstehen durchdringt
und mitgestaltet. Das aus diesem Prozeß erwachsende problematische Zueinander von Philosophie und Theologie galt es in einem weiteren Schritt, dem Struk-
turvergleich, explizit zu machen. Ein je besonderes Verständnis von Geschichte
erwies sich dabei als Horizont der Begegnung von Philosophie und Theologie,
und so hatte Geschichte auch der Bezugspunkt unserer Darstellung zu sein.
  Dieser Ansatz legt sich nahe, da zum einen sowohl Bultmann wie Ebeling
und auch Pannenberg das Verhältnis von Philosophie und Theologie in verschiedenen Aufsätzen eigens behandeln – dies der äußere Grund –, und da zum
andern innerhalb der genannten Theologien philosophische und theologische
Strukturen in ihren Konturen nicht verwischt, daher voneinander abhebbar und
für sich zu lesen sind – dies der innere Grund. Im einzelnen System scheinen
die philosophischen und theologischen Elemente zunächst nebeneinander
bestehen zu können, ohne sich gegenseitig in Frage zu stellen. Werden aber
solche Fragen zugelassen, d. h., stellt sich die Aufgabe der Vermittlung von
Philosophie und Theologie aneinander und damit der Durchstrukturierung
der Programme zu Stimmigkeit und Evidenz, so wird die von den Theologen
geleistete Integration der beiden Momente fragwürdig. Die Integration
gelingt in keinem der Fälle vollständig, sie kommt weithin nur durch die
Reduktion des theologischen Ansatzes zustande. Gerade in den Abschnitten
unserer Untersuchung, in denen es um die Darstellung dieser theologischen
Ansätze geht, meldeten sich so erste Anfragen der Theologie an die Philosophie.
Zu unseren spontan sich aufdrängenden Anfragen gesellten sich solche der
Theologen aneinander. In der Abgrenzung und Korrektur des einen durch den

anderen lag geradezu die Dynamik des Bisherigen. Ebelings Kritik an Bultmann setzte an dessen Christologie, Pannenbergs Kritik an Ebeling an dessen Begriff der Auferstehung an. Diese Kritik der Theologen untereinander wurde jeweils bis in das philosophische (existentiale, hermeneutische, universalgeschichtliche) Vorverständnis des anderen weitergetrieben. Insgesamt zeigt sich der Zusammenhang der Theologen und ihrer Programme als eine stete Fortentwicklung der Positionen.

Vor allem und in besonderem Maß entzündet sich die Kritik am Begriff der Auferstehung. Im je besonderen Verständnis der Auferstehung und im Verhältnis der Auferstehung zur Christologie spiegelt sich das jeweilige Zueinander von Christologie und Theologie und von Theologie und Philosophie. Den Aussagen über die Auferstehung eignet so symptomatischer Charakter für das ganze theologische und philosophische Konzept, die Auferstehung bildet gleichermaßen den Schlußstein der drei Theologien. An ihrem Begriff werden die Konsequenzen der einzelnen Ansätze offenbar, ist ihre Tragweite zu übersehen, sind ihre immanenten Widersprüche aufzudecken. Die Auferstehung ist die Krisis der Systeme. So zerfällt am Begriff der Auferstehung Bultmanns dialektischer Zusammenhang von Historie, Geschichte und Eschatologie, wird Ebelings hermeneutischer Zeugnisbegriff leer und Pannenbergs Historiebegriff vage. In alldem bekundet sich, daß dem philosophischen Vorverständnis jeweils die Priorität im Gesamtprogramm eingeräumt wird.

Wie ist nun der Stand der Problematik? Des näheren: Von welcher Art ist der Erkenntniswert der Auferstehung für die philosophischen und theologischen Aussagen im einzelnen? An drei Begriffen, denen zentrale Bedeutung innerhalb der Systeme zukommt und deren Interpretation entscheidend von dem jeweiligen Geschichtsverständnis abhängt, läßt sich die Problematik aufrollen: es sind dies die das Phänomen Geschichte konstituierenden Begriffe von (historischem) „Faktum" und (geschichtlicher) „Bedeutsamkeit" und der Begriff der jenem zu dieser allererst verhelfenden und diese als jenes setzenden „Existenz". Es zeigt sich nun, daß bei den protestantischen Theologen je einer dieser Begriffe führend wird, während die beiden anderen zurücktreten.

Für *Bultmann* erhält die Existenz Vorrang. In seiner Hermeneutik ist das historische Faktum in seiner geschichtlichen, exklusiv existentiellen Bedeutsamkeit zu erschließen. Die Existenz hat also, wie oben gezeigt, für Bultmann ontologische Priorität. Wenn Bultmann dieses Modell auf die Auferstehung überträgt, indem er das Kreuz mit dem Faktum und die Auferstehung mit der Bedeutsamkeit identifiziert, d.h., wenn ihm also die Auferstehung ein geschichtliches Ereignis ist, das sich in der Ansprache an die Existenz, d.i. im Kerygma, wiederholt, so lösen sich der Zusammenhang von Faktum und Bedeutsamkeit, Historie und Eschatologie und schließlich auch das Faktum als solches und die Bedeutsamkeit als solche auf. Der Existenzanspruch verliert Grund und Boden.

Für *Ebeling* wird die Bedeutsamkeit des Faktums entscheidend. Das historische Ereignis ist bei ihm hermeneutisch ins Wort zu vermitteln, aus dem die Existenz lebt. In der Folge seines hermeneutischen Ansatzes bringt er den Begriff des Zeugnisses ins Spiel. Jesus ist der „Zeuge des Glaubens". Im Zeugnis wird das christologische Ereignis bedeutsam, und im Zeugnis Jesu wird die Kommunikation mit diesem Ereignis gewährt. Unvermittelt bleibt bei Ebeling die Verwandlung Jesu vom Zeugen des Glaubens zum Grund des Glaubens in der Auferstehung. Wesentlich ist ihm allein die Kommunikationsstruktur des Zeugnisses. Von daher bedarf dieses Zeugnis keiner Neubegründung durch das Ereignis der Auferstehung. Auferstehung erschöpft sich darin, die Kommunikation weiterzutragen.

Pannenberg schließlich wehrt sich ausdrücklich gegen die latente Auflösung des Zusammenhangs von Faktum und Bedeutung, die er Bultmann und Ebeling vorwirft. Für ihn kommen Faktum und Bedeutung in der Historie bzw. Universalgeschichte zusammen. In ihr enthüllt sich der Sinn des Seins, des Geschehens, der Existenz Gottes. Am Sprechen der Auferstehung zeigt sich jedoch, daß Pannenberg seinen Historiebegriff nicht durchzuhalten vermag. Seinen eigenen versteckt hermeneutischen Ansatz haben wir angedeutet; zum einen spricht er von der Auferstehung als einem historischen Ereignis, zum anderen vom Historischen als dem Eschatologischen.

Wenngleich sich bislang zeigt, daß das Verfahren der Reduktion dieser drei Begriffe auf einen von ihnen zu kurz greift, bleibt die Bedeutung dieser Begriffe für jedes Sprechen von Auferstehung bestehen. Die Einseitigkeiten der Systeme Bultmanns, Ebelings und Pannenbergs bringen zudem wesentliche Elemente einer Theologie der Auferstehung zutage.

Bultmann geht es vor allem immer wieder darum, wie sich göttliches Geschehen innerhalb der Geschichte ereignet, wie Heils- und Weltgeschichte zu denken sind, ohne einem Naturalismus oder Supranaturalismus zu verfallen. Angesichts der Auferstehung spitzt sich die Frage des Geschichtsverständnisses zu. Bultmann hat das Bewußtsein dafür geweckt, daß man von der Tatsache der Auferstehung nicht wie von einem Gegebenen, natürlich Vorhandenen und historisch Faktischen reden könne, ohne das Geschehen selbst zu zerstören. Andererseits ist die Auferstehung auch nicht einfachhin das Übernatürliche, entzogen Jenseitige und das ganz und gar Ungeschichtliche, sondern Auferstehung ist das Paradox, das Paradox der Einheit von Kreuz und Auferstehung; es ist das Paradox, das Historische und Eschatologische, das Natürliche und das Übernatürliche, das Menschliche und das Göttliche zusammenzudenken zu müssen. Stellen sich auch an die Artikulation des Paradoxon bei Bultmann selbst wiederum Fragen, so ist doch der Grundgedanke der paradoxen Seinsweise der Auferstehung innerhalb der Geschichte beizubehalten. Fraglich wird Bultmanns Ansatz vor allem, wo das theologische Paradoxon in die Existenz zurückgenommen, aus ihr abgeleitet und schließlich – in der immer neuen Kreuzesnachfolge der Jünger – aufgelöst wird.

In der Auferstehungsdiskussion Ebelings sind die harten Konturen von Geschichtlichem und Eschatologischem, wie sie sich für Bultmanns Paradoxon darstellten, bereits verwischt. Das erklärt sich letztlich aus dem hermeneutischen Charakter des Programms Ebelings. Deshalb ist bei Ebeling kaum vom Paradox der Auferstehung die Rede. Dagegen tritt bei ihm im Anschluß an Bultmann, aber viel deutlicher als bei diesem, die Kommunikationsstruktur des christologischen Geschehens und der Auferstehung hervor. Das Zeugnis wird zu einem zentralen Begriff. Die Auferstehung muß weitergesagt werden, drängt ins Wort, verpflichtet den Zeugen zum Zeugnis. Wie Jesus, der Zeuge des Glaubens, zum Glauben aufrief, so nimmt das Ereignis von Ostern die Jünger autoritativ in Pflicht, das Zeugnis ihren Gemeinden weiterzugeben, denen wiederum als Kirchen die Verkündigung durch die Zeiten aufgetragen ist. Die Macht des Auferstehungszeugnisses weist nach Ebeling die Kraft des Wortes Gottes aus. Dieses Wort hat seine ihm eigene Effikazität und Aktualität. In der Konzentration auf das Wort geht Ebeling jedoch der geschichtlich paradoxe Charakter der Auferstehung verloren.

Pannenberg vermißt in den hermeneutischen Ansätzen Bultmanns und Ebelings die Begründung der Christologie in der Auferstehung als einem neuen und konstitutiven Ereignis der Geschichte Jesu. Er nimmt das Geschehen der Auferstehung als solches ernst. Nur ein geschichtliches Geschehen kann die Offenbarung über den Stand vor Ostern hinausbringen, nur in einem solchen Ereignis kann sich der wahre Mensch Jesus als wahrer Gott offenbaren. Andernfalls fehlt nach Pannenberg der Christologie ihre ontologische und offenbarungsgeschichtliche Basis. Indem Pannenberg auf dem Geschehenscharakter der Auferstehung insistiert, tritt bei ihm das Paradoxon des Historischen erneut zutage. Das Paradoxon siedelt er jedoch im theologischen Sprechen über Auferstehung an, das durch die Ereignisse der Universalgeschichte überholt wird. Denn über alles Historische, so expliziert Pannenberg das Geschichtliche, kann gleichsam nur in paradoxer Redeweise, d. i. aus der Differenz von aktualer Geschichte und Endgeschichte, gesprochen werden. Damit wird das Paradoxon wieder in den Vollzug der Universalgeschichte zurückgenommen.

Wo nun haben wir angesichts dieses Befundes der Auferstehungdiskussion bei Bultmann, Ebeling und Pannenberg unseren Standort zu wählen? Wie können wir, auf die positiven Ansätze dieser Theologen achtend, über Auferstehung sprechen, ohne der genannten Engführungen zu verfallen? Offenbar werden diese Engführungen bzw. das zwingend Systematische der Ansätze am Begriff der Auferstehung. Dieser Begriff springt jeweils als Ergebnis der philosophischen Analyse der Existenz, der Sprache und der Geschichte heraus. Dies gilt letztlich nicht nur für den Begriff der Auferstehung, sondern schlägt sich bereits in der christologischen und theologischen Konzeption nieder. Das Sprechen von Auferstehung orientiert sich so jeweils am philosophischen Vorverständnis. Dieser Weg soll im folgenden geradezu in umgekehrter Richtung gegangen werden. Wir sehen unsere Aufgabe darin, streng von der Auferstehung her zu denken und uns von daher die Fragen der Theologie, Philosophie und Geschichte stellen zu lassen. Um allererst den Begriff der Auferstehung zu gewinnen, sind wir an ihre Bezeugung in der Schrift verwiesen. Die Frage lautet also zunächst: Wie spricht die Schrift von der Auferstehung?

3.2 Auferstehung und Zeugnis in 1 Kor 15,3ff

Das älteste Zeugnis der Auferstehung liegt in 1 Kor 15,3ff vor. Was wird hier von der Auferstehung ausgesagt, und wie wird über sie gesprochen? Nun kann es allerdings im folgenden nicht darum gehen, den zahlreichen exegetischen Untersuchungen von 1 Kor 15,3ff eine weitere hinzuzufügen[1]. Der Formelcharakter, die Reichweite der Formel, ihre Traditionsgeschichte und andere Fragen

---

[1] Aus den zahlreichen Untersuchungen zu 1 Kor 15,3ff vgl. E. Bammel, Herkunft und Funktion der Traditionselemente in 1 Kor 15,1–11, in: ThZ 11 (1955) 401ff; J. Blank, Paulus, 133–170 (mit weiterer Literatur S. 133, Anm. 1 und Literaturbesprechung S. 140); H. Conzelmann, Zur Analyse der Bekenntnisformel 1 Kor 15,3–5, in: EvTh 25 (1965) 1ff; E. Güttgemanns, Apostel, 53ff; F. Hahn, Hoheitstitel, 197–211; J. Jeremias, Die Abendmahlsworte Jesu, Göttingen ³1960, 95ff; B. Klappert, Zur Frage des semitischen oder griechischen Urtextes von 1 Kor 15,3–5, in: NTS 13 (1967) 168ff; J. Kremer, Das älteste Zeugnis von der Auferstehung Christi. Eine bibeltheologische Studie zur Aussage und Bedeutung von 1 Kor 15,1–11 (Stuttgarter Bibelstudien, 17), Stuttgart 1966 (mit weiterer Literatur); K. Lehmann, Auferweckt am dritten Tag nach der Schrift (Quaestiones disputatae, 38), Freiburg 1967 (mit umfassender Literaturbesprechung); E. Lichtenstein, Die älteste christliche Glaubensformel, in: ZKG 63 (1950) 1ff; F. Mildenberger, Auferstanden am dritten Tag nach den Schriften, in: EvTh 23 (1963) 265ff; F. Mußner, „Schichten" in der paulinischen Theologie, in: ders., Praesentia Salutis. Gesammelte Studien zu Fragen und Themen des Neuen Testamentes, Düsseldorf 1967, 178ff (Literatur S. 180, Anm. 5); ders., Auferstehung, 60ff; J. Schmitt, Jésus ressuscité dans la prédication apostolique, Paris 1949, 37–61; Ph. Seidensticker, Das Antiochenische Glaubensbekenntnis, in: ThGl 57 (1967) 286ff; B. Spörlein, Die Leugnung der Auferstehung. Eine historisch-kritische Untersuchung zu 1 Kor 15 (Biblische Untersuchungen, 7), Regensburg 1971 (Literatur); K. Wegenast, Das Verständnis der Tradition bei Paulus und in den Deuteropaulinen (Wissenschaftliche Monographien zum Alten und Neuen Testament, 8), Neukirchen 1962; U. Wilckens, Missionsreden, 73ff; ders., Der Ursprung der Überlieferung der Erscheinungen des Auferstandenen, in: Dogma und Denkstrukturen, hrsg. von W. Joest–W. Pannenberg, Göttingen 1963, 56ff.

sind hinreichend untersucht, wenn auch die Ergebnisse nicht überall einheitlich ausfallen. Es seien hier lediglich die Ergebnisse aufgegriffen, die für die spezielle Problematik unserer Fragestellung bedeutsam werden[2]. 1 Kor 15,3–8 zeigt in der Form der Satzglieder parallelen Aufbau[3], wobei die beiden ersten Satzglieder VV. 3b–5 in sich wiederum doppelgliedrig konstruiert sind, so daß der formale Zusammenhang auch einen sachlichen Zusammenhang der Verben „sterben" – „begraben" und „auferweckt" – „erscheinen" nahelegt. Die Formel zielt so strukturell auf eine sachliche Verknüpfung von „Auferstehung" und „Erscheinung"[4]. Wie versteht sich aber diese Verknüp-

---

[2] Vgl. neuerdings die Diskussion um den Aufsatz von R. Pesch, Zur Entstehung des Glaubens an die Auferstehung, in: ThQ 153 (1973) 201 ff (mit den Stellungnahmen von W. Kasper, K. H. Schelkle, P. Stuhlmacher, M. Hengel und einer abschließenden Antwort von R. Pesch im selben Heft 3). In der Auseinandersetzung mit R. Pesch geht es um die formkritische Entscheidung, ob 1 Kor 15,3ff als „Auferstehungszeugnis" oder ausschließlich als „Legitimationsformel" für die Apostel angesehen wird. Bei der Entscheidung zur Legitimationsformel, die R. Pesch trifft, wäre über die Erscheinungsformel „ὤφθη τινί" keine inhaltliche Aussage mehr möglich, weil man so „gegen die Überlieferungstendenz" des Textes argumentieren würde (213). Natürlich wird man den Text so zu interpretieren haben, wie er überlieferungsgeschichtlich dasteht, also zunächst seine Legitimierungsfunktion zu beachten haben. Damit sind aber noch nicht alle Fragen, die an den Text zu stellen sind, von vornherein geklärt. Denn worin gründet die Legitimation hinwiederum? Was weist die Legitimation als Legitimation aus? Die Legitimation gründet doch in den Ereignissen von Ostern, die in 1 Kor 15,3ff in aller Ausdrücklichkeit genannt sind: „ἐγήγερται" – „ὤφθη". Dazu muß die Legitimationsformel „ὤφθη" von den Hörern als solche zuerst einmal verstanden und anerkannt werden. Das ist aber doch nur möglich, wenn sich in dem „ὤφθη" ein Sachverhalt ausspricht, der selbst ‚legitimiert'. – Zur Zeit der Erstellung dieser Arbeit ging auch die Diskussion um den genannten Artikel R. Peschs weiter; vgl. A. Vögtle, Wie kam es zur Artikulierung des Osterglaubens?, in: BuL 14 (1973) 231 ff und BuL 15 (1974) 16 ff, 102 ff, 174 ff. Inzwischen hat A. Vögtle (Wie kam es zum Osterglauben?, Düsseldorf 1975) die für unsere Problematik gründlichste und umfassendste Untersuchung vorgelegt. Leider war es nicht mehr möglich, hier die Erörterungen A. Vögtles im einzelnen miteinzubeziehen (s. u. Anm. 35a). R. Pesch hat in demselben Buch seine These untermauert und zugleich differenziert (Materialien und Bemerkungen zu Entstehung und Sinn des Osterglaubens, ebd. 133ff). Außerdem zum hermeneutischen Verständnis der Erscheinungsberichte den Beitrag von K. Lehmann, Die Erscheinungen des Herrn. Thesen zur hermeneutisch-theologischen Struktur der Ostererzählungen, in: Wort Gottes in der Zeit. Festschrift für K. H. Schelkle, hrsg. von H. Feld – J. Nolte, Düsseldorf 1973.

[3] J. Kremer, Zeugnis, 26.

[4] J. Blank, Paulus, 152: „Die beiden Glieder ‚ἐγήγερται' und ‚ὤφθη' gehören sachlich wieder zusammen, und zwar als das entscheidende Heilsereignis und als die Weise seiner Bekanntmachung"; vgl. K. H. Rengstorf, Auferstehung, 54f. Die Tatsache, daß in 1 Kor 15,3ff nicht alles auf eine ‚Legitimation' hinausläuft, kann auch R. Pesch nicht umgehen, wenn er den strukturellen Zusammenhang von „auferweckt" – „erschienen" als Beglaubigung und Unterstreichung der Auferweckungsaussage durch die Nennung der Zeugen charakterisiert (Entstehung, 214), es also nicht nur um die Legitimation der Apostel geht. Der Zusammenhang von „Auferstehung" und „Erscheinung" ist so zu übernehmen, wie er im Text steht, und nicht gleich durch die Forderung eines „Rückschlußverfahrens" (214, Anm. 49), das einem „historischen Beweismittel" auf der Ebene „historischer Beweisbarkeit" (215) gleichkommt, zu belasten. Eine solche Forderung reduziert die Frage nach der „Entstehung an die Auferweckung Jesu" (ebd.) auf die historisch nachvollziehbare Verifizierbarkeit der Erscheinungsvorgänge und läßt keinen Weg zu einer theologischen Begrün-

fung, die Vermittlung beider Phänomene in sich selbst? Ein Hinweis könnte die Wortform sein, mit welcher der Erscheinungsvorgang in 1 Kor 15,5ff viermal wiedergegeben wird: „ὤφθη". Der Begriff scheint in 1 Kor 15,5ff zu einer Art „terminus technicus" geworden zu sein, obwohl er im übrigen nicht sehr gebräuchlich war[5]. Zur Begriffs- und Bedeutungsgeschichte[6] hat J. Blank neuerdings eine überzeugende Darstellung geleistet[7]. Nach diesen Untersuchungen leitet sich das „ὤφθη" der Septuaginta von dem Hebräischen „נראה" (Nifal) her, d.i. „sich sehen lassen", „sichtbar werden", „erscheinen"[8]. Innerhalb dieses verbalen Gebrauchs lassen sich im AT drei Bedeutungsfelder abstecken. a) Einmal wird „ὤφθη" von Sachen, die in Erscheinung treten, gebraucht. Hier steht der Gegensatz von Entzogensein und Zum-erscheinen-Kommen im Vordergrund. b) Aber auch menschliche Personen „lassen sich sehen". Sie treten besonders bei Hochfesten „in Erscheinung", um zu bekennen, daß sie zum Bundesvolk Jahwes gehören. Ihrem Erscheinen eignet bekenntnishafter Charakter, insofern solches Sich-sehen-Lassen vor Gott nach dem Willen der betroffenen Person geschieht. c) Schließlich haben wir in „ὤφθη" einen Ausdruck für „Gotteserscheinungen". Hier kommen nun beide Elemente, die ‚Verborgenheit' und der ‚Wille' Gottes, zusammen, wobei jedes Element entscheidend radikalisiert wird: es ist allein Sache der „souveränen Freiheit Gottes", ob er sich aus seiner „radikalen und prinzipiellen Verborgenheit" dem Menschen gibt. Damit findet „ὤφθη" einen absoluten Bedeutungsgehalt, der eine bestimmte Weise der Selbstoffenbarung Gottes meint[9]. „ὤφθη" ist im atl. Gebrauch zu einem „terminus technicus" der Offenbarung geworden[10]. Dieser Bedeutungsgehalt bleibt nicht ohne Folgen für das NT, er geht in das ntl. „ὤφθη" mit ein.

Im „ὤφθη" kommt somit ein komplexer Sachverhalt zur Darstellung, der sich nicht einheitlich definieren läßt. Bei genauerem Hinsehen handelt es sich weniger um einen bestimmten Sachverhalt immer gleicher Elemente oder Perso-

---

dung der Erkenntnis der Auferstehung mehr offen, wie er in dem theologischen Begriff des „ὤφθη" angedeutet ist. Immerhin gibt R. Pesch selbst zu, daß im Text der „Grund" (welcher?), nicht die „historische Ursache" für die Legitimation genannt ist (218).

[5] J. Blank, Paulus, 133.
[6] Zum Begriff „ὤφθη" vgl. W. Michaelis, Art. „ὁράω κτλ.", in: ThW V, 315–368; ders., Die Erscheinungen des Auferstandenen, Basel 1944; K. H. Rengstorf, Auferstehung, 48–62, 117–127; E. Pax, ΕΠΙΦΑΝΕΙΑ. Ein religionsgeschichtlicher Beitrag zur biblischen Theologie (Münchener Theologische Studien, Historische Abteilung, 10), München 1955, 160–168 u. ö.; J. Molitor, Grundbegriffe der Jesusüberlieferung im Lichte ihrer orientalischen Sprachgeschichte, Düsseldorf 1964, 43–94; H. Graß, Ostergeschehen, 186–232; J. Blank, Paulus, 156–163; J. Kremer, Zeugnis, 54f; F. Mußner, Auferstehung, 63ff.   [64f.
[7] J. Blank, Paulus, 157ff; vgl. dazu die kritischen Bemerkungen von F. Mußner, Auferstehung,
[8] L. Köhler – W. Baumgartner, Lexicon in Veteris Testamenti Libros, Leiden 1953, 863.
[9] J. Blank, Paulus, 158; vgl. K. H. Rengstorf, Auferstehung, 56.
[10] W. Michaelis in: ThW V, 359.

nen als vielmehr um die Beschreibung eines Geschehens. Dieses Grundgeschehen ist das „Sich-Zeigen", das „Zur-Erscheinung-Kommen", während die Dinge oder Personen, die sich zeigen, und die Adressaten, denen solche Dinge oder Personen sich zeigen, nicht von vornherein feststehen. Das gilt auch für das NT[11]. Der Sprachgebrauch von „ὤφϑη" ist auf eine Konkretisierung des Grundgeschehens hin offen. Und je nachdem, wie die Konkretion ausfällt, wandelt sich das Geschehen selbst in seiner Bedeutung. Im Grundgeschehen herrschen die Momente ‚Verborgenheit' und ‚Zum-erscheinen-Kommen' vor; in der Konkretion ist es nun zusätzlich von Bedeutung, wer zur Erscheinung kommt, ob es eine Sache oder eine menschliche Person oder Gott ist. Je nachdem muß die ‚Verborgenheit' als ‚radikale Verborgenheit' und das ‚Sich-Zeigen' immer mehr als bekenntnishaftes bzw. ausdrücklich willentliches Erscheinen angesetzt werden. Mit anderen Worten: „ὤφϑη" bietet zunächst nur die Wahl möglicher Wortfelder an, es skizziert die Form oder Struktur eines möglichen Geschehens, das sich nach dem Modell von ‚Verborgenheit' und ‚Sich-Zeigen' vollzieht. „ὤφϑη" gibt eine Struktur an, die für verschiedene Sachverhalte offen ist. In der Septuaginta ist die Formel „ὤφϑη κύριος τῷ…" als Theophanieformel die zum ‚terminus technicus' gewordene Konkretion einer solchen Strukturform[12].

Wie sehr darauf zu achten ist, in „ὤφϑη" zunächst die Struktur zu sehen und es nicht gleich mit einem Sachverhalt zu identifizieren – was ohne Unterschied von AT und NT gilt –, kann der Gebrauch des „ὤφϑη" noch einmal verdeutlichen[13]. Jedes Element des Wortfeldes ist dabei austauschbar. Am wenigsten deutlich ist der Adressat, das „τινί" des Dativs, bezeichnet. Die Personen, denen sich etwas zeigt, können verschieden sein. Das Subjekt, welches zur Erscheinung kommt, variiert ebenfalls. Wie wir gesehen haben, können Dinge, Menschen oder Gott zur Erscheinung kommen.

Nicht einmal das Prädikat „ὤφϑη" ist von eindeutiger Bestimmung[14]. Es ist nicht von vornherein ausgemacht, daß das ‚Sehen' (ὁράω) im intransitiven Aorist Passiv (ὤφϑη) mit einer nur sinnlichen Wahrnehmung gleichgesetzt werden dürfte. Das Verb „ὁράω" hat im atl. Gebrauch „nur selten" die Bedeutung „bloßer Wahrnehmung", gewöhnlich schließt es „ihre geistige Verarbeitung" ein[15]. Was von „ὁράω" gilt, gilt noch mehr für das formelhafte „ὤφϑη"[16]. Während etwa im AT ‚Visionen' mit einem „ὁράω" wiedergegeben werden können, ist das für das Passiv „ὤφϑη" unmöglich. Keine Visionsformel wird

---

[11] Siehe unten.
[12] Vgl. Gen 12,7; 17,1; 26,2.24; 35,9f; 2 Chr 1,7; 7,12; Jer 38,3 (W. Michaelis in: ThW V, 333f).
[13] Im Griechischen ist eine Konstruktion mit dem Dativ nicht üblich, sondern sie wird mit einem „ὑπό τινος" gebildet; vgl. J. Kremer, Zeugnis, 55.
[14] Vgl. W. Michaelis in: ThW V, 316ff.   [15] Ebd. 324.   [16] Ebd.

mit einem „ὤφθη" eingeleitet[17]. „Damit korrespondiert, daß ‚ὤφθη' andererseits die typische Vokabel zur Bezeichnung der (nicht-visuellen) Gegenwart des sich offenbarenden Gottes ist."[18] „ὤφθη" meint ein solches Gegenwärtigsein, ‚Erscheinen', ‚Angetroffen werden', ‚Erscheinen und Dasein'; es wird „nur selten noch an die Wahrnehmung mit dem Auge gedacht"[19]. W. Michaelis illustriert diesen Sachverhalt an Ex 3,2 bzw. 3,6: Jahwe „erscheint" (ὤφθη) dem Moses, der aber Jahwe gerade nicht ‚sehen' will; er verbirgt sein Gesicht. Es zeigt sich, „daß das intransitive ὀφθῆναι gar nicht bedeutet: sich den Augen sinnlicher Wahrnehmung darbieten, sondern: sich als gegenwärtig offenbaren"[20]. Dafür steht „ὤφθη" oft in der Nähe eines Hörens; manchmal scheint es geradezu mit einem ‚Gehörtwerden' und nicht mit einem ‚Gesehenwerden' übersetzt werden zu müssen[21]. Der formelhaften Wendung „ὤφθη κύριος τῷ..." folgt oft ein „καὶ εἶπεν", d. h., es steht in unmittelbarer Nähe einer Rede Gottes. Michaelis kennzeichnet es bisweilen mit dem „Beginn einer Wortoffenbarung"[22]. So ist das „ὤφθη" in Verbindung mit dem formelhaft gewordenen Subjekt „κύριος" zum „terminus technicus für die Offenbarungsgegenwart als solche ohne Hinweis auf die Art der Wahrnehmung bzw. für die Gegenwart des sich in seinem Wort offenbarenden Gottes"[23] geworden. Die Elemente sind austauschbar, die Struktur ist die Konstante.

F. Mußner bestreitet den Wert einer vor allem atl. Begriffsuntersuchung des Wortes „ὤφθη"[24]. Eine solche Untersuchung öffnet jedoch erst den Blick für die spezifischen Konkretionen, in denen die Struktur sich jeweils rekonstituiert. Man darf aber nicht vergessen, daß das „ὤφθη" in 1 Kor 15,5ff im atl. Kontext

---

[17] Ebd. 330.   [18] Ebd.   [19] Ebd. 324.
[20] Ebd. 331. Übereinstimmend damit die Interpretation R. Peschs, Entstehung, 218. Aber damit bezieht er sich eben doch auf eine Interpetation des theologischen Gehaltes der Erscheinungsformel „ὤφθη" und nicht nur auf deren Legitimierungsfunktion. Die Radikalität der These R. Peschs scheint mir mit seiner Befangenheit an die historische Methode zusammenzuhängen. Und ist die Charakterisierung von „ὤφθη" als „Offenbarungsformel", wie sie auch R. Pesch vornimmt, nicht Grund genug für die Entstehung des Osterglaubens, da sie ohne verifizierende Reflexion in einer neuen, theologischen Ordnung steht, ohne daß es zu Überlegungen auf die historischen „Prozesse und Voraussetzungen" kommen muß (218), um dadurch herauszufinden, ob es sich dabei um Visionen oder andere Vorgänge objektiver oder subjektiver Erkenntnis gehandelt habe (ebd.)? Vgl. den Beitrag W. Kaspers im selben Heft, der die Vermengung von systematisch-theologischen Fragen mit Fragen der historischen Entstehung des Glaubens bei Pesch aufzeigt (230).
[21] W. Michaelis in: ThW V, 333; vgl. F. Mußner, Auferstehung, 64.
[22] W. Michaelis in: ThW V, 333; vgl. Gen 26,24; 2 Chr 1,7 u. a.
[23] Ebd. 359. Vgl. die Kritik von K. H. Rengstorf, Auferstehung, 119. Dabei handelt es sich wohl um ein Mißverständnis, da es bei Michaelis nicht um die Alternative geht, „ὤφθη" sei „nicht als Sichtbarmachung, sondern als Offenbarwerden zu bestimmen"; denn Michaelis will allein den Offenbarungscharakter des Terminus „ὤφθη" herausstellen.
[24] F. Mußner (Auferstehung, 65) vertritt die Ansicht, daß die Bedeutung des „ὤφθη" nicht aus dem AT, sondern aus dem NT zu erschließen sei, da die Erscheinungen des Auferstandenen einen Sonderstatus einnähmen. Das ist richtig, wenn man die Frage nach dem Wie des Gesehenwerdens

nicht von vornherein formelhaften Charakter[25] hat: denn für das NT gilt, daß „ὤφθη" sowohl die Breite des atl. Wortfeldes hat, daß es aber auch in der Zuspitzung der Septuagintaformel auftritt[26]. Wie ist dann die besondere „ὤφθη"-Formel in 1 Kor 15,5ff zu erklären? Es dürfte sich um eine in der Urgemeinde gebräuchliche und von daher übernommene Terminologie handeln[27], deren Hintergründe vielleicht nicht mehr ganz zu klären sind. Die Erscheinungen des Auferstandenen stellten ein Geschehen dar, das seiner Struktur nach dem Grundgeschehen des „ὤφθη" nahekam und andererseits dieses Grundgeschehen charakteristisch umgestaltete. So hat die Formel ihre charakteristische Form erhalten: als Erscheinungsformel beschränkt sich das „ὤφθη" fast ausschließlich auf die ‚Apostel'[28]; das Subjekt ist der auferstandene „κύριος" und „Χριστός"[29]. Wie aber steht es um das Verb „ὤφθη" selbst?[30] Im NT gewinnt das intransitive Passiv gegenüber dem AT sehr an Bedeutung[31]. Damit wird die Aktion des erscheinenden Subjekts unterstrichen; der Adressat steht im Ergänzungsdativ, d.i., der Akzent des Geschehens liegt nicht auf ihm. Damit wird in 1 Kor 15 betont: Der Herr ist es, der den Zeugen erscheint. „Bei ὤφθη mit dem Dativ ist vielmehr allein wichtig, daß der, der das Subjekt bildet, handelt, nämlich ‚erscheint', ‚sich zeigt', während auf dem gleichzeitigen oder dadurch hervorgerufenen Handeln der im Dativ beigefügten Person, daß sie nämlich ‚sieht', ‚wahrnimmt', kein besonderer Ton liegt."[32] Der Blick von „ὤφθη" richtet sich somit nicht auf das Subjekt

---

und Sichzeigens des Auferstandenen angeht (64). Doch sieht auch F. Mußner, daß das „nähere Wie" des „ὤφθη" in 1 Kor 15,5–8 nicht reflektiert wird. Uns geht es hier aber zunächst einmal darum, die Struktur des Offenbarungsbegriffes „ὤφθη" aufzuzeigen, um danach die Konkretion dieser Struktur herauszustellen.

[25] Auch im NT sind die Einzelelemente der Formel „ὤφθη τινί" austauschbar. Der Ergänzungsdativ ist variabel. Subjekt können sein Gott (Apg 7,2), der Engel Jahwes (Apg 7,30.35), Moses und Elias (Mk 9,4 par), der Engel (Lk 1,11; 22,43) oder auch die Feuerzungen (Apg 2,3) sein. Das „ὤφθη" wird oft wie im AT verwandt (W. Michaelis in: ThW V, 351, 360f) und meint bisweilen nur das Erscheinen eines Menschen vor einem anderen (Apg 7,26; vgl. J. Kremer, Zeugnis, 55).

[26] Der Einfluß der Septuagintaformel läßt sich nach W. Michaelis (ThW V, 358f) in Apg 7,2.30.35 nachweisen; vgl. auch Lk 24,34; Apg 9,17; 13,31; 26,16.

[27] Vgl. J. Kremer, Zeugnis, 56; K. H. Rengstorf, Auferstehung, 47f, 119.

[28] J. Blank, Paulus, 162f; vgl. F. Mußner, Auferstehung, 67.

[29] Vgl. W. Michaelis in: ThW V, 360f; gegen K. H. Rengstorf (Auferstehung, 57), der wie in „auferweckt" auch in „erschienen" „eine verhüllende Aussage über Gott" sieht und deshalb nicht Christus, sondern Gott selbst zum Subjekt der Erscheinung macht.

[30] Bei der Bestimmung des „ὤφθη" bleiben wir zunächst bei der formalen Analyse, um seine Bedeutung in der Gesamtstruktur der Offenbarungsformel aufzuweisen. F. Mußner (Auferstehung, 64ff) geht den Weg der inhaltlichen Analyse, indem er das „ὤφθη" mit anderen Erscheinungsterminativ vergleicht. Dabei begibt sich jeder dieser Versuche in die sehr kontroversen Fragestellungen der Visionstheorien in ihren verschiedenen Abschattungen.

[31] Gegen K. H. Rengstorf (Auferstehung, 57), der sich gegen das intransitive Passiv ausspricht.

[32] W. Michaelis in: ThW V, 359. Nützlich ist der Hinweis von H. Conzelmann (Analyse, 6) auf

eines Sehens, sondern auf das Gesehene, den Gegenstand, der erscheint, oder auch auf die Person, die sich sehen läßt. Die Perspektive ist also eine andere als die vieler Interpretationen, die immer wieder nur den Wahrnehmungscharakter, das Sehen des Subjekts betonen, was zur Folge hat, daß sich diese subjektive Wahrnehmung nachträglich nur schwer mit einer ursprünglichen Offenbarung vereinbaren läßt. Die Betonung der verschiedenen ‚Visions‘-theorien scheint vom sprachlichen Sachverhalt her zumindest sehr einseitig zu sein.

Mit diesen formalen Bestimmungen sind wir immer noch bei Umschreibungen des strittigen „ὤφθη“ geblieben. Welchen Sachverhalt meint es genauer? Wie kann es wiedergegeben werden? Wir haben gesehen, wie sich der Bedeutungsgehalt von „ὤφθη“ mit der Konkretion der Struktur seines Geschehens wandelt. J. Blank macht aus ähnlichen Überlegungen heraus folgenden Vorschlag[33]. Es scheint ihm zu vage, den in „ὤφθη“ angesprochenen Sachverhalt mit dem üblichen Wort „Erscheinung“ wiederzugeben; denn Erscheinungen lassen die offensichtlich ungenügenden Interpretationsweisen von ‚Vision‘ oder ‚Nachweis‘ offen. Um nun die Eigentümlichkeit gerade des „ὤφθη“ und damit der Ostererscheinungen herauszuheben, führt er den Begriff „Erfahrung“ ein, womit sich die Aussage auf das neue und nicht Ableitbare dieser Erfahrung konzentriert. Es fragt sich jedoch, ob dieser Begriff der Erfahrung den gesamten Sachverhalt des Offenbarungsterminus „ὤφθη“, wie er oben angedeutet wurde, abdeckt. Denn danach meint „ὤφθη“ weniger die einlinige Hinsicht auf das Subjekt – die auch noch der ‚Erfahrung‘ zugrunde liegt –, vielmehr ist es seinem Gehalt nach doppelt strukturiert. Überhaupt ist der Begriff mehr Struktur als Name. Ihm eignet jene Struktur, die ihre Eigenheit aus der „Verborgenheit“ Gottes vor dem Menschen und der souveränen „Freiheit“ Gottes gegenüber jeder Kundgabe nimmt[34], eine Struktur, welche Gott und Mensch in eine Distanz von Verborgenheit und Freiheit spannt, die nicht übersprungen werden kann. Weder der Begriff „Erscheinung“ noch der der „Erfahrung“ gibt ein solches Bestimmungsverhältnis wieder; dagegen bietet sich der Begriff „Zeugnis“ geradezu an[35]. „ὤφθη“ heißt dann: „bezeugt sich“. Sich-Bezeugen ist ein Begriff der Vermittlung und des Verhältnisses. Das Offenbarungsgesche-

---

einen Text von Philo (De Abr., 77, 80), der das „ὤφθη“ ausdrücklich so interpretiert: „(ὤφθη ὁ θεὸς τῷ ᾽Αβραμ), διὸ λέγεται, οὐχ ὅτι ὁ σοφὸς εἶδε θεόν, ἀλλ᾽ ὅτι ὁ θεὸς ὤφθη τῷ σοφῷ.“

[33] J. Blank, Paulus, 157–158.

[34] W. Michaelis (ThW V, 332) umschreibt den komplexen Sachverhalt des „ὤφθη“, der aufgrund seiner spezifischen Offenbarungsqualität weder nur ein ‚Sehen‘ noch sonst eine Wahrnehmung allein zum Ausdruck bringt, mit „sich als gegenwärtig offenbaren“ (331) und „sich jemanden als sein Gott bezeugen“ (332).

[35] F. Mußner (Auferstehung, 73) hebt den „Begegnungs“-charakter der Erscheinungen hervor: „[…] um den Sinngehalt des ὤφθη von 1 Kor 15,5–8 richtig zu erfassen; das scheint uns die Kategorie ‚Begegnung‘ zu sein: die Zeugen begegnen in den Erscheinungen dem auferweckten Christus,

hen kann in einem solchen Zeugnisgeschehen ausgesagt werden; denn Zeugnis bezeichnet das Verhältnis dessen, der sich bezeugt bzw. sich offenbart, zu dem, dem bezeugt wird, und umgekehrt und dem fundamental zuvor, daß Offenbarung überhaupt durch Vermittlung geschieht. Die Erscheinungen können – soweit läßt sich der Hinweis aus dem Begriff „ὤφθη" deuten[35a] – ihrer Struktur nach als ursprüngliches Zeugnisgeschehen verstanden werden[36].

Wir nehmen damit die Begrifflichkeit von Paulus selbst auf, der das „ὤφθη"-Geschehen von 1 Kor 15,3 ff in V. 15 abschließend zusammenfaßt und mit einem „μαρτυρέω" wiedergibt[37]. Die an den Ostererscheinungen Beteiligten sind zu „Zeugen" des Geschehens geworden.

Wenn Paulus in 1 Kor 15,3 ff bzw. 15 auch keinen spezifischen Zeugnisbegriff geprägt haben dürfte[38], so behauptet er doch den sachlichen Zusammenhang

---

und in dieser Begegnung erschließt sich ihnen seine österliche Wirklichkeit." Die Kategorien „Erfahrung" (Blank), „Begegnung" (Mußner, Schlier) und „Zeugnis" haben vor dem Begriff „Erscheinung" den Vorzug, daß sie den Gesamtvorgang der Erscheinungen des Auferstandenen berücksichtigen, ohne die Elemente des ‚Sehens' u. a. zu unterdrücken; sie haben eine größere ‚Reichweite und lassen eine Reihe von Erfahrungsmöglichkeiten' zu (J. Blank, Paulus, 162); vgl. K. H. Rengstorf, Auferstehung, 57, 125; H. Schlier, Auferstehung, 36, 38 f.

[35a] Hier bricht unsere Interpretation von „ὤφθη" nach 1 Kor 15 ab. Mehr als einen Hinweis auf den „Zeugnis"-charakter der Erscheinungen sollte unsere Interpretation der Stelle nicht leisten. Die spezielle Frage nach der Entstehung und Begründung des Osterglaubens bleibt uns der Text schuldig; vgl. A. Vögtle, Osterglauben, 59, 68. Andererseits ist der Begriff des Zeugnisses ein Struktur-begriff, der gegenüber der Reflexion und Artikulierung der Entstehung und Bedeutung dieses einmaligen theologischen Zeugnisses nicht nur offen bleibt, sondern diese Reflexion geradezu fordert. A. Vögtle (Osterglauben, 100 f, 103, 103 ff) hat einige wahrscheinliche Motive zur Entstehung des Osterglaubens untersucht. Wir versuchen weiter unten, die verschiedenen theologischen Motive im lk und jo „Zeugnis"-begriff aufzuzeigen, die das theologische Verstehen und die theologische Reflexion beider angesichts der Situation nach Ostern bestimmen (s. u. S. 201 ff). Im ganzen wird nur die Komplexität des theologischen Zeugnisgeschehens der Erscheinungen deutlich.

[36] „ὤφθη" als Zeugnisgeschehen ist demnach ein Offenbarungsbegriff. Damit treffen wir uns mit Aussagen R. Peschs, die dieser trotz seiner anderswohin zielenden Intention zu „ὤφθη" als „theologischer Aussage" macht (Entstehung, 214, 215, 218). Allerdings darf man nicht versuchen, diesen Offenbarungsbegriff dann doch wieder auf ein „visionäres Offenbarungsgeschehen" zurückführen zu wollen (214, 217, 218), um sodann den Begriff seiner Bedeutungslosigkeit zu überführen. Es ist ein nicht gerechtfertigtes Verfahren, die „theologische Aussage" (215) durch eigenes historisches Nachfragen falsifizieren zu wollen, um dann den Erscheinungen jede Bedeutung für die Begründung des Osterglaubens absprechen zu können (218). Ist denn die Begründung des Osterglaubens in einem wie auch immer konkreten Offenbarungsgeschehen, das der Begriff „ὤφθη" besagt, nicht Begründung genug?

[37] Vgl. Apg 26,16: „ὤφθην σοι" – „μάρτυς". Um ein Mißverständnis zu vermeiden, muß gesagt werden, daß wir mit der Beschreibung des Erscheinungs- als Zeugnisgeschehen in 1 Kor 15,5–8.15 die Diskussion nicht entscheiden wollten, ob das „μαρτυρέω" in V. 15 schon den altchristlichen „Zeugen"-begriff wiedergibt. Das dürfte tatsächlich nicht der Fall sein. Diese Diskussion hat sich an der Aussage E. Günthers, (ΜΑΡΤΥΣ, 95 f) entzündet, in 1 Kor 15 könne man den Zeugenbegriff bis „auf die Urgemeinde" zurückverfolgen. Vgl. zu dieser Diskussion G. Schneider, Apostel, 60, Anm. 71 (Literatur), und A. Sand, Zeugen, 83 ff (Stand der Diskussion).

[38] Vgl. J. Beutler, Martyria, 174; G. Schneider, Apostel, 60; J. Kremer, Zeugnis, 66.

von Auferstehung und Zeugnis. Der Zusammenhang von Auferstehung und Zeugnis reflektiert sich in 1 Kor 15,3 ff in einer doppelten Hinsicht: einmal ergibt er sich aus der sachlichen Aussage der Stelle, dann aus der Struktur des Textes selbst. Das älteste Dokument zur Auferstehung hat fundamental Zeugnischarakter; die Schrift spricht von der Auferstehung auf die Weise des Zeugnisses. Wir haben daher festzuhalten: Die genuine, theologische Weise des Sprechens von Auferstehung ist das Zeugnis. Wer sich mit der Auferstehung befaßt, hat sich auf diese Bedingungen des Sprechens von Auferstehung einzulassen.

3.3 Auferstehung und Zeugnis. Bultmann, Ebeling und Pannenberg zu 1 Kor 15,3 ff

Bevor wir der Ordnung des Zeugnisses, den Gesetzen ihrer Konstitution, Dynamik und Genese nachgeben, seien Bultmanns, Ebelings und Pannenbergs Interpretationen von 1 Kor 15,3 ff daraufhin befragt, wie in ihnen Auferstehung zur Sprache kommt, ob und wie sie den Text als „Zeugnis" von Auferstehung verstehen.

3.3.1 Bultmanns Interpretation von 1 Kor 15,3 ff

Bultmann schränkt die Bezeugung der Auferstehung in 1 Kor 15,3 ff auf die „Augenzeugenschaft" ein[39]. Was bedeutet das? Es wird nützlich sein, den Sprachgebrauch Bultmanns dort zu untersuchen, wo er allgemein auf „Zeugnis" zu sprechen kommt.

Bultmann orientiert seinen Zeugnisbegriff offenbar am johanneischen[40]. Nach Bultmanns Jo-Interpretation weist der jo Zeugnisbegriff in eine doppelte Richtung: Jo kennt ein Zeugnis der „Welt" und das eigentümliche Zeugnis „Jesu"[41]. Zeugnis, das die Welt kennt, und Zeugnis, das Jesus gibt, stehen in solcher Gegensätzlichkeit, daß dem menschlichen Urteil das Zeugnis Jesu als „Paradox" erscheint[42]. Das Merkmal weltlichen Zeugnisses beruht laut Bultmann in der Forderung nach einem juristischen Ausweis und nach der „Legitimation"[43], die im Vorweisen einer Sache oder eines Werkes erbracht wird.

---

[39] Theologie, 82; vgl. KM I, 44 f.
[40] Vgl. Theologie, 420 ff.
[41] Ebd. 420.
[42] Ebd.
[43] Ebd.; vgl. 380–381, 397.

Gerade diese Legitimation der vorgewiesenen Sache kann im jo Verständnis Jesus aber nicht leisten. Wenn irgendwo, dann werde das Zeugnis Jesu – der Zeuge selbst sowie die bezeugte Sache – im „Glauben" ausgewiesen: „Nur in diesem Glauben wird die bezeugte Sache gesehen und der Zeuge als legitim erkannt; m. a. W.: nur dem Glauben erschließt sich der Gegenstand des Glaubens. „Wer aber in solchem Glauben das Zeugnis ‚in sich hat', hat eben damit das Leben [...] (1 Jo 5,11)."[44] Es ist nun interessant, zu sehen, daß Bultmann in seiner ‚Theologie' im Zusammenhang der „Offenbarung" auf Zeugnis zu sprechen kommt[45], und weiterhin, wie sich die Redeweise von Offenbarung weg auf den Glauben im Menschen verlegt (s. Zitat). Offenbarung und Jesus der ‚Offenbarer' ertragen keinen legitimierenden Ausweis, deshalb kann Offenbarung auch niemals in Gestalt welthaften Zeugnisses erscheinen[46]. Was Offenbarung ist und will, „kann nur der Glaube sehen"[47]. „Glaube" tritt in eine alles vermittelnde Stellung ein, indem er Offenbarung erschließt und Zeugnis zugänglich macht. Glaube gibt den Elementen von Offenbarung den umfassenden Raum. Wo aber ist der Raum des Glaubens selbst? Nach Bultmann trägt der Christ das Zeugnis von Offenbarung „in sich" (s. Zitat).

Der bislang allgemein aufgewiesene Zeugnisbegriff Bultmanns bestätigt sich in seiner Interpretation von 1 Kor 15,3 ff[48]. Zur Stelle merkt Bultmann an, Paulus wolle hier „das Wunder der Auferstehung durch Aufzählung der Augenzeugen als historisches Ereignis sicherstellen"[49]. Zwar spricht Bultmann von diesem Geschehen als Bezeugung, aber die, denen dieses Geschehen widerfährt, stuft er lediglich als „Augenzeugen" ein. Die Tätigkeit des Augenzeugen wird durch ein Sicherstellen präzisiert, wodurch das Verhältnis des Zeugen zu dem Bezeugten auf eine bestimmte Weise verstanden wird. Gemeint ist ein Sichern- und Abstellenwollen der Sache, die bezeugt werden soll, ein Beweisenwollen, daß es sich so und nicht anders verhält. Bultmann sieht in der Formel die Absicht des „Paulus wie des ganzen Urchristentums"[50], durch Nennung von Zeugen einen Beweis für die Tatsächlichkeit der Auferstehung zu führen[51]. 1 Kor 15,3 ff sei für Paulus die „Legitimation", der Augenzeuge ein „Beweis für die Auferstehung"[52]. Eine solche Argumentation, die die Erscheinungen als Beweis der ‚ontischen' Tatsache der Auferstehung bemüht, kann Bultmann nur „fatal" nen-

---

[44] Ebd. 421.
[45] Der ganze Paragraph 48 ist mit „Die Offenbarung als das Wort" überschrieben (ebd. 412 ff).
[46] Ebd. 420.
[47] Ebd.
[48] KM I, 44–45; vgl. GV I, 51 ff.
[49] KM I, 44–45.
[50] GV I, 54.
[51] KM I, 45; E. Güttgemanns, Apostel, 55.
[52] Theologie, 85.

nen[53]. Er selbst weigert sich, ein weiterführendes Verhältnis, das die Erscheinungen mit der Auferstehung verbände, anzuerkennen, wahrscheinlich weil er eine streng historische Ableitung des einen aus dem anderen befürchtet[54], obwohl er noch eine andere mögliche – nicht historische – Verhältnisbestimmung beider Geschehen anzudeuten scheint[55]. Offenbar kann Bultmann die Gefahr einer nach seinem Verständnis falschen Legitimierung nur umgehen, indem er den „Schnitt" zwischen Erscheinung und Auferstehung radikal ansetzt[56]. Auferstehung einerseits und Erscheinung andererseits werden in voneinander getrennten Zusammenhängen entwickelt. Die Erscheinungen fallen auf die bedeutungslose Ebene „psychogener Visionen"[57] herab; Bultmann schließt sich der seit D. F. Strauß entwickelten Visionshypothese an[58]. Dieses Ergebnis ist für ihn nicht bedenklich, da die Erscheinungen als „subjektive Visionen" nur zu leisten haben, uns davon in Kenntnis zu setzen, welche Vorgänge, gleich welcher Art, sich damals bei den Jüngern abspielten[59].

Noch einmal: Warum kommt Bultmann zu dieser Einschätzung von 1 Kor 15, 3 ff? „Die Wahrheit der Auferstehung Christi kann nicht vor dem Glauben, der den Auferstandenen als den Herrn anerkennt, eingesehen werden. Die Tatsache der Auferstehung kann – trotz 1 Kor 15, 3–8 – nicht als objektiv feststellbares Faktum, auf das hin man glauben kann, erwiesen oder einleuchtend gemacht werden."[60] Die Legitimation von Augenzeugen widerspräche ganz dem Glauben an die Auferstehung. Ein Auferstehungsbeweis ist deshalb nicht zu führen, weil er sich in historischem Argumentieren aufhielte, ein wie auch immer geartetes „objektives historisches Faktum"[61], aber niemals Glauben erstellen könnte. In der Auslegung der Formel geraten für Bultmann „Glaube" und „Historie" in eine unzumutbare Disproportion, in einen „Widerspruch", in den sich Paulus gegenüber seinen übrigen Aussagen zur Auferstehung verfangen habe[62]. Im Gegensatz zu den sonstigen wahrhaft ‚kerygmatischen' Aussagen

---

[53] KM I, 45.
[54] Vgl. J. E. Scheid, Heilstat, 182.
[55] K. Barth deutet eine andere, theologische Verstehensmöglichkeit an, auf die Bultmann in KM I, 45 und GV I, 54 f eingeht, ohne sie eigentlich zu verstehen und davon näheren Gebrauch zu machen.
[56] Vgl. E. J. Scheid, Heilstat, 182.
[57] Vgl. E. Ruckstuhl – J. Pfammater, Auferstehung, 65.
[58] Vgl. G. Koch, Auferstehung, 185 ff.
[59] Vgl. J. E. Scheid, Heilstat, 185.
[60] Theologie, 305.
[61] GV I, 54–55.
[62] Ebd.: „Ich kann den Text nur verstehen als den Versuch, die Auferstehung Christi als ein objektives historisches Faktum glaubhaft zu machen. Und ich sehe nur, daß Paulus durch seine Apologetik in Widerspruch mit sich selbst gerät; denn von einem objektiven historischen Faktum kann allerdings nicht gesagt werden, was Paulus VV. 20–22 von Tod und Auferstehung sagt."

des Paulus spricht er der Formel 1 Kor 15,3ff den Charakter des „Kerygmas" ab, weil hier Paulus am Beweis, nicht aber am „Kerygma" gelegen sei[63]. Es ist wiederum der Glaube, der einen zweiten Gegensatz errichtet, der von „Kerygma" und „Historie". Glaube seinerseits ist der vorgegebene Raum, der sich aus sich begründet und sich anderem – dem Kerygma – Raum gibt, während er anderes – die Historie – ausschließt. Auferstehung leitet nicht zum Glauben hin, sondern ist selbst „Gegenstand des Glaubens"[64]. Es gibt keinen Zugang zum Glauben, auch nicht durch die Bezeugung der Erscheinungen, es sei denn im Glauben selbst.

Die Interpretation Bultmanns bewegt sich, was die Bezeugung des Auferstandenen in 1 Kor 15,3ff betrifft, in einem Feld von Begriffen, die sich in bestimmter Weise einander zuordnen oder ausschließen. Das Feld aller Zusammenhänge beherrscht und begründet der „Glaube"[65]: er scheidet „Kerygma" von „Historie". Die Argumentationsweise des „Historischen" ist der „Beweis", die des „Kerygmas" der Glaube. Glaube und Beweis sind aber unvereinbar. In der Auseinandersetzung dieser Begriffe wird „Zeugnis" an den Rand gedrängt. Der bei Jo ambivalente Begriff des Zeugnisses wird von Bultmann zwar übernommen, jedoch kommt nur die eine Bedeutung von Zeugnis zum Tragen. Für Bultmann stellt sich mit Zeugnis das Problem des Beweises. Gleichwohl läßt er sich einen Augenblick von einer anderen Sicht aufhalten, wenn er, eingehend auf die Kritik Schniewinds, „[w]as uns im Kerygma der Gemeinde begegnet", sei „nicht der Osterglaube, sondern das Osterzeugnis der ersten Jünger"[66], ihm zugesteht: „Das Martyrion in seiner Vollmacht ist das Ziel der Osterberichte."[67] Doch schlägt diese Einsicht nirgendwo durch. Der Zeuge bleibt bloßer Augenzeuge.

3.3.2 Ebelings Interpretation von 1 Kor 15,3ff

Ebeling macht von den Begriffen „Zeuge" und „Zeugnis" Gebrauch. Gibt jedoch die Häufigkeit der Verwendung schon einen Hinweis auf einen hervorgehobenen Stellenwert dieses Begriffs in seiner Theologie überhaupt? Zu Bult-

---

[63] KM I, 130: „Freilich kann ich 1 Kor 15,3-8 nicht als Kerygma anerkennen." Vgl. KM I, 45.
[64] KM I, 45.
[65] Wohl kennt auch Bultmann eine Abhängigkeit des Glaubens: „die πίστις ist eitel, wenn Christus als besondere Kategorie geleugnet wird. Das Kerygma beruht auf Offenbarung, und wo sie geleugnet wird, ist es eitel. Das Wunder der Auferstehung Christi bedeutet für Paulus die Behauptung der besonderen Kategorie Christus", andernfalls „bleibt er [Christus] im Rahmen des Menschlichen, und es kann wohl zu einer ‚Glaubenslehre', aber nicht zu einem Kerygma kommen" (GV I, 53–54). Doch tritt bei Bultmann das „Offenbarungs"-geschehen hinter seiner Erschließung im „Glauben" zurück.
[66] J. Schniewind, Antwort, in: KM I, 97.   [67] KM I, 130.

manns Auslegung hinsichtlich 1 Kor 15, 3 ff merkt Ebeling an: „[D]as Kerygma, sosehr es Existenzanrede und damit Existenzerhellung ist, [ist] nicht einfach ein Reden von der Existenz, sondern Zeugnis von Geschehenem, eröffnet also auch zu diesem Geschehen einen Verstehensbezug."[68] Zeugnis darf vom Kerygma nicht vereinnahmt werden, sondern dieses ist auf jenes angewiesen, indem es Kerygma in einen Bezug zu Geschehenem bringt. Zeugnis tritt in den Dienst der Vermittlung zwischen Historie und Kerygma, indem Historie ins Kerygma eingeht. In der weiteren Anwendung erscheint Zeugnis bei Ebeling in sehr verschiedenen Zusammenhängen, welche nun im Blick auf einen möglichen, für Ebeling spezifischen Gebrauch aufzudecken sind.

Die historische Dimension des Zeugnisses ist bei Ebeling charakteristisches Merkmal des christologischen Zeugnisses überhaupt. Wenn er von Zeugnis redet, meint er damit zunächst den historischen Jesus als „Zeugen des Glaubens"[69]. Die Nennung des „Zeugen des Glaubens" erfolgt erstmals mit Ebelings Frage: „Wie verhält sich der historische Jesus zu dem Christus des Glaubens?"[70] Mit dieser Frage tritt Ebeling in die Diskussion um die ‚neue Frage nach dem historischen Jesus'[71] ein und stellt heraus, an Jesus als historischer Gestalt interessiere ihn nur, „daß in ihm der Glaube zur Sprache gekommen ist"[72]. Mit anderen Worten: dieser Jesus wird ihm nicht bedeutsam, insofern an ihn als einen Glaubensgegenstand zu glauben wäre, vielmehr insofern Jesus selbst der „Zeuge" wahrhaften Glaubens ist. Alles das, was aus dem Leben Jesu überliefert wird, seine Worte, seine Gesten, sein Verhalten, ist für den eigenen Glauben relevant; denn in ihnen gibt Jesus ‚Zeugnis für seinen Glauben im Dasein für andere'[73]. Diese Konzentration auf das Zeugnis macht schließlich alles Interesse am genauen biographischen Detail und an psychologischer Schilderung überflüssig[74]. Das Zeugnis ergeht im ‚Ruf zum Glauben'[75], da sein Glaube den Christen zu eigenem Glauben „ermutigt"[76]. – Dieser Gebrauch von Zeugnis steht bei Ebeling weitgehend im Vordergrund. Was Ebeling primär mit Zeugnis benennt – das nämlich, was im historischen Jesus als „Zeugen des Glaubens" geschieht –, steht so an dem Ort, wo sich der „historische" Jesus und der „Christus des Glaubens" oder „Glaube" und Historie" begegnen. Zeugnis bringt die Historie Jesu in den Glauben ein, damit sich aus dem Historischen ein Zugang zum Glauben auftue, wobei im Durchgang vom Historischen zum Glauben die Historie schließlich wieder zurückgelassen werden kann.

Bleibt die Rede vom „Zeugen des Glaubens" auf den irdischen Jesus beschränkt, oder begründet die Auferstehung einen neuen Zug im Zeugnis Christi? Auf 1 Kor 15, 3 ff legt Ebeling starkes Gewicht: „Dieses Osterzeugnis ist

---

[68] ThV, 30. [69] Wesen, 48 ff u. ö. [70] Wesen, 50. [71] Siehe o. S. 69 ff.
[72] WG I, 311. [73] WG I, 309–310. [74] WG I, 309. [75] Wesen, 64. [76] Wesen, 65.

die Keimzelle des christlichen Glaubensbekenntnisses gewesen und dessen konstitutiver Kern geblieben."[77] Aber in welcher Art wird die Auferstehung in ihrer Bezeugung für den Glauben konstitutiv? Wird sie es für den Glauben schlechthin, oder wird sie es für das Glaubensbekenntnis der ersten Gemeinde? Im folgenden kommt es auf das genaue Verständnis dessen an, wie das Osterzeugnis den Glauben begründet. 1 Kor 15,3ff will, so Ebeling, nicht mehr als eine knappe Formel sein: „Die Namen der Zeugen und die Bezeugung des Auferstandenen genügten."[78] Einerseits werden zwar die Erscheinungen als Bezeugungen des Auferstandenen festgehalten. Aber welche Inhaltlichkeit erhält andererseits solches Bezeugen für den ersten Glauben? Es scheint keine; denn die Tatsache der Bezeugung und die Sicherheit der Namensnennung sind Ebeling genug. Liegt eine solche Interpretation nicht auf der Linie Bultmanns, Paulus habe durch Zeugen die Auferstehung legitimieren wollen? Jedenfalls wird die Bezeugung des Auferstandenen in keinen direkten Zusammenhang mit dem Verständnis von Zeugnis gebracht, das im Sprachgebrauch Ebelings überwiegt; es wird nicht deutlich, von welcher Art das Verhältnis des Auferstandenen zum eigentlichen Zeugen des Glaubens ist. Aufgrund dieser Überlegungen legt es sich nahe, einen unspezifischen Wortgebrauch von Zeugnis anzunehmen, wo Ebeling von den Bezeugungen des Auferstandenen spricht. Gemeint sein dürfte die Kundgabe und Kenntnisnahme eines fernen Geschehens für die Nachwelt durch übliche Bezeugung.

Der unspezifische Wortgebrauch von Zeugnis im Auferstehungskontext wird durch andere Bemerkungen bestätigt. Sicherlich weisen – anders bei Bultmann – die Erscheinungen in eine Beziehung mit der Auferstehung ein, sie sind „Bezeugungen", doch bleibt die Verknüpfung beider recht locker[79]. In der Erinnerung an 1 Kor 15,3ff spricht Ebeling zwar von der „Intensität dieses fundamentalen Begegnungsgeschehens"[80], doch hält er es für ausreichend, wenn diese Begegnung mit den Merkmalen von „Visionen" beschrieben werden[81]. Wird aber Zeugnis nicht unterboten, sobald der Rückbezug auf Geschehenes, wie er zu Anfang postuliert wurde (s.o.), indirekt wieder zurückgenommen wird, da Visionen wohl keinen eindeutigen Wirklichkeits- und Geschehensbezug erstellen können? Recht verstandenes Zeugnis und Visionen sind nur schlecht vereinbar.

Letztlich sind es bei Ebeling dann auch nicht die Bezeugungen des Auferstandenen, die den Zugang zum Glauben an den Auferstandenen eröffnen und die Auferstehung zur Sprache bringen, sondern der Glaube selbst. Glaube, auch Glaube an die Auferstehung, ist sich selbst Weg und Zugang; der Bereich des Glaubens ist nicht von einem Außen seiner selbst zu betreten. Und hier wandelt

---

[77] Wesen, 69.   [78] Wesen, 77.   [79] Wesen, 77f.   [80] Wesen, 82,   [81] Ebd.

sich das Verhältnis von „Glaube" und „Zeugnis" entschieden gegenüber dem, was Ebeling oben gegen Bultmann einwendet: „[...] nicht in den Erscheinungen als solchen, sondern im Glauben ist die Zeugenschaft begründet."[82] Der Begründungszusammenhang von Zeugnis und Glaube hat sich gewendet. Wenn Ebeling im Zusammenhang von 1 Kor 15,3 ff auf Zeugnis zu sprechen kommt, dann in erster Linie mit dem Blick darauf, daß Zeugenschaft zunächst solche der Jünger sei und nicht so sehr durch die Bezeugung des Auferstandenen begründet wird als vielmehr durch den Glauben. „Glaube" gründet weniger im „Zeugnis" als „Zeugnis" im „Glauben" gründet. So erscheint es konsequent, wenn jeder, der glaubt, Zeuge der Auferstehung werden kann: „Jeder Glaubende ist als Glaubender dazu berufen, Zeuge der Auferstehung zu sein."[83] Mit anderen Worten: dem Zeugnisgeschehen von Ostern eignet kein spezifisches Merkmal, und es begründet keinen neuen Zugang zum Zeugnis Christi.

Damit deutet sich eine neue Begriffsebene an, welche für Ebelings Verständnis immer größere Bedeutung erhält. „An der Entstehung des Osterglaubens ist das Neue nicht ein neuer Glaubensgegenstand, sondern die Entstehung, das Erwecktwerden, das Lebendigwerden des Glaubens selbst."[84] Ostern konzentriert sich ganz auf den Osterglauben der Jünger, auf die Entstehung und Weckung von Glauben überhaupt. Diese Wendung der Sicht von Ostern ruft jedoch mit dem, was vorher gesagt wurde, Inkongruenzen herauf. Es bleibt nämlich unklar, wie sowohl der historische Jesus als auch der Auferstandene den Glauben begründen und erwecken sollen und wie sich das eine vom anderen unterscheidet; denn jedesmal geht es Ebeling offensichtlich um den einen Glauben. Zwar werde der „Zeuge des Glaubens" – der historische Jesus – durch die Auferstehung zum „Grund des Glaubens"[85], doch stellt sich Ebeling dann selbst die Frage, warum gerade der Auferstandene den Glauben begründe, wenn er zuvor schon da war[86]; denn „an Jesus glauben und an ihn als Auferstandenen glauben ist ein und dasselbe"[87]. Im Sprechen von Auferstehung ergeben sich Unstimmigkeiten, wo der Zusammenhang von Glaube und Zeugnis so ins Spiel kommt, daß Glaube statt Zeugnis den Glauben der Auferstehung ermöglicht. Daß wir es nicht mit konstruierten, sondern in der Sache begründeten Unstimmigkeiten zu tun haben, hat Ebeling übrigens später selbst empfunden, als er den Zusammenhang von Auferstehung, Glaube und Zeugnis noch einmal überdachte und noch eindeutiger in die eingeschlagene Richtung verwies[88]. Ebeling weiß um die Einmaligkeit und Unwiederholbarkeit der Erscheinungen[89]. Wenn

---

[82] Wesen, 83.   [83] Ebd.   [84] Wesen, 72.
[85] Ebd.; vgl. WG I, 314.   [86] Wesen, 83.   [87] Wesen, 84.
[88] WG I, 308 ff, Anm. 14 deutet Ebeling den ergänzenden Charakter dieser Ausführungen an, die er über seine früheren Aussagen hinaus machen will.
[89] Wesen, 81.

aber Einmaligkeit und Unwiederholbarkeit nicht in der ursprünglichen Bezeugung des Auferstandenen begründet sind, wo dann? Ebeling antwortet: in der Berufung und Sendung dieser bestimmten Zeugen. Auf diese Weise sind die Erscheinungen für das weitere Verkündigungsgeschehen konstitutiv[90]. In den genannten Korrekturen tritt der Zusammenhang von Erscheinung und Verkündigung klar hervor; ineins damit zeigt sich ein neuer Begriff von Zeugnis. Wenn Ebeling früher die Erscheinungen stärker auf den Glauben der Jünger bezog, weil sie ein „Zum-Glauben-Kommen" bewirkten, werden sie nun eindeutig mit einer Berufung zur Zeugenschaft identifiziert; denn „Zum-Glauben-Kommen" und „Zum-Glaubenszeugen-Werden" sind nun „ein und dasselbe"[91]. Im Verständnis der Erscheinungen tritt die Bezeugung des Auferstandenen immer mehr zurück, und es kommt alles darauf an, daß der Jünger das Zeugnis annimmt und selbst zum „Zeugen" wird[92]. Damit ist die Funktion von 1 Kor 15,3ff klar umschrieben: Im österlichen Glauben an den „Zeugen des Glaubens", der Jesus ist, wird der Jünger selbst zum „Zeugen des Glaubens"[93], indem er zur Verkündigung berufen wird. Schließlich engt sich der Sinn von Ostern darauf ein, daß er „mit der Konstituierung des christlichen Kerygmas" zu tun hat[94].

Zusammenfassend läßt sich bei Ebeling ein starker Rückgriff auf den Begriff Zeugnis feststellen. Doch hat Ebeling die Konzeption, welche er im Abstoß von Bultmann formulierte, daß nämlich Zeugnis Bezeugung eines Geschehens sei, nicht einheitlich durchhalten können. Ebeling spricht auf drei Weisen von Zeugnis: Fundamental für das Zeugnis ist der „historische Jesus", der „Zeuge des Glaubens". Die Bezeugung des Auferstandenen, die nicht näher gewürdigt wird, konstituiert die Christen, jeden Christen, als „Zeugen"; der Christ wird durch seinen „Glauben" Zeuge. Die Apostel und die ersten Jünger werden darüber hinaus besondere Glaubenszeugen, insofern sie das „Kerygma" des Ursprungs verkünden.

3.3.3 Pannenbergs Interpretation von 1 Kor 15,3ff

Der Begriff Zeugnis fällt bei Pannenberg nur wenig. Die relativ seltene Verwendung des Begriffs wird einsichtig, wenn wir Pannenbergs Interpretation von 1 Kor 15,3ff analysieren. Gegenüber Ebeling bietet Pannenberg eine völlig anders gerichtete Deutung von 1 Kor 15. Die Kenntnis der Auferstehung sei „Sache der Vernunft". „Daher führt Paulus 1 Kor 15 durch die Aufzählung der Zeugen, die die Erscheinungen des Auferstandenen erlebt haben, einen Beweis

---

[90] Ebd.   [91] WG I, 314.   [92] WG I, 315.   [93] WG I, 314.   [94] WG I, 314.

für die Glaubwürdigkeit dieser Nachricht. Erst aus solcher Kenntnis kann das Vertrauen auf den totenerweckenden Gott erwachsen. Wir müssen heute den Mut zu dieser Tatsache wiederfinden. Wir müssen erst wieder lernen, daß der Glaube Voraussetzungen hat, Voraussetzungen, die nicht sofort durch eine ‚Glaubensentscheidung' sicherzustellen, sondern dem Urteil der Vernunft ausgesetzt sind."[95] Nicht ein voraussetzungsloser „Glaube", eine Glaubensentscheidung, sondern die „historische" Vernunft steht bei Pannenberg am Anfang des Auferstehungsglaubens. Die historische Vernunft stößt zum Geschehen von Ostern vor, indem solches Zeugnis „Beweisabsicht" hat[96]. Pannenberg identifiziert das Zeugnisgeschehen in 1 Kor 15, 3 ff öfter – wie übrigens Bultmann – mit einem „Beweis", besser einem „Zeugenbeweis"[97]. Während Bultmann aber jedwede Beweisabsicht für sein Denken von sich weist, übernimmt Pannenberg sie in sein Programm[98]. Die Erscheinungen sind für Pannenberg „Bezeugung der Wirklichkeit des Auferstandenen". Sie wollen über den Auferstandenen direkt aussagen. Deshalb wehrt er jede Reduktion der Erscheinungen auf psychogene Vorgänge oder irgendeinen subjektiven Visionsbegriff heftig ab[99], denn diese blieben „ohne eine korrespondierende Wirklichkeit außersubjektiver Art"[100], um die es Paulus nach Pannenberg im besonderen Maß geht. Wenn sich Pannenberg so in aller Ausführlichkeit mit dieser Reduzierung der Ostererscheinungen auseinandersetzt, stellt er sich bewußt gegen die protestantische Tradition der Linie D. F. Strauß[101].

Der Zeugenbeweis 1 Kor 15, 3 ff stützt sich nach Pannenberg auf die Tatsache[102] der Auferstehung[103]; dem Beweis muß historische Gültigkeit zuerkannt werden. Zwar könnte man bezweifeln, ob er eine historische Beweiskraft im modernen Sinne habe, doch habe Paulus damit „einen für damalige Verhältnisse überführenden historischen Nachweis" erbracht[104]. Paulus unternehme es auf die damals übliche Weise, eine Reihe von Zeugen aufzuzählen[105]. Pannenberg selbst bemüht sich, einen ähnlichen heute gültigen historischen „Rückschluß" „von den erwähnten Erscheinungen des lebendigen Herrn darauf, daß Jesus [...] nicht tot geblieben ist", zu rechtfertigen; denn eine innere Notwendigkeit zwinge die Erfahrung zu der Überzeugung, daß Jesus lebt, daß er tatsächlich auferstanden ist. Dieser Rückschluß müsse sich, wenn er heute gültig sein will,

---

95 W. Pannenberg, Jesu Geschichte und unsere Geschichte, in: Radius 1960 (Heft 1), 18 b.
96 Christologie, 86.   97 Ebd.   98 Christologie, 86, Anm. 80.
99 Christologie, 89 ff.   100 Christologie, 92.   101 Christologie, 93.
102 Pannenberg legt allerdings so entschieden Nachdruck auf die Wirklichkeit beider Geschehen, Auferstehung wie Erscheinungen, daß nicht immer ganz deutlich wird, ob er nun die ‚ontische' Wirklichkeit der Auferstehung aus dem Realitätscharakter der Erscheinungen oder die Intensität der Erscheinungen aus der (vorausgesetzten?) Wirklichkeit des Auferstandenen ableiten will; vgl. Christologie, 93.
103 Christologie, 86, 91.   104 Christologie, 86.   105 Vgl. E. Güttgemanns, Apostel, 55.

vor der historischen Methode ausweisen [106]. Dann aber ist der Beweisgang allgemein mitvollziehbar, und daher wendet sich Pannenberg gegen das Postulat, der Auferstandene sei nur vor erwählten Zeugen oder Glaubenszeugen erschienen, und behauptet im Gegenteil, es bestünde die Möglichkeit von „neutralen Zeugen" [107]. Wäre aber die Objektivität des historischen Nachweises in der Weise gesichert, wie es Pannenberg anzunehmen scheint, dann dürfte ein spezifisches „Zeugnis" der Auferstehung gegenstandslos werden; ein historischer Beweis ist zwar auf historische Zeugnisse angewiesen, diese können aber ohne Berücksichtigung der eigentümlichen Art ihrer Bezeugung untersucht werden. Die historisch-kritische Methode würde das, was ‚Zeugnis' bezeugt, überflüssig machen oder verdecken.

Pannenberg stützt sich deshalb vor allem auf 1 Kor 15,3ff, weil diese Formel in einer besonderen Nähe zum Auferstehungsgeschehen steht. Ihm stellt sich die Frage, ob aus der kerygmatischen Formel 1 Kor 15,3ff nicht ein historisches Dokument wird. Jedenfalls ist sie eine „Legitimationsformel"; sie dient „zur Begründung besonderer Autorität bestimmter, einer Erscheinung gewürdigter Christen" [108]. Aus diesem Grund bleibt das Urzeugnis der Apostel unumgänglich [109]. „Der christliche Glaube bleibt angewiesen auf das Zeugnis derjenigen, die nicht nur den Auferstandenen gesehen, sondern auch den irdischen Jesus gekannt haben und diesen also in den ihnen zuteil gewordenen Erscheinungen wiedererkennen konnten." [110] Damit ist nicht gesagt, daß die Jünger den erweckten Herrn aus der Kraft eines früheren Glaubens erkennen; das Wiedererkennen steht zunächst auf der Ebene historischen Wiedererkennens. Denn nur vom Standpunkt der Jünger wird ein historischer Schluß vom Irdischen zum Auferstandenen gangbar. Ihr Zeugnis, das im Auferstandenen den irdischen Jesus wiedererkennt, liegt im Zug historischer, gesicherter Überzeugung und Erkenntnis. Zeugnis, auch das Urzeugnis der Apostel, tritt dabei in den Gang historisch aufzudeckender Notwendigkeit ein [111].

Pannenberg ist so auf ein spezifisches Bezeugungsgeschehen nicht angewiesen. Zeugnis nimmt keinen besonderen Platz in der ihm eigenen Terminologie ein. Denn in der Ordnung des Historischen zählt nur das Zeugnis als Dokument.

---

[106] Auferstehung, 111.
[107] Christologie, 90, Anm. 88.
[108] Christologie, 87.
[109] Auferstehung, 111.
[110] Auferstehung, 111; vgl. Christologie, 95.
[111] Auferstehung, 111; vgl. Christologie, 95.

3.3.4   Die Funktion des Zeugnisbegriffes bei Bultmann, Ebeling
und Pannenberg

Bultmann, Ebeling und Pannenberg gewinnen in ihrer Interpretation von 1 Kor
15, 3 ff gleichermaßen den Begriff des Zeugnisses und konstatieren damit den
notwendigen Zusammenhang von Auferstehung und Zeugnis. Sie fragen jedoch
nicht weiter: Was bedeutet es für die Auferstehung und das Sprechen von Auferstehung, daß sie den Charakter des Zeugnisgeschehens trägt? – das Zeugnis dient
ihnen also nicht als hermeneutisches Prinzip der Auferstehung –, für sie stellt
sich diese Frage überhaupt nicht, sie kann erst gar nicht aufkommen, da der
Zeugnisbegriff sogleich in das jeweilige philosophisch-theologische Programm
eingeebnet wird, das so seinerseits als hermeneutisches Prinzip des Begriffs der
Auferstehung fungiert. Denn in der Interpretation von 1 Kor 15, 3 ff durch die
drei protestantischen Theologen werden einmal mehr ihre oben erhobenen
Grundentscheide deutlich.

Wenn für Bultmann Glaube ausschließlich und unmittelbar aus „Glaube" und
„Kerygma" entspringt und lebt, so unmittelbar, daß der historische Anlaß nicht
interessiert bzw. ins Paradox verfremdet wird, dann hat für ihn ein Begriff der
Vermittlung von „Historie" und „Kerygma" wie das Zeugnis, das er ohnehin
auf die bloße Augenzeugenschaft und auf einen Beweis reduziert, keine Funktion. Das bedeutet für den Zusammenhang von Zeugnis und Auferstehung, daß
es im Grunde kein „Zeugnis" der Auferstehung gibt.

Ebeling geht es zwar um die Vermittlung von „Historie" und „Kerygma",
und diese soll das „Zeugnis" leisten. Wenn er jedoch das historische Ereignis
lediglich zum Anlaß nimmt, den Glauben zu artikulieren und zu bezeugen,
ohne daß der Glaube sich von diesem historischen Anlaß her gestaltet, dann
wird der Begriff des Zeugnisses auf seine reine Mitteilungsfunktion, ohne
Berücksichtigung dessen, was mitgeteilt wird, eingeschränkt. Das „Zeugnis"
der Auferstehung besagt nichts weiter als jedes andere Zeugnis des Glaubens.

Wenn für Pannenberg das historische Ereignis führend wird, insofern der
Glaube sich immer wieder ihm zuwenden und sich an ihm orientieren
muß, der Glaube also in der Historie gründet, dann dient das Zeugnis zur
bloßen Übermittlung und Wiederholung des Geschehenen. Das „Zeugnis"
der Auferstehung wird so zum objektiven Bericht des Geschehenen, zum
Beweis.

Im folgenden konfrontieren wir die Interpretationen der drei protestantischen
Theologen ein letztes Mal mit den Aussagen von 1 Kor 15, 3 ff. Wenn wir die
Interpretation von 1 Kor 15, 3 ff über die Begriffsanalyse von „ὤφθη", wie wir
sie oben durchgeführt haben, hinaus weitertreiben, so werden die Konturen des

Zeugnisses der Auferstehung noch schärfer und treten die Verkürzungen seitens der behandelten Theologen deutlicher zutage.

E. Güttgemanns hat überzeugend nachweisen können, wie alle Behauptungen, Paulus habe mit der Aufzählung von Augenzeugen die Tatsache der Auferstehung beweisen wollen, von falschen Voraussetzungen ausgehen[112]. Solches wäre Bultmann anzulasten, der von derlei Voraussetzungen aus schließlich die Bezeugung des Auferstandenen auflöst und die ,Tatsache' von Ostern streng vom ,Osterglauben' trennt. Das Entsprechende gilt aber auch für Pannenberg, der in der Formel einen historischen Zeugenbeweis findet[113]. Bei beiden wird die Formel in die Begriffe „Historie" und „Glaube" gespannt. 1 Kor 15,3ff darf aber nur in sehr begrenztem Maß als „geschichtliches Summarium" bezeichnet werden[114], da sich die Stelle selbst als „Evangelium" (1 Kor 15,1) versteht. Eher könnte man von einer „heilsgeschichtlichen Erzählung" reden[115]. Es führt zu Verkürzungen – so Lehmann –, sobald man in der einen oder in der anderen Hinsicht das Glaubensbekenntnis, das „untrennbar Botschaft und ,Bericht'" verbindet, durch ein „fein säuberliches Scheiden zwischen theologischer Deutung bzw. dem darin beschlossenen Zeugnisgeben und dem Bezeugten"[116] auflösen würde[117]. In 1 Kor 15 ist die Auferstehung nur in der Bezeugung der Erscheinungen da: das eine, die bezeugte Tatsache, darf nicht aus dem Modus ihrer Vermittlung herausdestilliert werden, das andere, die Erscheinung, ist Bezeugung von etwas. Der Bericht ist schon theologische Deutung, die Deutung ist Botschaft geschehener Erlösung. Die Formel will durchaus theologisch verstanden werden, wie es eben die Tatsache der Auferstehung sein will, wenn sie in einen streng soteriologisch-theologischen Kontext eingebunden wird, der durch die Zusätze „für unsere Sünden", „gemäß der Schrift" u. a. deutlich zur Sprache kommt[118]. Diesem Verständnis werden Lösungen nicht gerecht, die den theologischen Zusammenhang von Erscheinungen und Auferstehung entweder auflösen (Bultmann) oder in einem Demonstrationszusammenhang verengen (Pannenberg) oder auch auf ein Element der komplexen Einheit beschränken, sei dies der „Glaube" (Ebeling), das „Kerygma" (Bultmann) oder die „Historie" (Pannenberg). In einem jeden dieser Fälle verliert sich die Einheit des Geschehens.

---

[112] E. Güttgemanns, Apostel, 53–93, 93–94.
[113] Vgl. Anm. 112. Ähnlich J. Blank (Paulus, 134), der zwar nicht in allem mit Güttgemanns übereinstimmt (135, Anm. 5), mit ihm aber darin einig ist, daß Paulus nicht die Tatsache der Auferstehung Jesu beweisen, sondern zur Erkenntnis der Totenauferstehung hinführen will.
[114] K. Lehmann, Auferweckt, 323.
[115] J. Blank, Paulus, 143.
[116] K. Lehmann, Auferweckt, 324.
[117] Vgl. J. Blank, Paulus, 143ff.
[118] Vgl. K. Lehmann, Auferweckt, 322, 323f.

In der Formel sind immer wieder die passiven Wendungen der Auferstehungsaussagen aufgefallen[119]: das wiederholte „Daß" ist ein deutliches Zeichen für einen Handlungsträger; bei den Erscheinungen geht es um ein Geschehen vom Auferstandenen selbst her, nicht aber um einen subjektiven Eingriff oder eine Einflußnahme des sehenden Subjekts: „Gegenstand des Offenbarwerdens ist [...] der Auferstandene selbst."[120] Das muß als Grundsatz der Auslegung festgehalten werden. Damit fällt aber ein entscheidendes Licht auf die eigentümliche Wirklichkeit der Erscheinungen und auf die der Auferstehung selbst. Denn einmal läßt sich diese dann nicht mehr „einschränken auf ein Selbstverständnis, ein Wortgeschehen, auf einen Oster-‚glauben', sofern damit nur personal-subjektive Akte angedeutet werden (auch wenn diese von einem ‚extra nos' bestimmt werden)"[121]. Andererseits genügt zur Beschreibung der Wirklichkeit Auferstehung auch nicht der Begriff „Historie". In der oben genannten Passivität und Faktizität der Auferstehung ist die „Intensität einer ‚Wirklichkeit' ganz eigenen Charakters ausgesagt"[122]. Begriffe wie „Vorhandenheit", „Objektivität" oder „Historizität" sind dagegen nur „abstrakte Schablonen"[123]. Die Argumentation hinsichtlich der Auferstehung weist im Kapitel 15 des Korintherbriefes auf eine Wirklichkeit hin, die weder durch Historie noch durch einen Nur-Glauben erreicht wird. Eine Verlagerung des Auferstehungsgeschehens in den „Glauben" würde etwa die Argumentation der VV. 21–28 nicht einholen, die, vom „Erstling der Entschlafenen" ausgehend, auf die Tatsächlichkeit einer universalen Totenauferstehung schließt[124]. Oder eine Beschränkung auf das „brutum factum" würde V. 13 nicht gerecht: wenn es keine eschatologische Auferstehung der Toten gäbe, dann sei auch Christus nicht auferweckt worden. Auferstehung ist kein isoliertes Faktum, sondern der eschatologische Erwartungshorizont künftiger Auferstehung überhaupt[125]. Die Wirklichkeit der Auferstehung muß in dieser Ausdrücklichkeit herausgestellt, sie darf nicht in Teile der „Historie" und andere Teile des „Glaubens" verrechnet werden.

---

[119] Vgl. J. Kremer, Zeugnis, 55; F. Hahn, Hoheitstitel, 206; H. Conzelmann, Analyse, 25.
[120] W. Michaelis in: ThW V, 360; vgl. J. Blank, Paulus, 157; F. Mußner, Auferstehung, 73.
[121] K. Lehmann, Auferweckt, 325.
[122] Ebd. 324.
[123] Ebd. 324f.
[124] J. Blank, Paulus, 136: „Diese Argumentationsweise erschließt den Horizont, in welchem Paulus denkt. Es ist der Horizont eines heilsgeschichtlich-kosmisch-universalen eschatologischen Denkens, dem eine ‚existentiale Interpretation' nicht gewachsen sein dürfte."
[125] Ein solches Argument ist nur sinnvoll, „wenn die Auferstehung Christi nicht als isolierte, für sich selbst stehende ‚Heilstatsache' genommen wird, auch nicht im Sinn eines zufälligen, ‚historischen Faktums', sondern als das eschatologische Heilsereignis, das durch die endzeitliche Totenauferstehung überhaupt und für alle Zeit eröffnet ist" (J. Blank, Paulus, 135).

Die Interpretation von 1 Kor 15,3 ff als ganze führt also zu ähnlichen Hinweisen wie die Interpretation des Erscheinungsbegriffes „ὤφϑη". Die Bezeugung der Auferstehung ist ein einheitliches Geschehen von Bezeugung und der in ihr bezeugten Sache. Diese komplexe Einheit der Vermittlung und darin der Sache Auferstehung darf nicht aufgelöst werden. Die Erscheinungen sind ursprüngliche Zeugnisgeschehen.

Was aber heißt das für die Auferstehung und das Sprechen von Auferstehung? Den Begriff des Zeugnisses, der von 1 Kor 15,3 ff her gewonnen wurde und dessen Elemente hier und da bereits anklangen, gilt es nun aufzuarbeiten. Die Notwendigkeit, das Phänomen des Zeugnisses in sich zu analysieren, gründet nicht zuletzt in der sehr voneinander abweichenden Verwendung des Wortes Zeugnis bei Bultmann, Ebeling und Pannenberg. Was also ist die Ordnung des Zeugnisses, und wovon sprechen wir, wenn wir von Zeugnis sprechen?

4

Phänomenologie des Zeugnisses

In unsere bisherigen Überlegungen spielte immer wieder der Begriff des Zeugnisses hinein. Dabei blieb er als solcher noch weitgehend unausgewiesen. Angesichts der Rolle, die dieser Begriff für die Lösung unserer Problematik zu übernehmen vermag, wie sich in unserer Interpretation von 1 Kor 15,3 ff bereits andeutete, ist es in diesem Stadium der Untersuchung notwendig, den Begriff zu analysieren und präzise zu fassen. Wenngleich der Begriff des Zeugnisses bei Ebeling bzw. in unserer Darstellung seines Programms bereits fiel, so haben wir doch 1 Kor 15, und damit einen theologischen Kontext, für unsere Problematik als den eigentlichen Fundort des Begriffs anzusehen. Der Fundort besagt zunächst nicht mehr als die besondere Weise der Hinsicht auf Zeugnis; das Unterscheidende der jeweiligen Hinsicht geht nur vom Phänomen selbst her auf. Das Phänomen in sich selbst analysieren und damit die möglichen Hinsichten auf es klären aber ist Sache der Philosophie. Um eine solche philosophische Phänomenologie des Zeugnisses ist es uns im folgenden zu tun[1]. Ausgehend von der Frage, wo und wann wir von Zeugnis sprechen, was das Zeugnis leistet und wie es das tut, seien die konstitutiven Elemente des Zeugnisses erhoben und der Vorgang der Konstitution nachvollzogen.

---

[1] Zu einer Phänomenologie des Zeugnisses vgl. K. Hemmerle, Wahrheit und Zeugnis, in: B. Casper – K. Hemmerle – P. Hünermann, Theologie als Wissenschaft. Methodische Zugänge (Quaestiones disputatae, 45), Freiburg 1970, 54–72; B. Casper – K. Hemmerle – P. Hünermann, Besinnung auf das Heilige, Freiburg 1966; P. Hünermann, Der Durchbruch des geschichtlichen Denkens im 19. Jahrhundert. Johann Gustav Droysen, Graf Paul Yorck von Wartenburg. Ihr Weg und ihre Weisung für die Theologie, Freiburg 1967, 376–426; R. Schaeffler, Religion und kritisches Bewußtsein, Freiburg 1973, 174–184; ders., Die Wahrheit des Zeugnisses. Philosophische Erwägungen zur Funktion der Theologie, in: Christuszeugnis der Kirche. Theologische Studien. Festschrift für F. Hengsbach, hrsg. von P.-W. Scheele – G. Schneider, Essen 1970, 145–170; B. Welte, Vom historischen Zeugnis zum christlichen Glauben, in: ders., Auf der Spur des Ewigen, Freiburg 1965, 337 ff; Le Témoignage. Actes du Colloque organisé par le Centre International d'Études Humanistes et par L'Institut d'études Philosophiques de Rome, Rome 5.–11. 1. 1972, hrsg. von E. Castelli, Paris 1972.

4.1   Die Struktur des Zeugnisses

4.1.1   Elemente des Zeugnisses

Es gilt also, den Sprachgebrauch des Begriffes Zeugnis zu ermitteln, ihn nach charakteristischen Kennzeichen seiner Verwendung durchzugehen und ihn zugleich auf eigentümliche Muster dieser Verwendung hin phänomenologisch aufzubereiten.

Mit dem Begriff Zeugnis assoziieren wir „historische Zeugnisse", wie Steine, Bauten, Male, Monumente u. a. Neben archäologischen Zeugnissen denken wir auch an „literarische Zeugnisse", „Sprachzeugnisse", so Schriften, Urkunden, Dokumente; solche Zeugnisse wollen wir im Gegensatz zu den angeführten historischen Zeugnissen vorläufig „hermeneutische Zeugnisse" nennen. Diese Zeugnisse erzählen, was war, Denkmäler durch ihre Vorhandenheit, Dokumente über ihre bloße Vorhandenheit hinaus durch das Wort, in dem sich zugleich ihr Verstehenshorizont ausdrückt. Diese Form von Zeugnissen ist vor allem durch ihr Verhältnis zur Zeit und Geschichte gekennzeichnet; in diesem Sinne sind sie Zeugnisse der Vergangenheit, die jedoch durch die Sprache in die Gegenwart hineinreichen, nicht als unmittelbar gegenwärtige, wohl aber für die Gegenwart denkwürdige Zeugnisse. Zum anderen sprechen wir von „Zeugnissen", die über einen Befund, einen Status oder eine Leistung Auskunft geben. Einmal sind dies die „Zeugnisse", die eine schulische oder berufliche Leistung beurteilen, dann juristische Zeugnisse, Aussagen wie sachliche Indizien, die der Aufdeckung unaufgeklärter Sachverhalte oder der Überführung schuldig gewordener Personen dienen. Bei allen Unterschieden zum geschichtlichen Zeugnis spielt auch hier das Verhältnis zur Zeit eine Rolle, aber nicht zur Zeit der Vergangenheit, sondern der Gegenwart. Denn dieses Zeugnis richtet sich ganz auf Gegenwart; entweder sagt es etwas über den gegenwärtigen Leistungsstand aus, „das wertende Zeugnis", oder es hat etwas anderes zum Ziel, einen Sachverhalt nämlich zutage zu fördern, d. i., den wirklichen Stand der Dinge aufzuklären, das „juristische Zeugnis". Als solches geht in ihm Gegenwart als Vollstreckung oder Offenheit von Gewesenem bzw. Gewordenem auf. Schließlich läßt das Wort Zeugnis an eine dritte Wortgruppe denken, an ein Zeugnis, dessen Blick nicht auf die Vergangenheit gerichtet und das dem rein Gegenwärtigen enthoben ist, obgleich es sich in der aktuellen Situation konstituiert, an das „Zeugnis aus Überzeugung", an das engagierte, existentiale Zeugnis des Bekenntnisses oder der Überzeugungstat. Wer so Zeugnis ablegt, legt Zeugnis „für…" ab, ein Zeugnis, das offen ist „für" andere, denen es gilt und die es in Anspruch nimmt, und offen ist „auf" Zeit, indem es Wahrheit für alle Zeiten ansagt und der Zeuge weiß, daß die Geschichte seine Wahrheit bewährt. Das Zeugnis „für …" kann sich auf Vergangenes oder gegenwärtig Sich-Ereignendes stützen, seine Stoßkraft sprengt aber jedes Einholbare, da es gerade für das Noch-Ausstehende, das Wirksamwerden des Noch-Nicht, die Zukunft einsteht.

Es zeigt sich, daß im Zeugnisbegriff zahlreiche Sachverhalte und Vorgänge zusammenkommen, deren je spezifische Gestalt zu wahren ist. Es sind die Formen des „historischen" und „hermeneutischen" Zeugnisses, des „wertenden" und des „juristischen" sowie des „Zeugnisses aus Überzeugung" oder des „existentialen" Zeugnisses. Zeugnis erweist sich darin als zentraler Begriff der Begründung von Situation und Gemeinschaft.

Unser phänomenologisches Interesse stieß in diesem ersten Überblick auf die fundamentale Beziehung von Zeugnis und Zeit. Zeugnis bedarf nicht nur der Zeit, insofern es sich in Zeit auslegt, sondern Zeit geht dem zuvor in Zeugnis ein und aus ihm hervor. Dieser eigenartige Zusammenhang von Zeugnis und Zeit, von Zeugnis und seiner Geschichte war allen angeführten Zeugnissen gemeinsam, und doch begründet eben dieser Zusammenhang ihr Unterscheidendes, die einheitlich konkrete Gestalt jedes einzelnen Zeugnisvorganges. Das Gemeinsame und das Unterscheidende der verschiedenen Gestalten des Zeugnisses lassen nach der Grundstruktur von Zeugnis und ihrer Verwandlung in seine Konkretionen fragen. Sie betreffen Verfassung, Vollzug und Ziel dessen, was Zeugnis ist.

Gemeinsam ist allen Zeugnissen in einer obersten Schicht, daß sie in die Distanz von zu bezeugendem Objekt und Adressaten des Zeugnisses stellen und diese Distanz erst eigentlich offenbaren. Außerhalb des Zeugnisses kommt die Distanz als solche nicht in den Blick. Die Distanz, die im Zeugnis sichtbar wird, wandelt sich den verschiedenen Modi von Zeugnis entsprechend. In „historischen" Dokumenten trennt eine zeitliche Distanz das Zu-Bezeugende und das Bezeugte. In einer zeitlichen Distanz liegt auch das „hermeneutische" Problem der Vermittlung von Urtext und geschichtlichem Verstehen begründet. Das Zeugnis stellt in diese Distanz und ist zugleich der Weg, die Distanz zu überholen, indem es das Zu-Bezeugende und Bezeugte in seinen inneren Zusammenhang vermittelt und darin die Kommunikation der auseinanderstrebenden Lebenszusammenhänge leistet. Nur in der Vermittlung durch das Zeugnis gehen das Historische und das Hermeneutische als Geschichte, die jeden angeht, und Sinn, der weiterlebt, auf. Wird nicht immer wieder der Versuch unternommen, Geschichte im Zeugnis weiterzusagen, degeneriert Geschichte zur Belanglosigkeit, zur blutleeren Historie, zum Historismus; fällt der Sinn von Ursprungstexten der ungeschichtlichen Vergessenheit anheim oder, denn auch dies sind Möglichkeiten der Perversion von Sinn, wird er konserviert im bloßen Genießen idealer Geschichte – und so geistesgeschichtlich in Formen des Romantizismus, Idealismus und Eklektizismus mißverstanden. Zeugnis dagegen wahrt den historischen Ursprung und stiftet Kommunikation mit ihm, Zeugnis ist der immer neue Versuch, das Entzogene und zugleich sich in seiner Ursprünglichkeit Zusagende zu hören, ihm Ort und Raum zu geben, auf daß es weiterwirkt. Das Zeugnis bemächtigt sich nicht des Entzogenen, sondern Geschichte und der Sinn von Geschichte drängen sich von sich her immer wieder ins Zeugnis. Zeugnis ist eine geschichtliche Notwendigkeit.

Das „wertende" und „juristische" Zeugnis macht zwar auch auf eine zeitliche Distanz aufmerksam, etwa um den Stand einer Entwicklung festzuhalten, mehr aber geht es ihm um Einsicht in einen von sich her nicht ohne weiteres zugänglichen Sachverhalt. Dieser soll lediglich aufgeschlüsselt werden. Das wertende Zeugnis intendiert, eine Leistung zu dokumentieren, das juristische, einen strittigen Sachverhalt zu klären. Die Notwendigkeit dieses Zeugnisses hat entschieden anderen Charakter als die des geschichtlichen Zeugnisses. Ob der juristische Zeuge sein Wissen über einen nur ihm bekannten Sachverhalt preisgibt, muß ihm von außen aufgenötigt werden; er wird zur Zeugenaussage zitiert. Das Schulzeugnis dagegen ist eine Sache der Konvenienz und der Nützlichkeit, nicht aber innere Notwendigkeit. In dem Maße, als das Zeugnis von außen eingefordert werden muß, nimmt seine innere Notwendigkeit ab und ist es nicht mehr allein durch die Sache legitimiert. Das Schulzeugnis stützt sich neben objektiven Kriterien auf die autoritative Entscheidung der zuständigen Lehrperson; das juristische Zeugnis stellt zunächst eine Aussage oder Behauptung dar, deren Wahrheitsgehalt erst noch erwiesen werden muß. Über die Zeugenaussagen wird ein richterliches Urteil gesprochen.

Ganz anders wiederum die innere Verfassung des „Zeugnisses aus Überzeugung". Die Distanz dieses Zeugnisses, das deutet schon die Notwendigkeit an, das Bekenntnis immer neu zu sagen, ist nicht von intellektiver oder zeitlicher Art, sondern dem Zeugnis selbst innerlich; sie ist konstitutionell. Denn der Abgrund von zu bekennender Sache und eigener Aussage, der mit jedem Bekenntnis neu erfahren wird, ist durch keine zeitliche Entwicklung einzuholen und viel weniger noch als Wissensmangel zu begreifen. Es ist geradezu das Wesen des Zeugnisses aus Überzeugung, Kunde von seiner ihm wesenhaft inneren Distanz zu geben, das Unaussprechliche des Ursprungs, der sich dem Zeugen zu erfahren gibt, in der endlichen Gestalt eines immer fragmentarischen Bekenntnisses auszusagen, von der Anwesenheit des Unaussprechlichen zu künden und doch zugleich seine radikale Entzogenheit mitauszusprechen. Solches Zeugnis drängt sich dem Zeugen mit innerer Notwendigkeit auf. Er muß das Unaussprechliche aussprechen, dazu ist er berufen. Zugleich ist der Ursprung auf den Zeugen als Ort und Weise seines Erscheinens angewiesen.

Ursprung und Zeuge sind nur, was sie sind, indem sie sich ins Zeugnis geben, sich so einander geben, Ursprung, der sich bezeugt, und Zeuge, der aus der Erfahrung des Ursprungs lebt.

Was Zeugnis ist, läßt sich so nur als immer wieder anders sich zeigendes Phänomen beschreiben, dessen durchgehende Konstituentien die Elemente der Entzogenheit und Anwesenheit der Sache oder des Ursprungs sind, der bzw. die bezeugt werden sollen, und der Zeuge, in dem diese Distanz vermittelt wird. Die Konstituentien bedingen sich gegenseitig. Aus dem geschehenen Zueinander seiner Elemente gewinnt Zeugnis seine konkrete Gestalt, die Gestalt des konkreten Zeugnisses.

4.1.2 Der Vorgang des Zeugnisses

In diese Elemente seiner Konstitution geht das Zeugnis jedoch nicht auf. Denn Zeugnis ist allererst, indem es geschieht, im Vorgang des Bezeugens; das ist seine Struktur. Die konstitutiven Elemente der Anwesenheit und Entzogenheit eines Ursprungs und deren Vermittlung in der Gestalt des Zeugen sind Bedingungen der Möglichkeit von Zeugnis, die von der Wirklichkeit des Zeugnisses, seinem Ereignis her als solche definiert sind. Mit anderen Worten: Zeugnis ist nur, indem es bezeugt wird, indem es lebt.

Dem scheint der Hinweis auf die ,toten' Zeugnisse, die Steine und Denkmäler, zu widersprechen. Aber gerade wenn Denkmäler nur umherstehen und Steine eben daliegen, sind sie keine Zeugnisse. Nur wenn sie zu reden beginnen bzw. zum Reden gebracht werden, geben sie Zeugnis von ihrer Zeit. Die Ausdrücke ,reden' bzw. ,zum Reden gebracht werden' weisen schon auf das innere Zusammenspiel von ,objektiver' Aktivität der bezeugten Sache und ,subjektiver' Aktivität des Zeugen hin. Der Geschehenscharakter von Zeugnis geht in besonderer Weise im Zeugnis aus Überzeugung auf; denn das Bekenntnis manifestiert sich erst in der Überzeugungstat. Darin hat dieses Zeugnis seine innere Stimmigkeit und äußere Glaubwürdigkeit. Im juristischen Zeugnis liegt der Akzent dagegen auf der Zeugenaussage. Wenn wir etwa sagen, Aussage stehe gegen Aussage, meinen wir die für die Gerichtssituation typische Aporie, daß unausgewiesene Aussagen und Behauptungen, also Formen bloßer Tätigkeit des Zeugen, nicht mehr im Rückgriff auf einen sachlichen Befund gelöst werden können. Nicht nur die Weise der Anwesenheit der zu bezeugenden Sache ist im juristischen Zeugnis dem Zeugen anheimgegeben, sondern darüber hinaus die Anwesenheit der Sache überhaupt. Damit löst sich der Akt des Bezeugens von den konstitutiven Bedingungen des Zeugnisses. Die Struktur des Zeugnisses wird in den reinen Akt des Bezeugens pervertiert, der Zeuge zum alleinigen Ursprung des Zeugnisses. An diesem Grenzfall werden die Kriterien des Zeugnisses deutlich. Wahrheit bzw. Glaubwürdigkeit des Zeugnisses gründen darin, wie der Zeuge im Vollzug des Bezeugens Medium der zu bezeugenden Sache, des Ursprungs, wird.

Wir sagten, der Vorgang des Zeugnisses ereignet sich in der konstitutionellen Spannung von Anwesenheit und Entzogenheit, d. h., im Geschehen des Zeugnisses wiederholt sich das Grundgeschehen des Ursprungs, sein Sich-in-die-Gestalt-Geben und sein Doch-in-ihr-Entzogen-Sein, Geschichte. Auch das Zeugnis will den Ursprung offenbaren, und doch verbirgt es ihn in seiner Gestalt. Wer ist in den von uns angeführten Formen des Zeugnisses jeweils der sich gestaltende Ursprung, und welche Gestalt nimmt er an, d. h., welcher Charakter eignet dem Vorgang des Zeugnisses in den verschiedenen Modi seines Vorkommens?

Das „historisch" bedeutsame und das „hermeneutische" Zeugnis verbergen ihren geschichtlichen Ursprung, der im Prozeß geschichtlichen Verstehens gerade entborgen werden will. Historische Ereignisse meinen ein vergangenes Ursprungsgeschehen, das in der historischen Interpretation und dem hermeneutischen Verstehen wieder erschlossen, übersetzt und eingeholt werden muß. Das, was in den historischen Gestalten als bruta facta vorliegt, kommt erst im Verstehen dieser Gestalten auf ihren Ursprung hin zu neuer Ursprünglichkeit; Historie wird vom toten Material zu Sinn und geschichtlich tragfähigem Leben erweckt. So verstanden, sind Interpretation und Verstehen Vollzugsformen des historischen und hermeneutischen Zeugnisses, ohne daß dieses Zeugnis ausschließlich durch sie konstituiert wäre. Denn im Grunde ist es das Ursprungsgeschehen selbst, das sich in Interpretation und Verstehen bezeugt. Der Vollzug des historischen und hermeneutischen Zeugnisses kann demnach nicht schlechthin mit der Tätigkeit des geschichtlich verstehenden Subjekts identifiziert werden; die Geschichte selbst ‚bezeugt' sich. Also ist nicht die Tätigkeit des Verstehens an sich geschichtliches Bezeugen. Vielmehr ist es das Zu-Bezeugende, das dem Verstehenden gegenüber ist, diesen einfordert und prägt. Andererseits aber gibt es ohne Verstehen kein Sich-Bezeugen von Geschichte. Die Geschichte selbst ist Bedingung, unter der geschichtliches Bezeugen möglich ist, sie ist es, die das Zeugnis von Geschichte fordert und trägt. Geschichte selbst legt sich im Zeugnis aus und kommt darin zu dem, was sie ist. Am Maßstab der geschichtlichen Wirklichkeit sind demnach die Kriterien und Normen des geschichtlichen Bezeugens zu gewinnen, an ihr entscheiden sich Sinn, Zweck und Ziel der Geschichte. Andererseits ist Historie, als Vorhandenheit der bruta facta, nicht aus sich schon Bezeugen und Sich-Verstehen, Geschichte kommt nicht am Material ihrer selbst zu sich; Geschichte bezeugt sich, indem sie verstanden und interpretiert wird.

Dieses Verhältnis von Geschichte und Verstehen ist das Verhältnis von ‚Historischem' und ‚Hermeneutischem', zwei Betrachtungsweisen von Geschichte, die wir bisher nicht vereinbaren konnten und die von hierher eine erste Klärung erfahren. Wir sprachen der Einfachheit halber von den zwei Zeugnissen, dem historischen und hermeneutischen. Historie bedarf eines sie entfaltenden Verstehens, das den Sinn von Geschichte erhellt, der Hermeneutik; Historie ist nichts ohne Bedeutsamkeit, ohne das Wort, das in der hermeneutischen Vermittlung Historie in sinnerfüllte Geschichte übersetzt; Historie bedarf des Zeugen, um geschichtliches Zeugnis für die Nachgeschichte zu sein, des Zeugen in zweifacher Funktion, in der Funktion des Augenzeugen, der am geschichtlichen Ursprungsgeschehen selbst teilhat, und in der des interpretierenden, nachvollziehenden Zeugen, der Geschichte versteht. Wie der Geschichtsschreiber als Zeuge auf den Augenzeugen ist die Hermeneutik ihrerseits auf die sie begründende Historie angewiesen. Hermeneutik kann sich nur unter den Bedingungen der sie begründenden Geschichte verstehen, sie kann nicht der exklusive und geschichtlich immune Sinnträger von Wirklichkeit, die Leerformel eines sich in sich schließenden Wortgeschehens meinen wollen. Nur in der Achtsamkeit auf das Zueinander des sich gegenseitigen Bedingens von Historie und Hermeneutik geht Geschichte auf als das, was sie ist, nämlich als die mächtige Gestalt eines vergangenen Ursprungsgeschehens in unserer Zeit, als das Zeugnis von einem Ursprungsgeschehen, das heute noch Geltung hat.

Dem „wertenden" bzw. „juristischen" Zeugnis geht es um das Festhalten einer Leistung bzw. die Wiedergabe eines Sachverhaltes. Die Leistung spricht jedoch nicht für sich, sondern wird beurteilt; diese Beurteilung stützt sich darauf, wie der Beurteilende die Leistung versteht. Das Ergebnis der Beurteilung, die Note, ist nicht Gestalt eines sich in ihr auslegenden Ursprungs, sondern Typ eines vorgegebenen Normensystems, das vom Beurteilenden auf die Leistung angewandt wird. Auch der Sachverhalt, der vor Gericht zur Verhandlung steht, spricht nicht für sich; das macht den Zeugen vor Gericht allererst notwendig. Der Zeuge gibt den Sachverhalt aus seiner Sicht und in seinem Verständnis wieder. Über diese Aussage spricht der Richter sein Urteil. Wie der Lehrer behauptet, daß die Leistung in der Note erfaßt sei, so behauptet der Zeuge vor Gericht, daß seine Sicht des Sachverhaltes der Wirklichkeit des Sachverhaltes entspricht. Die in beiden Fällen übersprungene Differenz von Leistung und Note bzw. von Sachverhalt und Aussage (das Merkmal dieser Zeugnismodi) wird durch die Autorität des Lehrers verdeckt bzw. durch das Urteil des Richters aufgewiesen. Im Gegensatz zum historischen Zeugnis, in dem sich die Geschichte selbst ausspricht und auch Verstehen und Interpretation die Geschichte vernehmen lassen, d. h. auf Geschichte als ihren Ursprung hin durchsichtig sein wollen, Geschichte also letztlich Instanz des historischen Zeugnisses ist, legt sich das Ursprungsgeschehen im wertenden bzw. juristischen Zeugnis nicht selbst aus, sondern bietet allenfalls den Anlaß zum Zeugnis; es ist daher auch nicht letzte Instanz, vor dem das Zeugnis sich ausweisen muß. Die Kriterien, Normen und Maßstäbe dieses Zeugnisses sind von außen angelegt. Das wertende und das juristische Zeugnis stellen sich damit als reduzierte Modi dessen heraus, was Zeugnis von sich her ist; denn Zeugnis war bisher ein Vorgang, der aus sich selbst lebt und legitimiert ist. Das juristische Zeugnis kann daher nicht, wie es vielfach geschieht, als Modell für Zeugnis überhaupt gelten. Das Phänomen Zeugnis gibt sich als solches vielmehr im bisher behandelten geschichtlichen Zeugnis und in dem nun zu untersuchenden Zeugnis aus Überzeugung zu erkennen.

Im „Zeugnis aus Überzeugung" lenkt der Zeuge die ganze Aufmerksamkeit zunächst auf sich, auf seinen Vollzug des Zeugnisses, auf sein Bezeugen; außer sich selbst, außer seinem Akt des Bezeugens hat er nichts vorzuweisen. Mit seiner ganzen Existenz bürgt er, engagiert er sich für und identifiziert er sich mit dem Zeugnis. In ihm ist es glaubwürdig. Vollzug und Zeuge stehen in einer grundsätzlichen Nähe zueinander, bedingen sich nicht selten, gehen bisweilen ohne scharfe Grenzen ineinander über, ja die höchste Form dieses Zeugnisses aus Überzeugung ist gerade die Identifikation des Zeugen mit dem Bezeugten. Ein solches Maß der Identifikation würde jedes andere Zeugnis verderben. Das Zeugnis vor Gericht geriete zur Selbstdarstellung und Schaustellung, das geschichtliche Zeugnis aber zu einem geschichtlichen Subjektivismus oder gefühlsgeladenen Romantizismus. Aber der Anschein trügt: Die Person des Zeugen ist nicht Mitte dieses Zeugnisgeschehens aus Überzeugung. Nichts ist dem Zeugen in seinem Bekenntnis wichtiger, als daß es nicht um ihn geht, daß nicht er selbst sich bezeugt, sondern daß er nur eines zu sagen weiß: das, was er bezeugt, ist Grund von allem, ist das, was unbedingt gilt und was er selbst ist. Was aber bezeugt der Zeuge? Die Idee, das Erlebnis, die Erfahrung, die er gemacht hat, die Wahrheit, die ihn übermächtigte, das ‚Unbedingte‘, kurz den Ursprung, der sich ihm offenbarte. Nicht der Zeuge ist die innerste Mitte des Zeugnisses aus Überzeugung, sondern der Ursprung, der sich im Zeugnis zu erfahren gibt.

An diesem Punkt zeigt sich das Eigentümliche gerade dieses Zeugnisses: das gesamte Geschehen ist darauf konzentriert, den Ursprung zur Erscheinung zu bringen, und doch wird eigentlich nur der Zeuge sichtbar, genauer der Vollzug seines Bezeugens. Darin liegt die Vergeblichkeit und Schwäche des Zeugnisses aus Überzeugung begründet: in ihrer Hilflosigkeit und Überforderung hat die unbedeutende Person die Fülle des Ursprungs unverfälscht zur Darstellung zu bringen. Der Zeuge selbst ist nichts; was er ist, ist er durch den Ursprung und von ihm her. Andererseits ist der Zeuge alles; der Ursprung ist nicht ohne den

Zeugen. Der Ursprung käme nicht vor, begäbe er sich nicht unter die Bedingungen des Erscheinens im Zeugnis, an den Ort und den Raum, den ihm der Zeuge gewährt. Sich in die Bedingungen des Zeugen lassend, schafft der Ursprung jedoch allererst diese Bedingungen des Zeugen und seines Erscheinens. In diesem Bedingungsverhältnis aber werden die Freiheit des Ursprungs und die Freiheit des Zeugen gewahrt. Durch den Ursprung wird der Zeuge zu sich selbst befreit. Nirgends artikulieren sich Identität und Differenz von Ursprung und Zeugnis bzw. Gestalt radikaler als hier.

Hat sich bislang die Identität von Ursprung und Zeuge stärker profiliert, ist die Unterschiedenheit des Zeugen, als das andere des Ursprungs, ebenso ernst zu nehmen. Denn in die Bedingungen des Zeugen eingehend, nimmt der Ursprung sozusagen die ganze Leibhaftigkeit und Körperlichkeit des Zeugen an, d. i., der Ursprung ist, was er ist, in der Hilflosigkeit und Vergeblichkeit des Zeugen; er ist mit ihm eingefügt in einen konkreten, zeitlichen und räumlichen Kontext, er fällt unter diese Bedingungen, wird selbst zeitlich und räumlich. Er wird dinghaft und kann als etwas unter den Dingen beurteilt werden. Als solches wird der Ursprung auch nach den Maßstäben und Kriterien der Stimmigkeit unter den Dingen mit bemessen; unter ihnen muß er sich ausweisen. Dem Zeugnis aus Überzeugung wird radikal Glaubwürdigkeit abverlangt; die Forderung der Glaubwürdigkeit ergeht zuerst an den Zeugen selbst: die Stimmigkeit der Dinge im Zeugen wird zum Kriterium der Glaubwürdigkeit des Ursprungs. Das Zeugnis aus Überzeugung erweist sich so als radikale Anforderung an die innere Kohärenz der Elemente von Zeugnis, an die Einheit seines Vollzugs und darin seiner Struktur.

Das Ziel, auf das Zeugnis in seinen verschiedenen Weisen aus ist, wurde im Nachvollzug des Vorgangs Zeugnis mehrfach mitangesprochen. Für jedes Zeugnis gilt ein dreifaches: Zeugnis will seine Wahrheit offenbaren, will, daß sie sich als solche durchsetzt und anerkannt wird, und d. h., daß Wahrheit immer neu bezeugt wird. Zeugnis behauptet Gültigkeit und Universalität. Seine Wahrheit steht als solche fest; sie gilt grundsätzlich, indem sie allgemein wird, und sie wird nur allgemein, indem sie feststeht. Das ist die Dynamik des Zeugnisses: Die Geschichte wird bestätigen, was die Geschichte als ihre Wahrheit bezeugt; die Zukunft wird die Wahrheit des Zeugnisses aus Überzeugung erweisen. Die Wahrheit des juristischen Zeugnisses geht bezeichnenderweise nicht aus der Zeugenaussage hervor, sondern wird von außen beurteilt. Das Ziel von Geschichte ist ihre Wirkungsgeschichte, in der sich schrittweise der Sinn von Geschichte entbirgt und mehr und mehr die geschichtlichen Zusammenhänge bestimmt und gestaltet: Am Ende wird sich, das gilt universal, zeigen, was immer schon in den geschichtlichen Ereignissen angelegt war. Der Sinn, der dem Zeugnis aus Überzeugung innewohnt, erhebt seiner Intention nach absoluten

Anspruch: Am Ende wird sich herausstellen, daß es so ist, wie das Zeugnis sagt. Darauf wird Zeugnis immer bestehen, es sei denn, das Zeugnis käme gewaltsam an sein Ende, so das Geschick des Blutzeugen; wobei dies noch einmal die konstitutionelle Einheit von Zeugnis, Endlichkeit des Zeugen und „eschatologischer" – eschatologisch in einem vortheologischen Sinn – Wahrheit bezeugt.

Blicken wir vom Ziel des Zeugnisses auf Vollzug und Verfassung zurück, läßt sich das Phänomen nun näherhin beschreiben. Verfassung, Vollzug und Ziel sind jene Dimensionen, in die sich das Zeugnis auslegt. Erst im Durchlaufen dieser Dimensionen gewinnt Zeugnis seine Struktur und lebt es als solche. Gemessen an diesem Begriff von Zeugnis, zeigten sich das wertende und juristische Zeugnis als dessen nicht genuine Modelle, sondern als bloß reduktive Formen. Damit bleiben uns an dieser Stelle zwei ursprüngliche und eigenständige Zeugnisweisen, das „geschichtliche Zeugnis" und das „existentiale Zeugnis aus Überzeugung". Im Durchlaufen der Dimensionen stießen wir auf jene Momente, die die Struktur des Zeugnisses sind. Das „geschichtliche" Zeugnis hält sich an die Vorgegebenheit der Historie, die es in die verstehende Interpretation einzuholen gilt; was die hermeneutische Interpretation so leistet, weist über das Faktische hinaus auf Sinn überhaupt, d. h., Hermeneutik wirft einen Blick auf die Zukunft, den eschatologischen Horizont der Geschichte. Die hermeneutische Vermittlung und der eschatologische Ausblick geschehen im Wort. Im Nachvollzug der Dynamik des geschichtlichen Zeugnisses verwandelten sich uns die konstitutiven Elemente der ‚Vorgegebenheit' bzw. ‚Entzogenheit', der ‚Anwesenheit' im Verstehen und der ‚Vermittlung' in die strukturellen Momente „Geschichte", „Existenz" und „Wort". – Anders die Konstellation dieser Momente im „Zeugnis aus Überzeugung". Die absolute ‚Vorgegebenheit' des Zeugnisses ist hier der sich offenbarende Ursprung, der ins Wort drängt und von dem Zeugen existential ausgesagt werden muß; durch Wort und Tat gibt er Zeugnis. Das existentiale Zeugnis erfolgt in geschichtlichen Ereignissen, die immer wieder durch das erhellende Wort in ihrem Zeugensinn erschlossen werden müssen. „Existenz", „Geschichte" und „Wort" konstituieren auch hier in ihrer gegenseitigen Verwiesenheit das Zeugnis.

Bevor die Weise der Anwesenheit, d. h. die Gestalt des Zeugnisses in Existenz, Geschichte und Wort, und die Weise der Vermittlung dieser Momente im Zeugnis näherhin bedacht werden, ist auf die Bedingungen dieses Strukturgeschehens, seine Zeitlichkeit, einzugehen. Sowohl das geschichtliche Zeugnis wie das Zeugnis aus Überzeugung konnten wir in zeitlichen Kategorien explizieren. Zu fragen ist jedoch, ob die Zeitlichkeit im Zeugnis aus Überzeugung ebenfalls als innere Verlaufsform des Zeugnisgeschehens anzusprechen ist, welche Rolle die Zeitlichkeit in diesen Zeugnismodi spielt, d. h., wie sich Zeugnis und Zeit überhaupt zueinander verhalten.

4.1.3 Die Zeitlichkeit des Zeugnisses

Zeugnis ist Vollzug, es geschieht in der Zeit. Bereits unsere anfängliche Beschreibung der Zeugnisstruktur schloß zeitliche Kategorien mit ein. Die Begriffe von Vorgegebenheit oder Bestand = Vergangenheit, Verstehen = Vergegenwärtigen und Zeugnis für = Zukünftigkeit des Zeugnisses enthalten ein zeitliches Moment.

Welche Rolle aber spielt die Zeitlichkeit des Zeugnisses im ganzen dessen, was Zeugnis ist?

Was verstehen wir unter jener Zeitlichkeit, die geschichtliches Zeugnis konstituiert? Zunächst ist es die „natürliche", in allen Dingen und Abläufen wahrnehmbare Zeit, die wir als äußere Bedingung unseres Daseins erfahren. Das geschichtliche Zeugnis ist gegeben, es gründet in dem, was war, im Faktum, das als solches äußere Bedingung, Anlaß und innere Ermöglichung des Zeugnisses ist. Das Vergangene aber bestimmt mit, was Gegenwart ist und Zukunft sein wird. Dieser Zusammenhang ist Geschichte und die Zeit der natürliche Fluß seiner Bewegung.

Anders muß von der Zeitlichkeit des Zeugnisses aus Überzeugung geredet werden. Der Zeuge ist Zeuge eines anderen in der Zeit. Diese Zeit ist bestimmte Zeit, ist Epoche. Zu ihr hat der wahrhaft gewichtige Zeuge ein besonderes Verhältnis: sein Zeugnis sagt, was ‚an der Zeit' ist; insofern ist er auch Zeuge der Zeit und der Epoche. Wäre dem nicht so, stünde er als Phantast, Utopist oder Idealist neben seiner Zeit. Zeit geht also nicht nur als äußere Bedingung in das Zeugnis mit ein, sie ist vielmehr darüber hinaus konstitutiv für das konkrete Zeugnis aus Überzeugung. Dies kann noch verdeutlicht werden. Jedes Zeugnis hat ‚seine' Zeit, die das Zugleich und Ineinander der Zeit des Ursprungs, der Zeit des Zeugen und der Zeit des Vollzugs ist, welches sich im Nacheinander der natürlichen Zeit entfaltet. Die Zeit des Zeugnisses aus Überzeugung hat also „fundamental" anderen Charakter als die „natürliche" Zeit. Sich Zeit lassend, läßt der Zeuge seine Zeit als Zeit des Ursprungs, in der dieser sich dem Zeugen antut. Darin zeitigt der Ursprung den Zeugen und sich selbst in ihm. Die Zeit des Zeugen wird Zeit des Ursprungs. Sie ist der Anlaß, die Gelegenheit und der zeitgeschichtliche Kontext, dessen der Ursprung bedarf, um sich zu offenbaren und auszuweisen. Solches geschieht im Bezeugen des Ursprungs durch den Zeugen. Der Zeuge mutet sein Wort anderen zu, auf daß auch sie sich Zeit lassen, um ihn und sein Zeugnis zu hören.

Diese Dimension des „für" schließt die Dimension anderer Zeiten mit ein; solches Zeugnis langt über die Epoche hinaus; in großen Gestalten gilt es für alle Zeiten. Es läßt den Zeugen hinter sich, sein Tod als Ende natürlicher Zeit wird in die Zeit des Zeugnisses überholt. Das Zeugnis aus Überzeugung steht so zugleich unter den Bedingungen der natürlichen Zeit und transzendiert diese auf eine andere, fundamentalere Zeit hin.

Hier noch einmal die Differenz: Das Bild der natürlichen Zeit ist der Fluß, der kommt und geht. In ihm findet sich der Mensch immer schon vor; und doch findet er sich in ihm, ihm gegenüber, als Beschauer von Zeit. Fluß der Zeit, das ist das Bild für die Entzogenheit des Woher und Wohin, der Vergangenheit und Zukunft, das punktuelle Anwesen und das kontinuierliche Weiterfließen. Anders die Zeitlichkeit des Zeugnisses aus Überzeugung. Hier ist Zeit nicht immer schon da, sondern Zeit fängt in der Begegnung von Ursprung und Zeuge allererst an. Im Eingehen des Zeugen auf und in den Ursprung und im Hervorgehen des Ursprungs aus dem Zeugen und im Zeugen, in der Kommunikation beider, zeitigt sie sich. Die fundamentale Zeitlichkeit ist nicht ohne die Momente Ursprung, Zeuge und Woraufhin des Zeugnisses zu denken. Jedoch zeitigt nicht nur die Begegnung ihre Zeit, sondern ebenso zeitigen sich Ursprung und Zeuge in dieser Zeit. Sich im Zeugen und ihn zeitigend, offenbart sich der Ursprung als Ursprung. Sich auf den Ursprung einlassend, zeitigt der Zeuge den Ursprung und sich selbst als Zeugen. Ursprung und Zeuge schenken sich gegenseitig ihre Zeit, sie haben füreinander Zeit, haben ihre gemeinsame Zeit. Diese gemeinsame Zeit ist nicht an einem Maß außerhalb ihrer selbst lesbar, ihr unabgeschlossener Zeitraum ist die Begegnung von Ursprung und Zeuge selbst, das je neue Ereignis dieser Begegnung ist ihre Zukunft. Die Begegnung ereignet sich vom Ursprung aus, indem der Ursprung den Zeugen in seine Ursprünglichkeit ruft. Der Zeuge verdankt seine Ursprünglichkeit dem Ursprung. So ist es im Grunde der Ursprung, der Zeit gewährt. Er tritt im Zeugnis nicht nur in die Zeit ein, er stiftet, gewährt und verheißt die Zeit der Begegnung. Gerade in der Macht über die Zeit und in der Zeitigung neuer Zeit erweist er sich als Ursprung; denn Ursprung besagt ja gerade Anfang und Wirken aus sich selbst. Für unsere Überlegung über die Zeitlichkeit des Zeugnisses aus Überzeugung ist somit festzuhalten: Das Zeugnis, sein Vorgang und die Zeitigung der Zeit sind eins, der Vorgang von Zeugnis und Zeitlichkeit.

„Natürliche" und „fundamentale" Zeitlichkeit – „fundamental" wegen ihres Ursprungs aus dem Zeugnisgeschehen selbst – unterscheiden sich. Doch mit welchem Recht sprechen wir in beiden Fällen von Zeit? Worin besteht das Gemeinsame, und besteht überhaupt ein Verhältnis von natürlicher und fundamentaler Zeitlichkeit? Formulieren wir unsere These, die im folgenden auszuweisen ist: Die natürliche Zeit gründet in der fundamentalen Zeitlichkeit, und die fundamentale Zeit unterliegt den Bedingungen der natürlichen.

Die „natürliche" Zeit ist auf die sie begründende fundamentale Zeitlichkeit hin transparent. Denn die Zeit der Historie und Geschichte, die natürliche Zeit, geht nicht in den Begriffen reiner Vorgegebenheit bzw. Vergangenheit, punktueller Gegenwart und nur ausstehender Zukunft auf, sondern im wahren Vorgang von Geschichte vollzieht sich die Verwandlung der Vorgegebenheit, der Historie, in die Gabe und Bedeutsamkeit für andere geschichtliche Subjekte, verwandelt sich die Vorgegebenheit in die Selbstgegebenheit geschichtlicher Existenz, die in der Sorge um die Zukunft für das geschichtliche Empfangene verantwortlich ist. Nur wo das Überkommene verstanden wird und eingeht in die Gestaltung des Ausstehenden, ereignet sich Geschichte, ist sie Wirkungsgeschichte. Das Bild vom Fluß der Zeit findet hier seine Korrektur. Der natürlichen Zeit liegt nämlich jene Verwandlung von Vorgegebenheit in Selbstgegebenheit zugrunde, die das Ursprungsgeschehen des Zeugnisses aus Überzeugung auszeichnet. Denn was ist die Vergangenheit anders als das Datum eines einmal offenbar gewordenen Ursprungs? Das geschichtliche Ereignis trägt durch die Zeit immer die Spur des geschichtlich mächtigen Ursprungs an sich; wäre dem nicht so, fiele das Ereignis mitsamt dem Ursprung der Vergessenheit oder Belanglosigkeit anheim. So aber ist die Aufnahme des Überkommenen Begegnung des geschichtlichen Subjekts mit dem Ursprung. Im Interpretieren und Verstehen von Geschichte vernimmt der Historiker die Botschaft des Ursprungs, erfährt er den Anspruch dieser Botschaft in seiner Zeit und schafft so die Voraussetzungen des Weiterwirkens von Geschichte. In seiner geschichtlichen Arbeit wird der so verstandene Historiker zum „Zeugen" jenes Ursprungs, der in ihm wieder mächtig geworden ist. Was für den Historiker gilt, gilt in gesteigertem Maß für den geschichtlich-politisch Handelnden, wo dieselbe Struktur, nur anders, sichtbar wird.

Gründet auch die natürliche Zeitlichkeit in der fundamentalen Zeit, so ist die „fundamentale" Zeitlichkeit ihrerseits den Bedingungen natürlicher Zeitlichkeit unterworfen. Schlechthin fundamentale Zeitlichkeit gibt es nicht. Jedes Ursprungsgeschehen trägt die Male der Vergangenheit, Gegenwart und Zukunft an sich. Andernfalls läge das Zeugnis der Überzeugung außerhalb oder oberhalb der Zeit, d. h., es wäre gerade nicht Zeugnis. Ursprung, der sich mitteilen will, muß sich zusammenziehen ins Einmal seiner konkreten Ansprache eines konkreten Zeugen. In diesem Einmal des sich zeitigenden Ursprungs, im Blitz seines Aufgangs, ist reine blendende Gegenwart; als dieses Einmal ist das Ereignis des Ursprungs Zeitmal, Datum, Vergangenheit. Ursprung, der sich ins Ereignis gibt, in seine Gestalt, übereignet sich der Zeit, wird, selbst zeitfrei, zeitlich, ist also, fundamental und zeitlich, da und entzogen zugleich. Im Einmal seines Geschehenseins, im Datum seiner Präsenz hat das Ursprungsgeschehen im Sinne natürlicher Zeitlichkeit seine Gegenwart und Vergangenheit. Im Zeugnis drückt sich der Ursprung aus, wird sein Ereignis worthaft. Das Zeugnis sagt, was es mit dem ‚Einmal‘ des Ursprungsgeschehens auf sich hat: zum einen erweist sich im Einmal die Zeitmächtigkeit des Ursprungs, d. h., der Ursprung läuft nicht aus, verliert sich nicht im Einmal, er zeitigt sich nicht ‚einmal und nicht wieder‘, sondern daß er sich einmal gezeitigt hat, ist, solange und soferne er sich als Ursprung in der Geschichte bewährt, der Erweis dessen, daß er sich immer wieder, wo und wann er will, zeitigen kann, und zugleich die Verheißung dessen, daß er sich immer wieder zeitigen wird. Darin eröffnet er Zukunft. Zum anderen erhält die natürliche Zeitlichkeit durch das konkrete Einmal des Ursprungsgeschehens eine neue Qualität. Sie wird die Stätte des Ursprungsgeschehens. Die Bestätigung der Zeitmächtigkeit des Ursprungs, sein Sich-neu-Zeitigen, und damit die Bestätigung des ‚Einmal‘ muß in ihr geschehen. Die Zukunft, die das Zeugnis verheißt, aus der der Ursprung kommt, ist die Zukunft, auf die die Zeit hinausläuft: Jedes Ursprungsgeschehen entfaltet sich so in die zeitlichen Dimensionen von Vergangenheit, Gegenwart und Zukunft, d. h. unterwirft sich zeitlichen Kategorien.

Wir sahen: Natürliche Zeitlichkeit gründet in der fundamentalen; fundamentale Zeitlichkeit fällt aber unter die Bedingungen natürlicher Zeitlichkeit. Darin erweist sich die natürliche Zeitlichkeit als von der fundamentalen verschieden. Worin aber gründet der Unterschied? Letztlich im Ursprungsgeschehen selbst. Natürliche Zeit an und für sich gibt es nicht. Selbst das Datum gibt in Zeit etwas anderes wieder als Zeit. Zeit hat medialen Charakter. In ihr und dem Zeugen als ihrem Repräsentanten gestaltet sich der Ursprung. Der Ursprung, sich im anderen seiner, der Gestalt, offenbarend, bringt nicht nur die Möglichkeit seines Offenbarwerdens selbst mit sich, er schafft auch die Bedingungen seines Erscheinens im anderen. Natürliche Zeitlichkeit ist als die innere Ermöglichung dieses Erscheinens des Ursprungs anzusehen. Natürliche und fundamentale Zeitlichkeit gründen aber in dem einen Ursprung. Ihre Übereinstimmung, ihr Begründungsverhältnis und ihre je besondere Gangart haben wir bisher herausgearbeitet. Die unterschiedliche Gangart der Zeiten erwies sich dabei als Kennzeichen des geschichtlichen Zeugnisses und des Zeugnisses aus Überzeugung.

Nach unseren Überlegungen zur Struktur und zum Ablauf von Zeit stellt sich schließlich die Frage: Was ‚soll‘ das überhaupt, Zeit? Wofür ist sie ‚gut‘? Welchen Sinn hat Zeitlichkeit als Bedingung jeden Zeugnisgeschehens? Zeit läßt sich zunächst funktional definieren: Zeit ermöglicht Kontinuität. Das gilt für jeden Zeitbegriff, auch den mathematisch quantitativen. Zeit ist hier das Durchzählen aller Punkte in ihrem Nacheinander. Das Nacheinander impliziert wiederum eine qualitative Ordnung des Wie; es fragt sich: nach welcher Folge, nach welchem gerichteten Ordnungsprinzip wird gezählt? Der qualitative Maßstab meint einen geordneten Zusammenhang von Phänomenen. So verhält es sich mit Zeit überhaupt; Zeit ermöglicht Zusammenhänge. Welche Zusammenhänge sie ermöglicht, ist eine Frage der jeweiligen Ordnung. Für die geschichtliche Ordnung heißt das, daß Zeitlichkeit die Lebens- und Weltzusammenhänge ermöglicht: Im Phänomen Geschichte begegnen sich Welten, Zeiten und Menschen, erfahren sie ihre fundamentale Zusammengehörigkeit. Sinn von Zeit und Geschichte ist demnach ‚Kommunikation' im weitesten Sinne. Dies gilt zunächst für das geschichtliche Zeugnis. Die Kommunikation bekommt größere Tiefe von der fundamentalen Zeitlichkeit her; denn gerade sie ermöglicht ja Kommunikation. Nicht stiftet hier Zeit die Kommunikation, sondern in der Kommunikation von Ursprung und Zeuge, in der je neuen Begegnung beider, zeitigt sich Zeit. Kommunikation zeitigt Zeit, zeitigt ihre eigene Zeit, jede Kommunikation von Ursprung und Zeuge hat ihre Zeit. Damit haben sich uns der innere Vorgang des Zeugnisses und der Sinn von Zeit als Kommunikation aufgetan. Zeit ist Signum der Kommunikation, Signum geschehender, gelingender oder mißlingender Kommunikation.

4.2   Die Struktur des Zeugnisses und seine Momente

Bisher achteten wir auf Verfassung und Dynamik des Zeugnisses. Letztere gründet in der Zeitlichkeit des Zeugnisses, die dessen innere Bewegung ausmacht. Der genauere Blick auf den Vorgang des Zeugnisses, die Frage, wie Zeugnis geht, deckte uns das Worumwillen von Zeugnis auf. Als dieses Worumwillen von Zeugnis und als das innere Gesetz der Zeitlichkeit zeigte sich Kommunikation. Welche Momente konstituieren das Kommunikationsgeschehen selbst wieder? In dem, was das historische Zeugnis und das Zeugnis aus Überzeugung jeweils als solches konstituiert und damit auch die Differenz beider Weisen zueinander, sind uns bereits zwei Momente des Kommunikationsgeschehens gegeben; es sind dies die Momente der „Geschichte" und der „Existenz". Das Moment des Historischen, so zeigte sich weiter, darf sich nicht isolieren, sondern bedarf der hermeneutischen Vermittlung im „Wort". Geschichte, die sich im Wort weitersagt, führt zur Kommunikation innerhalb der Geschichte. Kommunikation ist auch der Sinn der Begegnung von Ursprung und Zeuge, des Zeugnisses aus Überzeugung. Kommunikation ereignet sich aber im Anruf und im Antworten, sie ist worthaft. „Wort" wird zum Kommunikationsträger. Damit sind die drei für das Zeugnis konstitutiven Begriffe der „Geschichte", des „Wortes" und der „Existenz" genannt. Sie leiten sich her aus dem Vollzug, d.i. der Zeitlichkeit, dem Worumwillen oder Ziel dieses Vollzugs, d.i. der Kommunikation, und dem Träger dieses Vollzugs, d.i. dem Zeugen. So entfaltet sich jedes Zeugnis dreifach: zeithaft, worthaft und existential. Wurden die drei Momente bisher in ihrem Ineinander im Ganzen des Zeugnisgeschehens behandelt, sollen sie nun voneinander abgehoben und in ihrer eigenen Funktionalität für das Zeugnisgeschehen entfaltet werden.

4.2.1 Geschichte und Zeugnis

Zeugnis ist fundamental zeitlich. Zeitlichkeit ist aber noch nicht in eins zu setzen mit konkreter Geschichte. Zeitlichkeit ist nichts, wenn sie nicht geschichtlich wird; so hat die Zeitlichkeit des Zeugnisses immer ihre konkrete Geschichte, Zeugnis selbst ist also geschichtlich. Was aber bedeutet das für das Zeugnis? Zeugnis ist Ursprungsgeschehen, Erscheinung des Ursprungs in der Zeit. Der Vorgang des Erscheinens selbst entfaltet sich in die drei zeitlichen Dimensionen von Vergangenheit, Gegenwart und Zukunft. Diese zugleich geschichtlichen Dimensionen dürfen nicht nur als das Äußere des Vorgangs Zeugnis verstanden werden, sie gehören zur Erscheinung des Ursprungs selbst hinzu. Wie gestaltet sich dann das Verhältnis des Ursprungs zu Vergangenheit, Gegenwart und Zukunft, und was offenbaren andererseits die geschichtlichen Dimensionen des Zeugnisses vom Ursprung selbst?

Vergangenheit ist Datum, Datum des Ursprungs, Datum, das enthüllt und verbirgt. Das Datum markiert für alle Zeit das Anwesendgewesensein des Ursprungs, es zeugt von seiner einstigen Präsenz, dem Sich-Einlassen und Eingehen des Ursprungs in Zeit und Geschichte. Zugleich markiert das Datum die Abwesenheit des Ursprungs; das Datum ist der Fixpunkt, der exakt beschreibbare Zeitpunkt, der besagt, wann das Ursprungsgeschehen stattfand und seit wann er sich wieder entzieht. Vergangenheit ist so Entzogenheit. In der Dialektik des Datums spiegelt sich die Dialektik des Ursprungs selbst. Die Dialektik des gezeitigten Ursprungs, gezeitigt und als zeitigend doch im dargestellten Sinn vor der Zeit zu sein, kann für unseren Kontext außer Betracht bleiben. Der Ursprung, sofern er entweder nur zeitigender Ursprung ist oder als gezeitigter Ursprung doch Ursprung und somit zeitigend, erweist im Datum seine souveräne Macht, über die Zeit zu bestimmen, sich auf Zeit einzulassen und sich aus der Zeit zurückzuziehen. Das Datum reflektiert die Entschiedenheit des Ursprungs, sich unter die Bedingungen von Zeit und Geschichte zu begeben, sich in Geschichte zu inkarnieren. Damit offenbart der Ursprung eine ihm innere Freiheit, Freiheit über Zeit, ja mehr noch: diese Freiheit bedeutet nicht eine fremde Übermacht über Zeit, sondern die Entschiedenheit zur Zeit. So sich seine eigene Zeit und damit die Bedingungen seiner Entäußerung in der Zeit selbst schaffend, legt Ursprung Zeugnis von dem ab, was er ist, souveräne Freiheit und Entschiedenheit. Zeit wird so zum Wesen seiner Erscheinung und damit zur Erscheinung seiner selbst.

Was vom Wesen des Ursprungs an der Grenze der Vergangenheit sichtbar wird, das ist im Jetzt die Gegenwart selbst. Gegenwart ist Anwesenheit des Ursprungs. In der Gegenwart entfaltet sich das Wesen des Ursprungs: Gegenwart ist das Sich-Gewähren, die Gabe des Augenblicks, der vergönnte Augenblick der Zeit, ist Inkarnation des Ursprungs, Äußerung seiner sich selbst besitzenden Freiheit, die die innere Stimmigkeit und Wahrheit des Augenblicks verbürgt. Gegenwart ist sich gewährende Zeit des Ursprungs, Ursprungszeit. Zugleich wird klar, dieses Anwesen kann kein blindes Vorhandensein meinen, es ist Erscheinung, Gabe, Gegenwart für..., für wen? Für den anderen, für Existenz. In der Gabe der Gegenwart wird ein Wille mächtig, sich weiterzusagen, es wird der Ruf laut, in der Zeit zu bleiben und anderen Menschen die Erfahrung des Ursprungs mitzuteilen. Die Erfahrung des Ursprungs in der Gegenwart soll die Zeiten überdauern. Damit ruft die Erfahrung zum Zeugnis auf, die Gegenwart des Ursprungs weiterzukünden und im Zeugnis den Ursprung immer wieder gegenwärtig zu setzen. In der Erfahrung der Gegenwart ist damit auch eine Verheißung verborgen, die Verheißung nämlich, der Ursprung werde sich auch fernerhin zu erfahren geben.

Als Macht und Verheißung garantiert der Ursprung somit auch die Zukunft, als Macht, neue Zeiten seiner Gewähr herauszuführen, und als Verheißung, neue Begegnung mit dem Ursprung zu ermöglichen. Zeit und Geschichte geben in Vergangenheit, Gegenwart und Zukunft selbst Zeugnis von der Gabe der Freiheit, von der Macht und Erscheinung des Ursprungs.

4.2.2 Wort und Zeugnis

Wort ist weiteres Moment in der Struktur Zeugnis. Wort und Zeit korrelieren, sie stehen in einem wechselseitigen Begründungsverhältnis. Denn zum einen verweist der dem Moment Zeitlichkeit immanente Sinn, die Kommunikation, auf das Wort; zum anderen erweist sich die konkrete Gestalt des Wortes als zeitlich.

Wir sahen, Geschichte ist kommunikativ verfaßt, und das Verhältnis des Ursprungs zum Zeugen ist das der Kommunikation. Im Zeugnis aus Überzeugung ereignet sich Kommunikation direkt in der Begegnung von Ursprung und Zeuge, wohingegen im geschichtlichen Zeugnis die Kommunikation von Ursprung und Zeuge rekonstituiert wird in der Kommunikation geschichtlicher Existenz mit dem Ursprung und dem historischen Zeugnis. Kommunikation selbst ist vom Vollzug her definiert. Und indem wir diesen Vollzug beschreiben als ‚Anrede' und ‚Antwort', zeigt sich: Kommunikation ist worthaft. Der Vollzug aber bedeutet bereits die Konkretion der Kommunikation. Damit Anrede bzw. Antwort geschieht, muß etwas geschehen, ein Zeichen, eine Geste, ein Wort, d. h. muß Kommunikation in der Konkretion zeithaft werden. Damit so konkret zeithafte Kommunikation nicht im Augenblick versinkt, muß sie eine Gestalt annehmen, die über den Augenblick hinaus Bestand hat. Diesem Bestand nach unterliegt sie den Bedingungen der Zeit, und insofern ist ihr Bestand wiederum gefährdet. Diese Dialektik innerhalb der Kommunikation auszutragen ist das Wesen des Wortes: Wort ist immer konkretes, zeithaftes Wort, und zugleich überdauert es die Zeit. So tut sich in der Kommunikation eine immanente Dialektik und unvermeidliche Differenz auf.

Solches liegt am Ursprungsgeschehen selbst. Im Vorgang der Mitteilung entzweit sich der Ursprung in Ursprung und Gestalt. In seiner Gestalt wird der sich mitteilende Ursprung zeitlich. Es ereignet sich Begegnung hier und jetzt. In ihr wird das Wort wahrnehmbar, gerinnt es zur konkreten Gestalt. Die Zeitlichkeit der Kommunikation macht also die Gestalthaftigkeit des Wortes aus. Mit dem Wort, das gesprochen wird, versiegt jedoch die Kommunikation nicht, vielmehr bleibt im Wort der Wille des Ursprungs zur Kommunikation bewahrt, drückt er sich in ihm stets neu aus. So drängt das Wort über das isolierte Hier und Jetzt geschehender Kommunikation zum Ursprung zurück und läßt es zum umfassenden Gespräch mit dem Ursprung kommen. In dem einen Wort sagt der Ursprung sich und etwas.

Wenn das Wort bedeutet, daß der Ursprung sich mitteilen will, und wenn seine konkrete Gestalt in der Zeitlichkeit dieser Kommunikation gründet, dann lassen sich das Wesen des Wortes und der Ursprung als sich mitteilender in den zeitlichen Dimensionen von Vergangenheit, Gegenwart und Zukunft wiederfinden.

Wo das Wort gesprochen wird, ist Gegenwart, Anwesenheit des Ursprungs und Unmittelbarkeit zum Ursprung. Das ist das Wesen des Wortes, daß, wo es gesprochen wird, Sinn ist, Sinn aber als Gabe und Vorgabe des im Wort anwesenden Ursprungs. Dieser Aufgang von Sinn im Wort und das Einstimmen aller Dinge in diesen Sinn haben die ihm eigentümliche Kraft der Überzeugung, die eben auch die Kraft des Wortes ist. Denn solches Wort spricht für sich, es überzeugt, indem es anspricht und aufruft, in den Sinn dieses Wortes einzustimmen, d. h., das Wort anzunehmen, es zu verstehen, es zu übernehmen und sich dafür zu engagieren. Das Wort fordert Antwort heraus. Solches geschieht im Zeugnis, und daraus schöpft das Zeugnis seine Überzeugungskraft.

Andererseits ist das Wort fragmentarisch, vergeblich und fällt als solches der Vergessenheit, der Vergangenheit anheim. Dem Wort ist ein Datum gesetzt, das Datum der Gestaltung des Ursprungs. Daten verkörpern sinnvolle Gestalten der Vergangenheit. Wären diese vergangenen Gestalten aber nicht selbst auch worthaft, verblichen sie im vergessenden Schweigen. Nur wenn das Wort aus den vergangenen Gestalten spricht und gehört wird, sprechen die Gestalten selbst wieder, und spricht der in Vergessenheit geratene Ursprung neu aus ihnen, nur dann ist überhaupt Vergangenheit. Die Vergangenheit selbst ist worthaft.

Bleibt die Entzweiung von Ursprung und Gestalt, die Ur-teilung schlechthin, für das Ursprungsgeschehen auch konstitutionell und bringt diese Zeitlichkeit auch die Gefahr der Vergeblichkeit mit sich, behauptet sich in aller Vergeblichkeit doch eine fundamentale Verheißung. Das Wort birgt eine Zusage: es ist schlechthin Bejahung, das ist sein endgültiger und unbedingter Charakter, es verheißt und sagt Sinn an. So enthält das Wort ein prophetisches Moment, es ist Wort verheißender Zukunft.

Das Wortgeschehen hat deutlich die Konturen des Zeugnisses. Es entspringt der Ermächtigung durch den Ursprung, ist Zeugnis eines anderen und Zeugnis für den anderen. Wort ist der Wille zur Kommunikation, Anruf an die Existenz und Antwort auf den ergehenden Ruf, geschehendes Zeugnis.

4.2.3   Existenz und Zeugnis

Neben dem geschichtlichen Zeugnis nannten wir als zweiten Modus das Zeugnis aus Überzeugung oder das ,existentiale' Zeugnis. Schon im Begriff drückt sich also die innere Verflechtung der Existenz mit dem Zeugnis aus Überzeugung aus. Denn das Zeugnis bleibt der bezeugenden Existenz selbst nicht äußerlich, sondern es drängt auf eine innere Identifikation der Existenz des Zeugen mit dem Zeugnis hin. Die Existenz des Zeugen wird zur Bedingung der Möglichkeit und zur Bedingung der Wirkung des Zeugnisses aus Überzeugung. Sie ist gleichermaßen der Angelpunkt der Struktur dieses Zeugnisses. Nur wenn der Zeuge sich im Aufgang des Ursprungs angehen läßt und nur wenn er selbst bezeugen will, kommt der Ursprung zur Sprache. Überhaupt spielt der Wille in der Begegnung von Ursprung und Zeuge und in ihrer Bezeugung eine entscheidende Rolle. Das gilt ebenso für das geschichtliche Zeugnis. Der Wille, der sich in geschichtlicher Kommunikation äußert, gründet letztlich im Willen des Ursprungs, sich zu äußern und weiterzuwirken. Der Ursprung wird aber nur vernommen und wirkt nur weiter, wo sich geschichtliche Existenz als solche versteht, d. h., wo Existenz Geschichte versteht und sich in ihr. Wo geschichtliche Existenz sich bejaht, will sie geschichtliche Kommunikation. Darin gründet die Offenheit der Existenz für Geschichte, die Bedingung des Verstehens von Geschichte überhaupt, und darin trägt Existenz Geschichte weiter. Auf diese Weise antwortet der Wille geschichtlicher Existenz dem Willen des geschichtlichen Ursprungs.

Kommunikation und damit Zeugnis setzen Existenz voraus. Bezeugend ist der Zeuge Funktion, er ist Zeuge des Ursprungs, und als Zeuge in dieser Funktion kommt ihm selbst seine Existenz aus dem Ursprung zu.

Der Zeuge ist Zeuge des Ursprungs. Der Ursprung, sich offenbarend, tritt in Erscheinung, er faßt sich in Gestalt. Anders ist Ursprung nicht. Es gehört zum Begriff und Wesen des Ursprungs, Ursprung von Gestalt zu sein. Gestalt ist aber das andere des Ursprungs, das, in dem Ursprung als das ihr andere zur Erscheinung kommt. Gestalt kann als Gestaltung, Erscheinung, Äußerung nur dieses einen Ursprungs wiederum nicht beliebige Gestalt sein. Denn sie ist das Durchscheinen, Zur-Erscheinung-Bringen, Konkretion, Ikone und Zeuge des Ursprungs. Damit stehen wir vor dem dialektischen Sachverhalt, daß sich Ursprung im anderen seiner äußert, die Gestalt der Äußerung aber das ihr andere zur Erscheinung bringt. Als Ursprung vermag der Ursprung sein Erscheinen im anderen und zugleich die Bedingungen dieses anderen, seine Gestalt; die genuine Gestalt des Ursprungs ist aber das Zeugnis jenes Zeugen, der den Ursprung bezeugt, indem er seinen eigenen Ursprung aus ihm bezeugt.

Der Zeuge ist, daß er bezeugt; in sich bezeugt er den Ursprung. Er bezeugt nur, insofern er mit seiner eigenen Existenz Zeugnis vom Ursprung gibt. Der existentiale Zeuge ist die genuine Gestalt des sich bezeugenden Ursprungs; nur er vermag den Ursprung und zugleich seine radikale Abkünftigkeit vom Ursprung zu bezeugen. Der genuine Zeuge ist Existenz aus dem Ursprung. Allein darum geht es ihm: den Ursprung weiterzusagen. Darin erfüllt sich seine Existenz, darin ist sie allererst begründet. Der existentiale Zeuge verkündet die Gabe des Ursprungs, den Ursprung als Gabe, die Gewähr seines Daseins, seine vergönnte Existenz. An das Bezeugen des Ursprungs verschwendet er sich, er findet seine höchste Vollendung im Blutzeugen.

4.3 Die Bedeutung einer Phänomenologie des Zeugnisses für die Auseinandersetzung mit Bultmann, Ebeling und Pannenberg

Die soeben entfaltete Phänomenologie führte uns in das Konstitutionsgeschehen von Zeugnis ein. Eine solche Phänomenologie läßt sich vom Phänomen leiten, dem sie sich zuwendet; sie gewinnt den Maßstab ihres Verstehens am Phänomen selbst, hier am Phänomen des Zeugnisses. Im Phänomen hat solches Verstehen seinen Ort, von ihm her nimmt es seinen Anfang, mit ihm geht es vor in seine Gestalt.

Der Standort der drei behandelten protestantischen Theologen dagegen ist zunächst die Geschichtsproblematik. Ihr Verstehen ist primär bewegt von der Frage nach dem, was Geschichte ist. Wir versuchten gleich zu Anfang unserer Untersuchung, die zeitgeschichtliche Situation der frühen zwanziger Jahre zu skizzieren, die eben ganz von der Diskussion um den Geschichtsbegriff geprägt war; dabei wurde deutlich, wie sehr die Geschichtsproblematik auch in den Mittelpunkt des Denkens Bultmanns einrückt. Dies galt auch für die in Bultmanns Folge stehenden beiden anderen Theologen. Die Geschichtsproblematik prägt ihre philosophischen Analysen und, insofern ihre theologischen Ergebnisse mitbetroffen sind, auch ihre jeweiligen Theologien. Bisher verblieb unsere Arbeit im Rahmen dieser Problematik, von ihr hob sie an, und angesichts ihrer Fragestellungen formulierten wir die unseren. Wir konzedierten so den Standort der Auseinandersetzung, ohne uns über die Quellen und das Recht solchen geschichtlichen Bewußtseins selbst eingehend Rechenschaft zu geben[2]. Auch im folgenden gehen wir nicht ausdrücklich auf die Kritik ein, die sich vor allem in jüngster Zeit gegen dieses Geschichtsbewußtsein regte, ihm Verkürzung des philosophischen Erkennens und Verengung der Wirklichkeit vorwarf[3].

Mit der phänomenologischen Methode haben wir innerhalb der Untersuchung einen Standortwechsel vollzogen. Dieser Wechsel der Hinsicht bedeutet jedoch keinen Bruch zum Vorhergehenden, vielmehr ergeben sich viele Berührungspunkte mit den Aussagen der protestantischen Theologen. Unsere Phänomenologie des Zeugnisses schließt die Geschichtsproblematik keineswegs aus und nähert sich ihr durchaus nicht von außen; im Gegenteil, indem sich das Zeugnisgeschehen als fundamental geschichtlich erweist, ist die Phänomenologie des Zeugnisses zugleich auch eine Phänomenologie der Geschichte. Darin tun sich zwar neue Hinsichten auf das Phänomen Geschichte auf, doch wird die Auseinandersetzung eben um des gleichen Phänomens Geschichte willen geführt. Die Differenz der Hinsichten begründet zugleich die Möglichkeit und Notwendigkeit der Korrektur der geschichtsphilosophischen Ansätze Bultmanns, Ebelings und Pannenbergs.

---

[2] Vgl. P. Hünermann, Der Durchbruch des geschichtlichen Denkens im 19. Jahrhundert. Johann Gustav Droysen, Graf Paul Yorck von Wartenburg. Ihr Weg und ihre Weisung für die Theologie, Freiburg 1967.
[3] Vgl. etwa H. M. Baumgartner, Kontinuität und Geschichte. Zur Kritik und Metakritik der historischen Vernunft, Frankfurt 1972; dazu J. Habermas, Zur Logik der Sozialwissenschaften. Materialien (edition suhrkamp, 481), Frankfurt [2]1971; K.-O. Apel, Transformationen der Philosophie, I: Sprachanalytik, Semiotik, Hermeneutik, II: Das Apriori der Kommunikationsgemeinschaft, Frankfurt 1973.

4.3.1   Bultmann

Der Bultmann oben zugewiesene Standort im neuzeitlichen Denken läßt einige
seiner Grundpositionen deutlicher hervortreten. Bultmann bleibt dem Erbe
Kants verhaftet[4]. Diese Feststellung behauptet nicht so sehr eine direkte Abhängigkeit Bultmanns von Kant, obwohl über die Lehrer Bultmanns auch eine solche Tradition wahrscheinlich zu machen wäre[5], sondern eher eine idealtypische
Verwandtschaft, will sagen: ein Denker bleibt so lange dem Erbe Kants verhaftet, als er jenem Ansatz, der zum Typos der neuzeitlichen Philosophie überhaupt
geworden ist, folgt, das Denken in sich selbst zu gründen und zur Bedingung
der Möglichkeit von Welterfahrung zu machen. Kants Reflexionsphilosophie
zielte auf die Begründung eines autonomen Bereichs der reinen Wissenschaften,
indem er die Bedingungen der Möglichkeit dieses Bereichs in der transzendentalen Subjektivität ansiedelt. Die bekannten Folgen sind das Auseinandertreten
des Reichs der reinen Transzendentalität, so daß gilt: was den Regeln der ‚Welt‘
nicht unterstellt werden kann, ‚existiert‘ nicht oder muß ins Reich der Transzendentalität gewiesen werden. Gegen das Ideal der reinen Wissenschaft, das im
19. Jahrhundert zusammenbrach, trat schließlich das geschichtliche Bewußtsein
auf, das dem Denken Kants Ungeschichtlichkeit vorwarf. Gerade die subtilen
Untersuchungen H.-G. Gadamers zur Verfassung und Wirkung des
Geschichtsverständnisses Diltheys zeigen aber, daß die neue Bewegung die
Reflexionsphilosophie, gegen die sie angetreten war, faktisch nicht überwand,
sondern ihr in ihrer Motivation letztlich verhaftet blieb[6]. Selbst die der
Geschichtsphilosophie verpflichtete Bewegung der existentialen Philosophie
verblieb im Umkreis jenes Denkens: Vorrangig ging es jeweils um die Frage
nach dem einen Grund aller Weltphänomene; dort wurde die Frage mit dem
transzendentalen Subjekt, hier mit der Existenz beantwortet[7].

---

[4] Zur philosophischen Tradition Kants in der protestantischen Theologie vgl. W. Schultz, Kant
als Philosoph des Protestantismus (Theologische Forschung, 22), Hamburg 1960; P. J. Joergensen,
Die Bedeutung des Subjekt-Objekt-Verhältnisses für die Theologie. Der theo-onto-logische Konflikt mit der Existenzphilosophie, Hamburg 1967; vgl. auch. G. Koch, Auferstehung, 134 ff.
[5] Auf den Einfluß des Neukantianismus der Marburger Universität durch seine Vertreter Cohen
und Natorp auf K. Barth und R. Bultmann weist Bultmann in einem Brief von 1926 selbst hin
(zitiert bei W. Schmithals, Theologie, 17–18). Bultmanns Grundentscheide liegen ja wohl schon
vor der Heideggerrezeption durch Bultmann. Er übernimmt vor allem von seinem Lehrer W. Herrmann entscheidende Postulate, die seine Theologie und Philosophie bis zuletzt bestimmen, wenn
er in seinem Gottesverständnis von Herrmanns Grundsätzen von Gott als dem „ganz Anderen"
(GV I, 26 ff u. ö.) und „von Gott können wir nur sagen, was er an uns tut" (GV I, 36 u. ö.), u. a.
ausgeht.
[6] H.-G. Gadamer, Wahrheit und Methode. Grundzüge einer philosophischen Hermeneutik,
Tübingen ³1972, 205 ff.
[7] Vgl. dazu H. Rombach, Die Gegenwart der Philosophie. Eine geschichtsphilosophische und phi-

Es läßt sich nun von Kants Transzendentalismus (genauer: vom Transzendentalismus in der Folge und Konsequenz von Kant) gerade zu Bultmanns Existentialismus eine ideal-typische Verbindung herstellen; in beiden Denksystemen finden sich bezeichnende Parallelen. Wenn Kant auch das empirisch Seiende auf ein ‚transzendentales Subjekt' zurückführt, bei Bultmann dagegen die ‚Existenz' die Bedingung der Möglichkeit aller Erscheinungen erstellt, so sind sie doch beide von dem Interesse geleitet, den einen Grund hinter allen Gründen zu suchen, d. i., dem ‚Denken' in seinen Grund zu folgen (Kant und Folgeerscheinungen) oder alles aus dem Grund der ‚Existenz' zu ‚verstehen' (Bultmann). Es ist beide Male ein Sich-selbst-besser-verstehen-Wollen. Der Subjektivität des ‚transzendentalen Ego' bei Kant entspricht so die starke Betonung des ‚Selbst' bei Bultmann.

Es erhebt sich aber der Einwand, ob nicht dennoch ein radikaler Gegensatz zwischen Kant und Bultmann bestehenbleibt, da bei dem einen die ‚Welt' und bei dem anderen die ‚Geschichte' Angelpunkt des Denkens ist. Hat aber Bultmann Kant an diesem Punkt wirklich überwunden?

Das naturwissenschaftliche Ideal Kants bleibt auch bei Bultmann unangetastet[8]. Sein Werk durchzieht geradezu der geheime Grundsatz: Was vor dem Leitbild der Naturwissenschaften nicht bestehen kann, das gibt es nicht. Was hat es dann aber mit der Geschichte auf sich? Für sie muß ein neuer Bereich geschaffen werden; Geschichte wird zur Geschichtlichkeit und aus der Existenz erklärt. In dieser Unterscheidung von ‚Natur' im Sinne jenes naturwissenschaftlichen Ideals und ‚Geschichte' spiegelt sich der genannte wissenschaftstheoretische Grundsatz. Denn es zeigt sich, daß Bultmann den an den objektiven Wissenschaften orientierten Historismus in Wirklichkeit nicht überwand, wenn er auch gegen ihn anrennt und ihn bekämpft[9]. Indem er nämlich auf diese Weise ‚Historie' und ‚Geschichte' trennt, bleibt er der bekämpften Sache insgeheim verhaftet, ohne eine tatsächliche Vermittlung der Positionen zu leisten. Wenn Heidegger formuliert: „In den historischen Wissenschaften zielt das Verfahren ebenso wie in den Naturwissenschaften darauf ab, das Beständige vorzustellen und die Geschichte zum Gegenstand zu machen"[10], so ist das zwar zunächst auf den

---

losophiegeschichtliche Studie über den Stand des philosophischen Fragens (Symposion, 11), Freiburg 1962, 71 ff; G. Noller, Ontologische und theologische Versuche zur Überwindung des anthropologischen Denkens, in: Heidegger und die Theologie. Beginn und Fortgang der Diskussion (Theologische Bücherei, 38), München 1967, 290 ff.

[8] Das Weltbild Bultmanns ist vom Weltbild der Naturwissenschaften her zu verstehen. Diese Welt ist ein einheitlicher, geschlossener Zusammenhang, der nicht durchbrochen werden kann. Mensch und Geschichte sind das andere von diesem Zusammenhang; vgl. GV II, 99, 200, 243; KM II, 183 u. ö. Selbst Gottes Wirken in diese Welt hinein wäre ein ‚Eingriff' in diese Welt, der nicht hingenommen werden kann; vgl. KM II, 181 u. ö.

[9] Vgl. G. Ebeling, ThV, 55; H. Ott, Geschichte, 43.   [10] M. Heidegger, Holzwege, 76.

Historismus gemünzt; doch verschlägt es wenig, ob das Historische oder die Struktur der Existenz, die Existentialien, zum wahrhaft Beständigen von Geschichte erhoben werden. Das Interesse geht jeweils dahin, Geschichte verstehbar zu machen. Die Übereinstimmung mit Kant wird darüber hinaus greifbar in der Weise, wie beide von verschiedenen Ansätzen aus, aber von einem gemeinsamen (wissenschaftlichen) Ideal geleitet, zum gleichen Grenzphänomen des Erkennens vorstoßen: Kant postuliert das formale ‚Daß‘ des ‚Dings an sich‘, Bultmann das formale ‚Daß‘ des historischen Faktums; die Frage nach dem ‚Was‘ lehnen beide strikt ab, d. h., das ‚Ding an sich‘ bzw. das ‚historische Faktum‘ spielen über diese Absicherung des Systems nach außen hin weiter keine Rolle und bleiben so im Innern unbedacht.

Bultmanns Trennung von ‚Historie‘ und ‚Geschichte‘ ist letztlich die Trennung von ‚Natur‘ und ‚Existenz‘. Er behauptet damit zwei sich gegenseitig ausschließende, unverbundene Bereiche: ‚Geschichte‘ gehört der Existenz zu, sie untersteht nicht den Gesetzen der ‚Natur‘, damit wird ‚Historie‘ verneint. Die Parallelisierung der Bereiche des ‚Empirischen‘ und des ‚Existentialen‘ bei Bultmann und des ‚Empirischen‘ und ‚Intelligiblen‘ bei Kant drängt sich auf. Dieses Bereichsdenken wird vor allem für die Theologie Bultmanns relevant. Hier sind es die Begriffe des ‚Natürlichen‘ und ‚Übernatürlichen‘, die einander gegenübergestellt werden. Die Dinge und Ereignisse der ‚übernatürlichen‘ Ordnung reichen nach Bultmann nicht in die ‚natürliche‘ Welt hinein; der natürliche Kosmos bildet einen in sich geschlossenen Zusammenhang, ein Eingreifen von ‚oben‘ ist unmöglich.

Ähnlich hat Kant den Gottesgedanken aus den traditionellen metaphysischen Beweisgängen herausgeschält und Gott den ‚Ideen‘ zugeteilt. Gott ist ihm denk-notwendig. Dies geht Kant gerade in seinem transzendentalen Anliegen, das Denken in seinen Ursprung zurückzubringen, auf. Gott wird zum Postulat dieses Denkens, indem dieses seiner zur methodischen Selbstbegründung bedarf. Bultmanns Sprechen von Gott ist streng auf die Existenz bezogen. Wenn Bultmann des öfteren wiederholt, ‚von Gott reden heißt vom Menschen reden‘, so drückt sich darin sein Grundentscheid aus, Gott nur im Verhältnis zur Existenz zu denken. Gott erscheint so ebenfalls als Postulat, hier jedoch als Postulat eigentlichen existentialen Verhaltens. Indem sich die Existenz zu sich selbst verhält, verhält sie sich zu Gott; Gott erscheint als das, was gerade noch an der Grenze von Existenz sichtbar wird. Was aber von Gott sichtbar wird, die Eigenschaften Gottes, wird in den Formen des existentialen Verhaltens ausgesagt. Heidegger urteilt über den Gottesgedanken als Funktion eines Denkens seit Kant, jenes Denkens also, das sich selbst thematisiert: „Ist es dahin gekommen, dann sind die Götter entflohen. Die entstandene Leere wird durch die historische und psychologische Erforschung des Mythos ersetzt."[11] Dies trifft Bultmanns Programm der ‚Entmythologisierung' in besonderem Maß.

Jede Kritik Bultmanns hat ihm zunächst recht zu geben – wie auch die Reflexionsphilosophie Kants ihr Recht hat –, wenn er feststellt: Alles, was ist, steht unter den Bedingungen der Existenz; alles, was ist, so auch Geschichte, Philosophie und Theologie, ist nur insoweit erfahrbar, als es sich unter die Bedingungen der Möglichkeit von Erfahrung, d. h. unter die Bedingungen der Existenz, begibt. Das gilt selbst von Gott; wenn Gott nicht in ein Verhältnis zum Menschen träte, also die Möglichkeiten dieses Verhältnisses nicht übernähme, wüßte der Mensch nichts von Gott. Ohne Einschränkungen gilt: Jedes Geschehen und jeder Vollzug stehen unter den Bedingungen dieses Vollzugs. Die Frage ist nur, sind diese Bedingungen letzte unbedingte Bedingungen, oder sind sie selbst doch wieder bedingt? Geht also das Verhältnis von Gott und Mensch allein und ganz von der Existenz her auf, so daß die Formen der Existenz der maßgebende und angemessene Ausdruck dieses Verhältnisses sind, oder verhalten sich die Pole dieses Verhältnisses so zueinander, daß noch andere Hinsichten auf es notwendig sind, damit das dynamische Geschehen dieser Beziehung von sich her und als ganzes in den Blick kommt?

Wenn wir Bultmanns philosophische Analyse der Existenz und unsere Phänomenologie des Zeugnisses einander gegenüberstellen, so wird deutlich, wo eine notwendige Korrektur Bultmanns anzusetzen hat. Beide Analysen konzentrieren sich auf die drei Grundbegriffe der „Existenz", der „Geschichtlichkeit" bzw. „Geschichte" und des „Verstehens" bzw. „Wortes". Wenn Bultmann jedoch die Elemente Geschichte und Wort und das Zueinander der drei Grundbegriffe von der Existenz her denkt, so ging uns das Zeugnis als die eine Struktur der Momente Existenz, Wort und Geschichte auf. Die Frage der Priorität eines der Momente, die Bultmann mit der Reduktion der beiden anderen Momente auf die Existenz beantwortet, stellt sich innerhalb unserer Auffassung des Zueinanders der Momente als Strukturgeschehen nicht. Die Existenz wird uns vielmehr ursprünglich „zeitlich" und „worthaft" zugleich; der Vollzug von Existenz ist von den Vollzügen der Geschichte und des Wortes mitgetragen, ohne daß eines der Momente aus dem anderen abzuleiten wäre. Denn Wesen eines „Momentes"[12] ist es, Moment eines Ganzen zu sein und in der Wechselbeziehung mit den anderen Momenten selbst konstituiert zu werden und die anderen mitzukonstituieren, ohne diese jedoch aus sich abzuleiten. Moment ist Hinsicht, Perspektivität auf das Ganze, es ist „Teil" und „Ganzes" zugleich,

---

11 M. Heidegger, Holzwege, 70.
12 Vgl. H. Rombach, Strukturontologie. Eine Phänomenologie der Freiheit, Freiburg i. Br. 1971, 32ff.

indem es das Ganze in der besonderen Perspektivität ist. Das Ganze ist Struktur, die wiederum nichts ist ohne die Momente, ohne ihre Perspektiven und Verhältnisse, die sie konstituieren. Deshalb ist die Perspektive Bultmanns als Perspektive richtig; denn Existenz ist Perspektivität. Als solche bringt sie das Ganze zum Vorschein und nimmt das Ganze die Formen der Existenz an, ohne daß die Existenz das Ganze wäre bzw. ohne daß sich das Ganze in die Existenz einfachhin aufhöbe.

Die Summe der Momente macht noch nicht die Struktur aus, obwohl die Struktur nichts ohne ihre Momente ist. Die Struktur des Zeugnisses als ganze lebt aber aus ihrem eigenen Ursprung. Als formales Strukturgeflecht dokumentiert das Zeugnis seine fundamentale Abkünftigkeit; das Zeugnis ist nichts ohne den Verweis auf den Ursprung; daraus lebt es, Zeugnis seines Ursprungs zu sein. Schon die Momente der Struktur tragen den Index dieser Abkünftigkeit. Wir sahen: Zeit als Grund von Geschichte ist Zeichen der Entzogenheit und Gewähr des Ursprungs, Zeichen der Gabe; Wort ist Zeichen gelingender Kommunikation, Zeichen der Gewähr von Sinn und Kommunikation. Vor allem ist Existenz Zeuge des Ursprungs. Als im Ursprung gegründet ist sie verdankte Existenz. Diese Verfassung der Existenz hat Bultmann nicht zu Ende gedacht. Die Frage des Verhältnisses von Ursprung und Existenz, hier die von Gott und Mensch, hat er vielmehr auf die Frage, wie der Ursprung in der Existenz vorkommt, d. h., was Gott für den Menschen sei, reduziert. Hier löst sich jener Grundentscheid Bultmanns ein, alles, was ist, stehe unter den Bedingungen der Existenz, die eben gerade die Bedingungen des Ursprungs selbst sind. In unserer Phänomenologie des Zeugnisses konnten wir jedoch zeigen, daß und wie dieser Satz der Ergänzung durch jenen anderen bedarf, daß nämlich die Existenz ihrerseits unter den Bedingungen des Ursprungs steht. Die Bedingungen des Aufgangs des Ursprungs sind also insoweit die der Existenz, als der Ursprung sich in die Bedingungen der Existenz läßt. Sich unter die Bedingungen der Existenz gebend, konstituiert sie der Ursprung allererst. Existenz ist so Existenz aus seinem anderen. Bultmann hat den Ursprung in seiner Ursprünglichkeit nicht bedacht, der sich gerade in der Freiheit zu sich und im Freisetzen des anderen in seine Freiheit ausdrückt.

4.3.2   Die Auseinandersetzung mit Ebeling und Pannenberg

Ebeling und Pannenberg bleiben dem Ansatz Bultmanns, seinem geschichtlichen Denken, verpflichtet. Ihrerseits versuchen sie jedoch, Historie und Geschichte aus der existentialen Engführung bei Bultmann herauszuführen. Ebeling stellt sich bewußt in die geistesgeschichtliche Situation des neuzeitlichen

Geschichtsbewußtseins[13], er bestätigt ausdrücklich das Anliegen Bultmanns[14], reflektiert aber dessen Historiebegriff neu. Dabei wird ihm der Zusammenhang mit der geschichtlichen Tradition wichtig, aus dem Bultmann auszusteigen droht; Ebeling will die Kommunikation mit der Tradition wiederherstellen; er bedient sich dabei des Instrumentariums einer Hermeneutik des Wortes, da das Wort es ist, das, dem geschichtlichen Ereignis entspringend, Kommunikation stiftet und die Kommunikation mit dem Ereignis bewahrt. Ebeling will so das geschichtliche Geschehen in das aus ihm entspringende und ihm entsprechende Wortgeschehen übersetzen. Pannenberg dagegen sucht die direkte Auseinandersetzung mit Bultmann und den Nachfolgern der Worttheologie[15]. Diese Auseinandersetzung bleibt jedoch im Horizont der Frage, was Historie und Geschichte eigentlich sind. Pannenberg entwickelt einen spezifischen Geschichtsbegriff. Er lehnt die Unterscheidung von Historie und Geschichte ab, weil für ihn Geschichte nicht in einem die Historie überwindenden Prinzip, sei es Existenz oder Wort, gründet, sondern Historie selbst Grund von Geschichte und damit von Wort und Existenz ist. Pannenberg stellt die Begründungsfunktion, die Voraussetzungslosigkeit und Priorität des Geschehens, d. i. von Historie bzw. Geschichte, vor aller existentiellen Aneignung und kommunikativ hermeneutischen Vergegenwärtigung heraus. Zu diesem Ziel erweitert er den Historiebegriff zu dem der Universalgeschichte.

Nach unserer Darstellung geschichtlichen Zeugnisgeschehens ist auch Ebeling und Pannenberg zunächst recht zu geben. Sie erschließen zwei Dimensionen von Geschichte, die bei Bultmann so nicht in den Blick kamen, die sich aber am Phänomen Geschichte durchgehend aufzeigen lassen: Geschichte gründet in der Vorgegebenheit des geschichtlichen Ereignisses, und Geschichte geht als solche, die weiterwirken will, erst in der Kommunikation mit diesem Ereignis auf. Für Pannenberg ist Geschichte Datum, Historie, d. i. die Vorgegebenheit alles dessen, was den geschichtlichen Prozeß begründet. Zugleich ist ihm die Geschichte universale Geschichte, d. i., der umfassende Horizont, unter dem alles erscheint, was auch immer geschieht, unterliegt so den Bedingungen von Historie bzw., wie wir im Blick auf diese Dimension sagten, von Zeit. In dieser Hinsicht hat Historie die Priorität vor Existenz und Wort: alles ist geschichtlich. Diese Priorität erschöpft sich nicht in der Priorität äußerer Bedingungen jedes Vorkommens, sondern Geschichte begründet in einem echten Sinn Wort und Existenz. Wort, so sahen wir, ist geschichtliches Wort; das Wort geht aus dem Ereignis hervor, das das Wort stiftet. Existenz ist geschichtliche Existenz; sich selbst vorgegeben, fängt sie nicht mit sich selbst an, sondern mit dem Verstehen ihrer Herkunft aus der Geschichte. Auch Ebeling geht es zunächst um die

---

[13] Siehe o. S. 67.   [14] Siehe o. S. 67ff.   [15] Siehe o. S. 102ff.

Begründung des Wortes im Ereignis. Aber dieses Ereignis bedeutet für ihn nichts, wenn es nicht zur Sprache kommt. Jedes geschichtsmächtige Ereignis, und damit Geschichte, ist nur, was es ist, wenn die Kommunikation vieler mit dem Ereignis bzw. mit der Geschichte stattfindet. Kommunikation ist der Sinn von Geschichte, so sagten auch wir. Geschichte selbst ist worthaft. Darin besteht also die Priorität des Wortes, daß Wort erst erfüllt, was Geschichte intendiert.

So ist alles Geschichte, und alles ist Wort. Es ist nur die Frage, ob so verstandene Geschichte und so verstandenes Wort in sich geschlossene Geschehensabläufe, letzte Größen und Bedingungen sind, auf die alles zurückzuführen ist, wie es bei Ebeling und Pannenberg den Anschein hat, Geschehensabläufe eines immanenten Geschichtsprozesses bzw. Wortgeschehens, wie sie von beiden jeweils beschrieben werden.

Eine notwendige Kritik vom Ergebnis unserer Phänomenologie des geschichtlichen Zeugnisses her kann die Perspektiven Ebelings und Pannenbergs zunächst voll einbringen. Das geschichtliche Zeugnisgeschehen ist zeithaft, insofern historisch, und es ist zugleich worthaft. Unsere Phänomenologie zeigt aber auch die Perspektivität dieser Ansätze auf, den begrenzten Ausschnitt, den sie vom Ganzen sehen lassen. Geschichte und Wort sind nur zwei der drei Dimensionen von Zeugnis, die sich uns erschlossen. Für uns konstituieren Geschichte, Wort und Existenz gemeinsam das Phänomen Zeugnis; diese Sicht erfordert, Geschichte und Wort in ihrem notwendigen Zusammenhang zu sehen, und verbietet, eines der Momente aus dem Gesamtgeschehen zu isolieren. Bei genauerem Hinsehen fällt auf, daß sich die Dimensionen Wort und Geschichte auch bei Ebeling bzw. Pannenberg nicht isolieren lassen. Wir konnten zeigen, daß Pannenbergs Entfaltung des Historiebegriffs in die Momente Entwurf, Verifikation und Reflexion eine latente Hermeneutik zugrunde liegt[16], insofern diese Momente ein Verhältnis zur Geschichte bezeichnen, in dem in der Kommunikation mit der Geschichte Sinn aufgeht. Bei Ebeling deutet schon die Kennzeichnung der Hermeneutik als Wort-„geschehen" auf die Zeitlichkeit der Begründung und des Verlaufs dieses Geschehens hin. Noch deutlicher wird der Zusammenhang aller Momente, wenn Ebeling das Wortgeschehen auf die Weise Bultmanns ‚existential interpretiert‘[17]. So läßt sich der von manchen Kritikern zu Recht bemerkte Sachverhalt konstatieren, daß Ebeling und Pannenberg trotz verschiedener Ansätze in ihren Programmen letztlich konvergieren, geht es ihnen beiden doch darum, die Einheit der Geschichte und der geschichtlichen Zusammenhänge zu denken. Diese Einheit als ‚Überlieferungs-‘ bzw. ‚Universalgeschichte‘ oder als universales ‚Wortgeschehen‘ zu bezeichnen

---

[16] Siehe o. S. 143.   [17] WG I, 347 f u. ö.

ist letztlich von der Sache her zweitrangig; die Dimension Geschichte und Wort ist je in beiden Programmen, bewußt oder unbewußt, mitenthalten.

Die Phänomenologie des geschichtlichen Zeugnisses integriert die Intentionen Ebelings und Pannenbergs, verschärft und korrigiert sie aber darüber hinaus. Zeitlichkeit bzw. Geschichtlichkeit sind die Indizes der Vorgegebenheit und Abkünftigkeit von Existenz und Wort. Wort und Existenz unterliegen den Bedingungen der Geschichte. Mit dieser Abkünftigkeit von Wort und Existenz aus den Bedingungen der Geschichte schließt sich jedoch nicht das Geschehen, wie es der Geschichtsentwurf Pannenbergs nahelegt, vielmehr zeigt sich, daß Zeit und Geschichte selbst radikale Abkünftigkeit besagen: in Zeit und Geschichte erscheint und gewährt sich der Ursprung. Geschichte ist nicht letzte Vorgegebenheit, sich aus sich ereignender Ablauf, sondern Geschichte wird aufgebrochen und transparent auf einen sich zeitigenden Ursprung hin. Diese Reflexion auf das Sich-Zeitigen des Ursprungs in der Geschichte und auf den Ursprung selbst, sein Wesen und seinen Namen unterbleibt bei Pannenberg. Jeder Geschichtsentwurf aber, der das Verhältnis von gewährter Geschichte zu seinem Ursprung und zuerst und vor allem die Geschichte des sich gewährenden Ursprungs selbst nicht mitbedenkt, muß als fraglich erscheinen. So gilt neben dem Satz, der aus einer bestimmten Perspektive trifft: Geschichte ist alles, zugleich der andere: Geschichte ist gerade nicht alles, sondern die Erscheinung des anderen von Geschichte in Geschichte, des sich zeitigenden Ursprungs von Geschichte und Zeit. Das Wort dagegen stiftet Kommunikation, die die Intention der Geschichte aufdeckt und wahrt. Aber Geschichte geht nicht einfachhin in Kommunikation auf, so daß sich die Intention der Geschichte in ein gereinigtes und in Verstehen überführtes Wortgeschehen vollends übersetzen ließe, wie Ebeling es nahelegt, sondern Geschichte selbst bringt Kommunikation in Gang, bricht Kommunikation ab oder treibt Kommunikation weiter; Geschichte fordert zur Auseinandersetzung und zur Kommunikation mit Geschichte heraus, sie zwingt zu immer neuen Modellen ihres Verstehens. Geschichte verändert je die Bedingungen des Sich-in-ihr- und Sich-zu-ihr-Verhaltens und der Kommunikation mit ihr. Die Kommunikation mit der Geschichte durch das Wortgeschehen ist je neu zu stiften, d. h., sie ist geschichtlich. Die Geschichte gibt zur rechten Zeit je neu das rechte Wort des Verstehens von Geschichte. Wort ist so gewährtes, verdanktes Wort. Wort selbst ist abkünftig, d. i. in der Zeit gegründet. Wort stiftet Kommunikation, aber zugleich gründet es seinerseits in Kommunikation. Die kommunikative Situation geht dem Wort voraus; es ist das rechte Wort zur rechten Zeit. Die Kommunikation beginnt nicht mit sich selbst, sondern sie stellt sich je neu, d. i. geschichtlich, ein. Kommunikation ereignet sich von Willen eines Ursprungs, der zugleich zeithaft und kommunikativ ist. Ebeling hat Kommunikation auf Hermeneutik reduziert. In der Kommunikation vollzieht sich zwar ein Verstehen, das mit den Mitteln einer Hermeneutik des Wortes freigelegt werden kann, aber das Von-her des Wortes und der Kommunikation, ihre Herkunft von einem sich mitteilenden Ursprung, der die Kommunikation stiftet und das Wort gewährt, der nicht zu verstehen ist, sondern sich zu verstehen gibt, bedenkt Ebeling nicht. So gilt: Kommunikation ist der Sinn von Geschichte, aber Kommunikation ist die je neu geschehende und sich gewährende Begegnung mit einem sich mitteilenden, geschichtlichen Ursprung.

5

Die Theologie des Zeugnisses der Auferstehung

Das 3. Kapitel markiert für unsere Untersuchung zur Logik des Sprechens von Auferstehung die entscheidende Wende. Uns absetzend von den diskutierten protestantischen Theologien (ihren Verkürzungen und Engführungen), formulierten wir unseren eigenen Standort: Angemessenes Sprechen von Auferstehung erfordert, den von den drei Theologen eingeschlagenen Weg geradezu umzukehren und streng von der Auferstehung selbst her zu denken. Damit aber waren wir an das NT selbst verwiesen. Ausgehend von der ältesten Aussage zur Auferstehung 1 Kor 15,3ff, konstatierten wir den fundamentalen Zusammenhang von Auferstehung und Zeugnis überhaupt. Ohne schon zu jenem Zeitpunkt die innere Struktur und Ordnung des von der Auferstehung her gewonnenen theologischen Zeugnisbegriffes an 1 Kor 15 erheben zu können, erwies sich die verschiedene Verwendung des Zeugnisbegriffes in der Interpretation dieses Textes durch die genannten Theologen als ungenügend. Damit standen wir vor der Notwendigkeit, in einer eigenen Phänomenanalyse zu ermitteln, wovon wir sprechen, wenn wir von Zeugnis sprechen, und was denn nun die Ordnung von Zeugnis sei. In der Darstellung seiner Verfassung, seines Vorgangs und seiner Momente zeigte sich sodann Zeugnis als mehrdimensionales Ursprungsgeschehen, das sich in der Verwirklichung des konkreten Zeugnisses je neu strukturiert. Zeugnis überhaupt ereignet sich als die im Vorgang des konkreten Bezeugens sich konstituierende Struktur. Die Struktur von Zeugnis ist somit offen für verschiedene Formen möglichen Zeugnisgeschehens, somit auch offen für die Möglichkeit theologischen Zeugnisses. Konkret spricht die Schrift von solchem Zeugnis. Aus ihr ist daher die Ordnung des genuin theologischen Zeugnisses zu erheben und seine Entsprechung und Differenz zu anderen Weisen von Zeugnis aufzuzeigen.

5.1.1 Das neutestamentliche Vokabular

Die ntl. Schriften sprechen in vielfacher Weise von Zeugnis. Das Begriffsfeld vom Stamm „μαρτ-" ist breit gefächert. Der ntl. Begriff Zeugnis ist in verschiedenen Arbeiten wortstatistisch und exegetisch-theologisch gründlich untersucht worden[1]. Immer wieder wurde die Frage gestellt, ob das ntl. Zeugnis innerhalb des semantischen Kontextes griechisch-forensischen „Bezeugens" bleibt oder sich zu neuen Bedeutungen entfaltet[2]. Für uns bleibt aus all diesen Untersuchungen festzuhalten, daß im eigentlichen Sinne nur Lk und Jo einen eigenen Zeugnisbegriff kennen[3]. Im Lk-Ev begegnet der Titel „μάρτυς" zweimal, in

---

[1] Einige wichtige Untersuchungen zum ntl. Zeugnisbegriff seien genannt: R. Asting, Die Verkündigung des Wortes im Urchristentum, dargestellt an den Begriffen „Wort Gottes", „Evangelium" und „Zeugnis", Stuttgart 1939; M. Barth, Der Augenzeuge. Eine Untersuchung über die Wahrnehmung des Menschensohnes durch die Apostel, Zürich 1946; J. Beutler, Martyria. Traditionsgeschichtliche Untersuchungen zum Zeugnisthema bei Johannes (Frankfurter Theologische Studien, 10), Frankfurt 1972; J. Blank, Krisis. Untersuchungen zur johanneischen Christologie und Eschatologie, Freiburg 1964, 183ff; N. Brox, Zeuge und Märtyrer. Untersuchungen zur frühchristlichen Zeugnis-Terminologie (Studien zum Alten und Neuen Testament, 5), München 1961; E. Burnier, La notion de Témoignage dans le Nouveau Testament, Lausanne 1939; H. v. Campenhausen, Die Idee des Martyriums in der alten Kirche, Göttingen ²1964; E. Günther, MAPTYΣ. Die Geschichte eines Wortes, Hamburg 1941; ders., Zeuge und Märtyrer. Ein Bericht, in: ZNW 47 (1956) 145ff; G. Klein, Die zwölf Apostel. Ursprung und Gehalt einer Idee, Göttingen 1961; H. Lietzmann, Art. „MAPTYΣ", in: A. Pauly, Real-Encyklopädie der classischen Altertumswissenschaften. Neue Bearbeitung begonnen von G. Wissowa, fortgeführt von W. Kroll und K. Mittelhaus, hrsg. von K. Ziegler, XIV/2 (1930) 2044ff; O. Michel, Biblisches Bekennen und Bezeugen. ὁμολογεῖν und μαρτυρεῖν im biblischen Sprachgebrauch, in: EvTh 2 (1935) 231ff; E. Peterson, Zeuge der Wahrheit, Leipzig 1937; K. H. Rengstorf, Auferstehung, 136ff; H. Strathmann, Art. „μάρτυς κτλ.", in: ThW IV, 477ff; G. Schneider, Die zwölf Apostel als „Zeugen". Wesen und Funktion einer lukanischen Konzeption, in: Christuszeugnis der Kirche. Theologische Studien. Festschrift für F. Hengsbach, hrsg. von P.-W. Scheele – G. Schneider, Essen 1960, 39ff; H. Traub, Botschaft und Geschichte. Ein Beitrag zur Frage des Zeugen und der Zeugen, Zürich 1954.

[2] J. Beutler, Martyria, 23ff (Literaturbesprechung); N. Brox, Zeuge, 26; H. Strathmann in: ThW IV, 479ff.

[3] „μάρτυς" begegnet bei den Synoptikern und in den Apostolischen Briefen (N. Brox, Zeuge, 30ff, 32ff); vor allem wird im Prozeß Jesu von den „Zeugen" gehandelt (H. Strathmann in: ThW IV, 493). In den paulinischen Hauptbriefen ist es der natürliche Zeuge, der aufgrund eigenen Wissens eine Sache bezeugt (ebd. 493f). Dem atl. forensischen Gebrauch des Gerichtszeugen kommt bisweilen Bedeutung zu (ebd. 493). Gott kann aber auch selbst zum Zeugen angerufen werden (ebd. 494). Theologisch interessant ist der Gebrauch von „ψευδομάρτυρες" (N. Brox, Zeuge, 30; H. Strathmann in: ThW IV, 493). Das NT kennt noch nicht den Blutzeugen, wenn dies auch schon behauptet wurde und 1 Petr 5,1 („der Zeuge der Leiden Christi") eine solche Bedeutungsentwicklung nahelegen könnte (N. Brox, Zeuge, 37ff). Im allgemeinen geht der ntl. Begriff des Zeugen nicht über den Begriff des forensischen Zeugen hinaus (ebd. 41). – Zu dem Stamm „μαρτ-" gehören weiterhin die Verben „μαρτυρέω", „μαρτύρομαι", „ψευδομαρτυρέω", „διαμαρτύρομαι" sowie die Vari-

der Lk-Apg aber an dreizehn Stellen[4]. Hier muß mit bewußter Terminologie gerechnet werden. Der Zeugenbegriff ist anerkanntermaßen einer der Schlüsselbegriffe zum Verständnis des lk Doppelwerkes[5]. Das Jo-Ev gebraucht zwar den Titel „μάρτυς" an keiner Stelle, dafür mehrfach das Partizip „ὁ μαρτυρῶν" in substantivischer Verwendung[6]. Das Verb „μαρτυρέω" und der Begriff der „μαρτυρία" ist im Jo-Ev und in den Jo-Briefen deutlich jo Terminologie[7]. Jo gebraucht ihn im Jo-Ev an vierzehn, in den Jo-Briefen an sieben Stellen[8]. Im folgenden soll den bisherigen Untersuchungen keine weitere hinzugefügt werden; wir wollen vielmehr vor allem auf die theologischen Absichten und Implikationen achten, die im NT mit dem Gebrauch des Zeugnisbegriffes verbunden werden. Wir beschränken uns dabei auf die Darstellung der verschiedenen Zeugnistheologien bei Lk und Jo.

5.1.2   Der „Zeuge" bei Lk

Die heutige Exegese sieht im „Zeugen" des Lk übereinstimmend einen Schlüsselbegriff lk theologisch-heilsgeschichtlicher Darstellung[9]. Der Inhalt des lk Zeugnisses konzentriert sich in einem ersten Überblick vor allem auf die Aufer-

---

anten aus dem Gerichtsvokabular „καταμαρτυρέω" (Vorbringen der Anklage) u.a.m. (H. Strathmann in: ThW IV, 514ff; N. Brox, Zeuge, 31, 36; J. Beutler, Martyria, 169ff). Das „μαρτυρέω" in Lk 4,22 kann mit „anerkennen", „Beifall geben" übersetzt werden (N. Brox, Zeuge, 26, 67); an anderen Stellen ist es ein „Bestätigen", „Bekunden" oder ein einfaches „Bezeugen" (H. Strathmann in: ThW IV, 500f; J. Beutler, Martyria, 172f), was auch für den Gebrauch bei Paulus gilt (N. Brox, Zeuge, 31). Bei Jo dagegen kommt es 33mal vor und gehört zur jo Zeugnisterminologie (J. Beutler, Martyria, 210f). Das „ψευδομαρτυρέω" folgt der atl. theologischen Vorstellung des „Falschzeugen" (N. Brox, Zeuge, 26, 67f). „διαμαρτυρέομαι" ist oft mit „beschwören" wiederzugeben (ebd. 26, 30, 32); es wird bei Lk aber zum Verbum ausdrücklichen „Bezeugens" und der Verkündigung (ebd. 45f, 67; J. Beutler, Martyria, 170, 180ff). Drei Stellen der Apg reden vom Zeugnis der ,Zwölf', fünf von dem des Paulus (J. Beutler, Martyria, 179ff; N. Brox, Zeuge, 48f; L. Cerfaux, Témoins, 169f). – „μαρτυρία" ist „technisch-juristischer Ausdruck" für die Gerichtsaussage (N. Brox, Zeuge, 26). Dagegen tritt „μαρτύριον" gewöhnlich in der festen Wendung „εἰς μαρτύριον" auf, dessen Bedeutung nicht einheitlich ist (ebd. 26ff; H. Strathmann in: ThW IV, 508ff). Ein eindeutiger Beleg für „μαρτύριον" als Christuszeugnis findet sich in Apg 4,33 (G. Schneider, Apostel, 45); Paulus verwendet Zeugnis mit dem genetivus obiectivus, es ist Zeugnis über Christus (N. Brox, Zeuge, 31f). Dagegen ist „μαρτυρία" bei Jo ausdrückliche Zeugnisterminologie (ebd. 70).
[4] „Zeugen" werden bei Lk die „Elf und die mit ihnen" (Lk 24,48), die Apostel (Apg 1,8; 1,22 u. ö.), Paulus (Apg 22,15; 26,16) und Stephanus (Apg 22,20) genannt; vgl. H. Strathmann in: ThW IV, 492ff; N. Brox, Zeuge, 13,67; J. Beutler, Martyria, 170, 179ff; G. Schneider, Apostel, 43.
[5] N. Brox, Zeuge, 43ff; Ph.-H. Menoud, Jésus, 7ff.   [6] N. Brox, Zeuge, 70.
[7] H. Strathmann in: ThW IV, 492, 504ff; J. Beutler, Martyria, 209f, 210f.
[8] J. Beutler, Martyria, 170.
[9] Zum „Zeugen"-begriff bei Lk vgl. N. Brox, Zeuge, 43ff; Ch. Burchard, Der dreizehnte Zeuge. Traditions- und kompositionsgeschichtliche Untersuchungen zu Lukas' Darstellung der Frühzeit

stehung und die Erscheinungen des Auferstandenen, ohne andere Inhalte auszuschließen. Die Zeugen sagen aus über „Jesus und die Auferstehung" (Apg
17, 18), „in Jesus die Auferstehung von den Toten" (Apg 4, 2); die Jünger sind
„Zeugen" des Auferstandenen (Apg 1, 8), ihr Zeugnis ist „Zeugnis von der Auferstehung des Herrn Jesus" (Apg 4, 33); die Apostel sind „Zeugen der Auferstehung" (Apg 1, 22).

Über diese vorläufige Kennzeichnung des lk Zeugnisses hinaus gilt es, den
Stellenwert des Zeugnisses in der lk Theologie zu erkennen[10]. Der Begriff des
Zeugen tritt gerade am Übergang des lk Doppelwerkes auf. Der Schluß des Lk-

---

des Paulus (Forschungen zur Religion und Literatur des Alten und Neuen Testamentes, 103), Göttingen 1970, 130 ff; L. Cerfaux, Témoins du Christ d'après le Livre des Actes, in: Angelicum 20
(1943) 166 ff; W. Dietrich, Das Petrusbild der lukanischen Schriften (Beiträge zur Wissenschaft vom
Alten und Neuen Testament, 14), Stuttgart 1972, 327 ff; G. Klein, Die zwölf Apostel. Ursprung
und Gehalt einer Idee, Göttingen 1961; E. Kränkl, Jesus, 167–175; R. Morgenthaler, Die lukanische
Geschichtsschreibung als Zeugnis, 2 Bde., Zürich 1949; Ph.-H. Menoud, Jésus et ses témoins.
Remarques sur l'unité de l'œuvre de Luc, in: Église et Théologie 23 (1960) 7 ff; G. Schneider, Apostel,
39 ff; J. Roloff, Apostolat, 169 ff; V. Stolle, Der Zeuge als Angeklagter. Untersuchungen zum Paulus-Bild des Lukas (Beiträge zur Wissenschaft vom Alten und Neuen Testament, VI, 2), Stuttgart
1973; H. Strathmann in: ThW IV, 495 ff; U. Wilckens, Missionsreden, 144 ff.

[10] Die Untersuchungen zum lk Zeugenbegriff sind sehr zahlreich. Nun hat die redaktionsgeschichtliche Betrachtungsweise in den letzten Jahren einen großen Beitrag zum Verständnis der lk Theologie geleistet. Es hat sich immer mehr gezeigt, daß das lk Doppelwerk literarisch und theologisch
eigenständig zu behandeln ist. Aus dieser Betrachtungsweise nimmt auch unsere Untersuchung ihren andere Arbeiten ergänzenden Ausgang. Zur Entwicklung der neueren Lk-Forschung vgl. die
Berichte von E. Grässer, Die Apostelgeschichte in der Forschung der Gegenwart, in: ThR 26 (1960)
93 ff; M. Rese, Zur Lukas-Diskussion seit 1950, in: WuD 9 (1967) 62 ff; U. Wilckens, Missionsreden,
7 ff; J. Dupont, Les problèmes du Livre des Actes entre 1940 et 1950, in: Études, 11 ff. – Zur systema-
tischen Darstellung der lk Theologie vgl. die Arbeiten von G. Bowmann, Das dritte Evangelium.
Einübung in die formgeschichtliche Methode, Düsseldorf 1968; H. Conzelmann, Die Mitte der
Zeit. Studien zur Theologie des Lukas (Beiträge zur historischen Theologie, 17), Tübingen ³1960;
J. Dupont, Études sur les Actes des Apôtres (Lectio Divina, 45), Paris 1967; H. Flender, Heil und
Geschichte in der Theologie des Lukas (Beiträge zur evangelischen Theologie, 41), München 1965;
E. Haenchen, Tradition und Komposition in der Apostelgeschichte, in: ZThK 52 (1955) 205 ff;
J. H. Hull, The Holy Spirit in the Acts of the Apostles, London 1967; E. Kränkl, Jesus der Knecht
Gottes. Die heilsgeschichtliche Stellung Jesu in den Reden der Apostelgeschichte (Biblische Unter-
suchungen, 8), Regensburg 1972; E. Lohse, Lukas als Theologe der Heilsgeschichte, in: EvTh 14
(1954) 256 ff; E. Plümacher, Lukas als hellenistischer Schriftsteller. Studien zur Apostelgeschichte
(Studien zur Umwelt des Neuen Testaments, 9), Göttingen 1972; M. Rese, Alttestamentliche Motive
in der Christologie des Lukas (Studien zum Neuen Testament, 1), Gütersloh 1969; W. C. Jr. Robinson, Der Weg des Herrn. Studien zur Geschichte und Eschatologie im Lukasevangelium (Theologische Forschungen, 36), Hamburg 1964; G. Schneider, Verleugnung, Verspottung und Verhör Jesu
nach Lk 22,54–71. Studien zur lukanischen Darstellung der Passion, München 1969; F. Schütz,
Der leidende Christus. Die angefochtene Gemeinde und das Christuskerygma der lukanischen
Schriften (Beiträge zur Wissenschaft vom Alten und Neuen Testament, 89), Stuttgart 1969; E.
Trocmé, Le „Livre des Actes" et l'histoire, Paris 1957; G. Voß, Die Christologie der lukanischen
Schriften in Grundzügen (Studia Neotestamentica, 2), Paris 1965; U. Wilckens, Die Missionsreden
der Apostelgeschichte. Form- und traditionsgeschichtliche Untersuchungen (Wissenschaftliche
Monographien zum Alten und Neuen Testament, 15), Neukirchen ²1963.

Ev und der Anfang der Lk-Apg berichten jeweils die Begründung und Bestellung der Zeugen (Lk 24,48 bzw. Apg 1,8). Da der Übergang vom Lk-Ev zur Lk-Apg zugleich den Übergang von Jesus zur Kirche bedeutet, steht die Bestellung zu Zeugen an der entscheidenden Wende von Jesu Weggang zu seiner Weiterverkündigung durch die Kirche. Der Zeuge tritt in den Dienst der Kontinuität von Jesus und Kirche[11]. Dabei werden in Lk 24,48 die Zeugen als solche eingeführt, während Apg 1,1 ff die Verläßlichkeit und Solidität des Zeugenkollegiums betont und in drei Erzählungen entfaltet: in den Erzählungen von den vierzig Tagen nach Ostern (Apg 1,1–14), von der Matthiaswahl (Apg 1,15–26) und von dem Pfingstereignis (Apg 2,1–41)[12]. Gegenüber dem Bericht der Bestellung zu Zeugen am Schluß des Lk-Ev tritt hier die Gewährleistung der historischen Kontinuität von Jesus und Urkirche in den Mittelpunkt. Der Zeuge steht in der lk Theologie in dieser historischen Vermittlerrolle[13].

Die Begründung der Zeugenschaft geschieht im Lk-Ev und in der Lk-Apg in zwei verschiedenen Kontexten. Lk 24,48: „Ihr aber werdet Zeugen dieses Geschehens sein", steht am Schluß der Osterberichte und weist zugleich auf Kommendes hin. Eine literarische Analyse der Auferstehungserzählungen Lk 24,1 ff wird drei große Erzähleinheiten feststellen können[14]: die Grabesgeschichte (Lk 24,1–12), die Emmausgeschichte (Lk 24,13–35) und den abschließenden Bericht der Jüngererscheinung und des Weggangs des Auferstandenen (Lk 24,36–53). Diese letzte Texteinheit läßt sich wieder in drei Erzähleinheiten untergliedern: die Jüngererscheinung (VV. 36–43), die Rede des Auferstandenen (VV. 44–49) und den Abschied in Bethanien (VV. 50–53)[15]. Eine weitergehende literarkritische Untersuchung wird in grober Skizzierung feststellen, daß die Grabesgeschichte die meisten synoptischen Parallelen aufweist, die Emmausgeschichte hauptsächlich von Lk komponiert ist, die Erscheinung vor den Jüngern wiederum starke Entsprechungen mit den anderen Evangelien hat, die Redeteile VV. 44–49 umfangreiches lk Gut enthalten und die Abschiedszene ebenfalls in der vorliegenden Form angefügt wurde[16]. Trotz dieser verschiedenen Materialien hat Lk die einzelnen Einheiten geschickt durch Motive, thematische Wie-

---

[11] Zum Gedanken der Kontinuität bei Lk vgl. G. Lohfink, Himmelfahrt, 262 ff.
[12] Vgl. G. Schneider, Apostel, 45 ff.
[13] G. Lohfink, Himmelfahrt, 267 ff; N. Brox, Zeuge, 53.
[14] G. Lohfink, Himmelfahrt, 147 ff; vgl. L. Brun, Auferstehung, 54 ff; W. Marxsen, Auferstehung, 51 ff; Ph.-H. Menoud, Jésus, 7 ff; J. Roloff, Apostolat, 188 ff; H. Schlier, Jesu Himmelfahrt nach den lukanischen Schriften, in: Besinnung auf das Neue Testament, Freiburg 1964, 227 ff; P. Schubert, The Structure and Significance of Luke 24, in: Neutestamentliche Studien für R. Bultmann (Beihefte zur ZNW, 27), Berlin ²1957, 165 ff.
[15] G. Lohfink, Himmelfahrt, 147; vgl. H. Schlier, Himmelfahrt, 228; R. Pesch, Anfang, 15 ff.
[16] Vgl. G. Lohfink, Himmelfahrt, 148 ff.

derholungen und Steigerungen verknüpft[17]. Die Hinführung von den Osterberichten zum vollen Verständnis dessen, was sich an Ostern begab, hat in der Rede des Auferstandenen ihren Höhepunkt[18]. In ihr kulminieren die schon vorbereiteten Themen und Motive, wie Schriftbeweis, Jerusalemmotiv, Zeugenbestellung und Erfüllung der Verheißungen[19].

Die Offenbarung von Ostern erschließt sich im Gang der Erzählungen stufenweise: zuerst erscheinen den Frauen zwei Engel (Lk 24, 1–11), dann erscheint den beiden Emmausjüngern ein Fremder, der sich nach seinem Erkanntwerden beim Brotbrechen sofort entzieht (Lk 24, 13–35), Petrus wird die Ersterscheinung des Auferstandenen zugeschrieben (Lk 24, 34), und schließlich erscheint der Auferstandene den „Elfen und denen mit ihnen" (Lk 24, 36–53)[20]. In besonderer Weise wird jeweils auf die Reaktion der Jünger geachtet: die Erzählung der Frauen nennen sie leeres Gerede (Lk 24, 11); den Emmausjüngern gehen zwar die Augen auf, doch Sicherheit gibt die Begegnung weder ihnen noch den Jüngern, jedes Auftragswort fehlt; der Einschub der Petruserscheinung (Lk 24, 34) dürfte wohl die Ersterscheinung vor Petrus und ihre Bedeutung für den Osterglauben betonen; denn erst jetzt bekennen die Jünger: er ist „wahrhaft" auferstanden[21], doch ist der Unglaube der Jünger noch nicht überwunden, sie erschrecken vor dem in ihrer Mitte plötzlich Erscheinenden wie vor einem ‚Geist' (V. 37); der Auferstandene muß sie ‚handgreiflich' überzeugen, die Elf betasten seine Wundmale und brechen schließlich mit dem Auferstandenen das Brot. Aber erst nachdem Jesus von neuem die Schrift auslegt, seinen Tod und seine Auferstehung gedeutet und sie zur Verkündigung beauftragt hat, erkennen sie und werden sie zu „Zeugen" bestellt (Lk 24, 48)[22]. Man wird annehmen können, daß Lk an dieser Stelle bereits an die Bestellung der ‚Apostel' zu Zeugen dachte, aber die lk Ostererzählungen zielen zunächst auf die Konstituierung der Auferstehungs-‚Zeugen' überhaupt; der Kreis der Zeugen bleibt noch weitgehend unbestimmt, es sind die „Elf und die mit ihnen"[23].

Die Zeugenbestellung Lk 24, 48 steht im Schnittpunkt einer komplexen Entwicklung der Erkenntnis der Jünger und ihrer Beauftragung durch den Aufer-

---

[17] Vgl. J. Roloff, Apostolat, 188f.
[18] Vgl. G. Lohfink, Himmelfahrt, 148.
[19] Ebd. 149.
[20] Vgl. J. Roloff, Apostolat, 188f.
[21] Vgl. W. Dietrich, Petrusbild, 158ff (Literatur).
[22] Ob die Zwölf nun schon Zeugen sind oder erst mit dem Pfingstereignis sein werden, läßt Lk 24,48 offen; denn es fehlt ein Prädikat. Man wird an das „γενέσθαι" von Apg 1,22 denken, da auch Lk 24,49 die Verleihung des Geistes verheißen hat; vgl. J. Roloff, Apostolat, 190f; Ch. Burchard, Zeuge, 133, ergänzt allerdings ein „ἔστε" aus Röm 1,9.
[23] Lk 24,33; vgl. G. Lohfink, Himmelfahrt, 269f.

standenen[24]; denn alle Motive der Schriftauslegung[25], der Notwendigkeit von Leiden und Auferstehung[26], der Erfüllung von Verheißung[27], des Heilsgeschehens in Jerusalem[28], der Geistverheißung[29], der Beauftragung durch den Auferstandenen selbst[30], seiner Anweisung zur Verkündigung seines „Namens"[31] vor Juden und Heiden[32] und zur Sündenvergebung[33] kommen hier zusammen. Die Bedeutung all dieser Motive liegt in der theologischen Qualifikation der christologischen Zeugenschaft. Lk akzentuiert in der Folge jeweils das eine oder andere Motiv des hier entfalteten Zeugenbegriffes stärker.

Wenn die Kontinuität von Jesus zur Kirche am Schluß des Lk-Ev nur andeutungsweise zur Sprache kommt und der Auferstandene den Zeugen recht schematisch den Auftrag zur Weiterverkündigung und Sündenvergebung erteilt, so tritt in der Lk-Apg diese Kontinuität der Verkündigung in den Mittelpunkt des lk Interesses[34].

Das Problem der Kontinuität von Jesus zur Kirche ergibt sich für Lk aus dem zentralen Verkündigungsthema im Lk-Ev, der „βασιλεία τοῦ θεοῦ"[35]. Jesu Verkündigung in Israel wird auch in der Lk-Apg[36] summarisch mit dem

---

[24] Ebenso komplex ist der Inhalt des lk Zeugnisses. Was bezeugen die Jünger? Lk 24,48: „μάρτυρες τούτων"; damit ist sicher das Geschehen von VV. 46ff gemeint, dann aber das Ostergeschehen insgesamt, d. i. Tod, Auferstehung, Erscheinungen; vgl. Ch. Burchard, Zeuge, 132; J. Roloff, Apostolat, 190f.

[25] Lk 24,44–47. Zum „Schriftmotiv" bei Lk vgl. M. Rese, Motive; U. Wilckens, Missionsreden, 139ff; E. Lohse, Lukas, 270; H. Conzelmann, Mitte, 139ff; E. Kränkl, Jesus, 207.

[26] Lk 24,26. Zur „Notwendigkeit" von Leiden und Auferstehung bei Lk vgl. U. Wilckens, Missionsreden, 139ff, 115ff.

[27] Lk 24,44. Zum Schema „Verheißung – Erfüllung" bei Lk vgl. P. Schubert, Structure, 173ff; E. Lohse, Lukas, 265ff.

[28] Lk 24,47.49. Zum „Jerusalemmotiv" bei Lk vgl. H. Conzelmann, Mitte, 60ff; R. Pesch, Anfang, 24f, Anm. 72; W. Grundmann, Pfingstbericht, 587f; G. Schneider, Verleugnung, 196ff.

[29] Lk 24,49. Zur Bedeutung des „Geistes" bei Lk vgl. H. Conzelmann, Mitte, 155ff; H. v. Baer, Geist; U. Wilckens, Missionsreden, 94ff; J. H. E. Hull, Spirit.

[30] Lk 24,47f. Zur Beauftragung durch den Auferstandenen vgl. J. Roloff, Apostolat, 188ff.

[31] Lk 24,47. Zur Theologie des „Namens" Jesu bei Lk vgl. H. Conzelmann, Mitte, 153ff; U. Wilckens, Missionsreden, 41, 178; E. Kränkl, Jesus, 177ff.

[32] Lk 24,47. Zum Schema „Juden – Heiden" bei Lk vgl. H. Conzelmann, Mitte, 186ff; U. Wilckens, Missionsreden, 96ff.

[33] Lk 24,47. Zum „Umkehrmotiv" bei Lk vgl. U. Wilckens, Missionsreden, 178ff; H. Conzelmann, Mitte, 198ff; E. Kränkl, Jesus, 181ff. Wie Ch. Burchard (Zeuge, 133) sagen kann: „Als Zeuge sind sie nicht Rufer zur Umkehr und Glauben, sondern Stützen des Glaubens", bleibt unklar bei der Bedeutung dieses Motivs bei Lk.

[34] Vgl. G. Lohfink, Himmelfahrt, 270; R. Pesch, Anfang, 31: „Die Apostel als die Zeugen sind Lk das wichtigste Verbindungsglied mit der Zeit der Kirche"; vgl. Ph.-H. Menoud, Jésus, 7ff.

[35] Vgl. G. Lohfink, Himmelfahrt, 256ff; R. Pesch, Anfang, 24; H. Schlier, Himmelfahrt, 234f.

[36] Zu Apg 1, 1–14 vgl. P. Benoit, Die Himmelfahrt, in: Exegese und Theologie, Düsseldorf 1965, 182ff; W. Dietrich, Petrusbild, 164ff; G. Lohfink, Himmelfahrt, 152ff; G. Klein, Apostel, 209ff; Ph.-H. Menoud, Remarques, 148ff; R. Pesch, Anfang, 7ff; J. Roloff, Apostolat, 192ff; G. Schille, Die Himmelfahrt, in: ZNW 57 (1966) 183ff; G. Schneider, Apostel, 45ff; H. Schlier, Himmelfahrt.

„Reich Gottes" wiedergegeben (Apg 1,3)[37]. Die Apostel fragen[38]: „Herr, wann wirst du das Reich in Israel vollenden"? (V. 6.) Jesus greift das Thema der ‚Parusie' vom Standpunkt der Situation nach Ostern auf und weist darauf hin, daß sich das „Reich Gottes" nicht schon jetzt in eschatologischer „Apokatastasis" erfülle, sondern im geisterfüllten Zeugnis der Kirche vorbereitet werde[39]. Zugleich trifft der Auferstandene Vorkehrungen für die Zeit bis zu seiner Wiederkunft, die Lk heilsgeschichtlich periodisiert[40]: „Ihr werdet meine Zeugen sein in Jerusalem, in ganz Judäa und Samaria und bis an die Grenzen der Erde" (Apg 1,8). So steht die Lk-Apg zwar unter dem Zeichen der Basileia, doch eröffnet Lk in ihr darüber hinaus der jetzigen Zeit ihre heilsgeschichtliche Dimension; im Dienste der heilsgeschichtlichen Aufgabe der Kirche werden die „Apostel" (V. 2) als „Zeugen" die zentralen Verkündigungsträger.

Apg 1,1ff beantwortet also die Frage, wie die Botschaft der Basileia weitergehe, mit dem Hinweis auf die Kontinuität durch die Verkündigung. Literarisch gestaltet Lk den Kontinuitätsgedanken vom Lk-Ev zur Lk-Apg, von Jesus zur Kirche, in einem summarischen Rückgriff auf das Leben und Werk Jesu (Apg 1,1ff) und vor allem in der Verklammerung des Ev-Schlusses mit dem Anfang der Apg, deren Darstellung der Osterereignisse er von den der neuen Situation entsprechenden Unterscheidungen her gestaltet[41].

Summarisch und verkürzt bietet Lk den Bericht von Lk 24,36ff noch einmal dar[42]. Das „ἐντειλάμενος" und „ἀνελήμφθη" (V. 2) entspricht den Erzähleinheiten der Rede Jesu und der Abschiedsszene (Lk 24,44ff bzw. 50ff)[43]. Hervorgehoben wird dabei die Mitwirkung des Geistes (V. 2). Die „τεκμήρια" (V. 3) weisen auf die Erscheinungen und Zeichen der Erkennungsszene zurück (Lk 24,36ff)[44]. Anderseits wird, was im Evangelium nur schematisch dargestellt

---

227ff; P. A. Van Stempvoort, The Interpretation of the Ascension in Luke and Acts, in: NTS 5 (1958/59) 30ff; G. Kretschmar, Himmelfahrt und Pfingsten, in: ZKG 66 (1954/55) 209ff.

[37] Vgl. H. Conzelmann, Mitte, 204; J. Roloff, Apostolat, 192.

[38] Zum Stilmittel von Frage und Antwort bei Lk vgl. G. Lohfink, Himmelfahrt, 257ff.

[39] R. Pesch, Anfang, 28f; G. Lohfink (Himmelfahrt, 257ff) hat vergleichend auf Lk 19,11 hingewiesen; zur Apokatastasis vgl. Apg 3,21 (H. Schlier, Himmelfahrt, 234f).

[40] Über die heilsgeschichtliche Dimension der Zeit zwischen Himmelfahrt und Wiederkunft in dem lk Entwurf sind sich die meisten Exegeten einig, doch über das Wie des Zueinanders von Kirche, Basileia und Parusie herrschen Meinungsverschiedenheiten. Vgl. H. Conzelmann, Mitte; E. Lohse, Lukas, 256ff; U. Luck, Kerygma, Tradition und Geschichte Jesu bei Lukas, in: ZThK 57 (1960) 51ff; H. Flender, Heil; E. Grässer, Das Problem der Parusieverzögerung in den synoptischen Evangelien und in der Apostelgeschichte, Berlin 1957, 178ff; K. Löning, Saulustradition; W. C. Jr. Robinson, Weg; E. Kränkl, Jesus, 163ff, 187ff.

[41] Vgl. G. Lohfink, Himmelfahrt, 152; L. Brun, Auferstehung, 90ff, 54ff; Ph.-H. Menoud, Remarques, 148ff.

[42] Vgl. G. Lohfink, Himmelfahrt, 153; R. Pesch, Anfang, 8, 10ff; H. Schlier, Himmelfahrt, 232ff.

[43] R. Pesch, Anfang, 10.

[44] Vgl. G. Lohfink, Himmelfahrt, 152; R. Pesch, Anfang, 10.

wurde, im Aufriß der neuen Zeit wichtig. Lk konkretisiert sein heilsgeschichtliches Programm der Kontinuität[45]. Jetzt sind es eindeutig die Apostel (V. 2), die zu „Zeugen" der Auferstehung bestimmt werden[46]; die Zeit der Erscheinungen wird konkret mit vierzig Tagen angegeben[47]; die Sammlung der Apostel in Jerusalem wiederholt[48], denn dort wird die „Verheißung des Vaters" erwartet (V. 4)[49]; schließlich wird die Verheißung des Geistes herausgestellt, um auf das Pfingstereignis vorzubereiten[50]. Alle diese Modifizierungen tragen zur Konkretisierung und Periodisierung im heilsgeschichtlichen Aufriß des Lk bei[51].

Welche Funktion mißt nun Lk in seinem Programm dem Zeugenbegriff zu, und wie gestaltet er das Verhältnis Apostel – Zeuge? Die theologischen Motive der Zeugenbestellung aus Lk 24,36ff kehren in Apg 1,1ff wieder, wenn auch unter Berücksichtigung der neuen Situation[52]. Die Jüngerbelehrung, in Apg 1,2 schon angedeutet, macht in Apg 1,6 mit der unsicheren Jüngerfrage nach dem Kommen der Basileia diese neue Situation deutlich[53]. Die Verkündigung des Reiches Gottes wird künftig nicht mehr durch Jesus geschehen, sondern in der Kraft des Geistes durch die Zeugen, damit sich das Wort von Jerusalem bis an die Grenzen der Erde ausbreite (V. 8). Apg 1,9–12 ist die ausgeführte und theologisch umformulierte Doublette der Abschiedszene[54]. Die Zeugen „schauen" (V. 9) mit eigenen „Augen" die Hinaufnahme des Auferstandenen. Mit Recht wird darauf hingewiesen, daß in keiner Perikope des lk Doppelwerkes das Sehen der Zeugen so betont ist[55]. Die Zeugen sind „Augenzeugen" des Lebens Jesu und des auferstandenen und erhöhten Herrn[56]. Sie sind Garanten des Wortes, nicht mehr nur seine Verkünder wie noch im Lk-Ev.

---

[45] Vgl. G. Lohfink, Himmelfahrt, 262ff; H. Conzelmann, Mitte, 178.
[46] Vgl. J. Roloff, Apostolat, 234.
[47] Vgl. ebd. 193ff; G. Lohfink, Himmelfahrt, 265ff.
[48] Vgl. G. Lohfink, Himmelfahrt 262ff.
[49] Vgl. R. Pesch, Anfang, 11.
[50] Vgl. Ch. Burchard, Zeuge, 133.
[51] Außer Anm. 40 vgl. R. Pesch, Anfang, 26.
[52] Vgl. die Motive von Apg 1,1ff mit denen von Lk 24,36ff: das „Sendungsmotiv" (Apg 1,8 und Lk 24,47); das „Geist-" und „Missions"-motiv (Apg 1,4f.8 und Lk 24,47ff); „Jerusalem" (Apg 1,4.8.12.13 und Lk 24,47.49); zur Bedeutung des „Tempels" bei Lk vgl. G. Lohfink, Himmelfahrt, 253; die Sendung zu allen „Völkern" (Lk 24,47 und Apg 1,8); die „δύναμις" (Lk 24,47 und Apg 1,8; zu diesem Begriff bei Lk vgl. H. Conzelmann, Mitte, 141ff); die Verbindung von Ostern und Himmelfahrt und dem Geist (vgl. R. Pesch, Anfang, 18).
[53] G. Lohfink (Himmelfahrt, 153) sieht in Apg 1,6ff einen neuen Einsatz, der der neuen Situation entspricht; zum Zusammenhang der Frage der Jünger (V. 7) mit den VV. 8ff vgl. ebd. 154ff.
[54] Vgl. ebd. 158ff, 196ff, 206; R. Pesch, Anfang, 12.
[55] Sechsmal werden die Verben des „Sehens" in VV. 9.10.11 gebraucht; vgl. G. Lohfink, Himmelfahrt, 186ff; R. Pesch, Anfang, 33.
[56] V. 11 wird auf die Herkunft der Jünger aus Galiläa angespielt; dies entspricht der Unterstreichung des Zeugnisses „von Anfang an" (VV. 1.22); vgl. U. Wilckens, Missionsreden, 106f.

Apg 1,8 ist nach übereinstimmender Ansicht der programmatische Titel für den Gesamtaufbau der Apg[57]: „Ihr werdet meine Zeugen sein in Jerusalem und in ganz Judäa und Samaria bis ans Ende der Erde." Die Adressaten sind wohl die „Apostel" von V. 2[58], doch das „bis an die Grenzen der Erde", das für Apg 1,8 als gesichert gilt[59], legt es nahe, den Kreis der Zeugen noch weiter anzusetzen. Denn der lk Zeugenbegriff weist hier zunächst über den Kreis der Apostel im strengen Sinn hinaus. Nach Apg 28,23 ff wird nämlich die Ausbreitung des Wortes die Grenzen der Erde nicht durch die „Zwölf" erreichen; dann ist die Verkündigung über Israel hinaus vor allem die Aufgabe des „Zeugen" Paulus.

In Apg 1,1 ff geht es Lk noch vornehmlich um die theologische Qualifikation des Zeugen und seines Verkündigungsauftrages[60]. Und doch ist die Frage nach der Legitimation der Zeugenschaft, die Frage der neuen heilsgeschichtlichen Situation bereits gestellt[61]. Lk erkennt die heilsgeschichtliche Notwendigkeit der Stunde, daß sich in Jerusalem ein Zeugengremium konstituieren muß und daß sich dies nur aus dem Kreis der Apostel bilden kann. Er identifiziert von nun an die „Zeugen" mit den lebenden „Aposteln"; zum zweiten Mal (nach Lk 6,13 ff) führt er die Apostelliste auf (Apg 1,13 f)[62]. Die Zurücknahme des Zeugenbegriffes in den des Apostels bedeutet jedoch andererseits die Rekonstitution des Apostelbegriffes durch den des Zeugen. Der Apostelbegriff selbst ist nun von der Zeugenschaft her qualifiziert.

Der heilsgeschichtliche Aufriß des Lk wird durch die beiden Erzählungen der *Matthiaswahl und der Pfingstereignisse* noch weiter konkretisiert. Die heilsgeschichtliche Situation der Urgemeinde erfordert die Sicherung der Kontinuität des Zeugnisses. Zur Konkretisierung[63] dient Lk einmal, wie wir gesehen haben, die Periodisierung der Zeit[64], dann, wie im Text der Matthiaswahl, die Sicherung des Zeugnisses durch die Legitimierung der Zeugen im „Amt"[65]. Lk nennt nun in Apg 1,15 ff genaue Kriterien für die Apostel-zeugen. Wenn die meisten Untersuchungen zum lk Zeugenbegriff diesen Text als die zentrale Stelle für die lk Zeugenschaft überhaupt ansehen[66], so darf doch zur Beurteilung der rech-

---

[57] G. Schneider, Apostel, 49f.
[58] Vgl. ebd. 46.
[59] Ebd. 49.
[60] Vgl. die Vermutung, daß Lk seinen Zeugenbegriff von Is 49,6 her gewonnen hat; A. Gamper, Der Verkündigungsauftrag Israels nach Deutero-Jesaja, in: ZkTh 91 (1969) 411ff; R. Pesch, Anfang, 31; J. Blank, Paulus, 225.
[61] Vgl. G. Lohfink, Himmelfahrt, 267ff.
[62] Vgl. ebd. 270; N. Brox, Zeuge, 53.
[63] Vgl. G. Lohfink, Himmelfahrt, 262ff.
[64] Ebd. 265f; G. Lohfink nennt noch ein weiteres Mittel des Lk, die „Kontinuität im Schema des Raumes: Jerusalem" (ebd. 262ff).
[65] Ebd. 267ff.
[66] J. Roloff, Apostolat, 172ff.

ten Kriterien nicht übersehen werden, daß es sich hier um die Konkretisierung der theologisch umfassenderen Zeugenschaft auf ein festes Zeugengremium handelt.

Die Zeugenschaft der ersten Zeit bedarf einer festen Institution, eines zuverlässigen Kollegiums von Zeugen, deren „Amt" (ἀποστολή)[67] die Kontinuität der Verkündigung garantiert. In *Apg 1,15 ff*[68] fehlt einer aus dem bisherigen Kollegium der Zwölf (V. 26), der das Amt des „Zeugen der Auferstehung" (V. 22) übernehmen könnte. „Zeuge der Auferstehung" scheint an dieser Stelle bereits Terminus zu sein[69]; der Titel wird als bekannt vorausgesetzt. Die Konkretisierung des Begriffes des Apostelzeugen treibt Lk dahingehend weiter, daß es an dieser entscheidenden Wende, am Übergang von Jesus zur Kirche, nicht genügt, Zeuge der Osterereignisse gewesen zu sein, sondern daß von dem Apostel als Zeugen gefordert wird, mit Jesus seit der Johannestaufe zusammengewesen zu sein (V. 22) und im Kreis der Zwölf gelebt zu haben (V. 22)[70]; der Zeuge muß das „Ein- und Ausgehen"[71] des Herrn erlebt haben (V. 21), d. i. den Weg von der Taufe bis zur Wegnahme Jesu. Dieser Weg des Herrn mit seinen Jüngern ist aber bei Lk durch Tod und Auferstehung ungebrochen[72]. Nur der so qualifizierte Zeuge erfüllt die jetzt notwendige „Augenzeugenschaft" (vgl. Lk 1,2: „οἱ ἀπ' ἀρχῆς αὐτόπται")[73]; nur er kann die Kontinuität vom Irdischen zum Erhöhten gewährleisten. Schließlich ist es der erhöhte „Herr" (V. 24) selbst, der indirekt durch das Los über den neuen Zeugen bestimmt[74]: der apostolische Zeuge muß über sein natürliches ‚Dabeigewesensein' seit den Anfängen von Christus erneut beauftragt und in den Zeugendienst eingesetzt werden. Und

---

[67] Apg 1,25. Zum Begriff „ἀποστολή" vgl. W. Dietrich, Petrusbild, 177 ff; die Aufgabe der Apostel wird in 1,15 ff aber nicht nur durch das „Amt", sondern auch durch die weiteren Begriffe „διακονία" bzw. „ἐπισκοπή" umschrieben, d. h., auch in Apg 1,15 ff reicht allein das „juridische Motiv" zur Bestimmung des Apostolats nicht aus; vgl. J. Roloff, Apostolat, 173 ff, 175.

[68] Zu Apg 1,15 ff vgl. N. Brox, Zeuge, 44 ff; Ch. Burchard, Zeuge, 134, Anm. 310; H. Flender, Heil, 107 ff; W. Dietrich, Petrusbild, 166 ff; E. Haenchen, Tradition, 205 ff; G. Klein, Apostel, 204 ff; Ph.-H. Menoud, Les additions au groupe des douze apôtres, d'après le livre des Actes, in: RHPhR 37 (1957) 71 ff; K. H. Rengstorf, Die Zuwahl des Matthias (Apg 1,15 ff), in: StTh 15 (1961) 35 ff; J. Roloff, Apostolat, 172 ff; G. Schneider, Apostel, 47 f; E. Schweizer, Zu Apg 1,16–22, in: ThZ 14 (1958) 46 f.

[69] J. Roloff, Apostolat, 172 ff, 196 ff.

[70] Zu „ἐν παντὶ χρόνῳ" (V. 21) vgl. W. Dietrich, Petrusbild, 179.

[71] Zur Interpretation dieses Doppelbegriffs vgl. ebd. 180 f.

[72] V. 22: „ἀρξάμενος" – „ἕως" (Taufe bis Himmelfahrt) erscheint bei Lk als ein Weg; vgl. ebd. 185 ff. Das dürfte mit der Auffassung zusammenhängen, daß Lk den irdischen Weg Jesu nicht eigentlich mit der Auferstehung, sondern mit der Himmelfahrt beschließt; vgl. G. Lohfink, Himmelfahrt, 251 ff.

[73] Vgl. G. Lohfink, Himmelfahrt, 218 ff.

[74] Vgl. N. Brox, Zeuge, 44; das „δεῖ" (V. 21) unterstreicht den Heilsplan Gottes in dieser Apostelwahl; vgl. J. Roloff, Apostolat, 176 ff.

auch dann noch sind die Apostel nicht im eigentlichen Sinn „Zeugen"; sie werden (V. 22: „γενέσθαι")[75] erst vollends „Zeugen" sein mit dem Pfingstereignis.

Von der Erzählung der Matthiaswahl her wird verständlich, wie sehr der „Apostel"- und „Zeugen"-begriff bei Lk zusammengehören, so daß beide Titel hier und da ausgetauscht werden können[76]. Dennoch bleibt gegenüber Apg 1, 21 ff vom Ganzen des lk Zeugenbegriffes her, wie wir ihn an Lk 24, 36 ff und Apg 1, 1 ff gewonnen haben, ein theologischer Überschuß festzuhalten, der sich auch in Apg 1, 15 ff selbst im Terminus „Zeuge der Auferstehung" und in der noch ausstehenden Vollendung der Zeugenschaft durch das Pfingstereignis bekundet. In Apg 1, 15 ff haben wir eine Auswahl und Verschärfung der Kriterien des Zeugendienstes vor uns. So wird nach Lk der „Zeuge" wohl mit dem „Apostel" identifiziert, nicht aber der „Apostel" als solcher mit dem „Zeugen". „Manches würde verständlicher, wenn man darum annähme, nicht das ‚Zeugnis-Motiv', sondern das ‚Interesse' an der Ergänzung des Kreises (das ‚juridische Motiv') hätte für Lk [in Apg 1, 21 ff] im Vordergrund gestanden."[77] Angesichts dieses juridischen Interesses stellt die Institution des Apostel-zeugen ein wichtiges Glied im heilsgeschichtlichen Entwurf des Lk dar; denn das „Zeugnis" allein vermag zwar die Botschaft Jesu weiterzutragen, das „Apostel"-amt allein aber sie zu sichern.

Das vielfach angekündigte Geistereignis trifft in der Pfingsterzählung ein *(Apg 2, 1–41 und 42–47)*[78]. Alle Elemente der lk Theologie des Zeugen werden genannt, und gerade dies macht deutlich, daß Lk den Begriff des Zeugen wohl auf den des Apostels hin auslegt, nicht aber ihn vom letzteren her definiert: Petrus tritt als Sprecher des Apostelkollegiums auf (V. 14). Er bezeugt die Taten und Zeichen des irdischen Jesus (V. 22); er deutet die Aussagen der Schrift (VV. 17 ff. 25 ff)[79] und verkündet Tod und Auferstehung: „Diesen Jesus hat Gott auferweckt. Dessen sind wir alle Zeugen" (V. 32). Durch die Kraft des Geistes *sind* die Apostel nun wahrhaft Zeugen (V. 32 f); denn erfüllt hat sich

---

[75] Vgl. aber Ch. Burchard, Zeuge, 132 f.

[76] Vgl. Anm. 93.

[77] J. Roloff, Apostolat, 178; vgl. N. Brox, Zeuge, 44, 51.

[78] Zu Apg 2, 14 ff vgl. N. Brox, Zeuge, 45 f; W. Dietrich, Petrusbild, 195 ff; W. Grundmann, Der Pfingstbericht der Apostelgeschichte in seinem theologischen Sinn, in: Studia Evangelica II (Texte und Untersuchungen zur Geschichte der altchristlichen Literatur, 87), Berlin 1964, 548 ff; J. H. E. Hull, The Holy Spirit in the Acts of the Apostles, London 1967; J. Kremer, Pfingstbericht und Pfingstgeschehen. Eine exegetische Untersuchung zu Apg 2, 1–13 (Stuttgarter Bibelstudien, 63/64), Stuttgart 1973; G. Kretschmar, Himmelfahrt und Pfingsten, in: ZKG 66 (1954/55) 209 ff; E. Lohse, Die Bedeutung des Pfingstberichtes im Rahmen des lukanischen Geschichtswerkes, in: EvTh 13 (1953) 422 ff; R. Pesch, Anfang, 19; G. Schneider, Apostel, 48 f; E. Trocmé, Actes, 201 ff.

[79] Apg 2, 17 ff: die Geistverheißung Joels; Apg 2, 25 ff: die Geistverheißung Davids; vgl. J. Kremer, Pfingstbericht, 63 ff, 170 ff.

die Verheißung des Vaters, den Geist auszugießen über die Menschen, den Geist, den sie, die Zuhörer, nun durch das Zeugnis des Petrus erfahren, „sehen" und „hören" (V. 33)[80]. Von dieser Stunde an erweist sich das Zeugnis des Petrus und seiner Apostel als wirksam. Mit vielen Worten bezeugt er die Botschaft Jesu (V. 40); er fordert zu „Taufe" und „Umkehr" auf (V. 38) und kündigt die „Sündenvergebung" und vor allem die Gabe des „Geistes" für alle an (V. 38). Das Zeugnis gilt nicht nur den Juden, sondern den Vielen (V. 39 bzw. VV. 7 ff). Nach Pfingsten bleibt die Apostelgemeinde in Jerusalem (VV. 41 ff); sie versammelt sich zur Mahlfeier und zum Gebet (V. 42). In der Kraft des Geistes wirken die Apostel viele Zeichen und Wunder in Jerusalem (V. 43). Von der Wirksamkeit des Zeugnisses der Apostel sprechen die folgenden Kapitel der Apg: „Mit großer Kraft gaben die Apostel Zeugnis für die Auferstehung des Herrn Jesus" (Apg 4,33).

Mit den drei Erzählungen zu Anfang der Apg hat Lk den Umkreis seines Zeugenbegriffes abgesteckt. Von nun an beginnt die Lehr- und Heiltätigkeit der Apostel und damit die Entfaltung des Zeugnisses. Die ersten dreizehn Kapitel der Apg sind durch die ,Missionsreden' des Petrus (und Paulus) strukturiert[81]. In diesen Missionsreden treten immer wieder die Themen und Motive auf, die wir im lk Zeugnisbegriff angetroffen haben. Vergleicht man die Missionsreden (Apg 2,14–40; 3,12–26; 4,9–12; 5,30–32; 10,34–43; 13,16–38) untereinander und mit Lk 24,13–52, so erhält man jeweils ein Großschema, in dem die Bestellung zu Zeugen und die Verkündigung des Zeugnisses einen festen Platz haben[82]: Petrus geht nach einer Situationsangabe seiner Rede (a) jeweils auf das Jesuskerygma ein (b), vor allem auf das Leiden (c) und die Auferstehung (d) des Herrn, womit gewöhnlich ein ausführlicher Schriftbeweis verbunden ist (e); die Jünger werden von ihrer Unwissenheit (f) durch Zeichen und Erscheinungen des Auferstandenen befreit (g) und zu Zeugen bestellt (h); es folgt das christologische Zeugnis von Christus, dem Erhöhten (i), und eine Aufforderung zur Umkehr mit der Verheißung der Vergebung der Sünden (k). In (g) wird das Erscheinen und Sichtbarwerden des Auferstandenen unterstrichen[83]; durch sol-

---

[80] Vgl. ebd. 174 f. Der Geist erscheint selbst als „Zeuge"; vgl. Apg 5,32: „Wir sind Zeugen dieser Dinge und der heilige Geist."
[81] Vgl. U. Wilckens, Die Missionsreden der Apostelgeschichte. Form- und traditionsgeschichtliche Untersuchungen (Wissenschaftliche Monographien zum Alten und Neuen Testament, 5), Neukirchen ²1963; W. Dietrich, Petrusbild, 210 ff; M. Dibelius, Aufsätze zur Apostelgeschichte (Forschungen zur Religion und Literatur des Alten und Neuen Testaments, 60), Göttingen ⁴1961, 120 ff; E. Kränkl, Jesus, 78 ff; G. Lohfink, Paulus, 45 ff; ders., Himmelfahrt, 267 f.
[82] U. Wilckens, Missionsreden, 32 ff.54; vgl. E. Kränkl, Jesus, 78 ff; G. Lohfink, Paulus, 50; W. Dietrich, Petrusbild, 210.
[83] „ὤφθη" (Lk 24,34; Apg 13,31); „ἐμφανῆ bzw. ἄφαντος γενέσθαι" (Apg 10,41 bzw. Lk 24,31); „συνεφάγομεν, συνεπίομεν" u. a. (Apg. 10,41; vgl. Lk 24,36ff); vgl. E. Kränkl, Jesus, 143ff.

che Erscheinungen wurden die Jünger zu „Zeugen" (h)[84]. In (b)–(e) und (i)
wird das „Kerygma" (Apg 10,42; Lk 24,47) oder „Zeugnis der Auferstehung"
entfaltet: der Bericht über „Jesus den Nazarener" (Lk 24,19; Apg 2,22; 4,10;
10,38)[85]; sein Wirken in der Kraft des Wortes und der Macht seiner Taten (Lk
24,19.21; Apg 2,22; 10,39)[86]; eine ‚Historia' Jesu, die mit Johannes dem Täufer
beginnt und schließlich bis zu den Anfängen der Heilsgeschichte zurückreicht
(Apg 13,16ff)[87]; dann das ‚Leiden' Jesu[88], die Schuld der Juden[89] und die
‚Notwendigkeit' Christi, zu leiden und in die ‚Herrlichkeit' aufzuerstehen[90].
Damit hat Lk seinen Zeugenbegriff institutionell und theologisch ausgeführt[91].

Die Apg stellt aber vor ein Problem: außer den Aposteln wird auch *Paulus*
„Zeuge" genannt (Apg 22,15; 26,16), obwohl er die Bedingungen, wie sie in
Apg 1,21ff genannt sind, nicht erfüllt[92]. Wir wollen dem begrifflichen und
theologischen Streit nicht nachgehen, ob Paulus außer „Zeuge" von Lk auch
noch „Apostel" genannt werden kann[93]. Jedenfalls sahen wir, daß sich die
Begriffe Zeuge und Apostel bei Lk nicht völlig decken, daß der Apostel-zeuge
ein Gebot der ersten Stunde war und die theologische Qualifikation des Zeugen
darüber einen Überschuß bedeutet[94]. Wir wollen im folgenden besonders
darauf achten, wie Lk Paulus als Zeugen einführt[95].

---

[84] Apg 2,32; 3,15; 5,32; 10,39.41; Lk 24,48; vgl. U. Wilckens, Missionsreden, 144ff.
[85] U. Wilckens, Missionsreden, 106ff, 121ff; E. Kränkl, 98ff.
[86] U. Wilckens, Missionsreden, 107f; E. Kränkl, Jesus, 98ff.
[87] U. Wilckens, Missionsreden, 101ff; E. Kränkl, Jesus, 88ff.
[88] U. Wilckens, Missionsreden, 108ff; E. Kränkl, Jesus, 102ff.
[89] U. Wilckens, Missionsreden, 110ff; E. Kränkl, Jesus, 102ff.
[90] U. Wilckens, Missionsreden, 115ff, 137ff; E. Kränkl, Jesus, 130ff; G. Schneider, Verleugnung, 174ff.
[91] Die Diskussion darüber, ob das lk Zeugnis ausschließlich ein „Zeugnis der Auferstehung" ist oder weiterreicht, klärt sich bei unserer Darstellung des lk Zeugnisbegriffes von selbst (s. o. Anm. 85–90). Die Auferstehung erscheint dabei als das für Lk entscheidende Ereignis, von dem her das Leben Jesu in neuem Licht erscheint; deshalb kann er das „Zeugnis der Auferstehung" stärker akzentuieren. Entscheidend ist dieses Ereignis für das Leben Jesu als Heilsgeschehen und für das Kerygma (vgl. N. Brox, Zeuge, 44ff); vgl. Ch. Burchard, Zeuge, 135; G. Schneider, Apostel, 46; W. Dietrich (Petrusbild, 208f) setzt den Akzent wieder stärker auf das „Zeugnis der Auferstehung".
[92] Vgl. G. Schneider, Apostel, 49ff; N. Brox, Zeuge, 50ff.
[93] Paulus wird in Apg 14,4.14 „Apostel" genannt, so wenigstens nach der üblichen Lesart; vgl. G. Schneider, Apostel, 52f; N. Brox, Zeuge, 50ff. Zum Apostelbegriff vgl. J. Blank, Paulus, 184ff; N. Brox, Zeuge, 50ff; L. Cerfaux, Pour l'histoire du titre Apostolos dans le Nouveau Testament, in: RSR 48 (1960) 76ff; J. Dupont, Apôtres; E. Güttgemanns, Apostel; G. Klein, Apostel; K. Ker-telge, Apostelamt, 161ff; O. Knoch, Testamente, 16ff; E. M. Kredel, Apostelbegriff, 169ff; E. Lohse, Ursprung, 259ff; Ph.-H. Menoud, Additions, 71ff; B. Rigaux, Zwölf, 468ff; ders., Apostel, 238ff; J. Roloff, Apostolat; W. Schmithals, Apostelamt; R. Schnackenburg, Apostel, 338ff.
[94] Vgl. J. Roloff, Apostolat, 202ff. Nach unserer Interpretation darf „Zeuge" nicht gleich mit dem „Apostel" identifiziert werden; vgl. W. Dietrich, Petrusbild, 186, Anm. 45, 187ff, 190, Anm. 51; W. Schmithals, Apostelamt, 233f. Eine starke Identifizierung scheint auch bei N. Brox (Zeuge,

Die enge schematische und inhaltliche Verbindung der ersten großen Missionspredigt des Paulus mit den Missionsreden des Petrus[96] deutet an, worin Lk den besonderen Dienst des Paulus sieht. Paulus steht im Dienst der Kontinuität des Wortes; er bringt es zu den Völkern[97]. Obwohl Paulus in Apg 13,16 ff der Sache nach Zeuge des Auferstandenen ist, stellt ihn Lk dort noch nicht als solchen vor. Der Titel wird Paulus zum erstenmal in Apg 22,15 gegeben. Zunächst unterscheidet sich Paulus noch von den übrigen Zeugen in Jerusalem: „Diese [die Apostel] sind jetzt Zeugen vor dem Volk. Und wir verkünden euch die an die Väter ergangene Verheißung, daß Gott diese uns, seinen Kindern, erfüllt hat, indem er Jesus auferstehen ließ" (Apg 13,31)[98]. Paulus bezeichnet sich hier nicht als Zeugen, obwohl das Zeugnis der Auferstehung zu dieser Zeit schon bei den Heiden verkündet wurde (Apg 10,42: „διαμαρτύρασθαι")[99]. Zeuge heißt Paulus nicht allein schon aufgrund seiner Verkündigungstätigkeit, sondern dem zuvor aufgrund seiner besonderen Bestimmung zum Zeugen durch den Auferstandenen, dem Damaskusereignis[100]. Auf dem Damaskusereignis liegt in der Darstellung des Lk besonderes Gewicht. Lk erzählt es nicht weniger als dreimal, nennt Paulus aber nur die beiden letzten Male Zeuge[101]. Die drei Damaskusberichte Apg 9,1–19; 22,3–21; 26,9–18 sind untereinander sehr ver-

---

51) vorzuliegen, und doch muß er zugeben, daß Zeuge mehr ist als Apostel (55). Brox' Interpretation wie die vieler anderer dürfte aus ihrem starken Eingehen auf Apg 1,21 ff resultieren (44). Diese Stelle gilt als die „klassische Stelle" für den Auferstehungszeugen (J. Roloff, Apostolat, 172 ff). Dies bedeutet aber eine Engführung (ebd. 177 f). Es ist zu bemerken, „daß μάρτυς eben doch nie Titel ist wie ἀπόστολος, sondern eine (bzw. die) Qualität des Apostels bezeichnet" (N. Brox, Zeuge, 55; vgl. ebd. 59). Ich kann daraus allerdings keine „psychologische" Notwendigkeit für Paulus erkennen, von Lk „Apostel" genannt zu werden (ebd.).

95 Nachhaltig diskutiert wird die These G. Kleins (Apostel, 210 ff), der einen Gegensatz Paulus – Lukas konstruieren will. Diese These hängt mit Kleins Grundthese zusammen, daß Lk den Apostelbegriff eigens konzipiert habe. Kleins Konzeption resultiert hauptsächlich aus seiner Spätdatierung der lk Schriften (ebd. 111 f). Aber Klein hat sich nicht durchgesetzt; vgl. J. Beutler, Martyria, 194, Anm. 123; J. Roloff, Apostolat, 200 f.

96 Vgl. J. Blank, Paulus, 34 ff.

97 Vgl. N. Brox, Zeuge, 48 f. Die Verkündigungstätigkeit des Paulus wird 5mal mit „διαμαρτύρεσθαι" wiedergegeben (Apg 18,5; 20,11; 20,24; 23,11; 28,23); vgl. G. Schneider, Apostel, 49,51.

98 Zu Apg 13,31 vgl. G. Bowmann, Erhöhung, 259.

99 Der Heide Kornelius ist schon vor Apg 13 getauft.

100 Zur Literatur vgl. N. Brox, Zeuge, 46 ff; Ch. Burchard, Zeuge; G. Klein, Apostel, 115 ff; K. Löning, Die Saulustradition in der Apostelgeschichte (Neutestamentliche Abhandlungen N.F., 9), Münster 1973; G. Lohfink, Paulus vor Damaskus. Arbeitsweisen der neueren Bibelwissenschaften dargestellt an den Texten Apg 9,1–19; 22,3–21; 26,9–18 (Stuttgarter Bibelstudien, 5), Stuttgart 1965; V. Stolle, Zeuge, 155 ff; A. Wikenhauser, Die Wirkung der Christophanie vor Damaskus auf Paulus und seine Begleiter nach den Berichten der Apostelgeschichte, in: Biblica 33 (1952) 313 ff.

101 Ebenso wird die Korneliusgeschichte in der Apg durch dreifache Andeutung herausgehoben; vgl. G. Lohfink, Paulus, 77. G. Klein (Apostel, 152) hat dieses Motiv nicht erkannt, deshalb bringt für ihn Apg 22 über Apg 9 nichts Neues.

schieden komponiert[102]. Formkritisch ist dennoch wohl ein zentrales Schema festzustellen, „das Erscheinungsgespräch"[103]: der Frage und dem Anruf Christi (A) folgt die Frage des Paulus (B); das Gespräch (C) endet mit der Präsentation Christi und dem Auftrag an Paulus[104]. Die anderen erzählenden Teile der Berichte scheinen einander fortzuführen. Deutlich die innere Steigerung der Einzelmotive[105]: das „Licht" in Apg 9,3 ist in Apg 22,6 ein „großes Licht" und in Apg 26,13 gar „ein Licht heller als die Sonne". Dieses Motiv wird durch die Datierung am hellen Mittag noch einmal gesteigert (Apg 22,6 bzw. 26,13)[106]. Ebenso wird die Verfolgung durch Paulus von Apg 8,3 (vgl. Apg 9,2) über Apg 22,4 zu Apg 26,10f intensiver geschildert[107]. Dem gleichen Interesse dient wohl die unterschiedliche Erzählung der Reaktion der Begleiter des Paulus[108].

Die Steigerung der Gestaltungsmittel spiegelt gleichsam die innere Steigerung der theologischen Aussagen ab, die Lk jeweils im Gespräch des Auferstandenen mit Paulus (Teil C) formuliert[109]. In Apg 9,6 heißt es kurz und unbestimmt: „Doch steh auf, und geh in die Stadt, und es wird dir gesagt werden, was du tun sollst", in Apg 22,10 konkreter und universaler: „Steh auf, geh nach *Damaskus,* und dort wird zu dir geredet werden über *alles,* was dir zu tun angeordnet ist." Während in Apg 9,15 und 17 Ananias lediglich den Auftrag mitteilt, den der Herr ihm an Paulus aufgegeben hat[110], nämlich sich taufen zu lassen, um den heiligen Geist zu empfangen[111], ist es Apg 22,13ff Ananias selbst, der die Berufung des Paulus verkündet: „Der Gott unserer Väter hat dich dazu erwählt (προεχειρίσατο), seinen Willen zu erkennen, den Gerechten zu schauen und die Stimme aus seinem Mund zu hören. Du sollst vor allen Menschen bezeugen, was du gesehen und gehört hast (ὧν ἑώρακας καὶ ἤκουσας). Was zögerst du

---

[102] G. Lohfink, Paulus, 17f, 53ff; H. Braun (Studien, 173ff) meint in der verschiedenen Darstellung verschiedene Schichten der Komposition der Apg entdecken zu können; dazu G. Bowmann, Erhöhung, 257ff.

[103] Vgl. G. Lohfink, Paulus, 52ff; G. Klein, Apostel, 144ff.

[104] Lk wählt für das Erscheinungsgespräch eine bestimmte Redeform, die die Bedeutsamkeit unterstreicht, die er dem Damaskusereignis beilegt; vgl. G. Lohfink, Paulus, 49ff, 54ff.

[105] G. Lohfink, Paulus, 77ff.

[106] Vgl. G. Bowmann, Erhöhung, 259; G. Lohfink, Paulus, 78, 82; Ch. Burchard, Zeuge, 105, 109.

[107] Vgl. G. Lohfink, Paulus, 82f; J. Blank, Paulus, 242ff; G. Klein (Apostel, 119ff, 126) entwickelt aus diesem Motiv etwa seine These der „Perhorreszierung" des Paulus durch Lk; dazu Ch. Burchard, Zeuge, 51, 135, Anm. 315.

[108] G. Lohfink, Paulus, 78.   [109] Vgl. G. Lohfink, Paulus, 60ff; G. Klein, Apostel, 144ff.

[110] Ch. Burchard (Zeuge, 100f, 102, 111) interpretiert VV. 15f nicht im Sinne einer Beauftragung des Paulus, sondern als Hinweis auf eine zugrunde liegende „Märtyrerterminologie". Doch über die Einwände gegen eine solche „Märtyrer"-vorstellung im NT hinaus (N. Brox) ist die Trennung von „Bekehrung" und „Berufung" bei Burchard nicht recht einsichtig (96); er selbst spricht von einer „Berufung in pectore" (100).

[111] G. Lohfink, Paulus, 64ff, 84.

noch? Steh auf, laß dich taufen und von deinen Sünden reinigen, indem du seinen Namen anrufst." Deutlich die Elemente des lk Zeugenbegriffs[112]: Paulus ist von Gott „erwählt", zu „bezeugen", was er „gesehen" und „gehört" hat[113]. Auf die „Erwählung" (σκεῦος ἐκλογῆς)[114] und „Erscheinung" (ὀφθείς) hatte zwar schon der erste Bericht Apg 9,15 bzw. 17 angespielt, in Apg 22,15 aber wird Paulus zum erstenmal ausdrücklich Zeuge genannt und seine Zeugenschaft in ‚Erwählung', ‚Augenzeugenschaft' und ‚Beauftragung' begründet[115]. Allein die Beauftragung geschieht noch indirekt über Ananias.

Apg 26,16ff hat sich die Situation gewandelt: von Ananias ist nicht mehr die Rede[116]; der Auferstandene selbst beruft Paulus[117]: „Doch stehe auf, und stelle dich auf die Füße. Denn dazu bin ich erschienen, um dich zum Diener und zum Zeugen dessen zu bestellen, was du gesehen hast und was ich dir offenbaren werde. Ich werde dich retten vor dem Volke und vor den Heiden, zu denen ich dich sende." Wiederum sind die Elemente lk Zeugenschaft genannt[118]: „Erscheinung" (ὤφθην σοι), „Erwählung" (προχειρίσασθαι), „Augenzeugenschaft" (ὧν δε εἶδες). Doch die Beauftragung erfolgt durch den erhöhten Christus persönlich[119]. Der Titel des Zeugen wird um den des „ὑπηρέτης" erweitert (vgl. Lk 1,2)[120]. Darüber hinaus wird die Aufgabe des Paulus, allen Völkern das Wort zu verkünden, in atl. Schriftzitaten dargelegt und zur Taufe und Sündenvergebung aufgefordert (Apg 26,18; vgl. 22,16). Erst beim dritten Mal wird Paulus also eindeutig und endgültig zum Zeugen konstituiert[121].

---

[112] Vgl. die Motive in Apg 9 und 22 mit denen in Lk 24 und Apg 1 (s. Anm. 25–32): „Jerusalem" (Apg 9,2.13.21.26ff); „Geist" (Apg 9,17); „Heiden" (Apg 9,15); „Auserwählung" (Apg 9,15); „Taufe" (des Paulus) (Apg 9,18). In Apg 22: „Jerusalem" (Apg 22,5.17.18ff) und Tempel (Apg 22,17); Juden–Heiden (Apg 22,18f.20f.15); „Taufe" und „Sündenvergebung" (Apg 22,16); „Erwählung" (Apg 22,14.16ff).

[113] Zum Motiv der „Erwählung" in der Apg vgl. Apg 6,5 (sieben Diakone); 13,17 (Väter); 15,7 (Heiden); 1,2 (Apostel).

[114] Ch. Burchard (Zeuge, 101) interpretiert die „Erwählung" (Apg 9,15: „ἐκλογή" von „ἐκλέγεσθαι") in der Märtyrerterminologie; vgl. aber Apg 22,14; 26,16 (ebd. 112f).

[115] N. Brox, Zeuge, 46.

[116] Die Gestalt des Ananias hat demnach eine „literarische Funktion" (J. Roloff, Apostolat, 205).

[117] G. Lohfink, Paulus, 66f: Das Motiv der Doppelvision unterstrich schon in Apg 9,10–16, daß die Beauftragung durch den Auferstandenen selbst gewollt ist.

[118] Vgl. wiederum die Motive: „Jerusalem" (Apg 26,10.20); „Heiden" (Apg 26,17f.20.23); „Bekehrung" und „Sündenvergebung" (Apg 26,18ff.20); „Auserwählung" (Apg 26,16–20); Tempel (Apg 26,21); „Schrift" (Apg 26,22f).

[119] Hier wird G. Kleins These der „Mediatisierung" der Beauftragung des Paulus in der Darstellung des Lk fraglich (Apostel, 146ff); die Argumentation Kleins zu Apg 26,15ff erscheint brüchig (156); vgl. dazu J. Roloff, Apostolat, 205; Ch. Burchard, Zeuge, 96, 104, 163, Anm. 9, 176.

[120] Vgl. G. Klein, Apostel, 157f; J. Roloff, Apostolat, 200, Anm. 99.

[121] G. Klein (Apostel, 145ff) hat seine Interpretation der „Mediatisierung" und „Verobjektivierung" der Zeugenschaft des Paulus zu sehr von der Ananias-Darstellung abgeleitet.

Eine ähnliche Entwicklung des Zeugenbegriffes und Steigerung der Stilmittel sind uns schon am Schluß des Lk-Ev[122] und in den drei ersten Erzählungen der Lk-Apg begegnet[123]. Wenn nun Lk eben diese stilistischen Mittel einsetzt, um Paulus vorzustellen, so legt sich nahe, daß Lk Paulus als „Zeugen" einführen und den Begriff des „Zeugen" an Paulus rekonstituieren will. Schon am Übergang vom Lk-Ev zur Lk-Apg wurde der Zeugenbegriff der Situation entsprechend akzentuiert[124]. Auch die neue heilsgeschichtliche Situation der Heidenmission drückt sich im Zeugenbegriff aus. Nicht allein der Apostel, sondern auch Paulus heißt Zeuge, und doch bleibt eine gewisse Differenz[125]. Gemeinsam ist allen Zeugen ihre ‚Erwählung' durch Gott und ‚Beauftragung' durch Christus, gemeinsam aber auch die ‚Augenzeugenschaft', obwohl Paulus mit dem irdischen Jesus nicht zusammen war (in diesem Sinn kann sich Paulus Apg 13, 31 selbst von den übrigen Aposteln unterscheiden). Diese Differenz zwischen Paulus und den Aposteln hinsichtlich der Augenzeugenschaft versucht Lk durch die starke Hervorhebung der Erscheinung des Auferstandenen vor Paulus auszugleichen. Der Nachdruck des immer wiederholten „ὤφθη"[126] in der Damaskuserscheinung läßt daran keinen Zweifel; die übrigen Visionen des Paulus werden ihr gegenüber abgewertet[127].

Worin sieht nun Lk das Wesentliche des „Zeugen" Paulus? Die Doppelvisionen unterstreichen den Heilsplan Gottes[128]: Gott selbst ist es, der nach seinem Heilswillen[129] die Ausbreitung der Urkirche lenkt, der besonders die Mission von den Juden zu den Völkern in vielen Zeichen und Wundern herbeiführt[130]. Der Zeuge Paulus ist es vor allem, der das Zeugnis der programmatischen Überschrift Apg 1, 8 entsprechend zu den Völkern trägt, nachdem es sich zuerst auf Jerusalem beschränkte[131]. Eben an der Stelle, da dieses Zeugnis in Jerusalem

---

[122] Siehe o. s. 205f.   [123] Siehe o. S. 208, Anm. 52, 211ff.
[124] Siehe o. S. 205ff.   [125] Vgl. Ch. Burchard, Zeuge, 174.
[126] Vgl. N. Brox, Zeuge, 47, Anm. 9; H. Graß, Ostergeschehen, 207ff; Ch. Burchard, Zeuge, 174, 136, Anm. 317. G. Klein (Apostel, 156) interpretiert das „ὤφθη" im Anschluß an Apg 26, 16c zwar futurisch, Paulus werde in Zukunft verschiedene Erscheinungen haben, doch besteht kein Zweifel, daß Apg 9 und 22 (wie Apg 26, 16) die tatsächliche Bedeutung der Damaskuserscheinung unterstreichen und von späteren Visionen absetzen; vgl. J. Roloff, Apostolat, 203f; Ch. Burchard, Zeuge, 111f, Anm. 227.
[127] Vgl. H. Graß, Ostergeschehen, 189ff.
[128] Zur Bedeutung des ‚Heilsplanes Gottes' im lk Doppelwerk vgl. U. Wilckens, Missionsreden, 92ff; H. Conzelmann, Mitte, 190ff; E. Lohse, Lukas, 422ff.
[129] Vgl. U. Wilckens, Missionsreden, 96ff.
[130] Vgl. G. Lohfink, Paulus, 66f; Ch. Burchard, Zeuge, 98.
[131] G. Klein (Apostel, 153) weigert sich, die Gestalt des Paulus in der Apg mit der Heidenmission zu verknüpfen. Ch. Burchard (Zeuge, 163, 165ff) wehrt sich gegen das übliche Missionsschema Juden–Heiden; er sieht den Missionsauftrag vielmehr an „alle Völker" betont. Ein gewisses Schema der Ausbreitung des Zeugnisses ist jedoch in Apg 23, 11 angedeutet: Jerusalem (διεμαρτύρω) – Rom (δεῖ μαρτυρῆσαι); vgl. Apg 13, 31f (G. Schneider, Apostel, 52; vgl. N. Brox, Zeuge, 49).

scheitert und es den Völkern verkündet werden soll, wird Paulus zum erstenmal „Zeuge" genannt. Apg 22,17ff geht Paulus nach Jerusalem hinauf, nachdem ihm der Auferstandene bei Damaskus begegnet war, um im Tempel zu beten[132]; da widerfährt ihm eine weitere Vision, eine Stimme fordert ihn auf: „Zieh eilends weg von Jerusalem; denn sie werden dein Zeugnis über mich nicht annehmen. [...] Zieh weg, ich will dich in die Ferne zu den Heiden senden."[133] Das Jerusalem-motiv taucht auf: Jerusalem, dem das Zeugnis zuerst gilt, verweigert sich ihm, Paulus wird von nun an den Völkern das Zeugnis verkünden[134].

Indem Lk auch Paulus Zeuge heißt, erweitert er zugleich seinen Zeugenbegriff[135]. Diese Erweiterung folgt notwendig aus der neuen heilsgeschichtlichen Situation. Für Lk ist demnach der Zeugnisbegriff ein geschichtlicher Begriff; der Zeuge steht im Dienst der geschichtlichen Kontinuität des Wortes Jesu an die Völker[136]. Die Geschichtlichkeit des Zeugen sagt nach Lk jedoch nicht, daß der Zeuge allein aus der Situation her definiert ist, vielmehr wahrt Lk bei aller situationsbedingten Unterscheidung der Zeugen entschieden die Einheit des Zeugenbegriffes. Grund dieser Einheit ist die durchgängige Struktur und theologische Qualifikation des lk Begriffs.

---

[132] Vgl. Apg 9,26ff.

[133] Zur unterschiedlichen Interpretation des Jerusalemmotivs vgl. bei G. Klein, Apostel, 154.

[134] Vgl. J. Roloff, Apostolat, 205; Ch. Burchard, Zeuge, 163, 167.

[135] An dieser Stelle mag deutlich werden, warum Lk den Stephanus ebenfalls „Zeugen" nennt. Zur Literatur vgl. N. Brox, Zeuge, 60ff; J. Bihler, Die Stephanusgeschichte im Zusammenhang der Apostelgeschichte (Münchener Theologische Studien. Historische Abteilung, 26), München 1963; R. Pesch, Die Vision des Stephanus. Apg 7,55–56 im Rahmen der Apostelgeschichte (Stuttgarter Bibelstudien, 12), Stuttgart 1966. – Stephanus wird Apg 22,20 Zeuge genannt, nicht aber Apg 7,1ff. Die Steinigung des Stephanus kündigt die Wende der Mission von den Juden zu den Heiden an (R. Pesch, Vision, 30,38ff). Wenn nun Stephanus als Zeuge vorgestellt wird, ist man an verschiedene Motive des lk Zeugnisbegriffes, wie Vision des Erhöhten, seine Schriftgelehrtheit und sein Auftreten gegen die Falschzeugen, erinnert. Es ist durchaus nicht auszuschließen, daß der „Zeuge" Apg 22,20 kontrastierend zu den „Falschzeugen" in Apg 7 gebraucht wird, dagegen kann man sich nicht mehr auf den Zeugen Stephanus als den „Märtyrer" berufen (N. Brox, Zeuge, 61f). Es legt sich aber nahe, zu fragen, ob der „Zeuge" Stephanus nicht mit dem „Zeugen" Paulus eingeführt und verglichen wird (vgl. Apg 6,13ff: Paulus wird betont in der Stephanusgeschichte vorgestellt), nachdem in Apg 22,17ff das Jerusalem- und Missionsmotiv anklangen. Vgl. andere Motive: Geist (Apg 6,15ff; 7,55); Jerusalem (Apg 6,7.8ff); Schrift (Apg 7,22). Damit käme dem Zeugen Stephanus nach Lk im heilsgeschichtlichen Zusammenhang der Ausbreitung des Wortes von den Juden zu den Heiden (vgl. Apg 7,55f; 8,1ff; 11,19) eine nicht zu übersehende Bedeutung zu.

[136] Zum Kontinuitätsgedanken außer Anm. 34 noch G. Lohfink, Paulus, 47; U. Wilckens, Missionsreden, 145ff; N. Brox, Zeuge, 43ff; G. Klein, Apostel, 203f; H. Flender, Heil, 111; J. Roloff, Apostolat, 234.

5.1.3   Das „Zeugnis" bei Jo

Jo kennt einen eigenen Zeugnisbegriff, der sich, wie die vorliegenden Untersuchungen zeigen, von dem des Lk erheblich unterscheidet[1]. Zur Wortstatistik, zur grammatischen und syntaktischen Eigenheit, zum religionsgeschichtlichen und traditionsgeschichtlichen Befund des jo Zeugnisbegriffes liegt eine gründliche Arbeit von J. Beutler vor[2]. Es bleibt aber die Aufgabe, den Stellenwert von Zeugnis und Bezeugen in der jo Theologie zu ermitteln und eigens zu erörtern. Den Einstieg in eine solche Erörterung bieten das für die jo Terminologie typische Substantiv „μαρτυρία" und das Verbum „μαρτυρέω". Da der Begriff „μαρτυρία" jedoch nie für sich in einem jo Text vorkommt, sondern immer nur in Verbindung mit dem Verb „μαρτυρέω"[3] und da andererseits das Verbum „μαρτυρέω" relativ selten absolut gebraucht wird[4], legt es sich nahe, auf das gesamte Wortfeld jo Zeugnisgebens zu achten, um so zunächst die Begriffe „μαρτυρία" und „μαρτυρέω" je für sich, sodann den Kontext dieser Begriffe und damit den Stellenwert des Zeugnisses innerhalb der jo Theologie zu erheben[5].

---

[1] Zum jo Zeugnisbegriff vgl. J. Blank, Krisis. Untersuchungen zur johanneischen Christologie und Eschatologie, Freiburg 1964, 183 ff; N. Brox, Zeuge, 70 ff; ders., Der Glaube als Zeugnis, München 1966, 34 ff; I. de la Potterie, La notion de témoignage dans S. Jean, in: Sacra Pagina. Miscellanea biblica Congressus Internationalis Catholici de re biblica (Bibliotheca Ephemeridum Theologicarum Lovaniensium, 12–13), Vol. II, Gembloux 1959, 193 ff; C. Masson, Le témoignage de Jean, in: RThPhil 38 (1950) 120ff; R. Schnackenburg, Das Gotteszeugnis und der Glaube, in: Die Johannesbriefe (Herders theologischer Kommentar zum Neuen Testament, XIII/3), Freiburg [4]1970, 267f; E. Schweizer, Jesus, der Zeuge Gottes. Zum Problem des Doketismus im Johannesevangelium, in: Studies in John. Festschrift J. N. Sevenster (Supplements to NT, 24), Leiden 1967, 251 ff; H. Strathmann, Art. „μάρτυς κτλ.", in: ThW IV, 502ff; A. Vanhoye, Témoignage et Vie en Dieu selon le 4e Évangile, in: Christ 2, 6 (1955) 150 ff.
[2] J. Beutler, Martyria. Traditionsgeschichtliche Untersuchungen zum Zeugnisthema bei Johannes (Frankfurter Theologische Studien, 10), Frankfurt 1972 (Literaturbesprechung zum jo Zeugnisbegriff S. 33 ff).
[3] J. Beutler, Martyria, 227.
[4] Ebd. 212.
[5] Zur jo Theologie seien einige wichtige Untersuchungen genannt: J. Blank, Krisis. Untersuchungen zur johanneischen Christologie und Eschatologie, Freiburg 1964; R. Borig, Der wahre Weinstock. Untersuchungen zu Jo 15,1–10 (Studien zum Alten und Neuen Testament, 16), München 1967; A. Dauer, Die Passionsgeschichte im Johannesevangelium. Eine traditionsgeschichtliche und theologische Untersuchung zu Joh 18,1 – 19,30 (Studien zum Alten und Neuen Testament, 30), München 1972; F. Hahn, Der Prozeß Jesu nach dem Johannesevangelium, in: EKK 2. Kommentarstudie, Neukirchen 1970, 23 ff; S. Hofbeck, Semeion. Der Begriff des Zeichens im Johannesevangelium unter Berücksichtigung seiner Vorgeschichte (Münsterschwarzacher Studien, 3), Münsterschwarzach 1966; H. Klos, Die Sakramente im Johannesevangelium. Vorkommen von Taufe, Eucharistie und Buße im vierten Evangelium (Stuttgarter Bibelstudien, 46), Stuttgart 1970; F. Mußner, ZΩH. Die Anschauung vom „Leben" im vierten Evangelium unter Berücksichtigung der Johannesbriefe. Ein Beitrag zur biblischen Theologie (Münchener Theologische Studien I, 5), München 1952; ders.,

Für Jo ist die Verbindung von „*Zeugnis*" und „*Wahrheit*" typisch[6]. Dies gilt zum einen für die Verbindung von „μαρτυρία τῇ ἀληθείᾳ"[7], zum anderen für die von „μαρτυρία ἀληθής bzw. ἀληθινος"[8]. Der Begriff der Wahrheit trifft in die Mitte jo Theologie. Wahrheit ist für Jo kein abstrakter Begriff, sondern stets geoffenbarte Wahrheit; die Wahrheit ist nicht so sehr Lehre der Offenbarung als die Offenbarung selbst: sie ist „Offenbarungsrede"[9]. Mit Wahrheit meint Jo das Geschehen der Offenbarungsrede, den Vorgang der Offenbarung vom Vater zum Sohn und durch den Sohn in die Welt. „Die Wahrheit ist somit Offenbarung, die uns vom Vater kommt, die uns im Wort Jesu selbst vermittelt wird."[10] In diesem Wahrheitsgeschehen hat das „Zeugnis" seinen Ort. Das Zeugnis steht im Dienst der Wahrheit: Jesus legt durch Wort und Zeichen „Zeugnis für die Wahrheit" ab (Jo 18,37; 5,33: „μαρτυρεῖν τῇ ἀληθείᾳ"; vgl. 3 Jo 3; Jo 3,32)[11]. Das „μαρτυρεῖν" ist ein Sagen und führt zum Erkennen der Wahrheit; Jo gebraucht die Wendungen „λαλεῖν"[12] bzw. „λέγειν τὴν ἀλήθειαν" (Jo 8,40.45.46; 19,35) oder „γινώσκειν" bzw. „εἰδέναι τὴν

Die Johanneische Sehweise und die Frage nach dem historischen Jesus (Quaestiones disputatae, 28), Freiburg 1965; B. Noack, Zur Johanneischen Tradition. Beiträge zur Kritik an der literarkritischen Analyse des vierten Evangeliums, Kopenhagen 1954; P. Ricca, Die Eschatologie des vierten Evangeliums, Zürich 1966; E. Ruckstuhl, Die literarische Einheit des Johannesevangeliums (Studia Friburgensia N. S., 3), Fribourg 1951; S. Schulz, Komposition und Herkunft der Johanneischen Reden (Beiträge zur Wissenschaft vom Alten und Neuen Testament, 81), Stuttgart 1960; ders., Untersuchungen zur Menschensohn-Christologie im Johannesevangelium. Zugleich ein Beitrag zur Methodengeschichte der Auslegung des 4. Evangeliums, Göttingen 1957; E. Schweizer, Ego eimi. Die religionsgeschichtliche Herkunft und theologische Bedeutung der johanneischen Bildrede. Zugleich ein Beitrag zur Quellenfrage des vierten Evangeliums (Forschungen zur Religion und Literatur des Alten und Neuen Testaments, 38), Göttingen 1965; W. Thüsing, Die Erhöhung und Verherrlichung Jesu im Johannesevangelium (Neutestamentliche Abhandlungen, 21/1.2), Münster 1960; W. Wilkens, Die Entstehungsgeschichte des vierten Evangeliums, Zollikon 1958; ders., Zeichen und Werke. Ein Beitrag zur Theologie des 4. Evangeliums in Erzählungs- und Redestoff (Abhandlungen zur Theologie des Alten und Neuen Testaments, 55), Zürich 1964.
[6] Vgl. F. Hahn, Prozeß, 41f; E. Ruckstuhl (Einheit, 226, Anm. 6) nennt 17 Belegstellen; J. Blank, Verhandlung, 70, Anm. 30; ders., Krisis, 213 ff.
[7] Vgl. J. Beutler, Martyria, 222f, 235.
[8] Vgl. R. Schnackenburg, Johannesevangelium II, 272; J. Beutler, Martyria, 230ff; E. Ruckstuhl, Einheit, 235 ff.
[9] R. Schnackenburg, Johannesevangelium II, 268. Zum Wahrheitsbegriff bei Jo vgl. F. Hahn, Prozeß, 42, Anm. 52 (Literatur); I. de la Potterie, La verità in San Giovanni, in: Rivista Biblica Italiana 11 (1963) 3 ff; J. Blank, Der johanneische Wahrheitsbegriff, in: BZ 7 (1963) 163 ff; H. Schlier, Meditation über den johanneischen Begriff der Wahrheit, in: Besinnung auf das Neue Testament. Exegetische Aufsätze und Vorträge II, Freiburg 1964, 272 ff; R. Schnackenburg, Der johanneische Wahrheitsbegriff, in: Johannesevangelium II, 265 ff; ders., Theologie, 123 f.
[10] I. de la Potterie, Verità, 9 (nach J. Beutler, Martyria, 324); vgl. R. Schnackenburg, Johannesevangelium II, 270; F. Hahn, Prozeß, 42.
[11] J. Beutler, Martyria, 220 ff.
[12] Zum Begriff „λαλεῖν" vgl. I. de la Potterie, Témoignage, 195.

ἀλήθειαν" (Jo 8,32; 1 Jo 2,21)[13]. Die Zeugen Johannes der Täufer und die Jünger sagen die Wahrheit (Jo 5,33; vgl. 19,35), aber auch das Pneuma, der andere Zeuge, redet die Wahrheit (Jo 15,26; 1 Jo 5,6; vgl. 1 Jo 4,6; Jo 14,17; 16,13). Schließlich ist der Geist selbst die Wahrheit (1 Jo 5,6). Zeugnis ist somit eine Form der Offenbarungsrede und des Sprechens von der Wahrheit. Zum anderen ist das Zeugnis selbst „wahr": „μαρτυρία ἀληθής" bzw. „ἀλήθινος". Das Adjektiv „ἀληθής" wird bei Jo am häufigsten mit dem Substantiv „μαρτυρία" verwandt (Jo 5,31.32; 8,13.14.17.22.25; 19,35c)[14]. Vor allem ist das Zeugnis ‚Gottes' wahr (Jo 5,32). Um die Wahrheit oder Unwahrheit des Zeugnisses ‚Jesu' geht der Streit im Prozeß zwischen Jesus und den Juden[15]. Ebenso ist das Zeugnis des ‚Jüngers' wahr (Jo 19,35; 21,24f). Im Wahrsein des Zeugnisses bezeugt sich aber die Wahrheit Gottes: „Wer sein Zeugnis annimmt, bestätigt, daß Gott wahr ist (ἀληθής)" (Jo 3,33)[16]. Denn Gott ist Wahrheit (Jo 3,33; vgl. Jo 8,26; 7,28; 17,3; 1 Jo 5,6.20f)[17]. Im Zeugnis des Sohnes und der Jünger tritt diese Wahrheit hervor und wird sie bestätigt. In Jesus erschien die Wahrheit, in ihm ist sie Fleisch geworden (Jo 1,14)[18]. Jesus selbst ist „wahr" (Jo 7,18: „ἀληθής"; vgl. 14,6); er ist das „wahre" Licht (Jo 1,6–9) (vgl. Jo 3,35). Johannes der Täufer ist nicht selbst das „Licht" (Jo 1,6–8), das er bezeugt; er ist die „Leuchte" (λύχνος), die das Licht der Wahrheit weitergibt (Jo 5,35). Die Wahrheit ist schließlich „gelichtetes Leben"[19]; das „Leben" ist Gabe der Wahrheit, die daher im Leben der Gläubigen aufleuchtet[20].

In der jo Verbindung von Zeugnis und Wahrheit ergibt sich so ein eigentümlicher Zirkel: Die Wahrheit ergeht in der Form des Zeugnisses, und das Zeugnis bestätigt diese Wahrheit.

Eine zweite Wortgruppe des jo Zeugnisses ergibt sich aus dem Zusammenhang von *„Zeugnis"* und *„Sendung"*[21]. Eben auf die Weise der Sendung wird das jo Geschehen von Zeugnis und Wahrheit beschrieben. Das Wahrheitsgeschehen ist als „Offenbarungsrede" Zeugnis in der Welt, das sich in die verschiedenen Weisen der Sendung bis hin zur Gestalt „kirchlicher Verkündigung" ausfaltet[22]. Die Zeugen der Wahrheit erhalten bei Jo Attribute der Sendung. Da

---

[13] R. Schnackenburg, Johannesevangelium II, 268ff; zum Begriff des „Wissens" bei Jo vgl. J. Blank, Krisis, 59, Anm. 34.
[14] R. Schnackenburg, Johannesevangelium II, 271f.
[15] Jo 5,31 (negativ); Jo 8,16 (ἀλήθινος); Jo 8,14 (positiv).
[16] R. Schnackenburg, Johannesevangelium II, 272f.
[17] Ebd.
[18] H. Schlier, Meditation, 273.
[19] Ebd. 272.
[20] Ebd. 273.
[21] Vgl. F. Hahn, Prozeß, 95.
[22] R. Schnackenburg, Johannesevangelium II, 268.

die Wahrheit vom ‚Vater‘ kommt, ist er vor allem der „Sendende" (Jo 3,34; 5,36; 8,16.26.29; 1 Jo 4,14). ‚Jesus‘ ist der „Gesandte" schlechthin, der „kommt" und „geht" (Jo 8,14; 18,37; 1 Jo 5,6; Jo 18,37: „dazu ist er geboren" u. a.). Der „Geist", der ‚andere‘ Zeuge, wird vom Vater wie vom Sohn „gesandt" (Jo 15,26); er „geht vom Vater aus" (ebd.). Auch ‚Johannes der Täufer‘ wurde „gesandt", dazu „kam" er in die Welt (Jo 1,6.15). Und schließlich besteht die Sendung des ‚Jüngers‘ darin, Zeugnis abzulegen und es niederzuschreiben (Jo 17,18.20.21; 20,31; 21,24; 1 Jo 1,1ff).

Durch die Sendung ist das Zeugnis in der Welt; denn die Wahrheit Gottes muß gesagt und weitergegeben werden. Nur indem Gottes Wahrheit in die Welt kommt und im Zeugnis bewahrheitet wird, erfüllt sich das Wahrheitsgeschehen und vollendet sich der jo Zirkel von Zeugnis und Wahrheit.

Dem Zeugnis auf Gottes Wahrheit antwortet der Glaube, die dritte Wortgruppe bei Jo. Innerhalb dieser Wortverbindung von *„Zeugnis"* und *„Glaube"*[23] lassen sich bei Jo zwei Argumentationsreihen unterscheiden: zum einen zielt jedes Zeugnis auf Glauben: „damit ihr an ihn glaubt" (vgl. Jo 1,7; 19,35; 20,31; 10,37f)[24]; zum anderen setzt das Zeugnis den Glauben schon voraus: ‚Wer nicht glaubt, der nimmt auch das Zeugnis nicht an‘ (vgl. Jo 5,37f; 10,25f; 1 Jo 5,10; und Jo 11,40; 20,29)[25]. In dieser doppelten Argumentationsreihe von Glaube und Zeugnis drückt sich ein weiterer Zirkel aus: Glaube und Zeugnis setzen sich gegenseitig voraus. Denn derjenige, dem geglaubt wird (der Dativ des „πιστεύειν"), ist der Zeuge[26] – geglaubt wird auf das Zeugnis verschiedener Zeugen hin: Johannes' des Täufers, der Werke, der Schriften, Jesu, des Vaters (vgl. Jo 5,31ff; 4,39ff) –, doch ist der Glaube aus dem Zeugnis nicht ableitbar. Gerade dem authentischen Zeugen Jesus wird tatsächlich nicht geglaubt (Jo 8,14ff), und doch ist der Glaube letzte Antwort auf das Selbstzeugnis Jesu[27]. Auf Jesus konzentriert sich der jo Zirkel. Das Verhältnis von Zeugnis und Glaube ist ein wechselseitiges, so daß „μαρτυρίαν λαμβάνειν" synonym für „πιστεύειν" stehen kann (vgl. Jo 3,11 mit V.12; 3,32f mit V.36)[28]. Das Zeugnisgeschehen kommt im Glauben an sein Ziel (vgl. Jo 8,30; 4,39ff). Oft mündet es geradezu in ein Glaubensbekenntnis ein: „μαρτυρεῖν ὅτι" (Jo 1,34.32; 19,35; 20,30; 1 Jo 4,14)[29].

---

[23] Vgl. I. de la Potterie, Témoignage, 202ff; E. Ruckstuhl (Einheit, 226, Anm. 8) nennt 11 Verbindungen von Zeugnis und Glaube.
[24] Vgl. J. Roloff, Lieblingsjünger, 135, Anm. 3; R. Schnackenburg, Johannesevangelium I, 519.
[25] Vgl. N. Brox, Glaube, 41–47, 47–52.
[26] R. Schnackenburg, Johannesevangelium I, 512f.
[27] R. Schnackenburg, Johannesevangelium I, 508–509.
[28] R. Schnackenburg, Johannesbriefe, 265, Anm. 2; vgl. I. de la Potterie, Témoignage, 202.
[29] R. Schnackenburg, Johannesevangelium I, 513.

Der Vorgang des Zum-Glauben-Kommens durch das Zeugnis, das Erfahren der Wahrheit[30], konstituiert für Jo ein viertes Wortfeld, das des „Zeugnisses" in Verbindung mit Verben des „Sehens und Erkennens"[31]. Wer gesehen hat (ἑώρακα)[32], der bezeugt. Vornehmlich hat Jesus die Wahrheit gesehen (Jo 3,11.32). Aber auch Johannes der Täufer hat geschaut (Jo 1,34; vgl. 1,14), ebenso die Jünger (Jo 11,40; 15,24; 19,35.36; 1 Jo 1,1ff; 4,14). Ähnlich verhält es sich mit dem Hören (ἀκούειν)[33]. Allerdings genügen ,Sehen und Hören', die dem Zeugnis vorausgehen, noch nicht zu seiner Annahme (Jo 2,23; 6,36; vgl. 5,37; 3,32; 8,38.40.26; 15,24); das gilt auch für das Erkennen (γινώσκειν). Und doch gibt es ein wahrhaftes Erkennen des Zeugnisses; das steht aber noch aus (Jo 8,28 = futurisch; vgl. 13,7; 14,20); denn die Juden erkennen das Zeugnis nicht (Jo 8,14.19.55). Das Zeugnis vollendet sich im „οἶδα"[34]. Zu Lebzeiten Jesu ist nur Jesus selbst der Wissende (Jo 3,11; 5,31; 8,14; 4,42); erst vor dem Zeichen des Kreuzes kommen die Jünger zu Wissen und Erkennen (Jo 19,35; 21,24).

Der Zugang zum Zeugnis durch Sehen und Erkennen bleibt bei Jo der Spannung des Verstehens und Mißverstehens ausgesetzt. Zum einen geht die Erfahrung des Zeugnisses in Schauen, Hören und Erkennen dem Glauben voraus, zum anderen gibt es ein Sehen, das aus dem Glauben folgt: „Wenn du glaubst, wirst du die Doxa Gottes sehen" (Jo 11,40). Sehen allein genügt nicht (vgl. Jo 9,32ff.39); nur gläubiges Sehen sieht wahrhaft das Zeugnis. Sehen und Glauben sind aufeinander bezogen (vgl. Jo 6,40; 12,44f; 14,7ff). In den Begriffen der Begründung des Glaubens wiederholt sich so der jo Zirkel.

Die bisherige Wortfeldbestimmung erfüllt einmal die Aufgabe einer Bestandsaufnahme, dann erschloß sie uns die innere Struktur des Zeugnisses und den Zusammenhang von Zeugnis und Offenbarungsrede. Wesentlich für den jo Zeugnisbegriff ist darüber hinaus die Konkretion des Zeugnisses je nach dem Zeugen, der das Zeugnis ablegt: Zeuge ist Johannes der Täufer (Jo 1,7f.15.19.32ff), Zeugen sind die Schrift, die Werke, der Vater und Jesus selbst (Jo 3,11ff.31ff; 5,31ff; 8,12ff), Zeugen sind der Geist und die Jünger (Jo 15,26f). Diesen Konkretionen haben wir uns nun zuzuwenden.

---

[30] Vgl. H. Schlier, Meditation, 277.
[31] Vgl. I. de la Potterie, Témoignage, 197ff.
[32] Zu den Begriffen „ὁράω" und „θεᾶσθαι" vgl. F. Mußner, Sehweise, 18ff; I. de la Potterie, Témoignage, 198; F. Hahn, Sehen und Glauben im Johannesevangelium, in: NT und Geschichte. Festschrift für O. Cullmann, Zürich 1972, 125ff.
[33] Zu „ἀκούειν" vgl. J. Blank, Krisis, 129f; F. Mußner, Sehweise, 24ff.
[34] Zu „οἶδα" vgl. J. Blank, Krisis, 59, Anm. 36; E. Ruckstuhl, Einheit, 226; F. Mußner, Sehweise, 26ff.

Johannes der Täufer[35] wird gleich zu Anfang des Jo-Ev als Zeuge eingeführt. Er ist zum Zeugnis gesandt (Jo 1,6: „ἀπεσταλμένος"; vgl. 1,7: „ἦλθεν"; vgl. 1,33; 3,28) und steht im Dienst der Offenbarung des Logos. Johannes ist nicht selbst „Licht", sondern gibt Zeugnis für das „Licht" (V. 8). Ziel seines Zeugnisses ist, „daß alle zum Glauben kommen" (V. 8). Das hier noch absolute „πιστεύειν" wird erst im folgenden und im ganzen Jo-Ev bestimmt zum Glauben an Jesus Christus, den „Sohn Gottes" (Jo 1,34) und „Heiland" der Welt (Jo 4,42). Was Johannes bezeugt, darauf gibt das „περὶ αὐτοῦ" in Jo 1,15 bereits einen Hinweis. V. 15 greift nämlich auf V. 14 zurück, wenn auch von V. 14 zu V. 15 ein Einschnitt vorliegt; denn das „περὶ αὐτοῦ" des Zeugnisses kann nur auf V. 14 bezogen werden. Denn auch Johannes der Täufer legt Zeugnis ab von dem, was er „geschaut" (ἐθεασάμεθα), von dem „Logos", der Fleisch geworden ist, von der „Doxa" dessen, der „beim Vater" war (πρὸς τὸν θεόν), „voll Gnade und Wahrheit (ἀλήθεια)[36]. Sodann nimmt V. 15 die eigentliche Täufergeschichte vorweg (Jo 1,19ff); Johannes gibt Zeugnis von dem „ὀπίσω μου ἐρχόμενος ὁ ἔμπροσθέν μου [γένητος]" (V. 15; vgl. 1,30). Das Zeugnis Johannes' des Täufers ist also bereits hier Zeugnis von einem Geschehen und Zeugnis für den Glauben.

Das Zeugnis Johannes' des Täufers in Jo 1,19–34 ist eben auf diese Weise strukturiert. Der Text steht ganz unter dem Zeichen des Zeugnisses; das geht aus der Inklusion „μαρτυρία" (V. 19) und „μεμαρτύρηκα" (V. 34) hervor. V. 19 schildert die Situation des Täuferzeugnisses; die Juden streiten sich mit Johannes; der Prozeß zwischen Jesus und den Juden beginnt[37]. V. 30 nimmt V. 15 auf (ὁ ὀπίσω μου ἐρχόμενος ὁ ἔμπροσθέν μου [γένητος]). V. 32 führt aus, worin das Zeugnis des Johannes begründet ist: er sah (ἑώρακα) Jesus, das Wasser, den Geist auf Jesus, das Lamm Gottes. Während V. 32f das Zeugnis vom Geschauten ausgeht, mündet es V. 34 in den Glauben, „daß dieser der Sohn Gottes ist (μεμαρτύρηκα ὅτι). Im Zeugnis wandelt sich das Schauen in Glauben[38].

Jo 3,11ff; 5,31ff und 8,12ff sprechen vom *Gotteszeugnis und Selbstzeugnis Jesu*[39]. In diesen Texten artikuliert sich der jo Zeugnisbegriff am deutlichsten.

---

[35] Vgl. N. Brox, Zeuge, 70f; J. Beutler, Martyria, 237ff; I. de la Potterie, Témoignage, 201.
[36] Vgl. F. Mußner, Sehweise, 20f; N. Brox, Glaube, 46.
[37] Vgl. J. Blank, Krisis, 202, 320ff; Blank betont aus der Stellung des jo Zeugnisses im Prozeß Jesu gegen die Juden stark den forensisch-juridischen Aspekt im jo Zeugnisbegriff (198ff); vgl. auch I. de la Potterie, Témoignage, 195ff.
[38] Vgl. N. Brox, Zeuge, 71; I. de la Potterie, Témoignage, 197f.
[39] Vgl. I. de la Potterie, Témoignage, 201ff.

Jo 3,11ff und 3,31ff sind Jesusreden[40] im Anschluß an die Unterredung Jesu mit Nikodemus[41]. Das ganze Gespräch stand wiederum im Zeichen der Auseinandersetzung mit den Juden[42]. Es endet mit der Frage an den Juden, warum dieser nicht verstehen könne, daß alles, was „von unten" ist (ἐκ τῆς σαρκός), „von oben" (ἐκ τοῦ πνεύματος) wiedergeboren werden müsse. Die VV. 11ff und 31f sind parallel gebaut und leiten die folgenden Abschnitte ein[43]. Jesus greift in ihnen das Thema vom „Irdischen" (V. 12: „ἐπίγεια"; V. 31: „ἐκ τῆς γῆς") und vom „Himmlischen" (V. 12: „ἐπουράνια"; V. 31: „ἐκ τοῦ οὐρανοῦ")[44] wieder auf. Jesus allein kann legitim vom „Himmlischen" sprechen[45]. Da nur er „gesehen" und „gehört" hat (VV. 32.11)[46]), kann auch nur er Zeugnis davon geben (VV. 11.32: „μαρτυρεῖν"). Doch die Menschen nehmen dieses Zeugnis nicht an (VV. 11.32: „μαρτυρίαν λαμβάνειν"). Die Frage nach dem „Irdischen" und „Himmlischen" prägt nicht nur die Einleitungsverse 11f bzw. 31f, sondern bestimmt ebenfalls die Thematik der anschließenden Redestücke VV. 13ff bzw. 31ff (V. 13: „ἀναβέβηκεν" – „καταβάς"; V. 31: „ἄνωθεν" – „ἐκ τῆς γῆς")[47]. Die literarkritische Frage nach der Reihenfolge und Umstellung der einzelnen Texteinheiten kann in unserem Zusammenhang außer acht bleiben, da diese Redeteile inhaltlich zweifelsohne zur Erörterung des jo Zeugnisbegriffes gehören[48]. In ihnen geht es um die Frage, wie Jesus zu den Menschen vom Himmlischen reden kann, wenn er doch nicht ‚von unten' her spricht (V. 32), und wie die Juden an das Himmlische glauben können sollen, wenn sie nicht einmal an das glauben, was im Irdischen geschieht? Jesu Antwort hält diese Spannung aufrecht; denn seine Rede ist strenge Offenbarungsrede und hat den Charakter des „Zeugnisses" (VV. 11.32).

---

[40] Zur Diskussion der literarischen Einheit in Jo 3 vgl. J. Blank, Krisis, 53ff (Literatur); R. Schnackenburg, Die „situationsgelösten" Redestücke in Jo 3, in: ZNW 49 (1958) 88ff.
[41] VV. 11f sind für J. Blank (Krisis, 56ff) das Ende des Nikodemusgespräches und zugleich Überleitung zum „kerygmatischen Teil" der Jesusrede.
[42] J. Blank, Krisis, 57.
[43] J. Beutler, Martyria, 316; A. Dauer, Passionsgeschichte, 259.
[44] Zu den Begriffen „ἐπίγεια" und „ἐπουράνια" vgl. W. Thüsing, Erhöhung, 257ff; J. Blank, Krisis, 60ff, Anm. 38, 66ff.
[45] Zum Subjektwechsel von VV. 11ff zu VV 31ff vgl. J. Beutler, Martyria, 317: J. Blank, Krisis, 58f.
[46] Vgl. N. Brox, Zeuge, 72.
[47] Zu den Begriffen vgl. J. Blank, Krisis, 60f; N. Brox, Zeuge, 72.
[48] Zum Zusammenhang des V. 12 mit den VV 13ff und 31ff vgl. J. Blank, Krisis, 54ff; das Nikodemusgespräch mündet in den „kerygmatischen Teil" der Jesusreden (57.63). So weit geht auch das Einverständnis R. Schnackenburgs (Redestücke, 94), obwohl er dann die Stücke selbst literarisch stark zergliedert. Für unsere Untersuchung ist allein wichtig, daß das Nikodemusgespräch über V. 12 die anschließende Thematik prägt, sich die VV. 31ff und 13ff an V. 12 anschließen; vgl. J. Blank, Krisis, 61ff, 63ff, 66; W. Thüsing, Erhöhung, 13, 254ff.

Das Zeugnis des Offenbarungsgeschehens wird von Jesus thetisch in der Sendung des Sohnes aus dem Vater begründet. Er ist der „ὁ ἄνωθεν ἐρχόμενος" (V. 31)[49], „ὁ ἐκ τοῦ οὐρανοῦ ἐρχόμενος" (V. 31), „ὃν γὰρ ἀπέστειλεν ὁ θεός" (V. 34), „ὁ υἱός" (V. 35), „ὁ υἱὸς τοῦ ἀνθρώπου" (V. 13), „ὁ υἱὸς μονογενῆς" (V. 16), „ὁ υἱός" (V. 17) und „ὁ μονογενῆς υἱὸς τοῦ θεοῦ"[50]. Jesus ist der Sohn, der „gesehen und gehört" hat (VV. 11.32), der vom Vater dazu gesandt wurde, die Botschaft in die Welt zu bringen. Der Ort oder „Bereich der Sendung"[51] ist der „Kosmos"[52]. Mit den VV. 16ff tritt die Sendung in ihre konkrete, heilsgeschichtliche Dimension; damit der Sohn in der Welt wirke, hat der Vater ihm „alles in die Hände gegeben" (V. 35)[53]. Von nun an, d. i. in der heilsgeschichtlichen Perspektive, kehrt sich die Richtung des ‚unten' und ‚oben' um[54]: wie der Sohn von oben kam, um seine Sendung auszuführen (VV. 30ff.13: „ἐκ τοῦ οὐρανοῦ καταβάς")[55], erfüllt sich diese Sendung heilsgeschichtlich im Aufstieg des Sohnes, in seiner Erhöhung (V. 13: „ἀναβέβηκεν"; V. 14: „ὑψωθῆναι")[56]. In der Vorhersage seiner „Erhöhung"[57] erinnert Jesus selbst an den atl. Topos von der Erhöhung der Schlange in der Wüste[58]. Damit ist schon auf das Ereignis von Kreuz und Auferstehung vorausgewiesen[59]; denn Erhöhung bedeutet bei Jo die Einheit von Kreuz und Auferstehung[60]. Die Zusammenschau der Motive in Jo 3,11ff.31ff zeigt also, daß das Offenbarungsgeschehen im „Christusereignis in seiner Ganzheit"[61], in seiner Sendung durch den Vater und in seiner Erhöhung, gründet. Mit Christus kam das „Licht" in die Welt (V. 19). Das Ziel seines Zeugnisses sprechen beide Redeeinheiten mit denselben Worten aus: Jesus gibt Zeugnis, damit jeder, der „glaubt", das „ewige Leben" (ζωὴ αἰώνιον)[62] hat (VV. 15.36)[63]. Festzuhalten bleibt für Jo 3,11ff der enge Zusam-

---

49 Zu dem „ἐρχόμενος" vgl. F. Mußner, ZΩH, 84f.
50 Vgl. J. Blank, Krisis, 64.   51 J. Blank, Krisis, 90f; vgl. ebd. 71.
52 Zum Übergang von der immanenten Sendung des Sohnes zur Sendung in den Kosmos bei Jo vgl. ebd. 90f; F. Mußner, ZΩH, 82ff. Zum Begriff des „Kosmos" bei Jo vgl. W. Thüsing, Erhöhung, 15f; F. Mußner, ZΩH, 57ff; J. Blank, Krisis, 186ff.
53 J. Blank (Krisis, 75) interpretiert diese jo Formel heilsgeschichtlich; vgl. W. Thüsing, Erhöhung, 9f (sie entspricht dem „δεῖ" Jo 3,14; ebd. 11f).
54 R. Schnackenburg (Redestücke, 93f) erkennt in VV. 31ff und VV. 13ff das jo Abstieg-Aufstieg-Schema wieder.
55 Zu „καταβάς" vgl. J. Blank, Krisis, 78f.
56 Zu „ἀναβαίνειν" vgl. ebd. 77, Anm. 81.
57 Zum Zusammenhang der VV. 13 und 14 vgl. J. Blank, Krisis, 80f; W. Thüsing, Erhöhung, 253, 260f.
58 Zum atl. Topos der „Erhöhung" vgl. W. Thüsing, Erhöhung, 4ff.
59 Vgl. J. Blank, Krisis, 81, 84f; W. Thüsing, Erhöhung, 3f, 12.
60 J. Blank, Krisis, 84.
61 Ebd. 93.
62 Zum jo Begriff „ζωή" vgl. F. Mußner, ZΩH; J. Blank, Krisis, 73.
63 Vgl. J. Blank, Krisis, 73; vgl. Jo 20,31 (W. Thüsing, Erhöhung, 14f).

menhang von Zeugnis und Sendung und von Zeugnis und Erhöhung. Diese
Zusammenhänge werden allerdings hier nur konstatiert und nicht weiterentfaltet.

In *Jo 5,31–40*[64] verschärft sich die Auseinandersetzung mit den Juden[65]. V.
31 gibt das Thema der Auseinandersetzung an. Es geht um die Zuverlässigkeit
des Zeugnisses Jesu (V. 31: „ἀληθής") als „Selbstzeugnis" (μαρτυρία περὶ
ἐμοῦ). Denn ein Selbstzeugnis ist für die Juden nicht wahr; Jesus aber behauptet,
daß sein Zeugnis dennoch wahr sei, da ein „anderer" („ἄλλος" V. 32) Zeugnis
für ihn ablege.

Die VV. 33–36 gehen noch einmal auf das Zeugnis Johannes' des Täufers ein.
Ihre Aussagen entsprechen denen im ersten Kapitel des Jo-Ev: Der Täufer gibt
„Zeugnis für die Wahrheit"; er selbst ist aber nicht das „Licht", sondern nur
„Leuchte" für das Licht. Sein Zeugnis dient Jo als Folie, auf daß sich das Zeugnis
Jesu um so deutlicher abhebe. Jesu Zeugnis ist das „größere" („μείζω" V. 36),
weil es kein „Zeugnis von Menschen" ist (V. 35)[66].

V. 36 spricht erstmals vom Zeugnis der „Werke". Die Werke sind Jesus vom
Vater übergeben, damit er sie „vollende"; sie geben Zeugnis, „daß ihn der Vater
gesandt hat". Aber auch der ‚Vater' selbst legt Zeugnis für den Sohn ab
(VV. 37f). Man wird das „καί" von V. 36 zu V. 37 nicht im Sinne einer Fortführung der Zeugenreihe interpretieren dürfen, sondern als epexegetisches „καί",
das das Zeugnis der Werke näher bestimmt: In den Werken gibt der Vater Zeugnis vom Sohn[67]. Schließlich nennen die VV. 39ff das Zeugnis der ‚Schriften',
das auch im Zusammenhang des Gotteszeugnisses gesehen werden muß[68].

Jo 5,31ff zählt somit eine Zeugenreihe auf, die insgesamt das Selbstzeugnis
Jesu bestätigt. Was aber versteht Jo unter dem Zeugnis der „*Werke*"?[69] Wie
bereits angedeutet, führt V. 37 nicht ein „neues Zeugnis" des Vaters ein[70], sondern im Zeugnis der Werke, die zu tun dem Sohn vom Vater übergeben sind
(Jo 3,36), ergeht das Zeugnis des Vaters, „daß der Vater mich gesandt hat"

---

[64] Zu Jo 5,31ff vgl. außer den Kommentaren N. Brox, Zeuge, 73ff; J. Beutler, Martyria, 254ff;
J. Blank, Krisis, 203, 211ff.
[65] J. Blank, Krisis, 203; J. Beutler, Martyria, 254.
[66] R. Schnackenburg, Johannesevangelium II, 173f; J. Beutler, Martyria, 259.
[67] R. Schnackenburg, Johannesevangelium II, 174.
[68] Vgl. R. Schnackenburg, Johannesevangelium II, 177f.
[69] Vgl. A. Dauer, Passionsgeschichte, 290ff; I. de la Potterie, Témoignage, 201; W. Wilkens, Zeichen, 83ff. – Der Zusammenhang von „Zeugnis" und „Werke" scheint bei Jo doch wichtiger zu
sein, als er im allgemeinen zur Darstellung kommt. I. de la Potterie (Témoignage, 199f) sagt zwar
mit Recht, das Objekt des Zeugnisses seien nicht die Werke und überhaupt kein Geschehen, sondern
der Glaube; aber es ist zu unterscheiden; in den Werken hat der Glaube seine Anknüpfung, im
Erkennen der Bedeutung des Heilsgeschehens und der Werke spricht sich das Zeugnis des Glaubens
aus.
[70] R. Schnackenburg, Johannesevangelium II, 174, 177.

(V. 36); im Zeugnis der Werke ist das Zeugnis des Vaters miteinbeschlossen. Die Werke sind Zeichen, Mittel und Erfüllung der Sendung Jesu (vgl. Jo 5,36; 9,3; 10,33 ff; 12,37; 15,24). Und doch ist im Zeugnis der Werke das Zeugnis des Vaters zu unterscheiden; denn der Vater wird selbst tätig, indem er durch die Werke Zeugnis ablegt, d. h. letztlich, indem er den Sohn sendet („ὁ πέμψας με πατήρ"; vgl. Jo 5,23.37)[71]. Die Sendung des Sohnes ist der Begriff, der das Zueinander von Zeugnis des Vaters und Zeugnis der Werke erhellt.

Welches sind aber die „Werke" des Sohnes? Nach Jo 5,36 sind es Werke[72], die Jesus tatsächlich „tut" (ἃ ποιῶ), die das „Gewicht von Tatsachen" haben[73]. Solche Werke sind vor allem die „Wunder" des Jo-Ev (vgl. Jo 7,3.21; 9,3 ff; 10,25.32.37 ff; 14,10 f; 15,24)[74]; sie stehen bisweilen auch in der Nähe von „Worten" (Jo 8,28; 14,10; 15,22–24)[75]. Jo 5,17 ff stellt die Werke Jesu in ihren Zusammenhang (vgl. Jo 5,17 ff mit 5,36)[76]; das einzelne Werk lenkt den Blick auf das Gesamtwerk Jesu (Jo 5,20: „πάντα")[77]. Deshalb können die Werke auch in ein „Werk" (ἔργον) zusammengenommen werden (Jo 4,34; 17,4); damit ist so letztlich immer das gesamte Heilswerk gemeint[78], zu dem Jesus gesandt ist, um der Welt „Leben", „Heil" und „Gericht" zu bringen[79].

Die Vollendung dieses Heilswerkes in Jesus steht noch aus. Jesus muß die Werke „vollenden". Solches „Vollenden" der Werke (τελειώσω V. 36) bedeutet mehr als ihre bloße ‚Ausführung'[80]. Vollendet sind die Werke, wenn die Sendung des Sohnes erfüllt ist (vgl. Jo 4,34 mit 5,36 f)[81]. Das aber geschieht in Jesu „Kreuz und Auferstehung"[82], wie Jo 17,4 (τὸ ἔργον τελειώσας ὃ δέδωκάς μοι ἵνα ποιήσω) andeutet und wie vor allem die Inklusion der VV. 19, 28: „τετέλεσται", und 19,30: „τετέλεσται", am Kreuz unterstreicht[83]. Jo 19,28 meint zwar zunächst die Erfüllung der Schrift, weist aber durch das „πάντα"

---

[71] Vgl. R. Schnackenburg, Johannesevangelium II, 174; W. Thüsing, Erhöhung, 50.
[72] Zum Begriff der „Werke" bei Jo vgl. W. Thüsing, Erhöhung, 58 ff; R. Schnackenburg, Johannesevangelium I, 344 ff; W. Wilkens, Zeichen, 83 ff.
[73] R. Schnackenburg, Johannesevangelium II, 174; W. Thüsing, Erhöhung, 58.
[74] W. Thüsing, Erhöhung, 58.
[75] Ebd. 59.
[76] Ebd.
[77] Vgl. ebd. 59, 74.
[78] J. Blank, Krisis, 204; R. Schnackenburg, Johannesevangelium II, 173, 132 f.
[79] Jo 5,20 ff: „ζωοποιεῖν" und „κρίσις".
[80] W. Thüsing, Erhöhung, 50, 70; R. Schnackenburg, Johannesevangelium II, 174.
[81] Vgl. W. Thüsing, Erhöhung, 51 ff.
[82] J. Blank, Krisis, 204. Zum Zusammenhang von Kreuz und Auferstehung bei Jo vgl. J. Blank, Krisis, 347, Anm. 6, 269, Anm. 12, 270, Anm. 13, 273; W. Thüsing, Erhöhung, 286 f; R. Schnackenburg, Theologie, 116 ff; Th. Lorenzen, Lieblingsjünger, 98, Anm. 5; A. Dauer, Passionsgeschichte, 234; W. Wilkens, Zeichen, 72.
[83] Vgl. W. Thüsing, Erhöhung, 63 ff, 71 ff; A. Dauer, Passionsgeschichte, 203 ff, 238 ff, 292 ff.

auf das Gesamtwerk Jesu hin, das sich nun vollendet[84]: „Es ist vollbracht"
(V. 30)[85]. Am Kreuz (und darin in der Erhöhung) wird der Wille des Vaters
erfüllt, unter dessen Zeichen alle Werke standen[86].

An dieser Stelle wird der Zusammenhang der jo Zeugnisaussagen – das Zeugnis Jesu gründet im Zeugnis des Vaters und der Werke oder besser in der Einheit
mit dem Vater, die durch die Werke offenbar wird, das Zeugnis des Vaters seinerseits vollendet sich aber am Kreuz – um einiges deutlicher: das Zeugnis Gottes und das Zeugnis, das sich durch die Werke in der Welt vollzieht und sich
im Kreuz erfüllt, sind untrennbar miteinander verbunden. Damit erhält die
Hervorhebung des „wahren Zeugnisses" vor dem Kreuz in Jo 19,34 ff seine
besondere Bedeutung für den jo Zeugnisbegriff[87]. Das Kreuz ermöglicht und
bestätigt das Zeugnis; im Kreuz wird das jo Zeugnis aber zugleich innerlich
verwandelt; denn von nun an ist es nicht mehr nur Zeugnis eines erfahrbaren
Geschehens, sondern Zeugnis des diesem Geschehen innewohnenden Heiles,
Zeugnis von „Wasser und Blut"[88].

Diese Struktur des jo Zeugnisses stand bei den meisten bisher behandelten
Texten bereits im Hintergrund[89]. So begründet sie auch die Verbindung von
„Schauen" und „Zeugnis"; der Täufer gibt Zeugnis, nachdem er geschaut hatte:
das Wasser, den Geist und vor allem das Lamm Gottes (Jo 1,30ff)[90]. Und so
vermag sie auch die Verwendung des atl. Topos der „Erhöhung" im Zusammenhang der jo Zeugnisaussagen zu klären (Jo 3,13 ff und 8,28)[91]. Die Erhöhungsaussage von *Jo 3,13ff* transponiert theologische Immanenzaussagen von Vater
und Sohn auf die Ebene des Heilswerkes Jesu; die Sendung des Vaters erfüllt
sich in geschichtlichem Geschehen[92]. Wenn die Menschen aber den Sinn der

---

[84] Vgl. W. Thüsing, Erhöhung, 68f; W. Wilkens, Zeichen, 74ff; A. Dauer, Passionsgeschichte, 264f.
[85] Vgl. A. Dauer, Passionsgeschichte, 209ff; J. Blank, Krisis, 273, 329f.
[86] W. Thüsing, Erhöhung, 69f; A. Dauer, Passionsgeschichte, 209, 286ff.
[87] W. Thüsing, Erhöhung, 171: „Daß in solch feierlicher einmaliger Weise etwas anderes bezeugt
würde als das Zentralste – als das, was das Evangelium in allem herausstellen will: die Heilsbotschaft
Jesu –, ist nicht anzunehmen." Vgl. ebd. 21, Anm. 40; J. Roloff, Lieblingsjünger, 138, Anm. 4.
[88] Zur Bildhaftigkeit der jo Aussageweise, die Geschehenes und die Heilsbedeutung dieses Geschehens zugleich umschließt vgl. W. Thüsing, Erhöhung, 8; H. Klos, Sakramente, 75f; E. Schweizer,
Ego eimi, 346, 350; R. Schnackenburg, Sakramente, 246; N. Brox, Zeuge, 79ff; J. Roloff, Lieblingsjünger, 138, Anm. 3; A. Dauer, Passionsgeschichte, 332; J. Blank, Krisis, 207.
[89] Zum soteriologischen Zusammenhang der bisher besprochenen Texte Jo 1–3–8–12 vgl. A. Dauer,
Passionsgeschichte, 142.
[90] Vgl. W. Wilkens, Zeichen, 76f; A. Dauer, Passionsgeschichte, 139ff.
[91] Auf den inneren Zusammenhang der jo Motive „Zeugnis", „Sendung" und „Erhöhung" macht
jüngst F. Hahn (Prozeß, 95f) aufmerksam. – Zum dritten Text der „Erhöhung" im Jo-Ev 12,32
vgl. W. Thüsing, Erhöhung, 3ff; zum Zusammenhang aller drei Erhöhungsaussagen vgl. ebd. 259,
Anm. 19.
[92] Vgl. W. Thüsing, Erhöhung, 256f, 258f.

Sendung des Sohnes zu Lebzeiten Jesu noch nicht erkennen, so doch in seiner Erhöhung am Kreuz (vgl. Jo 12,32)[93]. Dasselbe gilt für die andere Erhöhungsaussage in *Jo 8, 28*. Dort geht es in der Jo 8,12 ff (Zeugnisrede) folgenden Jesusrede 8,21 ff um die Vertiefung des für das Zeugnis konstitutiven Offenbarungs- und Sendungsbegriffes[94].

Das Zeugnis Jesu ist „wahr" (V. 26: denn der Vater ist „wahr"), auch wenn die Juden nicht erkennen, wer der Vater und der Sohn und von welcher Art ihre Einheit ist (VV. 25 ff bzw. 29 ff). Wenn aber der Sohn erhöht sein wird (V. 28: „ὅταν ὑψώσητε τὸν υἱὸν τοῦ ἀνθρώπου), dann werden sie erkennen (τότε γνώσεσθε)[95], „daß Ich bin" (vgl. V. 28 mit VV. 12.18)[96]. Und daß die Werke, die Jesus vollbringt, vom Vater stammen (V. 28)[97]. Was sich dem Glaubenden zu „schauen" gibt (Jo 1,30 ff; 3,13 ff), wird in der Erhöhung vollends „erkannt". Im Kreuz wandelt sich „schauen" in „erkennen" (vgl. Jo 19,34 ff)[98]. Dies ist die explizite Aussage von *Jo 19,34ff*[99], die daher einen gewissen Höhepunkt der jo Zeugnisaussagen darstellt[100]. Der Schluß des Jo-Ev und die *Jo-Briefe* werden dieses Schauen des Zeugnisses noch verstärkt herausstellen[101], wenn sie den Geschehenscharakter des Bezeugten betonen[102]. Doch wird die theologische Einheit vom Zeugnis eines Geschehens und dem Gotteszeugnis immer gewahrt (1 Jo 5,6 ff). Denn „Wasser, Blut und Geist", von dessen Zeugnis 1 Jo 5,6 ff spricht, stehen ja gerade für die Heilsbedeutung des Kreuzes.

---

[93] „Erhöhung" deutet auf die Erhöhung am Kreuz hin; vgl. W. Thüsing, Erhöhung, 3 f.

[94] Der Zusammenhang von Jo 8,21 ff mit dem vorhergehenden Zeugnisabschnitt 8,12 ff ist zuerst nicht deutlich, ergibt sich aber aus der Thematik. V. 20 ist eine überleitende Zwischenbemerkung (F. Hahn, Prozeß, 74, Anm. 37, 76 f). Die Frage: „Wo ist dein Vater?" in V. 19a weist auf V. 14 zurück; VV. 21 ff sind die Antwort darauf (vgl. V. 23: „κάτω" – „ἄνω" – „ἐκ τοῦ κόσμου"). In beiden Redestücken geht es um die Offenbarung Jesu: „Ἐγώ εἰμι" (vgl. V. 12 mit VV. 24.28). Jo 8,12 ff bzw. 8,21 ff zeigt Ähnlichkeit mit Jo 3,12 ff bzw. 3,31 ff (zum Zusammenhang von Jo 3,31 mit 8,23 vgl. F. Mußner, ZΩΗ, 54 f; J. Blank, Krisis, 67, Anm. 50; zur Nähe von Jo 8,28 mit 12,34: „ἐκ τῆς γῆς", vgl. W. Thüsing, Erhöhung, 24 ff, 25, Anm. 52). W. Kern (Der symmetrische Gesamtaufbau von Jo 8,12–58, in: ZKTh 78 [1956] 451 ff) hat herausgearbeitet, daß alle Redestücke Jo 8,12 ff zum thematischen Zentrum den jo Begriff der „Wahrheit" haben; in ihn fügen sich der Zeugnisabschnitt und Jo 8,21 ff als sich ergänzende Erörterungen ein.

[95] Vgl. A. Dauer, Passionsgeschichte, 245 ff, 277, Anm. 220. Zu dem „erkennen" vgl. F. Hahn, Prozeß, 77, Anm. 49; W. Thüsing, Erhöhung, 15 ff.

[96] Zu dem „Ich bin" vgl. A. Dauer, Passionsgeschichte, 243, Anm. 33 (Literatur); W. Thüsing, Erhöhung, 17 f; H. Zimmermann, Das absolute Ἐγώ εἰμι als die neutestamentliche Offenbarungsformel, in: BZ 4 (1960) 54 ff, 266 ff.

[97] In Jo 8,25 ff geht die Immanenzaussage von Vater und Sohn wie in Jo 3,31 ff in die heilsgeschichtliche Dimension über; Vgl. J. Blank, Krisis, 229 f.

[98] Vgl. A. Dauer, Passionsgeschichte, 277.

[99] Zu dem heilsgeschichtlichen bzw. sakramentalen Charakter von Jo 19,34 ff s. u. Anm. 145; vgl. Th. Lorenzen, Lieblingsjünger, 78, Anm. 12.

[100] Siehe Anm. 87.

[101] Siehe u. S. 235 ff.

[102] Vgl. 1 Jo 1,1 ff; 4,14 ff; 5,6 f.8 ff.

Das gesamte Heilswerk legt Zeugnis für Jesus ab. Das Verhältnis von Zeugnis und Werk kann aber nicht ohne den Innenbezug, das Verhältnis von Vater und Sohn in der Sendung, verstanden werden. Die Werke legen Zeugnis ab von der Sendung des Sohnes durch den Vater. Dieser Innenbezug von Vater und Sohn, die innerste Einheit des jo Zeugnisses, bildet die Mitte der wichtigsten Zeugnistexte *Jo 5,31ff und 8,12ff*[103]. Das jo Zeugnis konzentriert sich auf das im Gotteszeugnis begründete Selbstzeugnis Jesu.

Bereits das Zeugnis der Werke ist in Jo 5,36ff ein Selbstzeugnis Jesu. Jesus kann die Werke nur so vollbringen, daß er darin sich selbst, sein Verhältnis zum Vater, d. i. seine Einheit mit dem Vater und seine Sendung vom Vater, bezeugt. Aus diesem Selbstzeugnis des Vaters im Selbstzeugnis Jesu schöpft das Zeugnis seine überzeugende Kraft. Die Einheit mit dem Vater und die Verschiedenheit vom Vater durch die Sendung strukturieren die konkrete Gestalt des Selbstzeugnisses Jesu. Daß Einheit und Verschiedenheit das Wesen des Sohnes sind, macht das Gotteszeugnis Jesu zum Selbst-zeugnis; daß der Wille des Vaters im Zeugnis der Werke sich erfüllt, konstituiert Jesus als Zeugen; daß dieses Zeugnis in der Welt nie an sein Ende kommt, wahrt seinen Offenbarungscharakter. Und schließlich begründen Einheit und Verschiedenheit des Gottes- und Selbstzeugnisses Jesu dessen Wahrheit; Gotteszeugnis und Selbstzeugnis sind eins, das Selbstzeugnis ist in Wahrheit Gotteszeugnis, und insofern das Selbstzeugnis Jesu Zeugnis für den ‚anderen', den Vater, ist, ist der Zeuge Jesus vom Vater verschieden.

In *Jo 8,12ff*[104] wird diese innere Struktur des Selbstzeugnisses Jesu in seine wesentlichen Momente – fast apodiktisch – entfaltet. V. 12 beginnt mit der Erklärung Jesu: „Ich bin das Licht"; das ist das Wesen seiner Offenbarung, daß in dem fleischgewordenen Logos „Licht" und „Wahrheit" erscheinen (Jo-Prolog), damit die Menschen zum „Licht des Lebens" kommen. Absolut und in scheinbarem Gegensatz zu Jo 5,31 behauptet Jesus nun, daß sein Zeugnis „wahr" ist, obgleich es Selbstzeugnis ist (VV. 14.16). Die Begründung des Selbstzeugnisses wird formelhaft wiederholt (V. 18: „ὁ πέμψας με πατήρ"); seine Sendung konstituiert sein Zeugnis (V. 14: „οἶδα πόθεν ἦλθον καὶ ποῦ ὑπάγω"). Die immanente Sendung des Sohnes aus dem Vater schließt den irdischen Weg Jesu mit ein. Fundamentaler noch als die Sendung ist für das Zeugnis das „Wissen" um sie, das Wissen um den Sendenden und Gesandten. Von solchem Wissen des Sohnes spricht Jo 8,12ff: Er allein „weiß", die Juden „wissen" nicht (V. 14); er allein „kennt" den Vater, die Juden „kennen" ihn nicht (V. 19).

---

[103] Den Außenbezug des jo Zeugnisses, seinen forensisch-juridischen Charakter, hat vor allem J. Blank (Krisis, 186ff) unterstrichen; vgl. F. Hahn, Prozeß, 41ff.
[104] Zu Jo 8,12ff vgl. J. Blank, Krisis, 183ff; N. Brox, Zeuge, 73ff.

Jesus „weiß", „woher er kommt und wohin er geht" (V. 14). Der Ursprung, von dem er herkommt, und das Ziel, auf das er hingeht, ist der Vater; im Wissen um Ursprung und Ziel weiß der Sohn um sich selbst und um den Vater. Nur wenn die Juden Jesus kännten und sein Wissen übernähmen, wüßten auch sie, wer der Vater ist (V. 19); denn der Sohn ist der authentische Zeuge seines Vaters, und der Vater allein gewährt das Zeugnis des Sohnes (V. 18). V. 18 formuliert den prägnantesten Ausdruck des jo Zeugnisbegriffes: „ἐγώ εἰμι ὁ μαρτυρῶν περὶ ἐμαυτοῦ – καὶ μαρτυρεῖ περὶ ἐμοῦ ὁ πέμψας με πατήρ." Jesu Zeugnis ist Selbstzeugnis und Gotteszeugnis zugleich. Darin ist die Forderung der Juden nach dem Zeugnis erfüllt und überboten; darin geschieht wahrhaft Offenbarung; denn alles Reden bleibt weltliches Reden „κατὰ τὴν σάρκα" (V. 15). Das Zeugnis aber findet jetzt noch keinen Glauben; denn die „Stunde"[105] ist noch nicht gekommen (V. 20). Sie trifft ein in Kreuz und Erhöhung (vgl. Jo 17,4); sie stiftet Erkenntnis und macht die Jünger zu „Wissenden" (vgl. Jo 19,34ff; 20,30; 21,24).

Jo 15,26f[106] spricht vom Zeugnis des *Geistes* und der *Jünger*. Dieser Text steht inmitten der Abschiedsreden Jesu, hier im Abschnitt über den ‚Haß‘ der Welt und das Schicksal der ‚Jünger‘ (Jo 15,18 – 16,4a)[107]. Jesus faßt an der Stelle sein eigenes Zeugnisgeben zusammen: er ist „gesandt" (V. 21) und in die Welt „gekommen" (V. 22), um zu den Menschen zu „reden" (V. 22) und in der Welt die „Werke" des Vaters auszuführen (V. 24). Aber die Juden „kennen" Ihn nicht (V. 21), sie haben ihn zwar „gesehen" (V. 24), und doch „hassen" sie ihn (V. 24). Das ist ihre „Sünde" (VV. 22.24)[108]. Das Zeugnis muß aber auch künftig weitergesagt werden. Dazu wird der „Beistand" (παράκλητος) „kommen" (V. 26), der vom Vater „ausgeht" und den der Sohn gemeinsam mit dem Vater „senden" wird (ἐγὼ πέμψω ὑμῖν παρὰ τοῦ πατρός). Dieser Beistand ist der „Geist der Wahrheit" (ἀλήθεια), der in die Wahrheit einführt und Wahrheit verbürgt. Zum Zeugnis des „Geistes" tritt das Zeugnis der „Jünger" (V. 27). Auch die Jünger werden Zeugnis ablegen, weil sie „von Anfang an" (ἀπ᾽ ἀρχῆς) mit Jesus waren. Die Gemeinschaft mit Jesus befähigt die Jünger zu eigenem Zeugnis, doch geschieht dies in Verbindung mit dem Zeugnis des Geistes (καὶ ὑμεῖς δὲ μαρτυρεῖτε). Gemeinsames Objekt des Geist- und Jüngerzeugnisses ist das Zeugnis über Jesus (V. 26: „περὶ ἐμοῦ"): das Zeugnis des Geistes ergeht im Jüngerzeugnis, und im Zeugnis der Jünger verwirklicht sich das Geistzeugnis[109].

---

[105] Zum jo Begriff der „Stunde" vgl. A. Dauer, Passionsgeschichte, 237f, 278; W. Thüsing, Erhöhung, 75ff, 88ff; J. Blank, Krisis, 134ff, 265ff.

[106] Zu Jo 15,26f vgl. J. Beutler, Martyria, 273ff; N. Brox, Glaube, 35ff.

[107] Zur literarischen Einheit von Jo 15,18 – 16,4a vgl. J. Beutler, Martyria, 273f.

[108] Zum parallelen Bau der VV. 22–24 vgl. ebd. 274.   [109] Vgl. ebd. 275.

Im Jo-Ev und in den Jo-Briefen bleibt eine Wortgruppe von Zeugnisaussagen, in der das *Zeugnis der Jünger* in den Vordergrund rückt und die so in der Nähe von Jo 15,26 f stehen. Diese Wortgruppe wird in Untersuchungen zum jo Zeugnisbegriff oft an den Rand gedrängt, sie tritt aber hervor, wenn wir die oben begonnene Wortfeldbestimmung weiterführen. Gegenüber einer bloß syntaktischen und grammatischen Analyse setzt eine solche Wortfeldbestimmung breiter an. Aufgrund ihres engeren Einstiegs hat die grammatische Analyse ein einheitlicheres Ergebnis. So ordnet J. Beutler etwa die jo Zeugnisaussagen in die beiden syntaktischen Reihen von „μαρτυρεῖν περί" (die Aussagen der verschiedenen „Zeugen" über Jesus) und der „μαρτυρία" Jesu über sich selbst[110]. Die Wortfeldbestimmung dagegen ist auch für Bedeutungsverschiebungen innerhalb desselben Wortfeldes offen, die sie mitberücksichtigt und diskutiert. In einem solchen Vorgehen aber fällt über die Charakterisierung von Beutler hinaus eine signifikante Textgruppe innerhalb des Wortfeldes Zeugnis auf, der die grammatische Analyse nicht ausreichend Rechenschaft trägt und die die Begründung des Zeugnisses der Jünger vornehmlich zum Gegenstand ihrer Aussagen hat[111]. Ob und wie diese Wortgruppe im genuin jo Zeugnisbegriff angelegt ist, soll weiter unten ausführlicher untersucht werden[112].

Für die genannte Wortgruppe kommen die Texte *Jo 19,34ff*[113]; *20,31*[114]; *21,24f*[115] in Frage, dazu *1 Jo 1,1ff; 4,14f; 5,6ff*[116]. Zunächst stehen Jo 19,34ff; 20,31 und 21,24f in einem inneren Zusammenhang[117]. Sie sind Wiederholung, Reflexion und Steigerung in sich ähnlicher Aussagen. Jo 20,31 und 21,24f sind offensichtlich Zusammenfassung und Reflexion des Evangelisten (Redak-

---

[110] J. Beutler, Martyria, 237.

[111] J. Beutler berücksichtigt diese Wortgruppe kaum, während E. Ruckstuhl (Einheit, 225 ff) deren Stileigentümlichkeit untersucht.

[112] J. Beutler (Martyria, 282 ff) bespricht diese Wortgruppe in einem Anhang. Aus zwei Gründen geht er nicht länger auf sie ein: einmal fällt sie aus seiner grammatischen Analyse heraus (282), dann kommt er über Vorbehalte gegen die Verfasserschaft nicht hinaus (282 ff); vgl. dazu E. Ruckstuhl, Einheit, 225 ff.

[113] Zu Jo 19,34 ff vgl. N. Brox, Zeuge, 80 ff; A. Corell, Consummatum, 74 f; A. Dauer, Wort, 92 f; ders., Passionsgeschichte, 292 f, 329 ff; J. Heer, Der Durchbohrte. Johanneische Begründung der Herz-Jesu-Verehrung (Analecta Theologica de cultu SS. Cordis Jesu, 1), Rom 1966; Th. Lorenzen, Lieblingsjünger, 53 ff (Literatur); H. Klos, Sakramente, 74 ff.

[114] Zu Jo 20,31 vgl. Th. Lorenzen, Lieblingsjünger, 60 (Literatur).

[115] Zu Jo 21,24 f vgl. N. Brox, Zeuge, 82 f; A. Dauer, Wort, 90 ff; Th. Lorenzen, Lieblingsjünger, 69 ff.

[116] Zum Zusammenhang dieser Wortgruppe vgl. W. Wilkens, Entstehungsgeschichte, 14, Anm. 45; E. Ruckstuhl, Einheit, 226, Anm. 2. Zu dieser Wortgruppe kann man noch 3 Jo 12 b rechnen; vgl. E. Ruckstuhl, Einheit, 227, Anm. 2, 5, Anm. 1 u. 2, 135, Anm. 2; N. Brox, Zeuge, 80 f.

[117] Zum Zusammenhang von Jo 19,35 und 20,31 vgl. J. Roloff, Lieblingsjünger, 135, Anm. 3; A. Dauer, Passionsgeschichte, 332. Zum Zusammenhang von Jo 19,35 und 21,25 vgl. N. Brox, Zeuge, 82 f; A. Dauer, Passionsgeschichte, 332; W. Thüsing, Erhöhung, 171, Anm. 121.

tors)[118], Jo 19,34ff steht in ihrer Nähe. Subjekt der Aussagen ist jeweils der „Jünger" („Lieblingsjünger"?)[119] (Jo 20,30; 21,24; vgl. 19,26)[120]; er ist der „Zeuge"[121]. Jo 19,34ff wird der Jünger durch sein „Schauen" (ἑωρακώς – μεμαρτύρηκεν) zum „Zeugen" konstituiert; Jo 20,31 bzw. 21,24f wird er, der Zeuge der Gemeinde ist, zum Schreiben des Evangeliums beauftragt[122]. Die Notwendigkeit, Zeuge des Geschauten zu sein, liegt in Jo 19,34ff begründet und wird im Zusammenlesen aller drei Texte deutlich: Der Jünger, der „gesehen" hat (Jo 19,35), „weiß" (Jo 19,35 und 21,24: „οἶδα"), „daß sein Zeugnis wahr ist" (ebd.). Schließlich ist der Zeuge dazu bestellt, „daß auch ihr glaubt" (Jo 19,35 bzw. 20,31). Der Glaube des Jüngers, der sich Jo 19,34ff auf das Geschehen des Kreuzes konzentriert, weitet sich in Jo 20,31 in ein explizites Glaubensbekenntnis des Jüngers für die Welt aus: „damit ihr glaubt, daß Jesus der Χριστὸς ὁ υἱὸς τοῦ θεοῦ ist, und damit ihr glaubend das Leben (ζωή) habt in seinem Namen". Mit diesem Glaubensbekenntnis ist Sinn und Zweck des Evangeliums, seine Christologie und Soteriologie, ausgesprochen[123].

Die drei Texte am Ende des Jo-Ev weisen auf ein eigenständiges Theologumenon des jo Zeugnisbegriffes hin. Der Akzent liegt auf dem Zeugnis des Jüngers, der Konstitution des Jüngers zum Zeugen durch ein Geschehen und dem Weitersagen des Glaubensbekenntnisses für die Gemeinde. Diese Elemente prägen aber auch die Zeugnisaussagen von *1 Jo 1,1ff; 4,14; 5,6ff.13*[124]. Sie künden sich an in 1 Jo 1,2: „καὶ ἑωράκαμεν καὶ μαρτυροῦμεν καὶ ἀπαγγέλλομεν"[125]. Und sie klingen im Schluß des 1 Jo-Briefes aus: „Dies habe ich euch geschrieben,

---

[118] Zum Charakter und Stellenwert dieser Verse im Jo-Ev vgl. R. Schnackenburg, Jünger, 97ff.
[119] Zum Problem des „Lieblingsjüngers" vgl. R. Schnackenburg, Jünger, 97ff; A. Dauer, Passionsgeschichte, 329ff; ders., Das Wort des Gekreuzigten an seine Mutter und den „Jünger, den er liebte", in: BZ 11 (1967) 222ff und 12 (1968) 80ff; A. Kragerud, Der Lieblingsjünger im Johannesevangelium. Ein exegetischer Versuch, Oslo 1959; Th. Lorenzen, Der Lieblingsjünger im Johannesevangelium. Eine redaktionsgeschichtliche Studie (Stuttgarter Bibelstudien, 55), Stuttgart 1971 (Literatur); J. Roloff, Der johanneische „Lieblingsjünger" und der Lehrer der Gerechtigkeit, in: NTS 15 (1967/68) 129ff.
[120] „ἐκεῖνος" (Jo 19,35) ist wohl der Lieblingsjünger von Jo 19,26; vgl. Th. Lorenzen, Lieblingsjünger, 54 Anm.3; N. Brox, Zeuge, 83f.
[121] Jo 21,24: „ὁ μαρτυρῶν"; Jo 19,35: „ἡ μαρτυρία αὐτοῦ". Ob es in Jo 19,34; 20,30 und 21,24f immer derselbe (geschichtliche?) „Jünger" (bzw. „die Jünger") ist, steht hier nicht zur Debatte; „Jünger" ist hier vielmehr umfassend, als typische „Jünger"-gestalt, gemeint; vgl. R. Schnackenburg, Johannesevangelium I, 81ff; ders., Jünger, 115ff. Zur Bedeutung des „Lieblingsjüngers" für das jo „Zeugnis" vgl. J. Roloff, Lieblingsjünger, 138f; A. Dauer, Passionsgeschichte, 318ff.
[122] Zur Bedeutung des „γράψας" (Jo 21,24) vgl. A. Dauer, Wort, 90ff.
[123] Vgl. R. Schnackenburg, Johannesevangelium I, 135f.
[124] Zum Zusammenhang von Jo-Ev und 1 Jo vgl. etwa N. Brox, Zeuge, 85ff. Zum Zusammenhang von Jo 19,34ff und 1 Jo 5,6ff vgl. W. Thüsing, Erhöhung, 171ff.
[125] Vgl. R. Schnackenburg, Johannesbriefe, 63f. Zur Form und Bedeutung der „Wir"-aussagen in 1 Jo 1,1ff u.a. vgl. ebd. 52ff; H. Conzelmann, Anfang, 212, Anm. 20; F. Mußner, Sehweise, 46ff, 66ff.

daß ihr ewiges Leben (ζωὴ αἰώνιον) habt im Namen des Sohnes Gottes (εἰς τὸ ὄνομα τοῦ υἱοῦ τοῦ θεοῦ)" (1 Jo 5,13). Das Zeugnis führt zur Verkündigung, die Verkündigung aber zum Bekenntnis des Glaubens, daß Jesus „Gottes Sohn" ist und „ewiges Leben" gibt. Die Nähe von 1 Jo 5,13 zu Jo 20,31 ist offensichtlich.

Die besondere Akzentuierung des Zeugnisbegriffes im 1 Jo-Brief ist nun noch im einzelnen zu sehen. Zunächst fällt die Begründung des Zeugnisses im „Schauen" und „Hören" eines Geschehens auf[126]. Doch gründet das Zeugnis der Jünger nicht in einem bloßen Sehen; denn das Objekt ihres Zeugnisses geht über das bloße Schauen hinaus. Das gilt bereits für 1 Jo 1,1ff, wo am massivsten von allen Texten vom Gesehenhaben gesprochen wird: das Objekt des Zeugnisses ist eigentliches Glaubensobjekt, d. i. „ὁ λόγος τῆς ζωῆς" (V. 1) und „ἡ ζωὴ ἡ αἰώνιον" (V. 2); es ist der Glaube an den Logos, der beim Vater war und unter uns erschienen ist (V. 2). Das Ziel des Zeugnisses ist es aber, „daß auch ihr Gemeinschaft habt mit uns" (V. 3), d. i. in die Gemeinschaft des Glaubens eingeht, zum Glauben kommt, so wie die Jünger schon im Glauben sind (vgl. Jo 19,35; 20,31). Das Zeugnis der Jünger gründet somit in einem Geschehen, das von den Jüngern zwar geschaut wurde, das aber nur im Glauben voll erfaßt ist.

Das Verhältnis von Sehen und Bezeugen wird in 1 Jo 4,14ff noch deutlicher. Das Schauen aus 1 Jo 1,1ff wird in 1 Jo 4,14 wiederholt und sogleich in ein Bezeugen übersetzt (τεθεάμεθα καὶ μαρτυροῦμεν), das aber nun ein explizites Glaubensbekenntnis zum Gegenstand hat: „μαρτυροῦμεν ὅτι ὁ πατὴρ ἀπέσταλκεν τὸν υἱὸν σωτῆρα τοῦ κόσμου" (1 Jo 4,14; vgl. Jo 20,31). Dieses Glaubensbekenntnis wird in den folgenden VV. 15 und 16 aufgenommen und entfaltet (V. 16: „πεπιστεύκαμεν"): Jesus ist der Sohn Gottes, Gott aber ist die „Liebe", die in Jesus unter uns erschienen ist. So weist 1 Jo 4,14ff auf 1 Jo 1,1ff zurück und führt die Aussagen des Glaubensbekenntnisses zugleich weiter.

Für die Auslegung gibt 1 Jo 5,6ff die meisten Schwierigkeiten auf[127]. R. Schnackenburg weist darauf hin, daß das perfektische „μεμαρτύρηκεν" (V. 9) wiederum an ein Geschehen erinnert (vgl. 1 Jo 1,1ff und 1 Jo 4,14)[128]. Dieses Geschehen ist mit dem „ὁ ἐλθών" (V. 6) genauer bestimmt; es ist Jesus Christus,

---

[126] „ἑωράκαμεν" (1 Jo 1,1.2.3; vgl. Jo 19,35.38); „θεάομαι" (1 Jo 1,1; 4,14); „ἀκήκοα" (1 Jo 1,3). N. Brox (Zeuge, 85) meint, das „Bezeugen" sei in 1 Jo 1,2 bereits verblaßt; das ist aber fraglich.
[127] Vgl. R. Schnackenburg, Johannesbriefe, 257 (Literatur); H. Klos, Sakramente, 77ff; J. Heer, Durchbohrte, 106ff; I. de la Potterie, Témoignage, 202ff; W. Thüsing, Erhöhung, 165ff; V. Nauck, Tradition, 147ff.
[128] R. Schnackenburg, Johannesbriefe, 264f; vgl. N. Brox, Zeuge, 89; I. de la Potterie, Témoignage, 207.

der „im Wasser und Blut" kam (V. 6); diese Formel steht wohl für das Ganze des christologischen Geschehens[129]. Von ihm geben „Wasser" und „Blut"[130] und mit ihnen das „Pneuma" Zeugnis (V. 6). Dies sind die „drei Zeugen" (V. 7)[131]; das Zeugnis des Geistes muß in engem Zusammenhang mit den anderen Zeugen gesehen werden. R. Schnackenburg hat das Zeugnis des „Geistes" als eigenes, „inneres Zeugnis" mit Recht abgelehnt[132]; alle drei bezeugen gemeinsam das eine christologische Geschehen. Mit V. 9 beginnt ein neuer Gedanke; in diesem Vers geht es um die letzte Begründung des jo Zeugnisses und damit aller einzelnen Zeugnisweisen: es ist in Wahrheit der „Glaube", der letztlich das Zeugnis „annimmt" (VV. 9.10); denn es ist das „Zeugnis Gottes" selbst (V. 9: „ἡ μαρτυρία τοῦ θεοῦ")[133]. Das „Zeugnis Gottes" ist das „größere" (μείζων), es ist „größer" als jedes andere Zeugnis (V. 8: „μαρτυρία τῶν ἀνθρώπων"). Wie im Jo-Ev das Zeugnis des Täufers übertroffen wird und überholt ist im Zeugnis, das Jesus von sich gibt, wird hier jedes andere Zeugnis von dem Zeugnis Gottes überholt (vgl. 1 Jo 5,9 mit Jo 5,36)[134]. Das Zeugnis Gottes wird im „Glauben" „angenommen" oder durch „Unglauben" abgelehnt. So wird in den VV. 10ff der „Glaube" in zwei rhythmischen Versreihen gepriesen und die Gefahr des Unglaubens beschworen. Nur wer glaubt, ist im Besitz des vollen Glaubensbekenntnisses (V. 10: „ὁ υἱὸς τοῦ θεοῦ", und V. 11: „ζωὴ αἰώνιον"); und nur wer glaubt, hat auch das Zeugnis Gottes (V. 10). Damit kommt der Verfasser auf die Eingangsaussage des Textes zurück, daß der „Glaube" der „Sieger" ist (V. 4), der in Wahrheit über den Kosmos triumphiert (VV. 4.5).

Im Verlauf des 1 Jo-Briefes hat sich in 1 Jo 5,9ff eine Wende in der Argumentation vollzogen: 1 Jo 1,1ff; 4,14ff und 5,6–8 ist das Zeugnis auf ein Geschehen bezogen und auf Glauben aus; nun ist es aber der Glaube, der letztlich das Zeugnis erkennt und annimmt; und es ist das Zeugnis Gottes selbst, das jedes andere Zeugnis konstituiert.

Bisher ließen wir die Fragen offen, ob und wie die genannten Zeugnisaussagen im jo Zeugnis des Jo-Ev selbst verankert sind, in welcher Richtung die theologi-

---

[129] R. Schnackenburg, Johannesbriefe, 257f; vgl. ders., Sakramente, 246; N. Brox, Zeuge, 86; W. Thüsing, Erhöhung, 166; I. de la Potterie, Témoignage, 203.
[130] Zum Motiv von „Blut und Wasser" vgl. R. Schnackenburg, Johannesbriefe, 258ff; J. Heer, Durchbohrte, 106ff; H. Klos, Sakramente, 76ff; W. Thüsing, Erhöhung, 165ff.
[131] Vgl. N. Brox, Zeuge, 87.
[132] R. Schnackenburg, Johannesbriefe, 268f, 258ff; vgl. I. de la Potterie, Témoignage, 203f, 207; W. Thüsing, Erhöhung, 169f.
[133] Vgl. I. de la Potterie, Témoignage, 206.
[134] Vgl. N. Brox, Zeuge, 89; zur Nähe von 1 Jo 5,6ff mit Jo 5,31–40 vgl. J. Beutler, Martyria, 279; R. Schnackenburg, Johannesbriefe, 264.

sche Reflexion die Zeugnisaussagen des Jo-Ev weitergetrieben hat und so den
jo Begriff neu akzentuiert[135]. Diese Frage sei nun behandelt.
Am Ende des Jo-Ev und in den Jo-Briefen liegt der Akzent auf der Begründung des Zeugnisses der Jünger. Die Wortverbindung „Zeugnis" und „Glaube"
bekommt ein besonderes Gewicht. Der Zusammenhang von Zeugnis und
Glaube ist jedoch derselbe, den wir schon im Jo-Ev feststellten[136]. Beide Argumentationsreihen kommen vor: das Zeugnis wird gegeben, „damit ihr glaubt"
(Jo 19,35; 20,31 – Jo 3,15; 1,7)[137], und: das Zeugnis gründet im Glauben (1 Jo
5,9ff – Jo 5,37f; 10,25f). Die Richtung vom Zeugnis zum Glauben kehrt sich
im 1 Jo-Brief um in die vom Glauben zum Zeugnis. Dies der jo Zirkel im Verhältnis von Glaube und Zeugnis.
Wir konstatierten weiterhin die betonte Begründung des Zeugnisses durch
ein Geschehen. „Sehen" (Jo 3,11; 1,32; 4,39ff u. a.)[138] und „Hören" (Jo 3,32;
4,39ff)[139], „Erkennen" und „Wissen" (Jo 3,11; 5,31; 8,14; 4,42) geschehenen
Zeugnisses sind jedoch durchaus johanneisch[140], ja für Jo ist das Schauen der
Wahrheit im Zeugnis sogar typisch[141]. Ebenso kennt auch das Jo-Ev schon die
expliziten Glaubensaussagen von 1 Jo. Erinnert sei hier vor allem an die Parallele
zu der Bekenntnisaussage Johannes' des Täufers: „ὁ υἱὸς τοῦ θεοῦ" (Jo 1,34)
und „ὁ σωτὴρ τοῦ κόσμου" (Jo 4,42; vgl. 3,17), die ja zugleich die fundamentalen Glaubensaussagen von 1 Jo sind. Andere Parallelen finden sich im Prolog
des Jo-Ev und im gesamten Evangelium[142]. Die Glaubensbekenntnisse stimmen
begrifflich und theologisch überein, wenn auch 1 Jo die Soteriologie stärker betont[143].

---

[135] Der Angelpunkt zur Beantwortung dieser Frage liegt in Jo 19,35; für die Echtheit dieser Stelle
hat sich eine große Anzahl von Exegeten ausgesprochen; vgl. R. Schnackenburg, Jünger, 109;
Th. Lorenzen, Lieblingsjünger, 55, Anm. 7, 56ff, Anm. 13; H. Klos, Sakramente, 74ff; E. Ruckstuhl,
Einheit, 225ff, 172ff (Literatur); W. Wilkens, Entstehungsgeschichte, 14, Anm. 45; ders., Zeichen,
73; J. Roloff, Lieblingsjünger, 132, Anm. 3; A. Dauer, Wort, 92; ders., Passionsgeschichte, 331f. –
E. Ruckstuhl (Einheit, 226, Anm. 2) spricht sodann von einer „inneren" und „äußeren" Verwandtschaft von Jo 19,35 mit den genannten Texten des Jo-Ev und der Jo-Briefe sowie mit 14 weiteren
Stellen des Jo-Ev und 3 des 1 Jo.
[136] Siehe o. S. 222ff; vgl. E. Ruckstuhl, Einheit, 226, Anm. 8.
[137] Vgl. J. Roloff, Lieblingsjünger, 135, Anm. 3; N. Brox, Zeuge, 81; zur Nähe von Jo 20,31 mit
3,15 vgl. W. Thüsing, Erhöhung, 14; von Jo 19,35 mit 3,15 ebd. 21f.
[138] Vgl. R. Schnackenburg, Jünger, 109 (vgl. Jo 1,32ff).
[139] Vgl. E. Ruckstuhl, Einheit, 226, Anm. 3.   [hung, 19f.
[140] Vgl. ebd. 226, Anm. 4. „Schauen" – „Erkennen" in Jo 19,34ff und 8,28 vgl. W. Thüsing, Erhö-
[141] Vgl. I. de la Potterie, Témoignage, 197f.
[142] „λόγος" (1 Jo 1,1 – Jo 1,1ff); „ζωή" (1 Jo 1,1 – Jo 1,4ff; 5,21ff; 3,16.36; 5,24); „πρὸς τὸν
πατέρα" (1 Jo 1,2 – Jo 1,1); „φανεροῦν" (1 Jo 1,2 – Jo 2,11; 3,21; 1,31; vgl. Jo 1,4); „ἐν τῷ
ὀνόματι" (1 Jo 5,13; Jo 20,31 – Jo 1,12; 2,23; 3,18; vgl. Jo 17,6); „ἀγάπη" (1 Jo 4,12.16 – Jo
8,32.43.55); vgl. I. de la Potterie, Témoignage, 200; R. Schnackenburg, Johannesbriefe, 51, Anm. 1.
[143] Vgl. I. de la Potterie, Témoignage, 200; R. Schnackenburg, Johannesbriefe, 35ff, 95ff; ders.,
Johannesevangelium I, 138ff.

Am Ende des Jo-Ev und in den Jo-Briefen meint Zeugnis vornehmlich das der Jünger[144]. Das Zeugnis der Jünger ist zuverlässig; denn sie waren dabei „ἀπ’ ἀρχῆς“ (1 Jo 1,1). Das Jo-Ev stellt zwar andere Aspekte des Zeugnisses heraus[145], doch spricht Jo 15,27 vom „ἀπ’ ἀρχῆς“, von der Begründung des Zeugnisses der Jünger[146]. Darüber hinaus finden sich jene Elemente des Zeugnisbegriffes, die wir im Jo-Ev feststellten, hier wieder: so wird in besonderer Weise die Zuverlässigkeit des Zeugnisses unterstrichen (1 Jo 5,9ff; Jo 19,34.35: „ἀληθής“, „ἀληθινός“)[147] und das Zeugnis in der Sendung begründet (1 Jo 4,14: „ἀποστέλλειν“; 1 Jo 5,6: „ἐλθών“). Es zeigt sich also, daß das Ende des Jo-Ev und die Jo-Briefe im Sinne des jo Zeugnisbegriffes von Zeugnis sprechen, den Begriff jedoch in besonderer Weise entfalten[148].

5.2 Sprechen von Auferstehung im Zeugnis

Der lk und jo Zeugen- bzw. Zeugnisbegriff unterscheiden sich strukturell und theologisch. Bei Lk und Jo hat die Rede vom Zeugnis höchste Bedeutung. Bezeugt werden Geschehen, bei Lk vornehmlich das Geschehen der Auferstehung, und Personen, bei Jo vornehmlich Jesus Christus. Während bei Lk die geschichtliche Dimension des Zeugnisgeschehens im Vordergrund steht, reflektiert Jo mehr den Innenbezug des christologischen Zeugnisses, ohne daß Lk

---

[144] Das gilt vor allem auch für Jo 19,34 f (vgl. Th. Lorenzen, Lieblingsjünger, 98, 100ff); diese Stelle erinnert aber an Jo 5,32 und 8,13 f (vgl. E. Ruckstuhl, Einheit, 226, Anm. 7).

[145] Von den verschiedenen Intentionen im Jo-Ev und 1 Jo läßt sich auch der Bedeutungswandel der Motive „Wasser“ und „Blut“ in Jo 19,34 bzw. 1 Jo 5,7ff erklären. In Jo 19,34 stehen Wasser und Blut für die Heilsbedeutung des Kreuzesgeschehens, in 1 Jo 5,7ff ist ein Hinweis auf die Sakramente nicht zu übersehen; vgl. R. Schnackenburg, Johannesevangelium I, 78; ders., Sakramente, 246ff; Th. Lorenzen, Lieblingsjünger, 78, Anm. 12; H. Klos, Sakramente, 74ff; I. de la Potterie, Témoignage, 203; W. Thüsing, Erhöhung, 169ff, 172ff. Gerade in der sakramentalen Auffassung läßt sich etwa die Weiterentwicklung der Situation vom Jo-Ev zum 1 Jo-Brief und somit die Weiterentwicklung der jo Theologie ablesen; vgl. W. Thüsing, Erhöhung, 81, Anm. 84, 98ff.

[146] H. Conzelmann („Was von Anfang war“, in: BZNW 21 [1954] 194ff) zeigt an der verschiedenen Verwendung des Begriffs „ἀπ’ ἀρχῆς“ bei Jo die Verschiebung der jo Grundbegriffe in der jo Reflexion vom Jo-Ev zu den Jo-Briefen auf.

[147] Vgl. E. Ruckstuhl, Einheit, 235ff; W. Wilkens, Entstehungsgeschichte, 14.

[148] Die Entwicklung zu Zeugnisbegriffes ist wohl aus der jo Reflexion zu begründen. Jo 19,35 stellt einen redaktionellen Höhepunkt des Jo-Ev dar (Th. Lorenzen, Lieblingsjünger, 57 f, 59), vielleicht aber schon seinen antidoketischen Akzent trägt (ebd.). Die weitere Entwicklung folgt diesem Trend, wie er von Jo 19,35 zu 21,24 deutlich wird (ebd. 58,72ff). In 1 Jo tritt diese antidoketische Tendenz aus der Notwendigkeit der Situation des Briefes in den Vordergrund; vgl. Th. Lorenzen, Lieblingsjünger, 106f; N. Brox, Zeuge, 88; R. Schnackenburg, Johannesbriefe, 95ff; ders., Johannesevangelium I, 150ff, 78f, 81ff; W. Wilkens, Zeichen, 74; E. Ruckstuhl, Einheit, 225ff.

bzw. Jo die andere der beiden Komponenten übersähen, im Gegenteil: die theologische Komponente ist selbst geschichtlich und die geschichtliche theologisch. Vor allem bei Lk fällt die Konzentration auf das „Zeugnis der Auferstehung" auf; das Zeugnis vom Kreuz und der Erhöhung ist bei Jo wohl Zeugnis von Geschehenem und damit Zeugnis der Vollendung des ‚Werkes', aber als solches wird es von Jo auf seine innere Dimension hin ausgelegt und reflektiert, die schließlich die Struktur jeden christologischen Zeugnisses konstituiert: am Kreuz wird das Gotteszeugnis im Selbstzeugnis Jesu offenbar. Von Auferstehung wird also auf die Weise des Zeugnisses oder im Kontext von Zeugnis gesprochen. Wie aber kommt Auferstehung zur Sprache, wenn sie so zur Sprache kommt? Was für ein Sprachphänomen ist Zeugnis? Darum soll es im weiteren Verlauf der Untersuchung gehen. Es legt sich nahe, diese Frage von Lk her anzugehen, da bei ihm die Logik des Sprechens von Auferstehung offen zutage liegt.

Lk berichtet ausschließlich im Kontext der „Zeugnis"-rede über das Ereignis der Auferstehung, im direkten Zeugnis oder in der bezeugenden Verkündigung der Zeugen. Die Zuordnung von Auferstehung und Zeugnis wird in der Apg geradezu zur stereotypen Formel: „ὃν ὁ θεὸς ἤγειρεν ἐκ νεκρῶν, οὗ ἡμεῖς μάρτυρές ἐσμεν" (Apg 3,15; vgl. Apg 2,31.32; 5,32; 10,41; 13,31; 22,15). Diejenigen Aussagen der Apg über die Auferstehung, welche nicht in der direkten Zeugnisrede stehen, erscheinen in einem Zeugnisbericht oder in einer Verkündigungsrede. Der lk Zeuge ist „Zeuge der Auferstehung" (vgl. Apg 1,22). Das Zeugnis der Auferstehung beschränkt sich dabei nicht auf das Geschehen, sondern im Zeugnis der Apostel wird die Auferstehung in ihrer ganzen Heilsbedeutsamkeit entfaltet (vgl. Apg 5,31: „ἀρχηγὸς καὶ σωτήρ" sowie die Erhöhung zur „Rechten" Gottes; Apg 10,42: Richter über Lebende und Tote); selbst die Wirkung der Auferstehung im Leben der Christen gehört zum apostolischen Zeugnis (vgl. Apg 5,31: Umkehr und Sündenvergebung; 2,40: Taufe und Bekehrung; 10,43: Sündenvergebung; 18,5 bzw. 9: Taufe; 20,11: Umkehr und Glaube); schließlich sind das gesamte Leben Jesu und das Leben der Christen Gegenstand des Zeugnisses (Apg 10,39).

5.2.1. Die besondere Redeform des Auferstehungszeugnisses

Die Sprachform oder Sprachgestalt, in der etwas berichtet oder ausgesagt wird, ist selbst Moment des Berichteten oder Ausgesagten. So drückt die Sprachgestalt zum Beispiel die Intention des Sprechers aus, und kommt die Sache auf eben diese Weise in der Sprache vor, ist sie sprachlich. Die Gestalt, in der die Auferstehung in der Apg eingeführt wird, sind die „Reden" der Apostel. Diese Reden werden gewöhnlich eingeleitet mit der Berufung der Apostel auf ihre Sendung zu „Zeugen" durch den Auferstandenen. Die Sprachgestalt der Auferstehungsberichte in der Apg ist so näherhin die „Zeugnis"-rede. H. Weinrich hat innerhalb sprachlicher Texte nach dem Tempusgebrauch und nach anderen stilistischen und grammatischen Merkmalen zwei Großgattungen der Sprachform unterschieden[1]. Er stellt fest, daß der Sprecher oder Autor, je nachdem ob er Ereignisse, Vorgänge, Geschichten, Gedanken oder Überlegungen „erzählt" oder „bespricht", den Leser oder Hörer in eine entsprechende „Welt" einführt. Diese „Welt" eines Textes stellt sich anders dar, wenn von ihr erzählt oder berichtet, wenn sie dokumentiert oder diskutiert wird, wenn jemand überzeugt oder betroffen werden soll. Jeder Text meint seine „Welt": Die Sprachformen „erzählter" Welt sind nach H. Weinrich Geschichten, Novellen, Romane, Erzählungen u. a.[2]; Sprachformen „besprochener" Welt sind „der dramatische Dialog, das Memorandum des Politikers, das Testament, das wissenschaftliche Referat, der philosophische Essay, der juristische Kommentar und alle Formen ritueller, formalisierter und performativer Rede"[3]. „Rede" wird so zu den Sprachformen des zweiten Typs gerechnet; wo Rede geschieht, bezieht sie sich auf „besprochene" Welt. Die Sprachform spiegelt für H. Weinrich die „Kommunikationssituation", die der Sprecher oder Erzähler evozieren will. Die Kommunikationssituation erhält für ihn geradezu „semantische" Bedeutsamkeit[4].

Zu den verschiedenen Redeformen der „besprochenen" Welt zählt H. Weinrich auch die „performative" Rede und bezieht sich dabei ausdrücklich auf den englischen Sprachphilosophen J. L. Austin[5]. Daß und wie die „Zeugnis"-rede „performative" Rede ist, soll im folgenden gezeigt werden.

5.2.2 Zur Theorie des performativen Sprechens

Wenn wir uns im folgenden den Theorien „performativen" Sprechens bzw. der „Sprechakte" zuwenden, wie sie zuerst in der Oxford Ordinary Language Philosophy ausgearbeitet worden sind[6], dann haben diese für unsere Untersuchung

---

[1] H. Weinrich, Tempus. Besprochene und erzählte Welt (Sprache und Literatur, 26), Stuttgart ²1971. Vgl. auch R. Kossellek – W. D. Stempel, Geschichte – Ereignis und Erzählung (Poetik und Hermeneutik. Arbeitsergebnisse einer Forschungsgruppe V), München 1973.
[2] H. Weinrich, Tempus, 36.   [3] Ebd.   [4] Ebd. 28 ff.   [5] Ebd. 36, Anm. 6.
[6] Zu dieser Richtung vgl. W. A. de Pater, Theologische Sprachlogik, München 1971, 109, Anm. 1 (Literatur); ebd. 16 nennt er als deren hauptsächliche Vertreter G. Ryle, J. L. Austin, P. F. Strawson, G. J. Warnock, H. Hart, J. O. Urmson. Zu einer ersten Einführung vgl. E. v. Savigny, Analytische Philosophie, Freiburg 1970; ders., Philosophie und normale Sprache. Texte der Ordinary Language Philosophy, Freiburg 1969; zu einer Einführung der Bedeutung dieser Richtung für das theologische Sprechen vgl. A. Grabner-Haider, Semiotik und Theologie. Religiöse Rede zwischen analytischer und hermeneutischer Philosophie, München 1973; J. A. Martin, Philosophische Sprachprüfung der

nur explanativen Charakter. Das ergibt sich aus dem vorläufigen und in vielem noch nicht zur Klärung gekommenen Stadium dieser Richtung ‚analytischer' bzw. ‚phänomenologischer' Sprachphilosophie. Wie hoch die erhellende Funktion dieser Theorien auch für eine Theorie religiösen Sprechens eingeschätzt wird, geht aus der intensiven Beschäftigung nicht weniger Theologen mit ihnen hervor (etwa W. A. de Pater, I. T. Ramsey, D. M. Evans, J. Ladrière, L. Bejerholm, G. Hornig, W. Bartholomäus u. a.)[7]. Die neueren Systeme analytischer Philosophie arbeiten mit einem sehr speziellen Apparat wissenschaftlicher Begrifflichkeit, den wir wenigstens kursorisch andeuten müssen, um in die sehr differenzierten Möglichkeiten der Analyse performativen Sprechens Einblick zu bekommen. Bisher hat zwar keine der genannten phänomenologischen oder theologischen Theorien die Sprechakte des „Bezeugens" ausdrücklich berücksichtigt, doch weisen verschiedene Nebenbemerkungen der Autoren deutlich darauf hin, daß sie die Formen des Bezeugens zur Gattung performativer Rede zählen[8]. Auf die möglichen Formen bezeugenden Sprechens selbst gehen wir nicht mehr näher ein; ihre Darstellung wurde in der „Phänomenologie des Zeugnisses" geleistet. Wir achten im folgenden nur auf den „Sprach"-charakter der verschiedenen Zeugnisse.

Die Rede von *„performativen"* Sätzen geht auf eine frühe Unterscheidung J. L. Austins in „Performatives" und „Constatives" zurück. „Performatives" sind Sätze, die einen „Sprechakt", wie ‚versprechen', ‚geloben', ‚schwören' u. a., anzeigen[9]. Zum Begriff „performativ" schreibt J. L. Austin: „Der Name stammt natürlich von ‚to perform', ‚vollziehen': man ‚vollzieht' Handlungen. Er soll andeuten, daß jemand, der eine solche Äußerung tut, damit eine Handlung vollzieht – man faßt die Äußerung gewöhnlich nicht als bloßes Sagen

---

Theologie. Eine Einführung in den Dialog zwischen der analytischen Philosophie und der Theologie. Einleitung und Bearbeitung der deutschen Ausgabe v. G. Sauter und H. G. Ulrich (Theologische Bücherei, 54), München 1974.

[7] W. A. de Pater, Sprachlogik; I. T. Ramsey, Religious Language. An Empirical Placing of Theological Phrases, London 1957; ders., Models and Mystery, London 1964; D. M. Evans, The Logic of Self-Involvement. A Philosophical Study of Everyday Language with Special Reference to the Christian Use of Language about God as Creator, London 1963; J. Ladrière, Rede der Wissenschaft – Wort des Glaubens, München 1972; L. Bejerholm – G. Hornig, Wort und Handlung. Untersuchungen zur analytischen Religionsphilosophie, Gütersloh 1966; W. Bartholomäus, Evangelium als Information. Elemente einer theologischen Kommunikationstheorie am Beispiel der Osterbotschaft, Zürich 1972.

[8] Vgl. J. L. Austin, How to do Things with Words, in: The William James Lectures delivered in Harvard University in 1955, hrsg. von J. O. Urmson, Oxford 1962, 85, 86, 117, 160; W. A. de Pater, Sprachlogik, 115, 150, 174; E. v. Savigny, Die Philosophie der normalen Sprache. Eine kritische Einführung in die „ordinary language philosophy", Freiburg 1969, 128, 129, 156.

[9] J. L. Austin, Performatif – Constatif, in: La Philosophie analytique (Cahiers de Royaumont, Philosophie N° IV), Paris 1962, 274; vgl. W. A. de Pater, Sprachlogik, 112f; J. Ladrière, Rede, 102.

auf."[10] Austin erläutert später den Unterschied der Sätze durch die entsprechenden „Kräfte", die in ihnen wirksam werden. Er unterscheidet die „lokutionäre", die „illokutionäre" und „perlokutionäre" Kraft[11]. Unter *„lokutionärer"* Kraft versteht man seither die Syntax, die Grammatik und das Vokabular eines Satzes sowie einen Teil der bisherigen Semantik[12], kurz: „die Bedeutung des Satzes"[13]. Die Bezeichnung der *„illokutionären"* Kraft ersetzt bei Austin nun weitgehend den Ausdruck ‚performativ'; denn diese Kraft gibt das Spezifische performativer Sätze an[14]; sie bezeichnet „die Funktion, die der Satz in der Kommunikationssituation hat, also den Akt, den man im Sprechen – daher der Name „Sprechakt" – ersetzt"[15]. *„Perlokutionär"* wird schließlich die Wirkung genannt, die ein Sprecher bei dem Hörer hervorruft[16]. Ein wichtiges Moment der Beschreibung der Sätze, das vor allem der Anlaß der Entwicklung dieser Theorien gegenüber der analytischen Sprachkritik[17] wurde, ist die Frage nach der „Wahrheit" oder *„Verifikation"* von Sätzen. Denn im Gegensatz zu reinen Aussagesätzen, die „wahr" oder „falsch" sein können, sind die performativen Sätze (versprechen, geloben, schwören u.a.) nicht eigentlich ‚wahr', sondern ‚glücken' oder ‚mißglücken', ‚gelingen' oder ‚mißlingen', werden vollzogen oder nicht vollzogen[18].

Sehen wir auf die Phänomenologie des Zeugnisses zurück, so lassen sich die dort aufgezeigten Weisen des „Bezeugens" jetzt auch durch die Sprachanalyse charakterisieren[19]. Jedes Bezeugen hat nämlich „lokutionäre" Kraft; denn ‚juristisches', ‚geschichtliches' und ‚existentiales' Zeugnis sagen immer „etwas". Dem Zeugnis wohnt zudem eine „illokutionäre" Kraft inne; denn Zeugnis ist vor allem der Akt des Bezeugens, Handlung, der Vorgang des Zeugnisses. Ob performatives Sprechen vorliegt, ist methodisch dadurch zu ermitteln, daß, von der illokutionären Kraft eines Satzes abgesehen, er auf seinen Aussagesinn redu-

---

[10] J. L. Austin, How to do, 6–7, hier: nach der dt. Bearbeitung von E. v. Savigny, J. L. Austin. Zur Theorie der Sprechakte (How to do things with words) (Reclams Universal-Bibliothek, 9396–98), Stuttgart 1972, 27–28; vgl. W. A. de Pater, Sprachlogik, 112–113.
[11] J. L. Austin, How to do, 98ff u.ö.; vgl. J. Ladrière, Rede, 105; E. v. Savigny, Philosophie, 129.
[12] Vgl. E. v. Savigny, Philosophie, 130.
[13] W. A. de Pater, Sprachlogik, 112.
[14] Vgl. J. Ladrière, Rede, 101, 105; E. v. Savigny, Philosophie, 137.
[15] W. A. de Pater, Sprachlogik, 112; vgl. J. L. Austin, How to do, 99; W. Bartholomäus, Evangelium, 185ff; E. v. Savigny, Philosophie, 130f.
[16] Vgl. E. v. Savigny, Philosophie, 131.
[17] Zur Entwicklung der analytischen Sprachkritik in England und Deutschland vgl. W. Stegmüller, Hauptströmungen der Gegenwartsphilosophie. Eine kritische Einführung (Kröners Taschenausgabe, 308), Stuttgart [4]1969, 351–696.
[18] Vgl. E. v. Savigny, Philosophie, 137.
[19] Siehe o. Anm. 8.

ziert oder durch einen anderen (performativen oder nicht-performativen) Satz ersetzt wird[20]. Gelingt das, handelt es sich nicht um performatives Sprechen. Diese Probe weist das Zeugnis als performative Rede aus. Dieser Versuch miß- glückt nämlich beim Zeugnis; denn bliebe nur die Aussage des Zeugnisses, wäre es gerade nicht mehr Zeugnis, sondern Behauptung, Feststellung oder anderes. Zeugnis behauptet sich gegen jegliche Reduktion; es ist unverkennbar in seiner Art und Gestalt, es ist die Handlung oder Tat des Bezeugens. Schließlich kann man die ‚perlokutionäre‘ Kraft des Zeugnisses vom Zeugnisvorgang selbst iso- lieren; denn der Vollzug des Zeugnisses, sein Gelingen oder Mißlingen, hängt zwar von dem Zeugen ab, aber ob und wie das Zeugnis bei den Adressaten des Zeugnisses ankommt, kann aus ihm selbst nicht mehr abgeleitet werden[21]. Außerdem geht es dem Zeugnis immer um „Wahrheit"; aber diese Wahrheit ist auf eigenartige Weise mit dem Gelingen des Zeugnisses und der Glaubwür- digkeit des Zeugen gekoppelt.

Die bisherige Einführung in die Begrifflichkeit kann nur die Umrisse der Theorie performativen Sprechens bieten. Die Diskussion geht um jedes der ge- nannten Elemente: um den „performativen" Charakter solchen Sprechens, um die Unterscheidung von „lokutionär" und „illokutionär", um die Bestimmung des „Sinnkriteriums". Der Stand der Diskussion kann im folgenden nur ange- deutet werden; vor allem erweist sich eine Theorie religiösen Sprechens als schwierig. Gerade von der „Zeugnis"-rede her sind aber auch neue Einsichten möglich, die zu einer Erweiterung der Sprechakttheorie nötigen.

J. L. Austin unterscheidet zwischen „*explizitem*" und „*primärem*" *performa- tivem* Sprechen. „Explizit" performative Sätze nennen die in ihnen wirksame illokutionäre Kraft ausdrücklich; sie sind von der Art: „Ich schwöre, daß...", „Ich verspreche, daß...", „Ich bezeuge, daß... u. a.[22]; Austin führt dazu fünf verschiedene Klassen an. Die „primär" performativen Sätze[23] nennen dagegen ihre illokutionäre Kraft selbst nicht; diese ist aber aus der vorgegebenen Kom- munikationssituation oder aus der das Sprechen begleitenden Handlung zu er- schließen. Festzuhalten bleibt, daß alle illokutionären Kräfte, ob „explizit" oder „primär", in der Kommunikationssituation gründen[24].

Der Hinweis auf die Kommunikationssituation bringt diese Theorien in die Nähe von Wittgensteins „Sprachspieltheorie"; und tatsächlich hat Wittgenstein auf die Ordinary Language Philosophy großen Einfluß ausgeübt. Wenn Witt-

[20] Vgl. W. A. de Pater, Sprachlogik, 112, 169; J. L. Austin, How to do, 121; J. Ladrière, Rede, 104.
[21] E. v. Savigny, Philosophie, 128.
[22] J. L. Austin, Performatif–Constatif, 274; W. Bartholomäus, Evangelium, 184f; W. A. de Pater, Sprachlogik, 113ff, 149ff; E. v. Savigny, Philosophie, 136ff.
[23] J. L. Austin nennt sie „primitives", „primary" oder „implicit performatives"; vgl. W. A. de Pater, Sprachlogik, 113. [24] Vgl. W. A. de Pater, Sprachlogik, 153ff, 156ff.

genstein formuliert: „Das Wort ‚Sprachspiel' soll hervorheben, daß das Sprechen der Sprache ein Teil ist einer Tätigkeit, oder einer Lebensform. Führe dir die Mannigfaltigkeit der Sprachspiele an diesen Beispielen, und anderen, vor Augen: Befehlen, und nach Befehlen Handeln [...], Berichten [...], Bitten [...], Danken, Fluchen, Grüßen"[25], trifft er damit wichtige Elemente der Sprechakttheorien: „Lebensform" meint bei Wittgenstein die der Sprache vorgegebene Kommunikationssituation, nach deren Regeln sich die Sprachregeln organisieren, d. h., die Sprache spielt die verschiedenen, sozial festgelegten Regeln der Lebensformen durch und spiegelt diese in ihren Sprachregeln ab. Damit sind die beiden Komponenten genannt, die Sprache nach Auffassung der genannten Theorien überhaupt konstituieren: die sprachliche Äußerung (der lokutionäre Aspekt) und die außersprachlichen Handlungen (der illokutionäre Aspekt, d. h. die Regeln der Kommunikation)[26].

Allerdings wird kritisiert, daß Wittgenstein die Kommunikationssituation oder Lebensform auf einen festen und geschlossenen Kanon institutioneller Regeln fixiert. Nach einigen neueren Sprachanalytikern verfehlt Wittgenstein die eigentliche Kommunikations-situation, da er sie auf ‚Konventionen' festlegt. Die Situation begründet aber erst die Kommunikation, in ihr eröffnet sich erst der Sinn von Kommunikation. Situation ist somit sprachkonstitutiv; sie bestimmt, welche Regeln anzuwenden sind. Die Relevanz Sinn und Erfahrung erschließender Erfahrung konkreter Situation haben für das religiöse Sprechen vor allem P. M. van Buren (im Anschluß an R. M. Hare) mit dem Intentionalitätsbegriff „blik"[27] und P. M. Evans mit dem des „onlook"[28] herausgearbeitet; diese „Erschließungs"-funktion („disclosure-situation") hat nach I. T. Ramsey die Kommunikationssituation jedoch nur, wenn ich engagiert auf sie eingehe („commitment")[29]. Die „Erschließungssituation" im Sinne Ramseys ‚evoziert' ein bestimmtes Sehen und Erkennen der Situation, während „blik" und „onlook" mehr deren ‚intuitives' Erfassen akzentuieren[30]. Jedenfalls betonen die Untersuchungen performativen Sprechens immer mehr die Begründung solchen Sprechens in der Kommunikationssituation.

---

[25] L. Wittgenstein, Philosophische Untersuchungen. Deutsch-englische Originalausgabe, Oxford 1953, Paragraph 23.

[26] W. Stegmüller, Hauptströmungen, 589.

[27] P. M. van Buren, Reden von Gott in der Sprache der Welt, Zürich 1965, 95; vgl. R. M. Hare, Theology and Falsification, in: New Essays in Philosophical Theology, hrsg. von A. Flew – A. MacIntyre, New York 1955, 96 ff; vgl. W. Bartholomäus, Evangelium, 193 ff; P. J. Etges, Kritik, 62 ff (zu R. M. Hare).

[28] P. M. Evans, Logic, 125; vgl. J. Ladrière, Rede, 123.

[29] I. T. Ramsey, Language, 20,62 u. 28,37 u. a.; vgl. W. A. de Pater, Sprachlogik, 11–49, 104 ff; 161 ff; zum deutschen Wort „Erschließungssituation" ebd. 14 f, Anm. 5.

[30] Vgl. W. A. de Pater, Sprachlogik, 29, 31 f, 41.

Der verschiedenen Kommunikationssituation entsprechen verschiedene Sprachspiele. Auch das Sprachspiel „Zeugnis" ist nicht ohne die Situation, in der es evoziert wird, zu verstehen. So antwortet nach den lk Schriften das theologische Zeugnis der Situation, in die die Jünger durch die Auferstehung gestellt werden. Die Zeugnisrede ist bei Lk „explizit" performativ; das „Wir sind Zeugen" signalisiert die Situation, in der ihr Sprechen von Auferstehung gründet und aus der allein es zu verstehen ist. In der Anwendung auf dieses Zeugnis ergeben sich aber auch einige Korrekturen der vorliegenden Theorien. Es zeigt sich, daß „Kommunikationssituation" und feste „Lebensform" (Wittgenstein) nicht gleichzusetzen sind; denn alle Formen des Zeugnisses, das ‚geschichtliche' wie ‚existentiale' und erst recht das theologische, provozieren *neue* „Lebensformen". Aber auch der „blik" und „onlook" (Buren bzw. Evans) werden der Zeugnissituation nicht gerecht, da sich das im Zeugnis Zu-Bezeugende erst im engagierten Sich-Einlassen auf dasselbe erschließt („disclosure – commitment"). Schließlich bleibt die „Erschließungs"-situation bei I. T. Ramsey noch weitgehend vage. Wir dagegen begründeten in der Phänomenologie des Zeugnisses die Kommunikationssituation aus einem ihr zugrunde liegenden Ursprungsgeschehen: der Ursprung, sich im Zeugen zur Erscheinung bringend, erschließt sich dem engagierten, sich auf den Ursprung einlassenden Zeugen.

Kontrovers ist auch die Frage der Verhältnisbestimmung von „*lokutionärer*" und „*illokutionärer*" Kraft in Sätzen[31]. Genügt eine Unterscheidung in ‚Behauptungssätze' (Constatives) und ‚performative Sprechakte', wie sie J. L. Austin zu Anfang vornahm? Für religiöses Sprechen verbirgt sich dahinter die Problematik, inwieweit Glaubenssätze „Aussage"-sätze (lokutionärer Aspekt) und inwieweit sie „Glaubens"-sätze (illokutionärer Aspekt) sind. Die Vertreter der analytischen Sprachkritik und Befürworter der Wissenschaftssprachen reduzieren alle Sätze weitgehend auf Aussage- und Behauptungssätze. Nach ihnen ist jeder Satz von gleicher Bedeutung; jede ‚ist'-Aussage etwa hat für sie dieselbe semantische Bedeutsamkeit, ob wir nun sagen, ein Ding ‚ist' oder Gott ‚ist'[32]. Aufgrund ihrer Kriterien wird jede Aussage über das ‚Unbedingte' oder ‚Gott', jede metaphysische oder theologische Aussage, „sinnlos". Allerdings werden diesen Sprachkritikern immer wieder Sätze anderer Art, etwa Sätze der Umgangssprache, die sie der Meta-sprache zuordnen, vorgehalten, die sich ihrer Sprachanalyse entziehen.

---

[31] Vgl. W. A. de Pater, Sprachlogik, 113 ff, 156 ff; J. R. Searle, Sprechakte, 54 ff; E. v. Savigny, Philosophie, 148 ff; W. Bartholomäus, Evangelium, 186 ff, 202 ff, 227 ff, 230 ff; J. Ladrière, Rede, 104.

[32] Vgl. W. A. de Pater, Sprachlogik, 19.

J. L. Austin ging so weit, zu zeigen, daß jeder Satz, damit auch die Sätze der Wissenschaftssprachen, illokutionäre Kraft besitzt[33]. Grundsätzlich kann nämlich jeder Satz der Wissenschaften in einen performativen Satz von der Art „Ich behaupte, daß..." umgewandelt werden[34], d. h., der Wissenschaftler hat im Aussprechen dieses Satzes die Intention, diese oder jene Behauptung wissenschaftlicher Art aufzustellen. Auf der anderen Seite birgt eine extensive Theorie der Sprechakte die Gefahr, den lokutionären Aspekt von Sätzen zu vernachlässigen und alle Sprachprobleme in die Beschreibung illokutionärer Kräfte aufzulösen[35]. Theologisch entspräche dies der Gefahr der Verabsolutierung der ‚fides qua', der ‚Glaubens'-sätze, gegenüber der ‚fides quae', den ‚Aussage'-sätzen des Glaubens[36]. Im Gegenzug zu solchen Vereinseitigungen erhebt sich immer wieder die berechtigte Kritik, daß auch Glaubenssätze sprachlogisch „Aussagen" enthalten müssen, um nicht sinnlos zu werden[37]. Eine genaue Verhältnisbestimmung der lokutionären und illokutionären Kräfte in Sätzen führt in sehr komplexe Zusammenhänge[38]; jedenfalls zeigt sich immer deutlicher, daß das Verhältnis lokutionär – illokutionär fließend und nur von Fall zu Fall zu bestimmen ist. Es scheint, daß der lokutionäre Aspekt den illokutionären geradezu fordert und umgekehrt der illokutionäre den lokutionären näher bestimmt[39].

An der „Zeugnis"-rede lassen sich die Zusammenhänge verdeutlichen. Offensichtlich enthalten alle Formen des Zeugnisses den „lokutionären" Aspekt: Das „juristische" Zeugnis zielt auf eine Aussage hin, das ‚geschichtliche' Zeugnis stützt sich auf Dokumente, das ‚existentiale' Zeugnis versteht sich als für andere bedeutsame Aussage, das ‚theologische' Zeugnis gründet in Geschehnissen und macht über Wirklichkeiten Aussagen. Und doch ist nicht jedes Zeugnis von gleichem Rang; die Unterschiede sind nur durch die Beschreibung der illokutionären Kräfte zu kennzeichnen. Zugleich indizieren die illokutionären Kräfte eines jeden Zeugnisses, wie die Aussagen des Zeugnisses zu verstehen sind: das ‚juristische' Zeugnis erhebt den Anspruch auf Wahrheit und Gerechtigkeit; das ‚geschichtliche' Zeugnis fordert den Historiker ein und will den geschichtlichen Zeugen zu einem neuen Handeln bewegen; der Sinn des ‚existentialen' Zeugnisses geht dem Zeugen nur im Übernehmen des Bezeugten auf; das ‚theologische' Zeugnis wird im Glauben ergriffen. Das „theologische"

---

[33] J. L. Austin, How to do, 132–146; vgl. E. v. Savigny, Philosophie, 148 ff.
[34] Vgl. die „Expositives" bei J. L. Austin, How to do, 160 ff; W. A. de Pater, Sprachlogik, 113.
[35] Vgl. P. J. Etges, Kritik der analytischen Theologie. Die Sprache als Problem der Theologie und einige Neuinterpretationen der religiösen Sprache, Hamburg 1973; W. Bartholomäus, Evangelium, 188; 202ff; W. A. de Pater, Sprachlogik, 114; E. v. Savigny, Philosophie, 152.
[36] Vgl. W. A. de Pater, Sprachlogik, 114.
[37] J. M. Bocheński, Logik der Religion, Köln 1968, 25ff, 44f; J. Ladrière, Rede, 245f, 248f.
[38] W. A. de Pater, Sprachlogik, 146ff, 151ff, 156ff.
[39] Vgl. E. v. Savigny, Philosophie, 152f.

Zeugnis[40] ist deshalb nicht von der Art ‚juristischen' Überführens noch von der Art bloß ‚historischen' Dokumentierens oder nur ‚existentialen' Überzeugens[41]; die Sprache des Glaubens ist die Verkündigung, das Gebet, der Lobgesang u. a.[42] Um den Aussagecharakter des theologischen Zeugnisses zu verstehen, muß man auf die Möglichkeiten analogen, doxologischen oder symbolischen Redens als sinnvoller Weisen menschlicher Sprache hinweisen[43]. So läßt sich die Sprache des Zeugnisses nur aus dem Zueinander von lokutionären und illokutionären Kräften begreifen.

J. L. Austin lag viel an der Unterscheidung „*illokutionär*" – „*perlokutionär*"[44]. Perlokutionär meint bei ihm die Wirkung eines Satzes über seine Äußerung hinaus, d. h., ob etwa einem ‚Befehl' (illokutionär) auch gehorcht wird (perlokutionär). Die perlokutionäre Kraft ist nicht zu verwechseln mit der Tatsache, daß jemand den Sinn eines Satzes versteht, ihn also als ‚Frage' oder ‚Befehl' aufnimmt, und daß er erkennt, wie er nach diesem Satz handeln müßte[45]. Dieses Verstehen und Erkennen gehört zur illokutionären Kraft selbst hinzu, da ohne ein solches Verstehen der Sprechakt gar nicht zustande käme. Doch sind mit einer Reihe von Sprachakten darüber hinaus Kräfte verbunden, ohne die ihre illokutionäre Kraft wirkungslos bliebe[46]. „Verfügungen"[47] etwa sind Sprachhandlungen, deren illokutionäre Kraft erst mit der Anerkennung der in den Sätzen ausgesprochenen Autorität aufgeht. Vor allem die Klasse der „Verhaltenssätze" oder „behavitives"[48] beruht auf der gegenseitigen Anerkennung und Verpflichtung von Redendem und Angeredetem[49]. J. Ladrière unterscheidet im Anschluß an Evans zwischen „causal force" (perlokutionär) und „behabitive force" (performativ)[50]; van Buren spricht von der „effektiven Funktion der Wörter"[51]; J. Ladrière hat eine eigene Klasse der „korrelativen Performative"[52] eingeführt. Korrelative Performative gelingen nur dann, wenn das korrelative Verhältnis, das zwischen Sprecher und Hörer besteht, akzeptiert,

---

[40] Vgl. J. Ladrière, Rede, 201 f.
[41] Ebd. 201, 202.
[42] Vgl. W. A. de Pater, Sprachlogik, 171 ff; J. Ladrière, Rede, 201 f.
[43] Vgl. solche Modelle des Sprechens bei W. A. de Pater, Sprachlogik, 33 ff; J. Ladrière, Rede, 135 ff: zum „parabolischen" Reden, und ebd. 251 f, 256 f: zu anderen Weisen übertragenen Redens.
[44] J. L. Austin, How to do, 101 ff; vgl. W. A. de Pater, Sprachlogik, 157; E. v. Savigny, Philosophie, 131 ff.
[45] J. R. Searle, Sprechakte, 42, 69 ff.
[46] Vgl. E. v. Savigny, Philosophie, 131.
[47] J. Ladrière, Rede, 115 f.
[48] Vgl. ebd. 110 ff, 112.
[49] Vgl. W. A. de Pater, Sprachlogik, 161 ff, 163, 175 f; J. Ladrière, Rede, 106, 111, 121, 127.
[50] J. Ladrière, Rede, 108 bzw. 112.
[51] P. M. van Buren, Reden, 95.
[52] J. Ladrière, Rede, 117, 127.

eingesehen und übernommen wird[53]. Diese Überlegungen laufen auf die Beschreibung von Erschließungssituationen in den Begriffen von „disclosure" und „commitment" durch I. T. Ramsey hinaus, nach der sich Situationen bzw. Sätze nur „erschließen", wo sie im engagierten Antworten und Verantworten angenommen werden.

Die Formen des Zeugnisses sind auf verschiedene Weise „korrelative Performative": denn nur dort kommt es zum ‚geschichtlichen' Zeugnis, wo der Anspruch des geschichtlich Überkommenen erfahren und zugleich die Verpflichtung übernommen wird, nach diesem Anspruch zu handeln; dasselbe gilt erst recht vom ‚existentialen' Zeugnis und offenbar auch vom ‚Glauben'. Der Glaube ‚macht nur insofern sehend, als er ausgeführt wird'[54]; er besteht aus einem „Akt des Anerkennens"[55] und der „Verpflichtung"[56] zur Antwort. Im theologischen Zeugnis unterstellt sich der Zeuge dem Willen des sich bezeugenden Ursprungs und der Autorität des Offenbarungswortes[57], um zu erkennen; darin wird sich der Zeuge seiner „Sendung" bewußt; hier haben theologisch „Umkehr", „Sendung" und „Mission" ihren Ursprungsort[58].

J. L. Austin behauptet weiterhin, daß nicht alle Sätze dem *Kriterium „wahr"* – *„falsch"* unterliegen; die Performative gelingen oder mißlingen, werden vollzogen oder nicht vollzogen[59]. Damit schlägt Austin neue Wege zur Frage des „Sinnkriteriums" ein, die vor allem in der analytischen Sprachkritik verhandelt wurde[60]. Die Vertreter der analytischen Sprachkritik ordnen alle Sätze in die drei Klassen von „wahr", „falsch" oder „sinnlos" ein, nachdem sie zuvor das jeweils geltende Sinnkriterium angeben, und arbeiten ein Schema von ‚Wahrheitsfunktionen' aus, denen alle gültigen Sätze unterliegen[61]. Ihre Methode ist je nach Ausrichtung der Schule die „Verifikation" bzw. „Falsifikation" von Sätzen[62]. Diese Verfahren gründen allesamt in dem empirisch-logistischen Postu-

---

[53] J. Ladrière spricht in diesen Fällen von „gebundener" oder „selbst-implizierender" Sprache (ebd. 121 f, 135, 256 u. ö.).
[54] Ebd. 256; vgl. 257.   [55] Ebd. 260.
[56] J. Ladrière, Rede, 257; vgl. 256.   [57] W. Bartholomäus, Evangelium, 205 f.   [58] Ebd.
[59] J. L. Austin, How to do, 91, 132–148; vgl. W. A. de Pater, Sprachlogik, 117, 151 ff, 169 ff; J. Ladrière, Rede, 202.
[60] Vgl. W. Bartholomäus, Evangelium, 179 ff; E. v. Savigny, Philosophie, 289 f; W. A. de Pater, Sprachlogik, 16, 109 ff; J. Ladrière, Rede, 83 ff.
[61] Vgl. W. Stegmüller, Hauptströmungen, 380 ff.
[62] Vgl. ebd.; das Verifikationskriterium hat etwa M. Schlick (Meaning and Verification, in: The Philosophical Review 45 [1963] 148) so definiert: „The meaning of a proposition is the method of its verification." Oder L. Wittgenstein, Tractatus logico-philosophicus, Frankfurt 1960: „Der Satz zeigt, wie er sich verhält, wenn er wahr ist" (4.022). „Eine Proposition verstehen heißt wissen, was geschieht, wenn sie wahr ist" (4.024). J. M. Bocheński, Logik, 87: „Ein Satz hat eine Bedeutung genau dann, wenn es eine Methode gibt, ihn zu verifizieren; mit ‚Verifizieren' ist ein Handeln gemeint, das Mittel gewährt, um darüber zu entscheiden, ob ein Satz wahr oder falsch ist." Vgl. J. Ladrière, Rede, 83 ff, 94 ff, 99.

lat, daß alle Elementar- und Basissätze der Wissenschaftssprachen empirisch verifizierbare oder falsifizierbare Protokollsätze sein müssen und alle anderen Sätze wissenschaftslogisch aus diesen ersten Sätzen abzuleiten sind[63]. Dabei hat die Sprachkritik verschiedene Modifizierungen ihrer Methode durchgemacht, da jedes sprachlogische Modell an seine Grenzen stieß. Daraufhin wurde das Sinnkriterium verschiedentlich erweitert; H. Reichenbach gibt etwa ein ‚technisches‘, ‚logisches‘ und ‚transempirisches‘ Sinnkriterium an, J. M. Bocheński anerkennt gegen die Ausschließlichkeit des empiristischen Postulates die Eigenständigkeit der ‚phänomenologischen‘ Methode und die besondere Sehweise von ‚Glaubens‘-aussagen[64].

Für die Neuformulierung des Sinnkriteriums wird die Methodenbestimmung des späten Wittgenstein wichtig. Wittgenstein fordert mit den Pragmatikern der Sprachphilosophie die Erschließung des Sinnes eines Satzes aus dem „Gebrauch" der Sprache in dem jeweiligen Sprachspiel: Die Bedeutung eines Satzes ist sein Gebrauch in der Sprache[65]. Für den Gebrauch eines Satzes treffen damit aber die Kategorien „wahr" – „falsch" nicht mehr ohne weiteres zu, der Gebrauch kann gut oder schlecht sein, ihm können Fehler unterlaufen, gegen ihn kann verstoßen werden. J. L. Austin hat sechs Klassen von Fehlern, Verfehlungen, Lücken, Inkonsequenzen, Unredlichkeiten u. a. dieses Gebrauchs herausgearbeitet[66]; der gute Gebrauch dagegen stellt die unterschiedlichsten Anforderungen oder Verpflichtungen der Aufrichtigkeit, Redlichkeit, Wahrhaftigkeit u. a. an den Sprecher[67]. Die Wahrheit eines Satzes wird dann abhängig von der Wahrhaftigkeit des Sprechenden. Eine Reihe von Sätzen geht in ihrer Wahrheit nur auf, wenn sie mit ganzem Engagement („total commitment") vollzogen werden[68].

Die Suche nach Wahrheitskriterien ist für das Zeugnis ebenfalls relevant. Das „theologische" Zeugnis erhebt wie jedes andere Zeugnis den Anspruch auf „Wahrheit". Die Wahrheit des Zeugnisses ist aber nicht auf den Begriff positiv wissenschaftlicher Aussagen zu bringen; das Zeugnis wird zwar nach seiner Wahrheit beurteilt, aber die Zeugniswahrheit liegt nicht auf der Hand, sondern sie stellt sich erst mit dem Gebrauch, in der Bewährung und Aufrichtigkeit des Zeugen, heraus. In der Treue des Zeugen wird Wahrheit verbürgt und

---

[63] Vgl. W. A. de Pater, Sprachlogik, 16ff; J. Ladrière, Rede, 99.
[64] Nach J. M. Bocheński, Logik, 88, bzw. ders., Die zeitgenössischen Denkmethoden, München ⁵1971, 64; vgl. ders., Logik, 95f.
[65] L. Wittgenstein, Philosophische Untersuchungen, Paragraph 43; vgl. W. Bartholomäus, Evangelium, 183ff.
[66] J. L. Austin, How to do, 15–52; vgl. E. v. Savigny, Philosophie, 138ff; ders., J. L. Austin, 12ff; W. A. de Pater, Sprachlogik, 169ff; J. Ladrière, Rede, 103.
[67] Ebd.
[68] Vgl. W. Bartholomäus, Evangelium, 199.

gewährt; in seinem Tun und Reden erschließt sich Wahrheit. Die Wirklichkeit, von der das Zeugnis spricht, hat noch eine ausstehende, ‚geschichtliche‘ oder geradezu ‚eschatologische‘[69] Dimension. In der Zukunft wird sich herausstellen, daß das durch den Zeugen Bezeugte ‚Tatsache‘ ist oder wird[70]. Der Zeuge Gottes hat sich vor der ‚Geschichte‘ und vor der ‚Welt‘ zu bewähren[71]; er steht vor der Aufgabe, ‚sich in der Welt aus seinem Glauben zu realisieren‘[72]. Die Wahrheit des Zeugen bewahrheitet zwar die Gotteswahrheit, doch gründet letztere nicht eigentlich in der Verifikation durch den Zeugen nach außen[73]; „die Sprache des Glaubens besitzt ihre eigenen Kriterien"[74]. Die Zeugniswahrheit gründet letztlich in sich selbst, ist sich selbst Wahrheitskriterium; das Zeugniswort ist die Weise, sich selbst zu verifizieren, in ihm findet das Verifizieren immer schon statt[75]. Die biblische Wahrheit ist nicht Wahrheit, die vor Augen liegt, sondern Wahrheit, die sich dem Zeugen erschließt, die sich entbirgt und sich in der Treue zu sich immer neu bewährt, die nicht einzuholen ist, sondern ‚eschatologisch‘ ausstehend sich im Tun je neu verheißt. Das Kriterium dieser Wahrheit ist nicht außerhalb, sondern nur in ihr selbst zu suchen[76].

Die bisherige Analyse brachte zum Ausdruck, daß Glaubens- bzw. Zeugnisaussagen „Sprechakte" sind; das Bekennen des Glaubens: „Ich glaube, daß…", und der Vollzug des Zeugnisses: „Ich bekenne, daß…", sind ‚Sprech-handlungen‘. Glaubenssätze erschöpfen sich nicht im Aussprechen von Aussagen, sondern setzen je einen „neuen Akt"[77]. Glaubens- und Zeugnisaussagen werden „in der Handlung des Sagens"[78] zum „Ereignis"[79], das für das Heil der Gläubigen unabdingbar ist; denn in der „Tätigkeit"[80] des Bekennens und im „Ereignis" des Bezeugens selbst geschieht „Heil"[81].

Eine Untersuchung der theologischen Zeugnisrede hat sich methodisch an die *allgemeinen Regeln* der Sprachanalyse zu halten. Danach ist die Frage nach der inneren Struktur und Logik der Zeugnisrede die Frage nach den Regeln dieser Sprache und ihrer Sprachform, die selbst hinwiederum eine „Form regelgeleiteten Verhaltens" darstellt[82]. J. R. Searle gibt einige fundamentale Regeln

---

[69] J. Ladrière, Rede, 204, 245, 247f.
[70] „Illokutionäre Akte werden ebenso durch Tatsachen beurteilt" (E. v. Savigny, Philosophie, 151f); vgl. W. Bartholomäus, Evangelium, 210ff.
[71] W. Kasper, Offenbarung, 55.
[72] W. Bartholomäus, Evangelium, 234.
[73] J. Ladrière, Rede, 250.
[74] Ebd. 248, 249.   [75] Ebd. 259.   [76] Ebd. 259.   [77] Ebd. 203.
[78] Ebd. 202.   [79] Ebd. 201, 245.   [80] Ebd. 201.   [81] Ebd. 201, 245.
[82] J. R. Searle, Speech Acts. An Essay in the Philosophy of Language, Cambridge 1969; hier in der deutschen Übersetzung: ders., Sprechakte. Ein sprachphilosophischer Essay (Suhrkamp – Theorie), Frankfurt 1971, 24, 29f, 38.

an, die in jeder (phänomenologischen) Sprachuntersuchung berücksichtigt werden müssen; dies sind eine „Reihe von analytischen Beziehungen ... zwischen dem Sinn von Sprechakten; dem, was der Sprecher meint; dem, was der Zuhörer versteht; dem, was der geäußerte Satz bedeutet; dem, was der Sprecher intendiert; und den Regeln, die für die sprachlichen Elemente bestimmend sind"[83]. Entsprechend diesen Grundsätzen konstruiert J. R. Searle ein allgemeines Schema der Regeln zur Untersuchung der „Sprechakte", das für unsere Beschreibung wiederum explanative Bedeutung hat[84]. In der ‚Kurzfassung' sind es vier Regeln: 1. Die Regeln des propositionalen Gehalts. Das sind die syntaktischen und grammatischen Regeln einer Proposition (p). 2. Die Einleitungsregeln. Diese Regeln berücksichtigen die „Umstände"[85], unter denen ein Sprechakt zustande kommt. Für ‚Behauptungen' sind dies etwa die Bedingungen, daß der S(precher) Gründe für die Wahrheit von p hat und daß der H(örer) p nicht erkennt. 3. Die Regeln der Aufrichtigkeit. Für S ergeben sich mit dem Aussprechen von p gewisse Verpflichtungen. ‚Behauptet' etwa S p, dann muß S überzeugt sein, daß p stimmt. 4. Die sogenannten wesentlichen Regeln. W. A. de Pater nennt sie Regeln der „sprachlichen Konvention", d. h., p muß nach sprachlicher Übereinkunft unter den beteiligten Kommunikanten als ‚Behauptung' gelten, es muß für die Adressaten klar sein, daß es sich bei einem Sprechakt um ein ‚Versprechen', ein ‚Gelöbnis' oder einen ‚Eid' usw. handelt. Dieses Verstehen ‚als' oder Gelten ‚als' ist jeweils durch eine Reihe konventioneller Übereinkünfte und sprachlicher Regeln sichergestellt. – Dieses allgemeine Schema wäre nun auf die Zeugnisrede zu applizieren; es wäre zu zeigen, und ist bereits teilweise gezeigt, daß 1) Zeugnis einen propositionalen oder lokutionären Gehalt aufweist, 2) unter welchen Umständen und in welcher Situation Zeugnis ermöglicht oder ernötigt ist, 3) welche Verpflichtungen sich für den Zeugen ergeben, 4) welches die Konventionen sind, damit Zeugnis als Zeugnis gilt oder anerkannt wird. Es steht noch aus, das Zeugnis der Auferstehung einer solchen Analyse im besonderen zu unterziehen.

Zunächst sei aber noch einmal nach der Logik der Untersuchung von Sprechakten und damit der Methode unserer Untersuchung gefragt. Die Logik der Sprechakte verändert nämlich das übliche Vorgehen sprachanalytischer Betrachtungsweisen. Denn für sie gilt: „Die Grundeinheit der sprachlichen Kommunikation ist nicht, wie allgemein angenommen wurde, das Symbol, das Wort oder der Satz, oder auch das Symbol-, Wort- oder Satzzeichen, sondern die Produktion oder Hervorbringung des Symbols oder Wortes oder Satzes im

---

[83] Ebd. 36.
[84] Ebd. 100ff; vgl. W. A. de Pater, Sprachlogik, 172f.
[85] W. A. de Pater, Sprachlogik, 172f.

Vollzug des Sprechaktes."[86] Die Logik der Sprechakte gründet in der jeweiligen „Kommunikationssituation"[87]. Diese Situation steckt den maßgeblichen Verstehenshorizont des jeweiligen Sprechens ab. Für die Kommunikationssituation gelten jene Regeln, die J. R. Searle ausgearbeitet hat; diesen Regeln folgt das Verhalten in der Situation, sie sind daher die Regeln der aus der Kommunikationssituation hervorgehenden Handlungen, die sich schließlich in den Sprachregeln niederschlagen. Deshalb kann erst nach der Erörterung des performativen Gebrauchs der Sprache auf Inhalt und Bedeutung von Sätzen und Wörtern (die Semantik) eingegangen und von da die Grammatik und das Vokabular von Sätzen (die Syntax) analysiert werden. Dies die Logik der Sprechakte, wie sie sich aus einer Phänomenologie performativen Redens ergibt; dieser Weg schließt den ‚analytischen' der Sprachwissenschaften nicht aus, er ist jedoch von der anderen, sprach-‚phänomenologischen' Hinsicht geleitet.

Dieser Weg soll uns nun in die Logik des Zeugnisses der Auferstehung einführen. Dazu müssen wir auf die ‚Kommunikationssituation' achten, in der das Zeugnis der Auferstehung entstand, auf die ‚Regeln' dieses Zeugnisses und auf die ‚sprachliche' Gestalt der Auferstehungsaussagen, wie sie sich in der Zeugnisrede artikuliert. Da jedoch die Frage der sprachlichen Gestalt eher ein exegetischer Untersuchungsgegenstand ist und wir die Regeln des Auferstehungszeugnisses schon in der Untersuchung des ntl. Zeugnisbegriffs weitgehend erhoben haben, soll es uns im folgenden mehr um die Grundlegung des Auferstehungszeugnisses in der „Kommunikations-situation" gehen.

5.3   Theologie des Zeugnisses der Auferstehung

Das Zeugnis antwortet der je besonderen Situation, die Kommunikationssituation aber erschließt den Sinn des Zeugnisses. Dieses Ineinander von Situation und Zeugnis trifft auch für das Auferstehungszeugnis zu, ja steigert sich noch, da sowohl die Situation der Auferstehung als auch das Osterzeugnis nur in ihrem Ineinander sind, was sie sind. Denn zum einen antwortet das Osterzeugnis der einzigartigen Situation der Auferstehung, deren Zugang allein das Zeugnis vermittelt; zum anderen qualifiziert die Situation des Auferstandenen das Osterzeugnis auf solche Weise, daß sich dieses Zeugnis in Rang und Gestalt von jedem anderen Zeugnis unterscheidet. Dieses Ineinander aber ist nicht zufällig und auch nicht durch äußere Umstände bedingt, sondern der Zusammenhang des

---

[86] J. R. Searle, Sprechakte, 30.
[87] Ebd.; vgl. W. A. de Pater, Sprachlogik, 30.

Auferstehungsgeschehens selbst; denn im Zeugnis kommt die Auferstehung allererst zur Gegebenheit für uns: sie ereignet sich, indem sie sich zugleich ins Zeugnis gibt. H. Schlier formuliert diesen Zusammenhang folgendermaßen: „Dieses Geschehen der Auferstehung [...] geschah ja auch in der absoluten Verborgenheit Gottes und könnte für sich niemals ein Ereignis, d.h. ein Geschehen, das, indem es geschieht, sich zugleich aussagt, genannt werden. So gehört zum Ereignis der Auferstehung Jesu Christi auch diese ‚Sage' in der Selbstbekundung des Auferstandenen als solchen. Auferstehung Jesu Christi ereignet sich in der Weise der Selbstbezeugung des Auferstandenen als solchen in ʾder Erfahrung und Geschichte des Menschen. Solches sich Ereignen in die geschichtliche Erfahrung vollzieht sich in der ‚Erscheinung' des Auferstandenen zum Zeugnis der Zeugen. [...] Die Auferstehung Jesu Christi, die im Zuge der Erhöhung geschieht, wird in der Erscheinung des Auferstandenen geschichtlich und bringt sich darin zum Abschluß."[88] Im Zeugnis der Auferstehung wird so die Auferstehung zum geschichtlichen Ereignis für uns, und in ihm kommt das Geschehen zur Sprache.

5.3.1 Das theologische Zeugnis der Auferstehung bei Lk

Gerade Lk liegt an der geschichtlichen Erfahrbarkeit und Aussagbarkeit der Auferstehung; denn sie soll ja weitergesagt und weiterverkündet werden. Die Auferstehung bildet (zusammen mit Himmelfahrt und Pfingsten) für Lk den Grundstein der urchristlichen Kirche. Sie bedeutet die entscheidende Wende der Heilsgeschichte und hat selbst die neue Situation der Heilsgeschichte heraufgeführt. Von nun an steht die ganze Heilsgeschichte unter dem eschatologischen Zeichen der Auferstehung. Die Auferstehung als Grund und Mitte der neuen Zeit und der Weiterverkündigung der Botschaft Christi auszusagen, solches leistet für Lk das Zeugnis der Auferstehung, wie es von den Zeugen erfahren und gepredigt wird.

Doch wie kommen die Zeugen überhaupt dazu, von Auferstehung zu sprechen? Für Lk erschließen die „Erscheinungen", was an Ostern geschah: die Erscheinungen des Auferstandenen sind die maßgeblichen „Erschließungssituationen" (vgl. Lk 24,31 u.a.)[89]. Das zeigen die ersten Osterberichte der Erscheinungen vor den Frauen und den Emmausjüngern in Lk 24,1–35, besonders aber die Erscheinungen vor den „Elfen und denen mit ihnen" in Lk

---

[88] H. Schlier, Über die Auferstehung Jesu Christi (Kriterien, 10), Einsiedeln ³1970, 27 bzw. 31.
[89] W. Bartholomäus, Evangelium, 197; vgl. H. U. v. Balthasar, Mysterium Paschale, in: MySal III/2 (1969) 282 f; H. Schlier, Auferstehung, 44 f.

24,36ff und Apg 1,1ff. Besondere Bedeutung gewinnt dabei der Erscheinungs-
begriff „ὤφϑη" für die Erscheinungen vor Petrus (Lk 24,34), vor den Aposteln
(Apg 13,31) und vor Paulus (Apg 9,17; 26,16). Die Erscheinungen des Auferstandenen begründen das Sprechen von Auferstehung, sie provozieren die Jünger zu eigenem Sprechen und verbürgen Zeugnis. Denn für Lk sind die Erscheinungen Selbst-zeugnisse Jesu; Jesus selbst beginnt von dem Geschehen zu
sprechen, die Jünger in den Sinn dieser Rede einzuführen und sie zu lehren,
wie sie dieses Zeugnis weitersagen sollen (vgl. Lk 24,25ff.44ff). So geschieht
in den lk Erscheinungsberichten die „Selbsterschließung des Auferstandenen
in das Evangelium hinein"[90].

Allein der Begriff Zeugnis gewährleistet auch, daß die Erscheinungen des
Auferstandenen weder als in sich eindeutige Ereignisse, die die Auferstehung
beweisen, interpretiert noch mit dem eigentlichen Geschehen der Auferstehung
identifiziert werden und so für die Aussage stehen, daß Jesus ins ‚Kerygma‘
auferstanden sei. Im Zeugnis begründen die Erscheinungen vielmehr die geschichtliche Erfahrbarkeit und Aussagbarkeit der Auferstehung, ohne daß sie
Beweis der Auferstehung oder gar diese selbst wären.

Das Zeugnis der Auferstehung stellt bei Lk einen komplexen theologischen
Sachverhalt dar; es steht für die Erschlossenheit und *Offenbarkeit* des *Geschehens* der Auferstehung[91]. Zwar sind weder die Erscheinungen noch die in ihnen
sich kundgebende Erschließung[92], noch das Geschehen der Auferstehung[93] zunächst eindeutige Phänomene, doch werden die Jünger durch Jesus in verschiedenen Stufen und auf verschiedenen Wegen zur vollen Einsicht und Erkenntnis
des Geschehens geführt. Dazu dienen Lk die zahlreichen Motive in seinem
Zeugnisbegriff, wie „Verheißung" und „Erfüllung", die „Geistverheißung",
das „Jerusalem-", das „Sendungs-" und „Bekehrungs"-motiv. Vor allem geht
durch die Auslegung der „Schriften" den Jüngern der Sinn des Geschehens
auf[94]. Die Schriften haben für Lk in besonderem Maß Erschließungsfunktion.
Zuerst ist es die Auslegung durch den Auferstandenen selbst, der den Jüngern
die Augen öffnet, dann aber gewährleistet der „Geist" die Offenbarkeit des
Geschehens und führt die Verkündigung der Botschaft weiter (Apg 2,31f;
5,32)[95]. Der Beistand des Geistes qualifiziert die Situation der Jünger völlig neu;
von nun an unterscheidet sie sich von jeder anderen Situation und zeichnet sich
als spezifisch geisterfüllte, theologische Situation aus[96].

---

90 H. Schlier, Auferstehung, 44.
91 Ebd. 33ff.   92 Ebd. 27ff.   93 Ebd. 51ff.
94 H. U. v. Balthasar, Mysterium, 266f, 285f, 312.
95 H. Schlier, Auferstehung, 47f.
96 Ebd. 47; H. U. v. Balthasar, Mysterium, 275ff.

Durch die Erscheinungen, die Schriften und den Beistand des Geistes erkennen die Jünger, was das Geschehen der Auferstehung bedeutet. Zugleich erkennen die Jünger Gott als Herrn über Leben und Tod, wie die Schriften ihn nennen: in der Erweckung Jesu von den Toten hat er seine Macht erwiesen[97]. Die Verheißung der Auferstehung ist aber allen Menschen zugesagt; denn Jesus ist der „Anführer" (ἀρχηγός) des neuen Lebens (Apg 3,15). Von der Auferstehung her verstehen nun die Jünger auch das Leben und den Tod des irdischen Jesus neu[98]; die Auferstehung bringt die „Offenbarkeit der Person" Jesu hervor[99]. Die Jünger verstehen jetzt die Notwendigkeit seines Leidens und Kreuzes (Lk 24,26), und nur, indem sie im auferstandenen Herrn den gekreuzigten Jesus wiedererkennen, werden sie der Wirklichkeit der Auferstehung, des neuen Lebens aus Gott und der Notwendigkeit ihres Zeugnisses inne (vgl. Lk 24,46ff; Apg 2,23f; 5,30f; 10,39f; 13,28ff)[100]. Schließlich sehen sie in der Auferstehung das ganze Leben Jesu, sein „Propheten"-tum (Apg 2,30f; vgl. 10,43; 13,32ff) und „Messias"-amt (Apg 2,36) erfüllt, darüber hinaus die gesamte Heilsgeschichte, die von den Anfängen in vielen Andeutungen diese Erfüllung verhieß (Apg 26,6ff). Nun ist Jesus der „Erhöhte", der „Christos" und „Kyrios" (vgl. Apg 1,21f; 10,30f; 2,36; 4,12)[101]. Aber auch das Leben der Christen wird durch das Ostergeschehen neu begründet[102]. Der Christ lebt von nun an im eschatologischen Horizont der Erwartung des neuen Lebens[103], und dies jetzt antizipierend aus der Grundüberzeugung: „Er ist auferstanden."[104]

Die Botschaft der Auferstehung wird für den Christen zur neuen ‚Lebensform'; „er ist auferstanden" heißt die neue „Tiefenstruktur" christlicher Existenz[105]. Und nur indem das Zeugnis der Auferstehung in der Wirklichkeit christlicher Existenz Ereignis wird, ist dieses Zeugnis, was es ist. Das Zeugnis der Auferstehung erschließt sich bei Lk nur dem engagierten Sich-Einlassen auf dieses Zeugnis und dem verwandelten Leben aus diesem Zeugnis.

Zuerst sind die Apostel in diesem Sinne „Zeugen"; „Wir sind Zeugen" ist die Bestimmung, die ihr Leben radikal verändert. Das Zeugesein folgt der „Begegnung" mit dem Auferstandenen[106]; diese Begegnung setzt die vorösterliche Gemeinschaft mit dem Herrn im Brotbrechen fort. Doch hat sich die Situation grundlegend gewandelt. Die neue Situation fordert ein radikales Umdenken

---

[97] H. U. v. Balthasar, Mysterium, 262ff, 270ff; H. Schlier, Auferstehung, 17.
[98] H. U. v. Balthasar, Mysterium, 273ff, 285ff; H. Schlier, Auferstehung, 51.
[99] H. U. v. Balthasar, Mysterium, 283; vgl. H. Schlier, Auferstehung, 51.
[100] H. Schlier, Auferstehung, 53ff.
[101] Ebd. 45, 22f.   [102] Ebd. 60ff.
[103] Ebd. 61; W. Bartholomäus, Evangelium, 210ff.
[104] Vgl. H. Schlier, Auferstehung, 46.
[105] W. A. de Pater, Sprachlogik, 163, 184.
[106] H. Schlier, Auferstehung, 38; H. U. v. Balthasar, Mysterium, 275, 281ff.

und Absagen an alte Vorstellungen (Emmausjünger), vor allem aber die Umkehr des Herzens, die selbst die Aufgabe der alten Existenz verlangt (Paulus). Die Situation erhält fundamentalen Zeugnischarakter. Der Begegnung mit dem Auferstandenen antwortet das Bewußtsein der eigenen „Sendung"[107]. Die Apostel sind sich ihres Auftrags zum Zeugnis bewußt und treten vor der jüdischen Öffentlichkeit mit der Kraft und „παρρησία" des Geistes auf, um zuerst Jerusalem und dann den Völkern die Botschaft der Auferstehung zu bringen.

Die Verkündigung der Zeugen ruft die angesprochenen Menschen zur „Umkehr" auf[108]. Denn, so der Tenor der ersten Missionsreden der Apg, wenn Jesus von den Toten auferstanden ist, dann hat das alte Leben ein Ende. Die apostolischen Zeugen verbinden die Botschaft der Auferstehung durchgehend mit der Aufforderung zu „Taufe", „Metanoia" und „Buße" und verheißen daraus die „Vergebung der Sünden". Nur dadurch wird die Auferstehung im Leben der Gläubigen Wirklichkeit, bleibt der Auferstandene in den christlichen Gemeinden gegenwärtig und ist ihnen die „Begegnung" mit dem Auferstandenen für alle Zeiten verheißen.

In der Begegnung mit dem Auferstandenen und in der Verkündigung der Osterbotschaft wird die Auferstehung schließlich „geschichtliche" Wirklichkeit (Schlier)[109]. In dieser ihrer so verstandenen ‚geschichtlichen' Dimension unterliegt sie aber ihrerseits den Bedingungen von Geschichte, insofern die Geschichte die Bedingungen der Begegnung mit dem Auferstandenen verändert. Lk trägt der Veränderung der heilsgeschichtlichen Situation durch die Ordnung der Zeugen Rechnung: Der erste und fundamentale Zeuge des Geschehens der Auferstehung ist der Auferstandene selbst, der in den Erscheinungen sich selbst bezeugt und das Geschehen selbst interpretiert. Petrus und die Zwölf sind dann die qualifizierten Zeugen der ersten Stunde, die die Gemeinschaft des Herrn vor und nach Ostern unmittelbar erfahren haben. Mit der Ausbreitung der Botschaft trifft das Zeugnis in neue Welten und auf neue Zeiten. Hier ist zunächst Paulus der Zeuge, dessen Zeugnis durch die Erscheinung des Auferstandenen und durch die eine gemeinsame Botschaft in der Kontinuität mit dem Zeugnis der Apostel steht. Schließlich begegnen die Christen in Taufe, Sündenvergebung und Eucharistie dem Auferstandenen und werden darin (zieht man die Linie des lk Gedankens durch) ihrerseits ‚Zeugen' der Auferstehung. Es ist so allen Zeiten die Begegnung mit dem Auferstandenen verheißen. Es zeigt sich, daß im lk Zeugenbegriff die theologische und die geschichtliche Dimension der Auferstehung unverkürzt zusammenkommen.

---

[107] H. U. v. Balthasar, Mysterium, 287ff, 311; H. Schlier, Auferstehung, 46.
[108] Vgl. H. Schlier, Auferstehung, 60ff, 62; H. U. v. Balthasar, Mysterium, 283ff.
[109] H. Schlier, Auferstehung, 42f, 45.

5.3.2 Das theologische Zeugnis der Auferstehung bei Jo

Die Erscheinungsberichte des Jo gipfeln in dem doppelzeiligen Wort des Auferstandenen an Thomas: „Weil du mich gesehen hast, hast du geglaubt. Selig, die nicht sehen und doch glauben" (Jo 20,28 f). Damit ist zunächst die Dialektik von „Glauben" und „Sehen" aufgegriffen, wie wir sie im jo Zeugnisbegriff kennenlernten, und ein ausdrückliches „Glaubens-" und „Gottes"-bekenntnis formuliert. Thomas „sieht", und doch sagt sein Bekenntnis mehr als das, was er sieht. Zwar setzt der Glaube des Thomas im Sehen an, insofern sich in den Erscheinungen das Sich-sehen-Lassen des Auferstandenen ereignet, aber erst das durch den Glauben verwandelte Sehen führt Thomas zur Erkenntnis des Auferstandenen als „Herrn" und „Gott": Es gibt also ein Sehen, das dem Glauben vorausgeht, ohne jedoch den Glauben aus sich herstellen zu können, und es gibt ein Sehen aus dem Glauben, das allein in ihm gründet und das letztlich die Wirklichkeit des Auferstandenen erfaßt. Diese Verwandlung aber vollzieht sich im Zeugnisgeschehen. Zugleich kommt in der Rückführung aller Erkenntnis des auferstandenen Herrn und Gottes auf den Glauben die grundsätzliche Dialektik von „Glauben" und „Sehen" zum Abschluß: die letzte Antwort auf Gott ist der „Glaube".

Damit stellt sich auch die Frage nach der „Erschließungssituation" bei Jo anders als bei Lk. Jo führt die Begründung des Zeugnisses, auch des Zeugnisses der Auferstehung und der Selbstbezeugung des Auferstandenen, auf den sich selbst hellen Glauben zurück. Es ist somit der Glaube, der die Erschließungssituation des Zeugnisses schafft. Dieser Glaube ist allein möglich als Glaube an „Gott" und den „Herrn"; denn Jesus Christus hat sich selbst bezeugt und sein Zeugnis vollendet. Damit ist auch die Situation des Glaubens von grundsätzlich anderer Art als jede andere Situation außerhalb des Glaubens; sie ist die von Gott selbst geschaffene und für Gott offenbare Situation des Glaubens. Im Aufweis der Situation des Glaubens als von Gott selbst geschaffener und des Glaubens als einzigen Zugangs zum Zeugnis gibt Jo eine Antwort auf die Frage der Konstitution des theologischen Zeugnisses überhaupt und so auch des Zeugnisses der Auferstehung.

Jo reflektiert durchgehend das theologische Zeugnis, indem er das Konstitutionsgeschehen des Zeugnisses als solches aufzeigt. Er zählt zum einen die verschiedenen Gestalten des Zeugnisses auf, die Schrift, die Werke (einschließlich der sakramentalen Zeichen in 1 Jo 5,6 ff), das Täuferzeugnis, den Geist, das Selbstzeugnis Jesu und schließlich das Zeugnis des Vaters; zum anderen reflektiert er das Zueinander der verschiedenen Zeugengestalten in ihrer wechselseitigen Bezogenheit und ordnet alle auf ihren letzten Grund und Ursprung hin. Die innerste Einheit des jo Zeugnisses gründet in der Einheit, Gemeinschaft und Unterschiedenheit von Vater und Sohn, die zu bezeugen der Sohn in die Welt gesandt ist und die im Sohn den einzigen Zeugen haben. Das Konstitutionsgeschehen des Zeugnisses ist also Ursprungsgeschehen: der Ursprung, die Einheit von Vater und Sohn in der Erschlossenheit und Bürgschaft des Geistes, gibt sich ins Zeugnis, offenbart sich als solches in der Welt und nimmt im Sohn konkrete geschichtliche Gestalt an. Jesus ist als der Selbstoffenbarer Gottes die genuine Gestalt des sich selbst erschließenden Ursprungs.

Vom Ursprung und seiner Gestaltwerdung im einzigen Zeugen her bekommen die anderen Zeugnisse ihren Ort und Rang. Sie stehen im Dienst des Zeugnisgeschehens aus dem Ursprung und sind als die verschiedenen Gestalten dieses Zeugnisses durch die „Sendung" mit dem Ursprung verbunden: Der Vater sendet den Sohn, der Vater und der Sohn den Geist, der Sohn ist zur Vollendung des heilsgeschichtlichen Werkes bestellt, das im Geist für alle Zeiten den Bürgen seiner Erschlossenheit hat, dieses Zeugnis begleiten und ihm gehen voraus das Zeugnis der Schrift und das Zeugnis des Täufers. Der Vorgang der Sendung ist zugleich der Gang des Konstitutionsgeschehens des theologischen Zeugnisses durch die verschiedenen Stufen seiner Vermittlung vom Ursprung aus in die Geschichte. So ist das jo Zeugnis nicht so sehr ein Zeugnis von ‚etwas' als vielmehr das Ursprungs-, Offenbarungs- und ‚Wahrheits'-geschehen selbst, das sich in die Geschichte auslegt.

In 1 Jo 5,6ff wird die Wendung von der geschichtlichen Gestalt zum Ursprungsgeschehen hin sichtbar. Mögen das „Schauen" der Wahrheit Gottes in der heilsgeschichtlichen Gestalt des „Gekommenen" und das Erfahren seiner Wirklichkeit unter den heiligen Zeichen der Sakramente, bezeugt von den drei Zeugen, noch so wahre Zugänge zu dem eigentlich Zu-Bezeugenden sein, sie sind letztlich doch Gestalten des Ursprungs, in denen er sich zugleich zeigt und entzieht. „Größer" und damit fundamentaler und unmittelbarer ist das Zeugnis des Ursprungs selbst. Und diesem „Gotteszeugnis" antwortet allein der „Glaube". Alle anderen Weisen der Erkenntnis Gottes sind die aus diesem Glauben ermöglichten und in diesem Glauben gegründeten Weisen des ‚Sehens' und ‚Hörens' der ‚Wahrheit'. Den verschiedenen Gestalten des Zeugnisses und ihrer inneren Hinordnung auf das Ursprungsgeschehen entsprechen so die verschiedenen Weisen des Sich-Offenbarens und Wahrnehmens dieses Ursprungsgeschehens, die alle vom Sehen und Hören zum Glauben hinführen. Denn im Glauben tritt der Christ in die „Gemeinschaft mit Gott" (1 Jo 1,3.4); im Glauben begegnet er dem Ursprung in einer letzten Unmittelbarkeit.

6

Re-flexion aufs Ganze

In der Vermittlung des lk und jo Zeugnisbegriffes erreichen wir den Ort, von dem aus der Gang der Untersuchung überschaut und als Weg erkannt werden kann. Wir sehen, von welcher Art der Weg ist, wie er sich seinem Ziel nähert, welche Stationen er passiert und wie die Stationen dem Ziel zugeordnet sind. Während Lk im Zeugnisgeschehen den Akzent auf die heilsgeschichtliche Dimension setzt, legt Jo ihn auf das dem Zeugnis vorgängige und sich in ihm wiederholende Ursprungsgeschehen selbst. Ursprung und Geschichte erweisen sich somit als jene Begriffe, die sich im Ganzen unserer Untersuchung durchgehalten haben. In der Spannung von Ursprung und seiner Erscheinung in der Geschichte spielt das Problem des Sprechens von Auferstehung und ist es auszutragen. Ausdrücklicher als Jo, der das geschichtliche Zeugnis mehr indirekt über das christologische Zeugnis behandelt, thematisiert Lk diese Spannung von Ursprung und Erscheinung des Ursprungs in der Geschichte. Wie geschieht bei ihm die Vermittlung? Daß der Ursprung in die Geschichte eingeht, hat zur Voraussetzung, daß er spricht, daß er vernommen wird, d.h., daß er selbst „sprachlich" wird. Nur als sprachlicher Ursprung ist er sagbar. Als Ursprung, der sich vernehmen läßt, setzt er sich der Annahme oder Verweigerung aus, faßt er Grund in der „Existenz", die sich ihrerseits in ihm gründet und gestaltet. Indem sich Existenz so dem Ursprung einräumt, gewährt sie ihm Raum in der „Geschichte". Der Ursprung nimmt die Geschichtlichkeit der Existenz in Anspruch, um selbst geschichtlich zu werden. Existenz, Sprache und Geschichte aber kommen zusammen im lk Zeugnisbegriff, so daß Zeugnis Ort des Vermittlungsgeschehens des Ursprungs in die Geschichte wird.

Daß der Ursprung, Existenz begründend, geschichtliche Gestalt annimmt und sagbar wird, liegt am Ursprung selbst. Die geschichtliche Erscheinung des Ursprungs ist also nicht Akzidens des Ursprungsgeschehens, das dem Ursprung äußerlich bliebe, nicht ursprungsentfremdete Gestalt; sie ist aber auch nicht metaphysisch notwendig, so daß der Ursprung nur unter dieser Notwendigkeit erschiene und das Prinzip seines Zur-Erscheinung-Kommens angebbar wäre. In solcher Art die Ursprünglichkeit des Ursprungs reduzierend, beschreiben

Bultmann, Ebeling und Pannenberg die Vermittlung von Ursprung und Geschichte: Nur wenn Gott bedeutsam für die „Existenz" wird, tritt er für Bultmann in die Geschichte ein, die ihrerseits auch auf Existenz bezogen ist; nur wenn Gott in den Horizont der Sprachlichkeit eingeht, kommt er für Ebeling in der menschlichen Kommunikationsgemeinschaft vor, wird er mitteilbar und für die Existenz kommunizierbar; nur wenn sich die Geschichte als der ursprüngliche Raum der Offenbarung Gottes erweist, wird Gott für Pannenberg in unserer Wirklichkeit mächtig. Die Gestalt der Erscheinung Gottes wird jeweils auf solche Weise mit dem Gottesbegriff identifiziert, daß die Gestalt selbst gleichermaßen Bedingung Gottes wird, indem sie sich ihres Ursprungs, d. i. Gottes, bemächtigt, ihn entgründend sich selbst als Grund setzt, so daß das Ursprungsgeschehen bzw. Offenbarungsgeschehen von ihrer Gestalt her definiert wird.

Anders die Vermittlung von Ursprung und Gestalt im Zeugnisgeschehen. Zeugnis ist fundamental Bezüglichkeit. Zeugnis gründet in Bezüglichkeit und ist Ausdruck dieser Bezüglichkeit. Die Bezüglichkeit des Zeugnisses aber ist die verschiedener Ursprünge; das Zeugnis ist mehr-ursprünglich. In ihm bezeugt sich ein Ursprung, indem er einen anderen Ursprung, den Zeugen, bei seiner Ursprünglichkeit ruft, auf daß, so in seine Ursprünglichkeit freigesetzt, der Zeuge aus seinem Eigenen jenen Ursprung gestaltet, ihn darin als eigenen Ursprung annehmend und in seiner Gestalt diesen Ursprung weiterbezeugend. Der Ursprünglichkeit des Ursprungs im Zeugnis antwortet allein die Ursprünglichkeit des Zeugen. Und nur in diesem Zueinander der Ursprünge und ihrem gegenseitigen Sich-Annehmen und Füreinander-Gestalt-Werden ist die Ursprünglichkeit jeden Ursprungs gewahrt. Denn im Zeugnisgeschehen definiert sich Ursprünglichkeit als Ursprung und Gestalt aus ihrem anderen. Das Zeugnisgeschehen ist mehr-ursprünglich, weil das Geschehen ein-ursprünglich ist, die Ursprünglichkeit des einen Ursprungs sich aber nicht anders als in Mehr-ursprünglichkeit zeigt.

Der so phänomenologisch aus dem Zeugnisgeschehen erhobene Befund steigert sich im theologischen Zeugnis, das Jo gibt. Für Jo ist das Zeugnisgeschehen Offenbarungs-„geschehen" Gottes, d. i., Zeugnis ist nicht nur die Rede, in der sich Gott dem Menschen erschließt, sondern zugleich das, was Gott ist und wie er sich gibt. Das jo Zeugnis gründet in dem Sich-einander-Geben Gottes selbst, des Vaters und des Sohnes im Geist, und in dem die Gabe, die Gott ist, an die Menschen weitergebenden Zeugen und Menschen-sohn Jesus. Das Zeugnisgeschehen ist so Konstitutions-geschehen zwischen Gott und Mensch. Gott gibt sich dem Menschen und konstituiert darin zuallererst das „Und" von Gott und Mensch. Im Sich-Geben Gottes bemüht Gott die Gegebenheit geschichtlicher Existenz nicht aus Herablassung oder Konvenienz, sondern nur in diesem

Sich-Geben wird das „Und" wahr, scheint die Bezüglichkeit, die Gott selbst ist, im Menschen und zwischen Gott und Mensch auf und wird die Ursprünglichkeit Gottes, die sich und den anderen Ursprung frei-setzt, zum Menschen hin Wirklichkeit. Das Erscheinen in dem geschichtlichen und als Wort unter den Menschen wohnenden Menschen-sohn Jesus besiegelt das Ursprungsgeschehen Gottes in dieser Welt. Andererseits definiert sich nun die menschliche Gegebenheit und Ursprünglichkeit aus ihrem Transzensus auf Gott hin; denn wenn Gott „ist" und sich als Ursprung bezeugt hat, dann ist die ganze Wirklichkeit der Welt und des Menschen nur noch aus dieser ursprünglichen Bezüglichkeit auf Gott hin zu begreifen. Existenz, Wort und Geschichte sind Signum der aus dem ersten Ursprung freigesetzten Ursprünglichkeit.

Zur Bestimmung dieser Grundverhältnisse von Gott und Mensch, die sich im Sprechen von Auferstehung als dem der Geschichte grundsätzlich entzogenen und dem zugleich in der Geschichte zur Erscheinung kommenden göttlichen Geschehen verschärfen, diente in dieser Arbeit der Zeugnisbegriff. Wir deckten die Struktur von Zeugnis phänomenologisch und theologisch auf. Wir zeigten, daß Zeugnis vor allem Struktur ist, die diese Grundverhältnisse reflektiert und sie untereinander ins rechte Verhältnis setzt. So zielt die Arbeit weniger auf die inhaltlichen Aussagen – die freilich als Konsequenzen mit ihr verbunden sind – als vielmehr darauf, zu einem angemessenen Sprechen dort hinzuführen, wo die Grundverhältnisse von Gott und Mensch ins Spiel kommen. Das gilt in erster Linie für das Sprechen von Offenbarung als dem Gestalt gewordenen Ursprungsgeschehen und für die aus solchem Geschehen sich herleitenden Implikationen der Verhältnisse von Glauben und Verstehen, Theologie und Philosophie, d.h. für die Aufgabe einer Religionsphilosophie schlechthin.

Diese Arbeit will zur Einsicht des Thomas hinführen, der den Auferstandenen sehend als seinen Gott und Herrn erkennt, weil er glaubt: „Selig, die nicht sehen und doch glauben." Diese Einsicht besagt, daß es gilt, in die Zeugnisstruktur des Glaubens einzuspringen, in ihr die Stringenz des Ganzen zu erkennen und als Zeuge selbst das Zeugnis Gottes zu verifizieren.

Literaturverzeichnis

Die Abkürzungen folgen dem LThK I, 7*–48*. In der Arbeit zitieren wir zur Stelle wichtige Untersuchungen mit ausführlicher Titelangabe, schon eingeführte Werke u. a. mit dem Namen des Autors und einem signifikativen Substantiv aus dem Titel als Stichwort zum Auffinden in dem Literaturverzeichnis. Zu den weiteren, üblichen Abkürzungen für Werke Bultmanns, Ebelings und Pannenbergs s. unten im Literaturverzeichnis.

I. Literatur zu Bultmann, Ebeling, Pannenberg

1. R. BULTMANN

a) Bibliographische Hinweise zum Werk Bultmanns

Veröffentlichungen von Rudolf Bultmann, in: ThR 22 (1954) 3–20.
Festschrift Rudolf Bultmann. Zum 65. Geburtstag überreicht, hrsg. von E. Wolf, Stuttgart 1949.
Hasenhüttl, G., Der Glaubensvollzug. Eine Begegnung mit Rudolf Bultmann aus katholischem Glaubensverständnis (Koinonia, 1), Essen 1963, 365–367.
Exegetica. Aufsätze zur Erforschung des Neuen Testamentes, ausgewählt und eingeleitet von E. Dinkler (Hrsg.), Tübingen 1967, 383–507.

b) Werke Bultmanns

Der alte und der neue Mensch in der Theologie des Paulus, Darmstadt 1964.
Beiträge zum Verständnis der Jenseitigkeit Gottes im Neuen Testament, Darmstadt 1965.
Die drei Johannesbriefe (Kritisch-exegetischer Kommentar über das Neue Testament, begründet von H. A. W. Meyer, XIV), Göttingen ⁷1967.
Das Evangelium des Johannes (Kritisch-exegetischer Kommentar über das Neue Testament, begründet von H. A. W. Meyer, VIII a/b), Göttingen ¹⁰1941 (= Johannes).
Exegetica. Aufsätze zur Erforschung des Neuen Testamentes, ausgewählt und eingeleitet von E. Dinkler (Hrsg.), Tübingen 1967 (= Exegetica).
Die Geschichte der synoptischen Tradition (Forschungen zur Religion und Literatur des Alten und Neuen Testamentes, 29), Göttingen ⁷1967 (= Synoptische Tradition).
Geschichte und Eschatologie, Tübingen ²1964 (= Eschatologie).
Die Geschichtlichkeit des Daseins und der Glaube, in: Heidegger und die Theologie. Beginn und Fortschritt der Diskussion, hrsg. von G. Noller (Theologische Bücherei, 38), München 1967, 72ff (= Geschichtlichkeit).
Glauben und Verstehen. Gesammelte Aufsätze von Rudolf Bultmann, Bd. I, Tübingen ⁵1964 (= GV I).
Glauben und Verstehen, Bd. II, Tübingen ³1961 (= GV II).
Glauben und Verstehen, Bd. III, Tübingen ²1962 (= GV III).
Glauben und Verstehen, Bd. IV, Tübingen ²1967 (= GV IV).
Jesus, Tübingen 1926 (= Jesus).

Jesus Christus und die Mythologie. Das Neue Testament im Licht der Bibelkritik (Furche-Stundenbuch, 47), Hamburg 1964 (= Mythologie).
Marburger Predigten, Tübingen ²1968 (= Marburger Predigten).
Offenbarung und Heilsgeschehen, München 1941.
Theologie des Neuen Testamentes, Tübingen ⁶1968 (= Theologie).
Das Urchristentum im Rahmen der antiken Religionen, Zürich 1949 (= Urchristentum).
Das Verhältnis der urchristlichen Christusbotschaft zum historischen Jesus, Heidelberg 1960 (= Verhältnis).
Zum Problem der Entmythologisierung, in: Il Problema della demitizzazione, hrsg. von E. Castelli, Padua 1961, 19–26 (= Entmythologisierung).

c) Einige frühe Aufsätze Bultmanns

Der Stil der paulinischen Predigt und die kynisch-stoische Diatribe (Forschungen zur Religion und Literatur des Alten und Neuen Testamentes, 13), Göttingen 1910.
Das religiöse Moment in der ethischen Unterweisung des Epiktet und das Neue Testament, in: ZNW 13 (1912) 97 ff., 177 ff.
Religion und Kultur, in: Christliche Welt 34 (1920) 417 ff., 435 ff., 450 ff.
Ethische und mystische Religion im Urchristentum, in: Christliche Welt 34 (1920) 725 ff., 738 ff.
Karl Barths ‚Römerbrief‘ in zweiter Auflage, in: Christliche Welt 36 (1922) 320 ff., 330 ff., 358 ff., 369 ff.
Das Problem der Ethik bei Paulus, in: ZNW 23 (1924) 123 ff.
Das Problem einer theologischen Exegese des Neuen Testamentes, in: Zwischen den Zeiten 3 (1925) 334 ff.
Die Bedeutung der neuerschlossenen mandäischen und manichäischen Quellen für das Verständnis des Johannesevangeliums, in: ZNW 24 (1925) 100 ff.
Rez.: H. Windisch, Der Sinn der Bergpredigt. Ein Beitrag zum Problem der richtigen Exegese, in: DLZ 50 (1929) 985 ff.
Rez.: H. D. Wendland, Die Eschatologie des Reiches Gottes bei Jesus, in: DLZ 55 (1934) 2019 ff.

2. G. EBELING

a) Bibliographische Hinweise zum Werk Ebelings

Knauer, P., Verantwortung des Glaubens. Ein Gespräch mit Gerhard Ebeling aus katholischer Sicht (Frankfurter Theologische Studien, 3), Frankfurt 1969, XIII–XVII.

b) Werke Ebelings

Einführung in die theologische Sprachlehre, Tübingen 1971 (= Sprachlehre).
Evangelische Evangelienauslegung. Eine Untersuchung zu Luthers Hermeneutik (Forschungen zur Geschichte und Lehre des Protestantismus, X/1), München 1942 (= Evangelienauslegung).
Frei aus Glauben (Sammlung gemeinverständlicher Vorträge und Schriften aus dem Gebiet der Theologie und Religionsgeschichte, 250), Tübingen 1968.
Die Geschichtlichkeit der Kirche und ihrer Verkündigung als theologisches Problem (Sammlung gemeinverständlicher Vorträge und Schriften aus dem Gebiet der Theologie und Religionsgeschichte, 207/208), Tübingen 1954.
Gott und Wort, Tübingen 1966 (jetzt: WG II, 396 ff.).

Kritischer Rationalismus? Zu Hans Alberts ‚Traktat über kritische Vernunft' (Sonderheft zu ZThK 70 [1973] Heft 3), Tübingen 1973.

Luther. Einführung in sein Denken, Tübingen 1964 (= Luther).

Lutherstudien. Gesammelte Aufsätze, Bd. I. Tübingen 1971.

Theologie und Verkündigung. Ein Gespräch mit R. Bultmann (Hermeneutische Untersuchungen zur Theologie, 1), Tübingen 1962 (= ThV).

Verstehen und Verständigung in der Begegnung der Konfessionen (Bensheimer Hefte, 33), Göttingen 1967.

Was heißt Glauben? (Sammlung gemeinverständlicher Vorträge und Schriften aus dem Gebiet der Theologie und Religionsgeschichte, 216), Tübingen 1958.

Das Wesen des christlichen Glaubens, Tübingen ²1963 (= Wesen).

Wort Gottes und Tradition. Studien zu einer Hermeneutik der Konfessionen (Kirche und Konfession, 7), Göttingen 1964 (= Wort Gottes).

Wort und Glaube, Bd. I, Tübingen 1960 (= WG I).

Wort und Glaube, Bd. II: Beiträge zur Fundamentaltheologie und zur Lehre von Gott, Tübingen 1969 (= WG II).

c) Sonstige Veröffentlichungen (s. o. P. Knauer, a. a. O.)

Der feste Grund des Glaubens und die Erschütterungen unserer Zeit, in: Universitas 11 (1956) 1241 ff.

Das Grund-Geschehen von Kirche, in: MPTh 51 (1962) 1 ff.

Kerygma, in: Theologie für Nichttheologen, hrsg. von H. J. Schultz, Stuttgart 1964, 93 ff.

Was heißt: Ich glaube an Jesus Christus?, in: Was heißt: Ich glaube an Jesus Christus?, Stuttgart 1968, 33 ff.

Der Theologe und sein Amt in der Kirche. Leitsätze, in: ZThK 66 (1969) 245 ff.

Memorandum zur Verständigung von Kirche und Theologie, in: ZThK 66 (1969) 493 ff.

Erwägungen zu einer evangelischen Fundamentaltheologie, in: ZThK 67 (1970) 479 ff.

Leitsätze zur Frage der Wissenschaftlichkeit der Theologie, in: ZThK 68 (1971) 478 ff.

Luther und der Anbruch der Neuzeit, in: ZThK 69 (1972) 185 ff.

Wort Gottes und kirchliche Lehre. Materialdienst des konfessionskundlichen Instituts Bensheim 3 (1962) 21 ff.

Das Verständnis von Heil in säkularisierter Welt, in: Kontexte, Bd. IV, hrsg. von H. J. Schultz, Stuttgart 1967, 5 ff.

Das Problem des Natürlichen bei Luther, in: Kirche, Mystik, Heiligung und das Natürliche bei Luther, hrsg. von I. Asenheim, Göttingen 1967, 169 ff.

Überlegungen zur Theologie in der interdisziplinären Forschung, in: Die Theologie in der interdisziplinären Forschung, hrsg. von J. B. Metz – T. Rendtorff, Düsseldorf 1971, 35 ff.

Ein Briefwechsel (mit Pannenberg), in: ZThK 70 (1973) 462 ff.

Art. „Hermeneutik", in: RGG³ III, 242 ff.

Art. „Theologie", in: RGG³ VI, 754 ff.

Art. „Theologie und Philosophie", in: RGG³ VI, 782 ff.

Art. „Tradition", in: RGG³ VI, 976 ff.

3. W. PANNENBERG

a) Bibliographische Hinweise zum Werk Pannenbergs

Konrad, F., Das Offenbarungsverständnis in der evangelischen Theologie (Beiträge zur ökumenischen Theologie, 6), München 1971, 20–22.

b) Werke Pannenbergs

Dogma und Denkstrukturen. Festschrift für E. Schlink, hrsg. von W. Pannenberg – W. Joest, Göttingen 1963.
Erwägungen zu einer Theologie der Natur, hrsg. von W. Pannenberg – A. M. K. Müller, Gütersloh 1970.
Gottesgedanke und menschliche Freiheit, Göttingen 1972.
Grundfragen systematischer Theologie. Gesammelte Aufsätze, Göttingen 1967 (= Grundfragen).
Grundzüge der Christologie, Gütersloh 1964 (= Christologie).
Offenbarung als Geschichte, hrsg. von W. Pannenberg (Kerygma und Dogma, Beiheft 1), Göttingen ²1963 (= Offenbarung).
Die Prädestinationslehre des Duns Skotus im Zusammenhang der scholastischen Lehrentwicklung (Forschungen zur Kirchen- und Dogmengeschichte, 4), Göttingen 1954.
Theologie und Reich Gottes, Gütersloh 1971.
Thesen zur Theologie der Kirche (Claudius Thesen Heft, 1), München 1970.
Was ist der Mensch? Die Anthropologie der Gegenwart im Lichte der Theologie, Göttingen 1962 (= Mensch).
Wissenschaftstheorie und Theologie, Frankfurt 1973 (= Wissenschaftstheorie).

c) Sonstige Veröffentlichungen (s. o. F. Konrad, a. a. O.)

Dogmatische Erwägungen zur Auferstehung Jesu, in: KuD 14 (1968) 105 ff (= Auferstehung).
Die Offenbarung Gottes in Jesus von Nazareth, in: Neuland in der Theologie. Gespräche zwischen amerikanischen und europäischen Theologen, hrsg. von J. M. Jr. Robinson – J. B. Cobb, Bd. III: Theologie als Geschichte, Zürich 1967, 135 ff (= Jesus).
Stellungnahme zur Diskussion, in: Neuland in der Theologie, a. a. O. 285 ff. (= Stellungnahme).
Nachwort, in: I. Berten, Geschichte, Offenbarung, Glaube, München 1970, 135 ff (= Nachwort).
Geleitwort, in: J. B. Cobb, Die christliche Existenz. Eine vergleichende Studie der Existenzstrukturen in verschiedenen Religionen, München 1970.
Gerhard v. Rad, in: Gerhard v. Rad. Seine Bedeutung für die Theologie. 3 Reden von H. W. Wolff, R. Rendtorff, W. Pannenberg, München 1973.
Weltgeschichte und Heilsgeschichte, in: Probleme biblischer Theologie. Gerhard v. Rad zum 70. Geburtstag, hrsg. von H. W. Wolff, München 1971, 349 ff.
Zur Theologie des Rechts, in: ZEE 7 (1963) 1 ff.
Das Wirken des Heiligen Geistes in der Schöpfung und im Volk Gottes, in: Kirche ohne Konfessionen? Sechs Aspekte ihrer künftigen Gestalt, hrsg. von C. E. Braaten, A. Dulles, W. Pannenberg, München 1971, 16 ff.
Die Kirche und das eschatologische Gottesreich, in: Kirche ohne Konfessionen?, a. a. O. 119 ff.
Apostolizität und Katholizität der Kirche in der Perspektive der Eschatologie, in: ThLZ 94 (1969) 97 ff.

Zur Bedeutung des Analogie-gedankens bei Karl Barth, in: ThLZ 78 (1953) 17ff.

Mythos und Wort. Theologische Überlegungen zu Karl Jaspers' Mythosbegriff, in: ZThK 51 (1954) 167ff.

Christlicher Glaube und menschliche Freiheit, in: KuD 4 (1958) 251ff.

Möglichkeiten und Grenzen der Deutung des Analogieprinzips in der evangelischen Theologie, in: ThLZ 85 (1960) 225ff.

Wie wird Gott offenbar?, in: Radius 1960 (Heft 4), 3ff.

Wirkungen biblischer Gotteserkenntnis auf das abendländische Menschenbild, in: Studium Generale 15 (1962) 586ff.

Akt und Sein|im Mittelalter, in: KuD 7 (1961) 197ff.

Die Gottesidee des hohen Mittelalters, in: Der Gottesgedanke im Abendland, hrsg. von A. Schaefer, Stuttgart 1964, 21ff.

Was ist der Mensch?, in: Disputation zwischen Christen und Marxisten, hrsg. von M. Stöhr, München 1966, 179ff.

Erscheinung als Ankunft des Zukünftigen, in: Studia Philosophica 26 (1966) 192ff.

Die Vernünftigkeit der Vernunft als theologisches Problem, in: Kontexte 4, hrsg. von H. J. Schultz, Stuttgart 1967, 73ff.

Theologische Motive im Denken Immanuel Kants, in: ThLZ 89 (1964) 897ff.

Did Jesus Really Rise from the Dead?, in: Dialog 4 (1965) 128ff.

Die Krise des Ethischen und die Theologie, in: ThLZ 87 (1962) 7ff.

Ein Briefwechsel (mit G. Ebeling), in: ZThK 70 (1973) 448ff.

Jesu Geschichte und unsere Geschichte, in: Radius 1960 (Heft 1), 1ff.

Art. „Analogie", in: RGG³ I, 350ff.

Art. „Christologie" (II), in: RGG³ I, 1762ff.

Art. „Dialektische Theologie", in: RGG³ II, 168ff.

Art. „Glaube" (IV), in: LThK² IV, 925ff.

Art. „Gott" (II), in: RGG³ II, 1717ff.

Art. „Person", in: RGG³ V. 230ff.

4. SEKUNDÄRLITERATUR ZU BULTMANN, EBELING, PANNENBERG

Althaus, P., Offenbarung als Geschichte und Glaube, in: ThLZ 87 (1962) 312ff.

Anz, W., Verkündigung und theologische Reflexion, in: ZThK 58 (1961) (Beiheft 2), 47ff.

Asendorf, U., Gekreuzigt und Auferstanden. Luthers Herausforderung an die moderne Christologie (Arbeiten zur Geschichte und Theologie des Luthertums, 25), Hamburg 1971.

Barth, K., Der Römerbrief, München ²1921 (9. Abdruck der neuen Bearbeitung, Zürich 1954).

Barth, K., Rudolf Bultmann. Ein Versuch, ihn zu verstehen (Theologische Studien, 34), Zürich

Barth, K., Die Auferstehung der Toten, Zürich ⁴1953.   [²1953.

Barth, K., Die kirchliche Dogmatik, Bd. I/1 u. I/2, Zürich 1932ff.

Bartsch, H. W., Der gegenwärtige Stand der Entmythologisierungsdebatte. Ein kritischer Bericht (Ergänzungs-Bd. 1/2 zu KM) (Theologische Forschung, 7), Hamburg 1954.

Berten, I., Geschichte, Offenbarung, Glaube, München 1970.

Betz, H. D., Das Verständnis der Apokalyptik in der Theologie der Pannenberg-Gruppe, in: ZThK 65 (1968) 257ff.

Bornkamm, G., Die Theologie Bultmanns in der neueren Diskussion 1963. Literaturbericht zum Problem der Entmythologisierung und Hermeneutik, in: Geschichte und Glaube. Teil 1. Gesammelte Aufsätze 3 (Beiträge zur Evangelischen Theologie, 48), München 1968, 173ff.

Bouillard, H., Karl Barth, Bd. I: Genèse et évolution de la théologie dialectique (Théologie, 38), Paris 1957.

Braaten, C. E., History and Hermeneutics. New directions in theology today, Bd. II, Philadelphia 1966.

Brandenburg, A., Existentialtheologie – Gewinn und Gefährdung, Essen 1970.

Buri, F., Entmythologisierung oder Entkerygmatisierung der Theologie, in: KM II, 85ff.

Casper, B., Die Bedeutung der philosophischen Hermeneutik für die Theologie, in: ThQ 148 (1968) 283ff.

Castelli, E., Il problema della demitizzazione (deutsch: Entmythologisierung und existentiale Interpretation. Beiträge namhafter Autoren beider Konfessionen anläßlich eines Colloquiums an der Universität in Rom im Januar 1961 i.V.), Padua 1961.

Cullmann, O., Christus und die Zeit, Tübingen ³1962.

Collingwood, R. G., Philosophie der Geschichte, Stuttgart 1955.

Daecke, S. M., Teilhard de Chardin und die evangelische Theologie, Göttingen 1967.

Dibelius, M., Geschichtliche und übergeschichtliche Religion im Christentum, Göttingen 1925.

Duensing, F., Fragen zu Ebelings Glaubens- und Gottesbegriff, in: EvTh 24 (1964) 34ff.

Eichholz, G., Die Grenze der existentialen Interpretation. Fragen zu G. Ebelings Glaubensbegriff, in: EvTh 22 (1962) 565ff.

Eickelschulte, P., Hermeneutik und Theologie bei Rudolf Bultmann. Zu den Möglichkeiten eines Gesprächs mit der katholischen Theologie, in: ThPh 40 (1965) 23ff.

Fischer, H., Christlicher Glaube und Geschichte, Gütersloh 1963.

Frick, R., Theologie und Verkündigung. Zu dem gleichnamigen Buch von G. Ebeling, in: MPTh 52 (1963) 50ff.

Fries, H., Bultmann – Barth und die katholische Theologie, Stuttgart 1955.

Florkowski, J., La théologie de la foi chez Bultmann, Paris 1971.

Fuchs, E., Hermeneutik, Bad Cannstatt ³1963.

Fuchs, E., Theologie oder Ideologie? Bemerkungen zu einem heilsgeschichtlichen Programm, in: ThLZ 88 (1963) 257ff.

Gadamer, H. G., Martin Heidegger und die Marburger Theologie, in: Zeit und Geschichte. Dankesgabe an R. Bultmann, hrsg. von E. Dinkler, Tübingen 1964, 479ff.

Galloway, A. D., Wolfhart Pannenberg (Contemporary religious thinkers series), London 1973.

Geense, A., Auferstehung und Offenbarung. Über den Ort der Frage nach der Auferstehung Jesu Christi in der heutigen deutschen evangelischen Theologie (Forschungen zur systematischen und ökumenischen Theologie, 77), Göttingen 1971.

Georgi, D., u.a., Die Theologie Rudolf Bultmanns, Hamburg 1972.

Greshake, G., Historie wird Geschichte. Bedeutung und Sinn der Unterscheidung von Historie und Geschichte in der Theologie Rudolf Bultmanns (Koinonia, 3), Essen 1963.

Greshake, G., Auferstehung der Toten. Ein Beitrag zur gegenwärtigen theologischen Diskussion über die Zukunft der Geschichte (Koinonia, 10), Essen 1969.

Goebel, H. Th., Wort Gottes als Auftrag. Zur Theologie von Rudolf Bultmann, Gerhard Ebeling und Wolfhart Pannenberg, Neukirchen 1972.

Gunkel, H., Genesis, übersetzt und erklärt (Göttinger Handkommentar zum Alten Testament. 5), Göttingen ³1909.

Häring, H., Kirche und Kerygma. Das Kirchenbild in der Bultmannschule (Ökumenische Forschungen, I,6), Freiburg 1972.

Hasenhüttl, G., Der Glaubensvollzug. Eine Begegnung mit Rudolf Bultmann aus katholischem Glaubensverständnis (Koinonia, 1), Essen 1963.

267

Heijne, R., Sprache des Glaubens. Systematische Darstellung der Theologie von Ernst Fuchs, Tübingen 1972.

Hesse, F., Wolfhart Pannenberg und das Alte Testament, in: NZSTh 7 (1965) 174 ff.

Hollmann, K., Existenz und Glaube. Entwicklung und Ergebnisse der Bultmann-Diskussion in der katholischen Theologie, Paderborn 1972.

Hummel, G., Theologische Anthropologie und die Wirklichkeit der Psyche. Zum Gespräch zwischen Theologie und analytischer Psychologie (Impulse der Forschung, 5), Darmstadt 1972.

Ittel, D. W., Der Einfluß der Philosophie M. Heideggers auf die Theologie R. Bultmanns, in: KuD 2 (1956) 90 ff.

Iwand, H. J., Wider den Mißbrauch ‚pro me‘ als methodisches Prinzip in der Theologie, in: EvTh 14 (1954) 120 ff.

Jaspers, K., R. Bultmann. Die Frage der Entmythologisierung, München 1954.

Jellouschek, C. J., Zum Verhältnis von Glauben und Wissen, in: ZKTh 93 (1971) 309 ff.

Joergensen, P. J., Die Bedeutung des Subjekt-Objekt-Verhältnisses für die Theologie. Der theo-onto-logische Konflikt mit der Existenzphilosophie, Hamburg 1967.

Jüngel, E., Gott als Wort unserer Sprache, in: EvTh 29 (1969) 1 ff.

Kähler, M., Der sogenannte historische Jesus und der geschichtliche, biblische Christus, neu hrsg. von E. Wolf (Theologische Bücherei, 12), München ³1961.

Käsemann, E., Das Problem des historischen Jesus, in: ZThK 51 (1954) 125 ff.

Kegel, G., Auferstehung Jesu – Auferstehung der Toten, Gütersloh 1970.

Kegley, Ch. (Hrsg.), The Theology of Rudolf Bultmann, New York 1966.

Kerygma und Mythos, Bd. I: Ein theologisches Gespräch, hrsg. von H. W. Bartsch, Hamburg 1954 (= KM I).

Kerygma und Mythos, Bd. II: Diskussionen und Stimmen zum Problem der Entmythologisierung, a. a. O., Hamburg 1952 (= KM II).

Kerygma und Mythos, Bd. III: Das Gespräch mit der Philosophie, a. a. O., Hamburg 1954.

Kerygma und Mythos, Bd. IV: Die ökumenische Diskussion, a. a. O., Hamburg 1955.

Kerygma und Mythos, Bd. V: Die Theologie Bultmanns und die Entmythologisierung in der Kritik der katholischen Theologie, a. a. O., Hamburg 1955.

Kerygma und Mythos, Bd. VI/1: Entmythologisierung und existentiale Interpretation, a. a. O., Hamburg 1963.

Kerygma und Mythos, Bd. VI/2: Entmythologisierung und Bild, a. a. O., Hamburg 1964.

Kerygma und Mythos, Bd. VI/3: Hermeneutik – Technik – Ethik, a. a. O., Hamburg 1968.

Kerygma und Mythos, Bd. VI/4: Hermeneutik, Mythos und Glaube, a. a. O., Hamburg 1968.

Klappert, B. (Hrsg.), Diskussion um Kreuz und Auferstehung. Zur gegenwärtigen Auseinandersetzung in Theologie und Gemeinde, Wuppertal 1967.

Klappert, B., Die Auferweckung des Gekreuzigten. Der Ansatz der Christologie Karl Barths im Zusammenhang der Christologie der Gegenwart, Neukirchen 1971.

Klein, G., Offenbarung als Geschichte?, in: MPTh 51 (1962) 77 ff.

Klein, G., Theologie des Wortes Gottes und die Hypothese der Universalgeschichte (Beiträge zur Evangelischen Theologie, 37), München 1964.

Knauer, P., Verantwortung des Glaubens. Ein Gespräch mit Gerhard Ebeling aus katholischer Sicht (Frankfurter Theologische Studien, 3), Frankfurt 1969.

Knauer, P., Que signifie: „Je crois en Jésus-Christ“? La christologie de Gerhard Ebeling, in: RThL 2 (1971) 385 ff.

Knauer, P. - Kern, W., Zur Frage der Glaubwürdigkeit der christlichen Offenbarung. Zur Diskussion zwischen W. Kern SJ, Innsbruck, und P. Knauer SJ, Frankfurt a. M., in: ZKTh 93 (1971) 418 ff.

Koch, G., Die Auferstehung Jesu Christi (Beiträge zur historischen Theologie, 27), Tübingen 1959.

Körner, J., Eschatologie und Geschichte. Eine Untersuchung zum Begriff des Eschatologischen in der Theologie Rudolf Bultmanns (Theologische Forschung, 13), Hamburg 1957.

Kösters, R., Dogma und Bekenntnis bei Gerhard Ebeling. Zur kontroverstheologischen Problematik des Begriffs der kirchlichen Lehre, in: Cath 24 (1970) 51 ff.

Kolping, A., Sola fide. Aus der Diskussion um Bultmanns Forderung nach Entmythologisierung des Evangeliums. Berichte und Kritik, in: KM V, 11 ff.

Kolping, A., Wunder und Auferstehung Jesu Christi (Theologische Brennpunkte, 20), Bergen 1969.

Konrad, F., Das Offenbarungsverständnis in der evangelischen Theologie (Beiträge zur ökumenischen Theologie, 6), München 1971.

Kreck, W., Zum Verständnis des Todes Jesu, in: EvTh 28 (1968) 277 ff.

Kreck, W., Das reformatorische ,pro me' und die existentiale Interpretation heute, in: Studien zur Geschichte und Theologie der Reformation. Festschrift für E. Bizer, hrsg. von L. Abramowski – J. F. G. Goeters, Neukirchen 1969, 283 ff.

Kühn, U., Das Problem der zureichenden dogmatischen Begründung der christlichen Auferstehung, in: KuD 9 (1963) 16 ff.

Künneth, W., Die Theologie der Auferstehung, München ³1938.

Künneth, W., Glauben an Jesus? Die Begegnung der Christologie mit der modernen Existenz, Hamburg ²1963.

Künneth, W., Entscheidung heute – Jesu Auferstehung. Brennpunkt der theologischen Diskussion, Hamburg 1966.

Kuhlmann, G., Zum theologischen Problem der Existenz. Fragen an Rudolf Bultmann, in: ZThK 10 (1929) 28 ff.

Lorenz, R., Die unvollendete Befreiung vom Nominalismus. Martin Luther und die Grenzen hermeneutischer Theologie bei Gerhard Ebeling, Gütersloh 1973.

Lorenzmeier, Th., Exegese und Hermeneutik. Eine vergleichende Darstellung der Theologie Rudolf Bultmanns, Herbert Brauns und Gerhard Ebelings, Hamburg 1968.

Lorenzmeier, Th., Das Gottesverständnis in der Theologie Gerhard Ebelings, in: MPTh 55 (1966) 80 ff.

Löwith, K., Phänomenologische Ontologie und protestantische Theologie, in: ZThK 11 (1930) 365 ff.

Luck, U., Heidegger's Ausarbeitung der Frage nach dem Sein und die existential-analytische Begrifflichkeit in der Evangelischen Theologie, in: ZThK 53 (1956) 230 ff.

Lübbe, H., Bibliografie der Heidegger-Literatur 1917–55, in: Zeitschrift für Philosophische Forschung 11 (1957) 401 ff.

Macquarrie, J., An Existentialist Theology. A Comparison of Heidegger and Bultmann, London 1955.

Malet, A., Mythos et Logos. La pensée de Rudolf Bultmann, Genf 1962.

Malevez, L., Le message chrétien et le mythe. La théologie de Rudolf Bultmann, Brüssel 1954.

Mallinckrodt, H. v., Das Ende der existentialen Hermeneutik, in: KatBl 93 (1968) 297 ff.

Marlé, R., Bultmann und die Interpretation des Neuen Testamentes (Konfessionskundliche und Kontroverstheologische Studien, 1), Paderborn ²1967.

Marlé, R., Das theologische Problem der Hermeneutik, Mainz 1965.

Marlé, R., Foi et parole. La théologie de Gerhard Ebeling, in: RSR 50 (1962) 5 ff.

Marxsens, W. – Wilckens, U. – Delling, G. – Geyer, H. G., Die Bedeutung der Auferstehungsbotschaft für den Glauben an Jesus Christus. Ein Überblick über die Diskussion in der gegenwärtigen Theologie (Schriftenreihe des Theologischen Ausschusses der EKU), Gütersloh 1966.

Mildenberger, F., Theologie für die Zeit. Wider die religiöse Interpretation der Wirklichkeit in der modernen Theologie, Stuttgart 1969.

Mildenberger, F., Bevollmächtigtes Reden von Gott? Die Aporie im Reden von Gott bei Gollwitzer und Ebeling, in: DPBl 64 (1964) 281 ff.

Moltmann, J., Anfänge der dialektischen Theologie, Bd. I u. II (Theologische Bücherei, 17), München 1966/67.

Moltmann, J., Theologie der Hoffnung. Untersuchungen zur Begründung und zu den Konsequenzen einer christlichen Eschatologie (Beiträge zur evangelischen Theologie, 38), München 1966.

Moltmann, J., Anfrage und Kritik. Zu Ebelings „Theologie und Verkündigung", in: EvTh 24 (1964) 25 ff.

Muschalek, G. – Gamper, A., Offenbarung in Geschichte, in: ZKTh 86 (1964) 180 ff.

Neuland in der Theologie. Gespräche zwischen amerikanischen und europäischen Theologen, hrsg. von J. M. Robinson – J. B. Cobb, Bd. I: Der spätere Heidegger und die Theologie, Zürich 1964.

Neuland in der Theologie, a. a. O., Bd. II: Die neue Hermeneutik, Zürich 1965.

Neuland in der Theologie, a. a. O., Bd. III: Theologie als Geschichte, Zürich 1967.

Noller, G. (Hrsg.), Heidegger und die Theologie. Beginn und Fortschritt der Diskussion (Theologische Bücherei, 38), München 1967.

Noller, G., Sein und Existenz. Die Überwindung des Subjekt-Objekt-Schemas in der Philosophie Heideggers und in der Theologie der Entmythologisierung, München 1962.

Ott, H., Geschichte und Heilsgeschichte in der Theologie Rudolf Bultmanns (Beiträge zur historischen Theologie, 19), Tübingen 1955.

Ott, H., Denken und Sein. Der Weg Martin Heideggers und der Weg der Theologie, Zürich 1959.

Otto, R., Das Heilige. Über das Irrationale in der Idee des Göttlichen und sein Verhältnis zum Rationalen, Breslau 1917.

Owen, H. P., Revelation and Existence. A Study in the Theology of Bultmann, Cardiff Univ. 1957.

Post Bultmann Locutum. Diskussion der Professoren Gollwitzer und Braun zu Mainz, hrsg. von H. Symanewski u. a. (Theologische Forschung, 37), Tübingen 1965.

Post Bultmann Locutum, Bd. II: Zur Diskussion mit Herbert Braun, hrsg. von H. W. Bartsch (Theologische Forschung, 37), Hamburg 1966.

Prümm, K., Gnosis an der Wurzel des Christentums? Grundlagenkritik der Entmythologisierung, Salzburg 1972.

Raske, M., Sakrament, Glaube, Liebe. Gerhard Ebelings Sakramentsverständnis eine Herausforderung an die katholische Theologie (Koinonia, 11), Essen 1973.

Robinson, J. M., Kerygma und historischer Jesus, Zürich ²1962.

Sauter, G., Zukunft und Verheißung, Zürich 1965.

Scheid, J. E., Die Heilstat Gottes in Christus. Das Heilsgeschehen Tod und Auferstehung Jesu im Lichte der Entmythologisierung Rudolf Bultmanns (Ergänzungs-Bd. 2 zu KM V) (Theologische Forschung, 23), Hamburg 1962.

Schilson, A. – Kasper, W., Christologie im Präsens. Kritische Sichtung neuer Entwürfe, Freiburg [1974.

Schlier, H., Art. „Bultmann", in: LThK² II, 768 f.

Schmidt, H., Das Verhältnis von neuzeitlichem Wirklichkeitsverständnis und christlichem Glauben in der Theologie Gerhard Ebelings, in: KuD 9 (1963) 71 ff.

Schmithals, W., Die Theologie Rudolf Bultmanns. Eine Einführung, Tübingen 1966.

Schnackenburg, R., Von der Formgeschichte zur Entmythologisierung des Neuen Testamentes, in: MThZ 2 (1951) 345 ff.

Schnübbe, O., Der Existenzbegriff in der Theologie Rudolf Bultmanns. Ein Beitrag zur Interpretation der theologischen Systematik Bultmanns (Forschungen zur systematischen Theologie und Religionsphilosophie, 4), Göttingen 1959.

Schröer, H., Die Denkform der Paradoxalität als theologisches Problem. Eine Untersuchung zu Kierkegaard und der neueren Theologie als Beitrag zur theologischen Logik (Forschungen zur systematischen Theologie und Religionsphilosophie, 5), Göttingen 1960.

Schultz, W., Kant als Philosoph des Protestantismus (Theologische Forschung, 22), Hamburg 1960.

Schweitzer, A., Geschichte der Leben-Jesu-Forschung, Tübingen 1906.

Simonis, W., Vom Wesen des christlichen Glaubens. Zu einem Buch von Gerhard Ebeling, in: Cath 19 (1965) 225 ff.

Steiger, L. H., Offenbarungsgeschichte und theologische Vernunft, in: ZThK 59 (1962) 88 ff.

Steiger, L. H., Sprachschule des christlichen Glaubens. Zur Theologie Gerhard Ebelings, in: KidZ 17 (1962) 105 ff.

Theunis, F., Offenbarung und Glaube bei Rudolf Bultmann (Ergänzungs-Bd. 1 zu KM V) (Theologische Forschung, 19), Hamburg 1960.

Vögtle, A., Rudolf Bultmanns Existenztheologie in katholischer Sicht, in: BZ 1 (1957) 136 ff.

Vögtle, A., Rivelazione e Mito, in: Problemi e Orientamenti di Teologia Dommatica, Mailand 1957, 827 ff.

Vögtle, A., Die Entmythologisierung des NT als Forderung einer zeitgemäßen Theologie und Verkündigung, in: Freiburger Dies Universitatis, Bd. IV, Freiburg 1955/56, 9 ff.

Vögtle, A., Hermeneutische Grundfragen der neutestamentlichen Exegese, in: Freiburger Dies Universitatis, Bd. XIV, Freiburg 1967, 23 ff.

Vonessen, F., Mythos und Wahrheit. Bultmanns „Entmythologisierung" und die Philosophie der Mythologie, Einsiedeln 1964.

Weisschedel, W., Von der Fragwürdigkeit einer philosophischen Theologie, in: EvTh 27 (1967) 113 ff.

Wirsching, J., Ein neues theologisches System? Randbemerkungen zur Theologie W. Pannenbergs, in: DPBl 64 (1964) 601 ff.

Wittram, R., Die Verantwortung des evangelischen Historikers in der Gegenwart, in: Im Lichte der Reformation (Jahrbuch des Evangelischen Bundes, 5), Göttingen 1962, 26 ff.

Zahrnt, H., Die Sache mit Gott. Die protestantische Theologie im 20. Jahrhundert, München 1966.

Zimmerli, W., Gottes Offenbarung. Gesammelte Aufsätze zum Alten Testament (Theologische Bücherei, 19), München 1961.

II. Biblische und theologische Literatur

Asting, R., Die Verkündigung des Wortes im Urchristentum, dargestellt an den Begriffen „Wort Gottes", „Evangelium" und „Zeugnis", Stuttgart 1939.

Baer, H. v., Der Heilige Geist in den Lukasschriften, Stuttgart 1926.

Balthasar, H. U. v., Mysterium Paschale, in: MySal III/2 (1969) 133 ff.

Bammel, E., Herkunft und Funktion der Traditionselemente in 1 Kor 15, 1–11, in: ThZ 11 (1955) 401 ff.

Barth, M., Der Augenzeuge. Eine Untersuchung über die Wahrnehmung des Menschensohnes durch die Apostel, Zürich 1946.

Benoit, P., Die Himmelfahrt, in: Exegese und Theologie, Düsseldorf 1965, 182 ff.

Betz, O., Die Vision des Paulus im Tempel von Jerusalem. Apg 22, 17–21 als Beitrag zur Deutung des Damaskuserlebnisses, in: Verborum Veritas. Festschrift für G. Stählin, hrsg. von O. Böcher – U. Haacker, Wuppertal 1970, 113 ff.

Beutler, J., Martyria. Traditionsgeschichtliche Untersuchungen zum Zeugnisthema bei Johannes (Frankfurter Theologische Studien, 10), Frankfurt 1972.

Bihler, J., Die Stephanusgeschichte im Zusammenhang der Apostelgeschichte (Münchener Theologische Studien, Historische Abteilung, 16), München 1963.

Bihler, J., Der Stephanusbericht (Apg 6,8–15 und 7,54 – 8,2), in: BZ 3 (1959) 252.

Blank, J., Krisis. Untersuchungen zur johanneischen Christologie und Eschatologie, Freiburg 1964.

Blank, J., Paulus und Jesus. Eine theologische Grundlegung (Studien zum Alten und Neuen Testament, 18), München 1968.

Blank, J., Die Verhandlung vor Pilatus Jo 18,28–19,16 im Lichte johanneischer Theologie, in: BZ 3 (1959) 60ff.

Blank, J., Der johanneische Wahrheitsbegriff, in: BZ 7 (1963) 163ff.

Borig, R., Der wahre Weinstock. Untersuchungen zu Jo 15,1–10 (Studien zum Alten und Neuen Testament, 16), München 1967.

Bowmann, G., Das dritte Evangelium. Einübung in die formgeschichtliche Methode, Düsseldorf 1968.

Bowmann, G., Die Erhöhung in der lukanischen Theologie, in: BZ 14 (1970) 257ff.

Braun, H., Gesammelte Studien zum Neuen Testament und seiner Umwelt, Tübingen 1962.

Brox, N., Zeuge und Märtyrer. Untersuchungen zur frühchristlichen Zeugnis-Terminologie (Studien zum Alten und Neuen Testament, 5), München 1961.

Brox, N., Der Glaube als Zeugnis, München 1966.

Brun, L., Die Auferstehung Christi in der urchristlichen Überlieferung, Oslo 1925.

Burchard, Ch., Der dreizehnte Zeuge. Traditions- und kompositionsgeschichtliche Untersuchungen zu Lukas' Darstellung der Frühzeit des Paulus (Forschungen zur Religion und Literatur des Alten und Neuen Testaments, 103), Göttingen 1970.

Burnier, E., La notion de Témoignage dans le Nouveau Testament, Lausanne 1939.

Campenhausen, H. v., Die Idee des Martyriums in der alten Kirche, Göttingen [2]1964.

Cerfaux, L., Témoins du Christ d'après le Livre des Actes, in: Angelicum 20 (1943) 166ff.

Cerfaux, L., Pour l'histoire du titre Apostolos dans le Nouveau Testament, in: RSR 48 (1960) 76ff.

Conzelmann, H., Die Mitte der Zeit. Studien zur Theologie des Lukas (Beiträge zur historischen Theologie, 17), Tübingen [3]1960.

Conzelmann, H., Die Apostelgeschichte (Handbuch zum Neuen Testament, 7), Tübingen 1963.

Conzelmann, H., Zur Analyse der Bekenntnisformel 1 Kor 15,3–5, in: EvTh 25 (1965) 1ff (jetzt in: ders., Theologie als Schriftauslegung. Aufsätze zum Neuen Testament [Beiträge zur evangelischen Theologie, 65], München 1975, 131ff).

Conzelmann, H., „Was von Anfang an war", in: Neutestamentliche Studien für R. Bultmann (Beiheft 21 zur ZNW), Berlin 1954, 184ff (jetzt in: ders., Theologie als Schriftauslegung, a.a.O. 207ff).

Correll, A., Consummatum est. Eschatology and Church in the Gospel of St John, London 1958.

Dauer, A., Die Passionsgeschichte im Johannesevangelium. Eine traditionsgeschichtliche und theologische Untersuchung zu Joh 18,1–19,30 (Studien zum Alten und Neuen Testament, 30), München 1972.

Dauer, A., Das Wort des Gekreuzigten an seine Mutter und den „Jünger, den er liebte", in: BZ 11 (1967) 222ff und BZ 12 (1968) 80ff.

Dibelius, M., Aufsätze zur Apostelgeschichte (Forschungen zur Religion und Literatur des Alten und Neuen Testaments, 60), Göttingen [4]1961.

Dietrich, W., Das Petrusbild der lukanischen Schriften (Beiträge zur Wissenschaft vom Alten und Neuen Testament, 14), Stuttgart 1972.

Dupont, J., Le nom d'Apôtres a-t-il été donné aux Douze par Jésus?, Löwen 1956.

Dupont, L., Études sur les Actes des Apôtres (Lectio Divina, 45), Paris 1967.

Flender, H., Heil und Geschichte in der Theologie des Lukas (Beiträge zur evangelischen Theologie, 41), München 1965.

Gamper, A., Der Verkündigungsauftrag Israels nach Deutero-Jesaja, in: ZKTh 91 (1969) 411 ff.

Geiselmann, J. R., Jesus der Christus. Die Urform des apostolischen Kerygmas als Norm unserer Verkündigung und Theologie von Jesus Christus (Bibelwissenschaftliche Reihe des Katholischen Bibelwerkes, 5), Stuttgart 1951.

Gerken, A., Rez.: K. Hollmann, a. a. O., in: ThR 69 (1973) 389 ff.

Grässer, E., Das Problem der Parusieverzögerung in den synoptischen Evangelien und in der Apostelgeschichte, Berlin 1957.

Grässer, E., Die Apostelgeschichte in der Forschung der Gegenwart, in: ThR 26 (1960) 93 ff.

Graß, H., Ostergeschehen und Osterberichte, Göttingen ²1962.

Graß, H., Zur Begründung des Osterglaubens, in: ThLZ 89 (1964) 405 ff.

Grundmann, W., Der Pfingstbericht der Apostelgeschichte in seinem theologischen Sinn, in: Studia Evangelica II. Papers presented to the Second International Congress on New Testament Studies held at Christ Church, Oxford 1961 (Texte und Untersuchungen zur Geschichte der altchristlichen Literatur, 87), Berlin 1964, 584 ff.

Günther, E., ΜΑΡΤΥΣ. Die Geschichte eines Wortes, Hamburg 1941.

Günther, E., Zeuge und Märtyrer. Ein Bericht, in: ZNW 47 (1956) 145 ff.

Güttgemanns, E., Der leidende Apostel und sein Herr. Studien zur paulinischen Christologie (Forschungen zur Religion und Literatur des Alten und Neuen Testaments, 88), Göttingen 1966.

Haenchen, E., Die Apostelgeschichte (Kritisch-exegetischer Kommentar über das Neue Testament, begründet von H. A. W. Meyer, 3), Göttingen ³1961.

Haenchen, E., Tradition und Komposition in der Apostelgeschichte, in: ZThK 52 (1955) 205 ff.

Hahn, F., Christologische Hoheitstitel. Ihre Geschichte im frühen Christentum, Göttingen ²1964.

Hahn, F., Der Prozeß Jesu nach dem Johannesevangelium, in: EKK 2. Kommentarstudie, Neukirchen 1970, 23 ff.

Hahn, F., Sehen und Glauben im Johannesevangelium, in: Neues Testament und Geschichte. Historisches Geschehen und Deutung im Neuen Testament, Festschrift für O. Cullmann, hrsg. von H. Baltensweiler – B. Reicke, Zürich 1972, 125 ff.

Heer, J., Der Durchbohrte. Johanneische Begründung der Herz-Jesu-Verehrung (Analecta Theologica de cultu SS. Cordis Jesu, 1), Rom 1966.

Hofbeck, S., Semeion. Der Begriff des Zeichens im Johannesevangelium unter Berücksichtigung seiner Vorgeschichte (Münsterschwarzacher Studien, 31), Münsterschwarzach 1966.

Hull, J. H. E., The Holy Spirit in the Acts of the Apostles, London 1967.

Jeremias, J., Der gegenwärtige Stand der Debatte um das Problem des historischen Jesus, in: Der historische Jesus und der kerygmatische Christus. Beiträge zum Christusverständnis in Forschung und Verkündigung, hrsg. von H. Ristow – K. Matthiae, Berlin ³1964.

Kern, W., Der symmetrische Gesamtaufbau von Jo 8,12–58, in: ZKTh 78 (1956) 451 ff.

Kertelge, K., Das Apostelamt des Paulus, sein Ursprung und seine Bedeutung, in: BZ 14 (1970) 161 ff.

Klappert, B., Zur Frage des semitischen oder griechischen Urtextes von 1 Kor 15,3–5, in: NTS 13 (1967) 168 ff.

Klein, G., Die Zwölf Apostel. Ursprung und Gehalt einer Idee, Göttingen 1961.

Klos, H., Die Sakramente im Johannesevangelium. Vorkommen von Taufe, Eucharistie und Buße im vierten Evangelium (Stuttgarter Bibelstudien, 46), Stuttgart 1970.

Knoch, O., Die „Testamente" des Petrus und Paulus in der spätneutestamentlichen Zeit (Stuttgarter Bibelstudien, 62), Stuttgart 1973.

Koch, G., Die Auferstehung Jesu Christi (Beiträge zur historischen Theologie, 27), Tübingen 1965.

Köhler, L. – Baumgartner, W., Hebräisches und Aramäisches Lexicon zum Alten Testament, Leiden ³1967.

Kränkl, E., Jesus, der Knecht Gottes. Die heilsgeschichtliche Stellung Jesu in den Reden der Apostelgeschichte (Biblische Untersuchungen, 8), Regensburg 1972.

Kragerud, A., Der Lieblingsjünger im Johannesevangelium. Ein exegetischer Versuch, Oslo 1959.

Kredel, E. M., Der Apostelbegriff in der neueren Exegese. Historisch-kritische Darstellung, in: ZKTh 78 (1956) 169 ff.

Kremer, J., Das älteste Zeugnis von der Auferstehung Christi. Eine bibeltheologische Studie zur Aussage und Bedeutung von 1 Kor 15, 1–11 (Stuttgarter Bibelstudien, 17), Stuttgart 1966.

Kremer, J., Pfingstbericht und Pfingstgeschehen. Eine exegetische Untersuchung zu Apg 2, 1–13 (Stuttgarter Bibelstudien, 63/64), Stuttgart 1973.

Kretschmar, G., Himmelfahrt und Pfingsten, in: ZKG 66 (1954/55) 209 ff.

Künneth, W., Theologie der Auferstehung, München ³1938.

La Potterie, I. de, La notion de témoignage dans S. Jean, in: Sacra Pagina. Miscellanea biblica Congressus Internationalis Catholici de re biblica, Brüssel – Löwen 1958, Bd. II (Bibliotheca Ephemeridum Theologicarum Lovaniensium, XII/XIII), Gembloux 1959, 193 ff.

La Potterie, I. de, La verità in San Giovanni, in: Rivista Biblica Italiana 11 (1963) 3 ff.

Lehmann, K., Auferweckt am dritten Tag nach der Schrift. Früheste Christologie, Bekenntnisbildung und Schriftauslegung im Lichte von 1 Kor 15, 3–5 (Quaestiones disputatae, 38), Freiburg 1968.

Lehmann, K., Die Erscheinungen des Herrn. Thesen zur hermeneutisch-theologischen Struktur der Ostererzählungen, in: Wort Gottes in der Zeit. Festschrift für K. H. Schelkle, hrsg. von H. Feld – J. Nolte, Düsseldorf 1973.

Lichtenstein, E., Die älteste christliche Glaubensformel, in: ZKG 63 (1950) 1 ff.

Lietzmann, H., Art. „ΜΑΡΤΥΣ", in: A. Pauly, Realencyklopädie der classischen Altertumswissenschaften, neue Bearbeitung begonnen von G. Wissowa, fortgeführt von W. Kroll und K. Mittelhaus, hrsg. von K. Ziegler, Bd. XIV/2, Stuttgart 1930, 2044 ff.

Löning, K., Die Saulustradition in der Apostelgeschichte (Neutestamentliche Abhandlungen, 9), Münster 1973.

Lohfink, G., Die Himmelfahrt Jesu (Studien zum Alten und Neuen Testament, 26), München 1971.

Lohfink, G., Paulus vor Damaskus. Arbeitsweisen der neueren Bibelwissenschaft dargestellt an den Texten Apg 9, 1–19; 22, 3–21; 26, 9–18 (Stuttgarter Bibelstudien, 4), Stuttgart 1965.

Lohse, E., Märtyrer und Gottesknecht. Untersuchungen zur christlichen Verkündigung vom Sühnetod Jesu Christi (Forschungen zur Religion und Literatur des Alten und Neuen Testaments, 46), Göttingen ²1963.

Lohse, E., Lukas als Theologe der Heilsgeschichte, in: EvTh 14 (1954) 256 ff (jetzt in: ders., Die Einheit des Neuen Testaments. Exegetische Studien zur Theologie des Neuen Testaments, Göttingen 1973, 145 ff).

Lohse, E., Ursprung und Prägung des christlichen Apostolates, in: ThZ 9 (1953) 259 ff.

Lohse, E., Die Bedeutung des Pfingstberichtes im Rahmen des lukanischen Geschichtswerkes, in: EvTh 13 (1953) 422 ff (jetzt in: ders., Die Einheit des Neuen Testaments, a. a. O. 187 ff).

Lorenzen, Th., Der Lieblingsjünger im Johannesevangelium. Eine redaktionsgeschichtliche Studie (Stuttgarter Bibelstudien, 55), Stuttgart 1971.

Luck, U., Kerygma, Tradition und Geschichte Jesu bei Lukas, in: ZThK 57 (1960) 51 ff.

Marxsen, W., Die Auferstehung Jesu von Nazareth, Gütersloh 1968.

Masson, C., Le témoignage de Jean, in: RThPhil 38 (1950) 120 ff.

Menoud, Ph.-H., Jésus et ses témoins. Remarques sur l'unité de l'œuvre de Luc, in: Église et Théologie 23 (1960) 7ff.

Menoud, Ph.-H., Remarques sur les textes de l'ascension dans Luc-Actes, in: Neutestamentliche Studien für Rudolf Bultmann (Beiheft 21 zur ZNW), Berlin ²1957, 148ff.

Menoud, Ph.-H., Les additions au groupe des douze apôtres d'après le Livre des Actes, in: RHPhR 37 (1957) 71ff.

Michaelis, W., „ὁράω κτλ." in: ThW V, 315ff.

Michaelis, W., Die Erscheinungen des Auferstandenen, Basel 1944.

Michel, O., Biblisches Bekennen und Bezeugen. ὁμολογεῖν und μαρτυρεῖν im biblischen Sprachgebrauch, in: EvTh 2 (1935) 231ff.

Mildenberger, F., Auferstanden am dritten Tag nach den Schriften, in: EvTh 23 (1963) 265ff.

Molitor, J., Grundbegriffe der Jesusüberlieferung im Lichte ihrer orientalischen Sprachgeschichte (Kommentare und Beiträge zum Alten und Neuen Testament), Düsseldorf 1968.

Morgenthaler, R., Die lukanische Geschichtsschreibung als Zeugnis, 2 Bde., Zürich 1949.

Mußner, F., Die Auferstehung Jesu (Biblische Handbibliothek, 7), München 1969.

Mußner, F., Die johanneische Sehweise und die Frage nach dem Historischen Jesus (Quaestiones disputatae, 28), Freiburg 1965.

Mußner, F., ΖΩΗ. Die Anschauung von „Leben" im vierten Evangelium unter Berücksichtigung der Johannesbriefe. Ein Beitrag zur biblischen Theologie (Münchener Theologische Studien, I/5), München 1952.

Mußner, F., „Schichten" in der paulinischen Theologie, in: ders., Praesentia Salutis. Gesammelte Studien zu Fragen und Themen des Neuen Testamentes, Düsseldorf 1967, 178ff.

Nauck, W., Die Tradition und der Charakter des ersten Johannesbriefes. Zugleich ein Beitrag zur Taufe im Urchristentum und in der alten Kirche (Wissenschaftliche Untersuchungen zum Neuen Testament, 3), Tübingen 1957.

Noack, B., Zur johanneischen Tradition. Beiträge zur Kritik an der literarkritischen Analyse des vierten Evangeliums, Kopenhagen 1954.

Pax, E., ΕΠΙΦΑΝΕΙΑ. Ein religionsgeschichtlicher Beitrag zur biblischen Theologie (Münchener Theologische Studien, I/10), München 1965.

Pesch, R., Die Vision des Stephanus. Apg 7,55–56 im Rahmen der Apostelgeschichte (Stuttgarter Bibelstudien, 12), Stuttgart 1966.

Pesch, R., Der Anfang der Apostelgeschichte: Apg 1, 1–11, in: EKK 3. Kommentarstudie, Neukirchen 1971, 7ff.

Pesch, R., Zur Entstehung des Glaubens an die Auferstehung, in: ThQ 153 (1973) 201ff.

Peterson, E., Zeuge der Wahrheit, Leipzig 1937.

Plümacher, E., Lukas als hellenistischer Schriftsteller. Studien zur Apostelgeschichte (Studien zur Umwelt des Neuen Testaments, 9), Göttingen 1972.

Rahner, K., Dogmatische Fragen zur Osterfrömmigkeit, in: Schriften zur Theologie, Bd. IV, Einsiedeln 1960, 157ff.

Rengstorf, K. H., Die Auferstehung Jesu. Form, Art und Sinn der urchristlichen Osterbotschaft, Witten ⁵1967.

Rengstorf, K. H., Die Zuwahl des Matthias (Apg 1,15ff), in: StTh 15 (1961) 35ff.

Rese, M., Alttestamentliche Motive in der Christologie des Lukas (Studien zum NT, 1), Gütersloh

Rese, M., Zur Lukas-Diskussion seit 1950, in: WuD 9 (1967) 62ff.   [1969.

Ricca, P., Die Eschatologie des vierten Evangeliums, Zürich 1966.

Rigaux, B., Die „Zwölf" in Geschichte und Kerygma, in: Der historische Jesus und der kerygmatische Christus. Beiträge zum Christusverständnis in Forschung und Verkündigung, hrsg. von H. Ristow – K. Matthiae, Berlin ³1964, 468ff.

Rigaux, B., Die zwölf Apostel, in: Concilium 4 (1968) 238 ff.

Robinson, W. C. Jr., Der Weg des Herrn. Studien zur Geschichte und Eschatologie im Lukas-Evangelium (Theologische Forschung, 36), Hamburg 1964.

Roloff, J., Apostolat – Verkündigung – Kirche. Ursprung, Inhalt und Funktion des kirchlichen Apostelamtes nach Paulus, Lukas und den Pastoralbriefen, Gütersloh 1965.

Roloff, J., Der johanneische „Lieblingsjünger" und der Lehrer der Gerechtigkeit, in: NTS 15 (1967/68) 129 ff.

Ruckstuhl, E., Die literarische Einheit des Johannesevangeliums (Studia Friburgensia N.S., 3), Fribourg 1951.

Ruckstuhl, E. – Pfammater, J., Die Auferstehung Jesu Christi. Heilsgeschichte Tatsache und Begründung des Glaubens, Luzern 1968.

Sand, A., „Falsche Zeugen" und „falsches Zeugnis" im Neuen Testament, in: Christuszeugnis der Kirche. Theologische Studien. Festschrift für F. Hengsbach, hrsg. von P.-W. Scheele – G. Schneider, Essen 1970, 67 ff.

Schille, G., Die Himmelfahrt, in: ZNW 57 (1966) 183 ff.

Schlier, H., Über die Auferstehung Jesu Christi (Kriterien, 10), Einsiedeln ³1970.

Schlier, H., Jesu Himmelfahrt nach den lukanischen Schriften, in: ders., Besinnung auf das Neue Testament, Freiburg 1964, 227 ff.

Schlier, H., Meditation über den Johanneischen Begriff der Wahrheit, in: ders., Besinnung, a. a. O., 272 ff.

Schmithals, W., Das kirchliche Apostelamt. Eine historische Untersuchung, Göttingen 1961.

Schmitt, J., Jésus ressuscité dans la prédication apostolique, Paris 1949.

Schnackenburg, R., Das Johannesevangelium, Bd. I (Herders theologischer Kommentar zum Neuen Testament, IV/1), Freiburg ²1967.

Schnackenburg, R., Das Johannesevangelium, Bd. II a. a. O., Freiburg 1971.

Schnackenburg, R., Die Johannesbriefe (Herders theologischer Kommentar zum Neuen Testament, XIII/3), Freiburg ³1965.

Schnackenburg, R., Zur Herkunft des Johannesevangeliums, in: BZ 14 (1970) 1 ff.

Schnackenburg, R., Die „situationsgelösten" Redestücke in Jo 3, in: ZNW 49 (1958) 88 ff.

Schnackenburg, R., Das vierte Evangelium und die Johannesjünger, in: Historisches Jahrbuch 77 (1958) 21 ff.

Schnackenburg, R., Der Jünger, den Jesus liebte, in: EKK 2. Kommentarstudie, Neukirchen 1970, 97 ff.

Schnackenburg, R., Zum Begriff der „Wahrheit" in den beiden kleinen Johannesbriefen, in: BZ 11 (1962) 253 ff.

Schnackenburg, R., Die Sakramente im Johannesevangelium, in: Sacra Pagina. Miscellanea biblica Congressus Internationalis Catholici de re biblica, Brüssel-Löwen Bd. II (Bibliotheca Ephemeridum Theologicarum Lovaniensium, XIII), Gembloux 1959, 235 ff.

Schnackenburg, R., Apostel vor und neben Paulus, in: ders., Schriften zum Neuen Testament. Exegese in Fortschritt und Wandel, München 1961, 338 ff.

Schnackenburg, R., Neutestamentliche Theologie. Der Stand der Forschung (Biblische Handbibliothek, 1), München 1963.

Schneider, G., Die Zwölf Apostel als „Zeugen". Wesen, Ursprung und Funktion einer lukanischen Konzeption, in: Christuszeugnis der Kirche. Theologische Studien. Festschrift für F. Hengsbach, hrsg. von P.-W. Scheele – G. Schneider, Essen 1970, 39 ff.

Schneider, G., Verleugnung, Verspottung und Verhör Jesu nach Lukas 22,54–71. Studien zur lukanischen Darstellung der Passion, München 1969.

Schubert, B., The Structure and Significance of Luke 24, in: Neutestamentliche Studien für Rudolf Bultmann (Beiheft 21 zur ZNW), Berlin ²1957, 165 ff.

Schütz, F., Der leidende Christus. Die angefochtene Gemeinde und das Christuskerygma der lukanischen Schriften (Beiträge zur Wissenschaft des Alten und Neuen Testaments, V/9), Stuttgart 1969.

Schulz, S., Komposition und Herkunft der Johanneischen Reden (Beiträge zur Wissenschaft des Alten und Neuen Testaments, V/1), Stuttgart 1960.

Schulz, S., Untersuchungen zur Menschensohn-Christologie im Johannesevangelium. Zugleich ein Beitrag zur Methodengeschichte der Auslegung des 4. Evangeliums, Göttingen 1957.

Schweizer, R., Ego eimi. Die religionsgeschichtliche Herkunft und die theologische Bedeutung der johanneischen Bildreden. Zugleich ein Beitrag zur Quellenfrage des vierten Evangeliums (Forschungen zur Literatur und Religion des Alten und Neuen Testaments, 38), Göttingen 1969.

Schweizer, E., Jesus, der Zeuge Gottes. Zum Problem des Doketismus im Johannesevangelium, in: Studies in John. Festschrift für J. N. Sevenster (Supplements to NT, XXIV), Leiden 1970, 161 ff.

Schweizer, E., Zu Apg 1,16–22, in: ThZ 14 (1958) 46 ff.

Seidensticker, Ph., Das Antiochenische Glaubensbekenntnis, in: ThGl 57 (1967) 286 ff.

Spörlein, B., Die Leugnung der Auferstehung. Eine historisch-kritische Untersuchung zu 1 Kor 15 (Biblische Untersuchungen, 7), Regensburg 1971.

Stolle, V., Der Zeuge als Angeklagter. Untersuchungen zum Paulus-Bild des Lukas (Beiträge zur Wissenschaft vom Alten und Neuen Testament, VI/2), Stuttgart 1973.

Strathmann, H., Art. „μάρτυς κτλ.", in: ThW IV, 477 ff.

Thüsing, W., Die Erhöhung und Verherrlichung Jesu im Johannesevangelium (Neutestamentliche Abhandlungen, 21/1), Münster 1960.

Traub, H., Botschaft und Geschichte. Ein Beitrag zur Frage des Zeugen und der Zeugen, Zürich 1954.

Trilling, G., Fragen zur Geschichtlichkeit Jesu, Düsseldorf 1966.

Trocmé, E., Le „Livre des Actes" et l'histoire, Paris 1957.

Vanhoye, A., Témoignage et Vie en Dieu selon le 4ᵉ Évangile, in: Christ 2 (1955) 150 ff.

Van Iersel, B. M. F., Tradition and Redaction in Joh 1,19–36, in: NT 5 (1962) 245 ff.

Van Stempvoort, P. A., The Interpretation of the Ascension in Luke and Acts, in: NTS 5 (1958/59) 30 ff.

Vögtle, A., Wie kam es zur Artikulierung des Osterglaubens?, in: BuL 14 (1973) 231 ff u. BuL 15 (1974) 16 ff, 102 ff, 174 ff.

Vögtle, A., Wie kam es zum Osterglauben?, Düsseldorf 1975.

Vögtle, A., Ekklesiologische Auftragsworte des Auferstandenen, in: Sacra Pagina. Miscellanea biblica Congressus Internationalis Catholici de re biblica, Brüssel–Löwen 1958, Bd. II (Bibliotheca Ephemeridum Theologicarum Lovaniensium, XIII), Gembloux 1959, 280 ff. (jetzt in: ders., Das Evangelium und die Evangelien. Beiträge zur Evangelienforschung, Düsseldorf 1971, 243 ff).

Voss, G., Die Christologie der lukanischen Schriften in Grundzügen (Studia Neotestamentica, 2), Paris 1965.

Wegenast, K., Das Verständnis der Tradition bei Paulus und in den Deuteropaulinen (Wissenschaftliche Monographien zum Alten und Neuen Testament, 8), Neukirchen 1962.

Wikenhauser, A., Doppelträume, in: Bibl 29 (1948) 100 ff.

Wikenhauser, A., Die Wirkung der Christophanie vor Damaskus auf Paulus und seine Begleiter nach den Berichten der Apostelgeschichte, in: Bibl 33 (1952) 313 ff.

Wilckens, U., Die Missionsreden der Apostelgeschichte (Wissenschaftliche Monographien zum Alten und Neuen Testament, 15), Neukirchen ²1963.

277

Wilckens, U., Der Ursprung der Überlieferung der Erscheinungen des Auferstandenen, in: Dogma und Denkstrukturen, hrsg. von W. Joest – W. Pannenberg, Göttingen 1963, 56 ff.

Wilkens, W., Die Entstehungsgeschichte des vierten Evangeliums, Zollikon 1958.

Wilkens, W., Zeichen und Werke. Ein Beitrag zur Theologie des 4. Evangeliums in Erzählungs- und Redestoff (Abhandlungen zur Theologie des Alten und Neuen Testaments, 55), Zürich 1964.

Wilson, S. G., The Ascension. A Critique and an Interpretation, in: ZNW 59 (1968) 269 ff.

Zimmermann, H., Das absolute ’Εγώ εἰμι als die neutestamentliche Offenbarungsformel, in: BZ 4 (1960) 54 ff. u. 266 ff.

III. Literatur zur Philosophie, Sprachphilosophie und Religionsphänomenologie

Apel, K.-O., Transformationen der Philosophie, Bd. 1: Sprachanalytik, Semiotik, Hermeneutik, Bd. II. Das Apriori der Kommunikationsgemeinschaft, Frankfurt 1973.

Austin, J. L., How to do Things with Words, in: The William James Lectures delivered in Harvard University in 1955, hrsg. von J. O. Urmson, Oxford 1962 (deutsche Bearbeitung und Übersetzung von E. v. Savigny – J. L. Austin, Zur Theorie der Sprechakte. How to do Things with Words. Reclams Universal-Bibliothek 9396–98, Stuttgart 1972).

Austin, J. L., Performatif – Constatif, in: La philosophie analytique (Cahiers de Royaumont, Philosophie N° IV), Paris 1962.

Bartholomäus, W., Evangelium als Information. Elemente einer theologischen Kommunikationstheorie am Beispiel der Osterbotschaft, Zürich 1972.

Baumgartner, H. M., Kontinuität und Geschichte. Zur Kritik und Metakritik der historischen Vernunft, Frankfurt 1972.

Bejerholm, L. – Hornig, G., Wort und Handlung. Untersuchungen zur analytischen Religionsphilosophie, Gütersloh 1966.

Bocheński, J. M., Logik der Religion, Köln 1968.

Bocheński, J. M., Die zeitgenössischen Denkmethoden, München ⁵1971.

Buren van, P. M., Reden von Gott in der Sprache der Welt, Zürich 1965.

Casper, B. – Hemmerle, K. – Hünermann, P., Besinnung auf das Heilige, Freiburg 1966.

Etges, P. J., Kritik der analytischen Theologie. Die Sprache als Problem der Theologie und einige Neuinterpretationen der religiösen Sprache, Hamburg 1973.

Evans, D. M., The Logic of Self-Involvement. A Philosophical Study of Everyday Language with Special Reference to the Christian Use of Language about God as Creator, London 1963.

Gadamer, H.-G., Wahrheit und Methode. Grundzüge einer philosophischen Hermeneutik, Tübingen ³1972.

Gethmann-Siefert, A., Das Verhältnis von Philosophie und Theologie im Denken Martin Heideggers (Symposion, 47), Freiburg 1974.

Grabner-Haider, A., Semiotik und Theologie. Religiöse Rede zwischen analytischer und hermeneutischer Philosophie, München 1973.

Habermas, J., Zur Logik der Sozialwissenschaften. Materialien (edition suhrkamp, 481), Frankfurt ²1971.

Hare, R. M., Theology and Falsification, in: New Essay in Philosophical Theology, hrsg. von A. Flew – MacIntyre, New York 1955.

Heidegger, M., Sein und Zeit, Tübingen 1927.

Heidegger, M., Platons Lehre von der Wahrheit. Mit einem Brief über den „Humanismus" (Überlieferung und Auftrag, Reihe Probleme und Hinweise, 5), Bern 1947.

Heidegger, M., Holzwege, Frankfurt ²1950.

Heidegger, M., Vom Wesen der Wahrheit, Frankfurt 1949.

Heidegger, M., Erläuterungen zu Hölderlins Dichtung, Frankfurt ²1951.

Heidegger, M., Was ist das – die Philosophie?, Pfullingen 1956.

Heidegger, M., Unterwegs zur Sprache, Pfullingen 1959.

Hemmerle, K., Wahrheit und Zeugnis, in: Casper, B. – Hemmerle, K. – Hünermann, P., Theologie als Wissenschaft (Quaestiones disputatae, 45) Freiburg 1970, 54 ff.

Hünermann, P., Der Durchbruch des geschichtlichen Denkens im 19. Jahrhundert. Johann Gustav Droysen, Graf Paul Yorck von Wartenburg. Ihr Weg und ihre Weisung für die Theologie, Freiburg 1967.

Kasper, W., Offenbarung Gottes in der Geschichte, in: Handbuch der Verkündigung, Bd. I, hrsg. von B. Dreher u. a., Freiburg 1970.

Kosselleck, R. – Stempel, W. D., Geschichte – Ereignis und Erzählung (Poetik und Hermeneutik. Arbeitsergebnisse einer Forschungsgruppe, V), München 1973.

Ladrière, J., Rede der Wissenschaft – Wort des Glaubens, München 1972.

Lehmann, K., Christliche Geschichtserfahrung und ontologische Frage beim jungen Heidegger, in: PhJ 74 (1966/67), 126 ff.

Le Témoignage. Actes du Colloque organisé par le Centre International d'Études Humanistes et par L'Institut d'études Philosophiques de Rome, Rom 5.–11. 1. 1972, hrsg. von E. Castelli, Paris 1972.

Martin, J. M., Philosophische Sprachprüfung der Theologie. Eine Einführung in den Dialog zwischen der analytischen Philosophie und der Theologie. Einleitung und Bearbeitung der deutschen Ausgabe von G. Sauter und H. G. Ulrich (Theologische Bücherei, 54), München 1974.

Pater de, W. A., Theologische Sprachlogik, München 1971.

Pöggeler, O., Der Denkweg Martin Heideggers, Pfullingen 1963.

Ramsey, I. T., Religious Language, An Empirical Placing of Theological Phrases, London 1957.

Ramsey, I. T., Models and Mystery, London 1964.

Rombach, H., Strukturontologie. Eine Phänomenologie der Freiheit, Freiburg 1971.

Rombach, H., Die Gegenwart der Philosophie. Eine geschichtsphilosophische und philosophiegeschichtliche Studie über den Stand des philosophischen Fragens (Symposion, 11), Freiburg 1962.

Rombach, H., Die Religionsphilosophie. Ansatz und Wirkung von M. Scheler bis H. Kessler, in: ThPh 48 (1973) 477 ff.

Savigny, E. v., Analytische Philosophie, Freiburg 1970.

Savigny, E. v., Philosophie und normale Sprache. Texte der Ordinary Language Philosophy, Freiburg 1969.

Savigny, E. v., Die Philosophie der normalen Sprache. Eine kritische Einführung in die „Ordinary Language Philosophy", Freiburg 1969 (= Philosophie).

Schaeffler, R., Religion und kritisches Bewußtsein, Freiburg 1973.

Schaeffler, R., Die Wahrheit des Zeugnisses. Philosophische Erwägungen zur Funktion der Theologie, in: Christuszeugnis der Kirche. Theologische Studien. Festschrift für F. Hengsbach, hrsg. von P. W. Scheele – G. Schneider, Essen 1970.

Schlick, M., Meaning and Verification, in: The Philosophical Review 45 (1963).

Searle, J. R., Speech Acts. An Essay in the Philosophy of Language, Cambridge 1969 (deutsch: ders., Sprechakte. Ein sprachphilosophischer Essay [Suhrkamp – Theorie], Frankfurt 1971).

Stegmüller, W., Hauptströmungen der Gegenwartsphilosophie. Eine kritische Einführung (Kröners Taschenausgabe, 308), Stuttgart ⁴1971.

Weinrich, H., Tempus. Besprochene und erzählte Welt (Sprache und Literatur, 26), Stuttgart ²1971.

Welte, B., Auf der Spur des Ewigen, Freiburg 1965.

Wittgenstein, L., Tractatus logico-philosophicus, Frankfurt 1960.

Wittgenstein, L., Philosophische Untersuchungen. Deutsch-englische Originalausgabe, Oxford 1953.

24